Du

nouveau
dans la
mijoteuse

Du
nouveau
dans la
mijoteuse

Beth Hensperger
et Julie Kaufmann

Traduit de l'anglais
par Martin Kurt

Pour Agra : Merci de partager la compréhension de l'univers qui coule
en toi, cher ami et noble cœur.
– BH

○ ○ ○

Pour Ben, qui m'encourage dans tout ce que j'entreprends.
– JK

Copyright © 2005 Beth Hensperger et Julie Kaufmann
Titre original anglais : Not Your Mother's Slow Cooker Cookbook
Copyright © 2007 Éditions AdA Inc. pour la traduction française
Cette publication est publiée en accord avec The Harvard Common Press, Boston, Massachusetts
Tous droits réservés. Aucune partie de ce livre ne peut être reproduite sous quelque forme que ce soit sans la permission
écrite de l'éditeur, sauf dans le cas d'une critique littéraire.

Photographies de couverture – couverture : Porc thaï à la sauce aux arachides, page 378 ; tranche : Légumes-racines rôtis,
page 142 ; quatrième de couverture : Poulet à l'orange et à la sauce hoisin, page 282, et Gâteau éponge au fudge chaud,
page 445.

Éditeur : François Doucet
Traduction : Martin Kurt
Révision linguistique : Nicole Demers et André St-Hilaire
Correction d'épreuves : Suzanne Turcotte, Isabelle Veillette
Montage de la couverture : Matthieu Fortin
Mise en page : Sylvie Valois
Conception graphique du livre et de la couverture par RLF Design
Photographies de couverture par Eskite Photography
Stylisme culinaire par Andrea Lucich
Stylisme complémentaire par Carol Hacker
ISBN 978-2-89565-448-3
Première impression : 2008
Dépôt légal : 2008
Bibliothèque et Archives nationales du Québec
Bibliothèque Nationale du Canada

Éditions AdA Inc.
1385, boul. Lionel-Boulet
Varennes, Québec, Canada, J3X 1P7
Téléphone : 450-929-0296
Télécopieur : 450-929-0220
www.ada-inc.com
info@ada-inc.com

Diffusion
Canada : Éditions AdA Inc.
France : D.G. Diffusion
Z.I. des Bogues
31750 Escalquens – France
Téléphone : 05.61.00.09.99
Suisse : Transat – 23.42.77.40
Belgique : D.G. Diffusion – 05.61.00.09.99

Imprimé au Canada   ꓢoᴅᴇᴄ

Participation de la SODEC.
Nous reconnaissons l'aide financière du gouvernement du Canada par l'entremise du Programme d'aide au développement
de l'industrie de l'édition (PADIÉ) pour nos activités d'édition.
Gouvernement du Québec - Programme de crédit d'impôt pour l'édition de livres - Gestion SODEC.

Catalogage avant publication de Bibliothèque et Archives Canada

Hensperger, Beth
        Du nouveau dans la mijoteuse
        Traduction de: Not your mother's slow cooker cookbook.
        Comprend un index.
        ISBN 978-2-89565-448-3
        Cuisine lente à l'électricité. I. Kaufmann, Julie. II. Titre.
TX827.H4614 2007   641.5'884   C2007-941084-7

Table des matières

Introduction

Nous avons entrepris d'écrire ce livre parce que nous aimons cuisiner. Nous sommes toutes deux des adeptes de la cuisine facile : nous adaptons nos recettes favorites afin de les rendre simples et commodes à réaliser. Puisque l'écriture et la critique gastronomiques sont notre profession, nous passons beaucoup de temps dans la cuisine, mais la difficulté que nous rencontrons à préparer, en un court laps de temps, tous les jours des repas sains et savoureux est la même que celle rencontrée par tout travailleur

ou parent affairé. Nous adorons la cuisine traditionnelle américaine et les cuisines ethniques, mais nous préconisons une approche plutôt souple et accommodante. Nous aimons jouer avec les saveurs et les assaisonnements qui nous enchantent. Nous improvisons, remplaçons au besoin certains ingrédients, et apprécions le temps que nous passons à cuisiner plutôt que de le considérer comme une corvée. Nous ne réservons pas nos meilleures recettes pour la visite ; nous les préparons et les dégustons quand nous en avons envie. À notre grande surprise, la mijoteuse s'adapte à merveille à notre vie culinaire.

Comme le laisse deviner le nom de l'appareil, la cuisson à la mijoteuse demande un peu plus de temps que les modes de cuisson conventionnels sur la cuisinière ou au four. Cependant, nous avons découvert qu'elle permet de gagner du temps de bien d'autres manières : étant donné que la préparation sans cérémonie des aliments fonctionne bien, nous pouvons être créatives dans le choix des ingrédients, et la cuisson à la mijoteuse ne demande pratiquement plus aucune manipulation une fois que l'appareil est rempli et branché. L'adoption de cette méthode de cuisson a constitué un retour à la cuisine traditionnelle authentique et s'est avérée des plus pratiques dans nos vies trépidantes.

Nous avons rassemblé des recettes — nostalgiques ou nouvelles, exotiques ou réconfortantes — pendant deux années de mise à l'essai en ne visant qu'un seul but : qu'elles soient bonnes! Nous avons découvert que la mijoteuse convenait à notre style de vie car elle permet de gagner du temps, s'avère économique, n'est pas énergivore et se montre tout à fait fiable. Nous avons cuisiné avec des ingrédients frais et pouvions préparer les mêmes plats aussi facilement pour une réception que pour un souper familial. Il était également simple de préparer suffisamment de nourriture pour avoir des restes et des portions à congeler.

Nous avons appris à apprécier les repas que nous préparons à la mijoteuse et la capacité de l'appareil à simplifier notre vie. Nous avons découvert qu'une nourriture merveilleuse n'a pas besoin d'être compliquée à préparer. Le but de ce livre de cuisine n'est pas seulement de vous procurer de nombreuses idées de recettes et de façons d'utiliser votre mijoteuse, mais aussi d'améliorer les moments que vous passez dans votre cuisine à préparer des plats maison, un plaisir que vous avez peut-être oublié ou que vous ne connaissez pas. Puisque la plupart des recettes constituent des plats uniques, il ne vous manque qu'un bout de pain ou une salade et le dîner sera servi! Passez du bon temps avec votre mijoteuse!

Remerciements

Merci en particulier à Pam Hoenig, notre éditrice rigoureuse et méticuleuse, qui a guidé ce projet de livre avec cœur, intelligence et bonne humeur. Son soutien a fait de la rédaction du présent ouvrage une expérience fort agréable. Merci aussi à Deborah Kops, notre secrétaire de rédaction polyvalente, de même qu'à Valerie Cimino et à toute l'équipe de *The Harvard Common Press.*

Nous souhaitons également remercier tous nos amis et autres auteurs de livres de cuisine qui ont été assez généreux pour partager avec nous leurs recettes pour la mijoteuse et leur approche de l'art culinaire — nous les remercions individuellement dans les recettes.

Merci à nos amies Nancyjo Rieske, Batia Rabec et Vivien « Bunny » Dimmel pour leur diligence à tester les plats, à les goûter et à nous donner leur avis. Nous avons grandement apprécié leur aide.

C'est un hasard heureux que nous ayons eu le même agent littéraire, Martha Casselman, pour tous nos livres sauf un. Vivant maintenant une retraite heureuse, elle nous laisse le souvenir de ses trois amours : celui de l'écriture, qu'elle a hérité de son père, le vieil homme de la presse écrite ; celui, fort généreux, de la communauté, passant de la banque alimentaire aux levées de fonds ; et, bien sûr, celui de la bonne nourriture.

Cuisiner au ralenti

Dans le monde contemporain, les Américains sont connus pour leur amour des technologies nouvelles dans les domaines mécanique et électronique. Toute pièce d'équipement ou tout outil permettant d'accomplir le travail plus efficacement et rapidement est aussitôt vanté et adopté. Dès lors, qui aurait pu prévoir le succès d'un appareil culinaire qui fait le travail plus lentement ? En 1971, la compagnie Rival, connue pour la fabrication d'appareils de cuisine électriques et pour l'invention de l'ouvre-boîte

électrique (1955), a introduit sur le marché un appareil de comptoir révolutionnaire. Conçu à l'origine pour cuire les haricots, ce dernier devait se nommer « Beanery », mais fut bientôt surnommé Crock-Pot… et il a connu un succès monstre presque instantanément.

La publicité originale le décrivait comme une bénédiction pour les femmes actives et affairées qui souhaitent toujours servir des plats maison à leur famille. Les charmes de l'appareil franchirent bientôt les limites des genres et des générations. Le pot lui-même, avec plus de 80 millions d'unités vendues à ce jour et 350 modèles, est en quelque sorte un phénomène. Pour

certains, la mijoteuse s'est démodée avec le temps, ses couleurs vert avocat et blé doré ne correspondant plus aux standards de notre époque. Or, les inconditionnels de la mijoteuse ont continué à faire cuire leurs mets en douceur, assemblant des ingrédients savoureux en un plat unique dans leur fidèle appareil et dégustant le délicieux résultat des heures plus tard.

La mijoteuse, un genre de cuve épaisse basse sur pattes, est en réalité l'incarnation moderne d'une méthode de préparation des aliments vieille de plusieurs siècles : la cuisson à couvert dans un pot en terre cuite. Les mijoteuses actuelles sont proposées par une harde de fabricants qui couvrent un marché mondial s'étendant de l'Extrême-Orient jusqu'au Mexique et à l'Europe. Les mijoteuses présentent toutefois des caractéristiques communes. Elles possèdent un plat interne en grès épais (cocotte), logé dans une coque métallique. Des éléments chauffants, situés à l'intérieur de cette coque, conduisent la chaleur tout autour du pot de grès.

La mijoteuse, qui incorpore des éléments des méthodes de cuisson sur la cuisinière et au four, fonctionne en faisant frémir constamment la nourriture à la température la plus faible possible, et ce, pendant une très longue période. Une fois que vous maîtrisez les principes de base de l'appareil, vous pouvez préparer et cuire un plat qui ne demande plus aucune surveillance. En réalité, vous pouvez quitter la maison ou aller vous coucher sans tracas. De nos jours, les pots de grès complètement vernissés sont si polyvalents et attrayants que, dans la plupart des cas, vous pouvez y mettre les ingrédients et les réfrigérer (si le pot est amovible) pour la nuit. Au matin, il ne vous restera qu'à placer le pot amovible dans la coque métallique contenant les éléments chauffants, à brancher la mijoteuse et à laisser cuire pendant des heures. De plus, vous pouvez servir vos plats directement du pot de grès, comme s'il s'agissait d'une grosse cocotte ou d'une soupière passant du four à la table. La mijoteuse vous permet de retourner à la cuisine traditionnelle qui est simple et économique, tout en étant somptueuse et nourrissante.

Non seulement la cuisson des aliments à la mijoteuse signifie-t-elle une nouvelle pièce d'équipement dans la cuisine, mais aussi constitue-t-elle une nouvelle manière d'envisager les choses. D'abord, elle est la simplicité même, car elle permet de cuire à la perfection la plupart des aliments de base. Cependant, pour de meilleurs résultats, vous devez miser sur les meilleurs ingrédients (ce qui ne veut pas dire les plus dispendieux) et vous appliquer pendant la préparation. Les techniques reconnues consistent à mesurer précisément les ingrédients, à les couper en morceaux uniformes, à faire tremper les haricots, à faire dorer la viande et les légumes pour en faire ressortir la pleine saveur, à déglacer les plats sautés ; ce sont de petits gestes qui ajoutent beaucoup à la saveur finale d'un mets.

La cuisson à la mijoteuse est une méthode qui nécessite le mélange de nombreux ingrédients : viandes (ce qui inclut les saucisses), légumes-racines, légumes verts, haricots et légumineuses, céréales et pâtes, vin ou bière, bouillon et eau. Les assaisonnements — sel, épices, herbes, etc. — seront ajoutés à la fin de la cuisson pour éviter le goût trop prononcé que laisserait une longue cuisson. Les ingrédients plus délicats — fruits de mer, produits laitiers et certains légumes — seront également ajoutés à la fin de la cuisson pour préserver leur forme et leurs qualités nutritives.

Ce que vous trouverez dans ce livre

Lorsque nous avons commencé à rassembler ces recettes, nous percevions la mijoteuse comme un « pot magique » qui cuit les aliments pendant que le cuisinier est absent. Eh bien, le cuisiner est parfois à la maison ! Certains aliments ne peuvent cuire toute la journée et conserver leur forme et leurs propriétés. Notre but était de préparer des plats savoureux, réalisés par une main dévouée et appréciés par un fin palais. Nous voulions tirer profit de toutes les saveurs des cuisines du monde, avec leurs contrastes et leurs couleurs, et aussi savourer les plats traditionnels. Nous voulions pouvoir déguster un bœuf bourguignon ou des bouts de côte barbecue au miel une journée, et une *posole* mexicaine ou un cari au bœuf japonais la journée suivante. Certains jours, nous aurions le temps de réaliser plusieurs étapes de préparation, ce qui améliorerait le résultat final ; d'autres jours, nous aurions à peine le temps de tout empiler dans la mijoteuse avant de partir en flèche.

En écrivant ce livre, nous nous sommes inspirées des cuisines du monde, en recherchant les plats qui étaient traditionnellement cuits dans des casseroles ou des pots en céramique couverts, comme la *olla* espagnole, la daubière et la cassolette françaises, la *fagioliera* italienne, le tajine marocain, la *donabe* japonaise et le *sandpot* ou *claypot* chinois. Nous avons trouvé une profusion de recettes merveilleuses et réconfortantes que nous avons adaptées à la mijoteuse. La faible température de cuisson et la longue durée de l'opération permettent de préparer les pièces de viandes les plus coriaces, qui sont les plus économiques mais qui ne conviennent pas aux grillades, et d'obtenir une chair tendre et succulente qui a conservé ses sucs. Les plats de haricots, les sauces tomate qui frémissent longtemps et d'autres plats de légumes savoureux sont également des compagnons naturels de la mijoteuse. La mijoteuse représente la meilleure méthode pour cuire à la perfection les haricots, les lentilles et les pois cassés.

Comment la mijoteuse fonctionne-t-elle ?

Tous les aliments se prêtent à l'une de ces deux méthodes de cuisson : sèche ou humide. Les méthodes de cuisson sèche consistent à faire rôtir, à cuire au four, à cuire sur le gril, à faire sauter, à faire griller et à faire frire les aliments. Cette catégorie requiert l'utilisation d'appareils tels le micro-ondes, le grille-pain, le gril extérieur et le four conventionnel.

Les méthodes de cuisson humide consistent à cuire à l'étuvée, à faire braiser, à faire cuire à la vapeur et à pocher les aliments. La mijoteuse, avec sa cuisson lente et uniforme se déroulant dans un pot couvert, se range dans cette catégorie. Pendant une cuisson humide, les viandes et autres aliments sont cuits dans un environnement clos où circule constamment un liquide ou de la vapeur. Cette méthode convient bien aux aliments qui ne sont pas naturellement tendres, comme les haricots et autres végétaux contenant beaucoup de fibres et les viandes renfermant beaucoup de tissu conjonctif. L'environnement chaud et humide réduit les fibres, donnant aux haricots et aux végétaux fibreux tendreté et texture moelleuse ; il transforme le tissu conjonctif des viandes, nommé collagène, en gélatine, ce qui attendrit les viandes coriaces.

La température qui donne les viandes les plus tendres oscille autour de 90 °C (180 °F), ce qui correspond à la plus faible intensité sur la mijoteuse. C'est également la température la plus basse considérée sécuritaire par le ministère américain de l'Agriculture (USDA). Le frémissement très lent enrobe les aliments, génère de la vapeur, et conserve la texture et la saveur naturelles des produits. La mijoteuse est l'as de ce type de cuisson, transférant efficacement la chaleur de sa base au pot de grès, ensuite au liquide et, finalement, aux aliments.

À propos du récipient de grès de votre mijoteuse

Le pot de grès amovible utilisé dans la mijoteuse est complètement vernissé, à l'intérieur et à l'extérieur. Il est cuit à plus de 1 000 °C (2 000 °F), un procédé qui vitrifie l'argile et la durcit de façon à la faire résister aux ébréchures et à la décoloration. De plus, ce procédé confère au pot un fini vitreux, luisant et facile à nettoyer. Vous pouvez y faire cuire des ingrédients acides, par exemple de la rhubarbe ou des tomates, sans crainte qu'il ne s'y développe des saveurs désagréables. Les mijoteuses modernes se déclinent sous deux formes qui, grâce à leur couvercle hermétique, encouragent chacune la condensation tout en prévenant l'évaporation. C'est pourquoi la version d'une recette pour la mijoteuse demande moins de liquide que la version pour le four ou la plaque, où l'évaporation est plus importante. La cuisson à la mijoteuse apporte un surplus de liquide provenant des ingrédients qui exsudent leur jus et équivalant à 120 à 240 ml (½ à 1 tasse) ; ce liquide se condense sous le couvercle mais ne s'évapore pas.

Dans les anciens modèles, le pot de grès n'est pas amovible, ce qui complique le nettoyage. Tous les modèles que nous avons utilisés dans le cadre de la rédaction de ce livre possédaient un récipient amovible allant au lave-vaisselle. Les premiers modèles de mijoteuse n'offraient que des capacités de 3,5 à 4 l (14 à 16 tasses), étaient de forme ronde et ne possédaient pas de rebords pouvant servir de poignées. Tous les pots de grès possèdent maintenant des poignées qui facilitent les manipulations. Une mijoteuse ronde de taille moyenne pèse environ 2,7 kg (6 lb) lorsqu'elle est vide.

Il existe également des mijoteuses avec un récipient en métal antiadhésif. Ces modèles proposent différents types d'usage, comme faire éclater du maïs ou servir de friteuse. Ils ne sont pas aussi efficaces que les récipients de grès.

Le pot de grès ne doit sous aucun prétexte être placé directement sur le feu ou rangé au congélateur ; il se fissurerait à des températures extrêmes. Il est toutefois possible de l'utiliser au four pour faire un ragoût ou pour cuire le pain et obtenir de bons résultats.

Formes et capacités des mijoteuses

La première forme, la plus usuelle, est la mijoteuse ronde. Celle-ci est idéale pour cuire les soupes, les haricots, les ragoûts et les risottos. Elle fait penser à un pot de fleur conventionnel avec une base étroite et de longs bords légèrement inclinés. L'ouverture est grande et munie d'un couvercle transparent, en forme de dôme, constitué de verre traité. Ce couvercle ferme hermétiquement la mijoteuse lorsque le contenu est chauffé. Les premières mijoteuses étaient dotées d'un couvercle en plastique fragile. Les couvercles en verre actuel représentent une amélioration fabuleuse et réfléchissent la chaleur pour envelopper les aliments dans une chaleur humide. Les couleurs extravagantes des décades passées — orange psychédélique, vert et jaune, sans parler des interminables fioritures — ont cédé la place à des blancs doux avec une bordure simple ou à de l'inox éclatant, qui font si chic avec un plat en grès noir.

Au cours des dernières années, les mijoteuses de forme ovale sont apparues. S'inspirant de la terrine française, avec des côtés plus évasés, elles sont un peu moins profondes et plus compactes que les modèles ronds. Elles conviennent parfaitement pour les gros morceaux de viande comme un rôti de porc, un gigot d'agneau ou un poulet entier. Disponibles en noir ou en beige crémeux, elles constituent d'élégants récipients. De plus, elles proposent une surface de cuisson plus importante que les modèles ronds. Gardez cela à l'esprit pour établir les temps de cuisson : un ragoût ou une soupe cuira un peu plus rapidement dans le modèle ovale.

Les mijoteuses offrent un grand choix de capacités, de 1 à 7 l (4 à 28 tasses), augmentant à raison de 480 ml (2 tasses). Il vous revient de choisir le format qui vous convient, en tenant compte du nombre moyen de personnes que vous souhaitez servir et du genre de plats que vous cuisinerez. Les vrais adeptes de la mijoteuse possèdent habituellement deux ou trois modèles de taille différente.

Les trois formats de base sont les suivants : petit, moyen et grand. C'est ainsi que nous désignerons le type de mijoteuse à utiliser pour chacune des recettes de ce livre. La plupart des capacités se présentent en forme ronde ou ovale. Assurez-vous simplement de vérifier le contenu de la boîte de la mijoteuse achetée : nous avons découvert que la photo illustrant la mijoteuse sur la boîte ne correspondait pas toujours à ce qui se trouvait à l'intérieur.

La plus petite mijoteuse de Rival se nomme « Little Dipper » et permet de préparer des trempettes chaudes et de petites fondues. Nous préférons les modèles de 1 à 1,5 l (4 à 6 tasses) qui laissent plus d'espace pour préparer les trempettes. Cependant, ce format est trop petit pour les soupes et ragoûts. Lorsque nous indiquons « petite mijoteuse » dans une recette, vous pouvez utiliser un appareil ayant une capacité de 1,5 à 2,5 l (6 à 10 tasses). Plusieurs personnes qui cuisinent pour un convive ou deux emploient un modèle de 2 à 2,5 l (8 à 10 tasses) ; si c'est votre cas, vous pouvez réduire de moitié les recettes conçues pour la mijoteuse moyenne.

De tous les formats de mijoteuses, le moyen est le plus populaire et, avant même d'avoir cuisiné votre premier repas, vous comprendrez pourquoi. Une mijoteuse moyenne est facile à manipuler, à soulever,

Capacité des mijoteuses

Lorsque nous précisons l'emploi d'une mijoteuse petite, moyenne ou grande dans nos recettes, les capacités suivantes donnent les meilleurs résultats :

Petite : capacité de 1,5, 2 et 2,5 l (6, 8 et 10 tasses)

Moyenne : capacité de 3, 3,5, 4 et 4,5 l (12, 14, 16 et 18 tasses)

Grande : capacité de 5, 5,5, 6 et 7 l (20, 22, 24 et 28 tasses)

• • Comment utiliser la mijoteuse « Smart-Pot » • •

Que se passe-t-il si vous voulez préparer un plat qui demande 6 heures de cuisson et que vous comptez vous absenter de la maison pendant 8 heures ? Jusqu'à maintenant, vous n'aviez pas le choix de trop faire cuire les aliments ou de préparer autre chose à votre retour. Maintenant, il existe une solution de rechange. Rival, le fabricant de la mijoteuse nommée Crock-Pot, a inventé le Smart-Pot, un modèle facilement programmable, même par ceux qui sont incapables de régler leur magnétoscope.

Il existe deux types de Smart-Pot. Le premier peut cuire à intensité élevée (High) de 4 à 6 heures ou à intensité faible (Low) de 8 à 10 heures. Lorsque le temps de cuisson est écoulé, l'appareil bascule automatiquement en mode attente (Keep Warm), ce qui permet de garder les aliments au chaud jusqu'à ce que vous soyez prêt à manger. Il est recommandé de ne pas laisser les aliments plus de 4 heures en mode attente. Avec ce type d'appareil, si vous souhaitez obtenir des temps de cuisson qui diffèrent des réglages préprogrammés (par exemple, moins de temps à intensité faible ou plus de temps à intensité élevée), vous devrez être là pour démarrer ou arrêter la mijoteuse. Il est important de noter que même s'il s'agit d'un appareil automatique, vous ne pouvez pas programmer l'heure de mise sous tension de l'appareil, laissant les aliments reposer dans la mijoteuse pour commencer la cuisson plus tard, parce la nourriture se gâterait rapidement. Le Smart-Pot ne permet de gérer que le temps de cuisson.

Le second type de Smart-Pot est plus souple. Vous pouvez le programmer pour cuire à intensité faible ou élevée pour n'importe quelle période s'étendant de 30 minutes à 20 heures, par intervalles d'une demi-heure. Voici comment l'utiliser : remplissez le récipient de grès comme à l'habitude, déposez-le dans le récépient métallique et couvrez-le. Branchez le Smart-Pot. Les trois lumières indiquant les intensités élevée, faible et le mode attente clignoteront simultanément, vous avertissant qu'il est temps de sélectionner le mode approprié. Appuyez sur le bouton rond qui se trouve à gauche où sont inscrits, de haut en bas, intensité élevée, faible et mode d'attente. Une pression sélectionne l'intensité faible, deux l'intensité élevée, et trois le mode attente. Si vous réglez la mijoteuse en mode attente, vous ne pourrez pas choisir de durée de cuisson ; l'appareil restera ainsi jusqu'à ce que vous coupiez l'alimentation électrique manuellement. Si vous avez sélectionné l'intensité faible ou élevée, il est maintenant temps de choisir la durée de la cuisson. Appuyez sur le bouton avec une flèche pointant vers le haut. Une première pression fait apparaître 30 minutes sur l'afficheur numérique, chaque pression subséquente en ajoutera 30 autres. Si vous ajoutez accidentellement plus de temps que vous ne le souhaitiez, ne vous en faites pas. Il vous suffira d'appuyer sur le bouton avec une flèche pointant vers le bas, et l'afficheur numérique soustraira des tranches de 30 minutes pour chaque pression exercée. Lorsque le temps de cuisson est terminé, la mijoteuse bascule automatiquement en mode attente et conserve la nourriture au chaud jusqu'à ce que vous soyez prêt à manger.

Cette mijoteuse est aussi pourvue d'un bouton de mise hors tension (OFF). Vous pouvez ainsi terminer la cuisson plus tôt que prévu. Si vous le désirez, vous pouvez laisser la mijoteuse hors tension sans débrancher le cordon de la prise d'alimentation quand vous ne l'utilisez pas. Nous ne recommandons toutefois pas cette pratique, puisqu'il est trop facile de mettre accidentellement sous tension une mijoteuse vide.

et se range bien sur le comptoir ou dans le lave-vaisselle. Lorsque nous mentionnons « mijoteuse moyenne » dans une recette, nous pensons à une capacité de 3 à 4,5 l (12 à 18 tasses). Le modèle ovale de 3 l (12 tasses) nous a conquises pendant que nous testions les recettes de ce livre. Ce format loge de 4 à 6 portions, ce qui équivaut à un poulet de 1,4 à 1,6 kg (3 à 3½ lb), rôti ou en morceaux. Il convient également à deux personnes qui aiment avoir des restes. Les pains de viande se réussissent bien dans un modèle rond ou ovale de cette capacité, mais ils prendront la forme du plat en grès dans lequel ils auront été cuits.

Les plus grandes mijoteuses sont les modèles de 5 à 7 l (20 à 28 tasses), les plus populaires étant ceux de 5 et 6 l (20 et 24 tasses). Conçues pour les repas de famille et les réceptions, elles sont parfaites pour les grosses coupes de viande, comme la poitrine de bœuf et le corned-beef, les rôtis braisés, les volailles entières et les grosses quantités de ragoût. Les grandes mijoteuses sont requises pour les poudings et les pains, qui nécessitent cependant l'utilisation d'un moule supplémentaire. Si vous augmentez une recette conçue pour une mijoteuse moyenne, haussez le temps de cuisson de 1½ à 2 heures, et les ingrédients proportionnellement à la taille de la mijoteuse. Par exemple, une recette pouvant servir quatre personnes peut être triplée ou quadruplée dans une mijoteuse plus grande.

Réglages de température

Différents appareils proposent divers réglages. Si ce mode de cuisson ne vous est pas familier, essayez différents temps de cuisson et réglages pour obtenir des résultats qui vous mettront l'eau à la bouche. Les petites mijoteuses ont tendance à n'offrir qu'un seul réglage, soit intensité faible, ce qui représente une sage précaution en raison du petit format de l'appareil. Certaines possèdent un bouton de mise hors tension, tandis que d'autres doivent être débranchées pour se fermer.

Les mijoteuses conventionnelles de moyenne et grande capacités possèdent deux réglages de température : intensité faible et intensité élevée. Les aliments cuiront plus vite à intensité élevée qu'à intensité faible mais, pour la cuisine de tous les jours et les pièces de viande moins tendres, il est recommandé d'utiliser l'intensité faible. Il est parfaitement sécuritaire de cuire les aliments à intensité faible pour toute la durée de l'opération. Si le temps vous le permet, réglez la mijoteuse à intensité élevée pour la première heure de cuisson afin d'élever rapidement la température de la mijoteuse, puis poursuivez la cuisson à intensité faible.

Pour des raisons d'hygiène et de bonne conservation des aliments, la mijoteuse ne permet pas de programmer le moment de mise sous tension de l'appareil. Vous ne pouvez remplir le récipient, quitter la maison et faire lancer la cuisson une heure ou deux plus tard. Cependant, tant que la nourriture cuit ou une fois qu'elle est à point, les conditions sont sécuritaires aussi longtemps que l'appareil fonctionne. Le récipient de grès conservera sa chaleur pendant une heure complète une fois l'appareil mis hors tension.

Les nouveaux appareils Smart-Pot (voir l'encadré de la page 6) fabriqués par Rival, de capacités moyenne et grande, possèdent un afficheur numérique et on peut programmer différents temps de cuisson. Il existe des contrôles pour les intensités élevée et faible, et deux boutons pour augmenter ou diminuer le temps de cuisson. Lorsque la nourriture a terminé sa cuisson programmée, l'appareil bascule automatiquement en mode attente. Ces mijoteuses sont vraiment très pratiques lorsqu'on doit s'absenter durant toute la journée.

Votre nouvelle mijoteuse

Il est possible que vous achetiez votre toute première mijoteuse ou que vous en remplaciez une vieille. Les nouveaux appareils se sont nettement améliorés par rapport à ceux qui se trouvaient sur le marché il y a cinq ans à peine. Puisqu'il s'agit d'un instrument peu dispendieux, n'hésitez pas à vous procurer un bon appareil ou, si vous le souhaitez, à acheter une deuxième ou une troisième machine de capacité différente. Lorsque vous aurez décidé d'un modèle, vérifiez le contenu de la boîte de votre mijoteuse pour vous assurer que toutes les pièces sont intactes et que le produit acheté correspond bien à la photo sur la boîte et à la forme désirée.

Une fois à la maison, lorsque vous aurez retiré la mijoteuse et les instructions de la boîte, déposez l'appareil sur le comptoir. Retirez le couvercle et le pot de grès (s'il est amovible) et lavez-les dans une eau chaude et savonneuse, en prenant bien soin de ne pas les égratigner. Asséchez parfaitement le plat interne et replacez-le dans la base. Nous aimons aligner les poignées du pot de grès et celles de la coque. Essuyez le couvercle et laissez-le sur le comptoir jusqu'à ce que vous soyez prêt à cuisiner quelque chose. Lisez les instructions en prenant soin de surligner les clauses de la garantie et le numéro de téléphone du fabricant. Remplissez la carte de garantie s'il y a lieu. Notez à la fin du guide d'instructions le modèle et la capacité de votre mijoteuse. Cette information vous sera utile au fil du temps, alors que vous aurez peut-être oublié la capacité de votre nouvel appareil.

Inspectez l'intérieur de la base métallique pour vous familiariser avec la conception de l'appareil. Les éléments chauffants, peu énergivores, sont enveloppés dans les parois métalliques pour fournir une chaleur indirecte. La source de chaleur n'entre jamais en contact direct avec le récipient de grès. Les éléments enroulés dans la base réchauffent celle-ci, puis l'espace entre la coque et le pot de grès, pour finalement transférer la chaleur à ce dernier. La mijoteuse cuit les aliments à une température entre 90 et 150 °C (180 et 300 °F).

Avant d'utiliser votre mijoteuse, familiarisez-vous avec les « Règles du pot » présentées à la page 11. Après avoir fait le choix d'une recette, préparez les ingrédients selon les instructions données et mettez-les dans le récipient de grès. Vous pouvez le faire lorsque le pot se trouve dans la base, en prenant soin de ne pas renverser de liquide sur les côtés extérieurs, ou vous pouvez retirer le pot pour le remplir à l'extérieur de la base. C'est votre choix. Ne remplissez pas le pot davantage qu'aux trois quarts du bord supérieur ; vous éviterez ainsi les débordements lorsque le contenu prendra de l'expansion en chauffant.

En raison de la disposition des éléments chauffants, la mijoteuse est plus efficace lorsqu'elle est remplie de la moitié aux trois quarts. Déposez le récipient dans la base, couvrez-le et branchez l'appareil.

Si nécessaire, mettez l'appareil sous tension, réglez-le à intensité faible ou élevée (certains modèles, habituellement les plus petits, démarrent aussitôt qu'ils sont branchés). Vous ne devez pas cuire vos aliments en mode attente, si votre appareil offre cette option. Si vous possédez un Smart-Pot, c'est le moment de programmer le temps de cuisson.

Nous vous recommandons de demeurer à la maison la première fois que vous utiliserez votre appareil, et ce, afin d'en comprendre le fonctionnement et d'observer le processus de cuisson. Les mijoteuses ne possèdent pas de thermostat ; si vous vous inquiétez de la température, utilisez un thermomètre à aliments à lecture instantanée que vous insérerez dans la viande ou le liquide de cuisson. Il n'est jamais fait mention de température dans les recettes, parce que la cuisson repose sur la consommation en watts et le temps. Il faudra de 1 à 2 heures avant que le contenu ne commence à frémir, ce qui est plus lent qu'avec tous les autres modes de cuisson. Alors, un peu de patience ! Plusieurs cuisiniers règlent d'abord la mijoteuse à intensité élevée pendant 1 à 2 heures afin d'augmenter le plus rapidement possible la température à 60 °C (140 °F), température à laquelle les bactéries cessent de proliférer sur les aliments, puis la réduisent à intensité faible pour le reste du temps de cuisson. L'intensité faible consomme de 80 à 185 watts et cuit les aliments à une température variant entre 90 et 100 °C (180 et 200 °F).

L'intensité élevée consomme le double, soit 160 à 370 watts, et cuit les aliments à une température d'environ 130 °C (280 °F), avec de faibles variations en raison de la taille de la mijoteuse, de la température des aliments et de la quantité d'ingrédients présents dans le plat. Chaque fois que vous soulevez le couvercle pour vérifier le contenu ou le brasser, la vapeur accumulée qui cuit les aliments s'échappe et la température s'abaisse. Une fois le couvercle remis en place, il faudra de 20 à 30 minutes avant que la température ne revienne à son niveau précédent à l'intérieur de la mijoteuse. Il vous faudra donc limiter le nombre de coups d'œil que vous comptez jeter à votre préparation !

La première fois que vous utiliserez votre mijoteuse, il est probable que cette dernière dégagera une odeur et peut-être même un peu de fumée en raison des résidus de fabrication qui seront chauffés par les éléments. C'est tout à fait normal. Nous avons constaté que la plupart des nouvelles mijoteuses dégageaient une odeur métallique pendant une bonne heure. Il sera préférable de faire fonctionner la hotte, d'ouvrir une fenêtre ou une porte (ou toute combinaison de ces possibilités) pour dissiper l'odeur aussi rapidement que possible. Pendant la cuisson, l'extérieur de la base métallique devient chaud au toucher. Gardez l'appareil à distance des enfants, des murs et des meubles. Le plat interne en grès atteindra graduellement la même température. Nous avons remarqué que nous pouvions toucher brièvement aux deux sans avoir à porter des gants isolants. Si vous amenez votre plat à un buffet ou à un repas-partage, transportez tout l'appareil en le tenant par les poignées ; une fois sur place, branchez-le et réglez-le à faible intensité pour réchauffer la nourriture. Il existe des accessoires optionnels, comme des loquets à couvercle, qui maintiennent le couvercle en place pendant le transport. Un fabricant a même conçu un mignon sac de transport isolant.

Utilisez un minuteur, prenez une note mentale ou écrivez l'heure à laquelle le plat devrait être prêt selon les indications de la recette. Il est préférable d'attendre que le temps de cuisson suggéré se soit écoulé avant de vérifier la nourriture. Pour remuer les aliments, nous préférons utiliser une cuillère de bois, ou une cuillère ou spatule qui résiste à la chaleur ; les ustensiles de métal ne conviennent que dans la mesure où vous évitez d'endommager le récipient. Si vous vous servez d'un mélangeur à main

que vous immergez dans le liquide, débranchez la mijoteuse avant de procéder et évitez de heurter les parois du pot.

Lorsque vous souhaitez retirer le récipient interne, mettez toujours l'appareil hors tension et débranchez-le au préalable. Utilisez des gants isolants pour transférer le pot chaud sur un coussinet isolant ou une surface à l'épreuve de la chaleur. Vous pouvez également faire le service directement du pot, alors que ce dernier se trouve toujours dans la base. Après la cuisson, vous pouvez laisser le pot dans la coque jusqu'à ce qu'il soit assez tiède pour être manipulé. S'il est encore chaud, une fois qu'il sera vide, ne le remplissez pas d'eau froide car vous pourriez le fissurer. Les pots de céramique, une fois à la température ambiante, peuvent servir à ranger les restes au réfrigérateur, mais non

• • La mijoteuse en altitude • •

Voici les directives pour utiliser votre mijoteuse à plus de 914 mètres (3 000 pieds) au-dessus du niveau de la mer. Rappelez-vous seulement que plus vous montez, moins l'air est dense. En altitude, les liquides atteignent le point d'ébullition plus rapidement et à une température plus basse. Considérez que les aliments demanderont environ 25 % plus de temps pour atteindre la température requise et cuire.

La règle de base est d'augmenter la température du four de 1 °C (2 °F) pour chaque 30 mètres (100 pieds) d'altitude afin de compenser la cuisson plus lente. Cependant, la température de la mijoteuse est préréglée ; c'est pourquoi vous devez cuisiner à intensité élevée et augmenter légèrement le temps de cuisson. Utilisez l'intensité faible pour garder votre nourriture au chaud.

Servez-vous de la table suivante comme guide. Notez les ajustements que vous apporterez à chaque recette afin de pouvoir vous y référer ultérieurement.

Ajustement selon l'altitude	914 m (3 000 pi)	1 524 m (5 000 pi)	2 134-2 438 m (7 000-8 000 pi)
Intensité	ÉLEVÉE	ÉLEVÉE	ÉLEVÉE
Diminution du liquide par 250 ml (1 tasse) dans la recette	15-30 ml (1-2 c. à table)	30-45 ml (2-3 c. à table)	45-60 ml (3-4 c. à table)

au congélateur — les températures extrêmes peuvent fissurer la céramique.

Les règles du pot

Prenez le temps de lire les importantes directives qui suivent avant de faire vos premières tentatives culinaires et n'hésitez pas à les consulter à nouveau par la suite. Certaines règles sont incontournables si vous voulez être en mesure de cuire à la mijoteuse d'une façon sécuritaire.

- Certains livrets d'instructions recommandent de ne jamais soulever le couvercle pendant la cuisson. D'une part, il s'agit là d'une excellente recommandation ; d'autre part, il est presque impossible de toujours la respecter. Lorsque le contenu de la mijoteuse se réchauffe et crée de la vapeur, un joint naturel d'eau se forme autour de la jante du couvercle et crée un effet de vacuum. Le couvercle offrira une résistance si vous tirez doucement dessus, ce qui est important pour obtenir une cuisson uniforme des aliments qui se trouvent dans la coque. Cependant, certaines recettes demandent d'ajouter des ingrédients à mi-parcours ou près de la fin du temps de cuisson ou, tout simplement, vous pourriez désirer connaître le degré de cuisson des aliments à un moment ou à un autre. Cependant, n'oubliez pas qu'en brisant le joint autour du couvercle, vous permettrez à la vapeur de s'échapper et la température interne chutera. Lorsque vous replacerez le couvercle, il faudra de 20 à 30 minutes avant que le contenu ne revienne à la température de cuisson adéquate. Vous pouvez facilement vérifier l'état des aliments en jetant un coup d'œil à travers le couvercle en verre et, dans la plupart des cas, vous n'aurez pas à brasser ou à retourner les ingrédients, à moins que la recette ne le précise.

- Le couvercle en verre devient assez chaud durant la cuisson. Si nécessaire, utilisez un gant de cuisinier pour l'enlever et manipulez-le avec soin afin d'éviter les brûlures. Le couvercle peut aller au lave-vaisselle en toute sécurité.

- À moins que vous ne cuisiez les aliments à la mauvaise température, que vous ayez mis trop de liquide ou que vous n'en ayez pas mis assez, que vous ayez laissé un plat cuire trop longtemps ou que vous ayez surchargé le pot de céramique, il n'y aura ni roussissements, ni aliments collés, ni débordements. Cependant, ces choses peuvent se produire si vous laissez la mijoteuse à intensité élevée et à découvert afin de favoriser l'évaporation. Dans ces circonstances, gardez un œil sur votre appareil.

- Ne préchauffez jamais la cocotte de votre mijoteuse lorsqu'elle est vide. Remplissez-la d'ingrédients, puis mettez l'appareil sous tension.

- La mijoteuse a délibérément été dotée d'un cordon d'alimentation court afin d'éviter les emmêlements et les accrochages. Vous pouvez utiliser une rallonge électrique *à la seule condition* que celle-ci puisse supporter une tension électrique au moins équivalente à celle de votre mijoteuse.

- Le temps de cuisson à intensité élevée est environ la moitié de celui à intensité faible. Une heure de cuisson à intensité élevée équivaut à deux heures ou deux heures et demie de cuisson à faible intensité ou, si vous préférez, la cuisson sera deux fois plus rapide. Nos recettes précisent la température adéquate de cuisson qui donne les meilleurs résultats possibles. Les anciennes recettes proposaient deux réglages, intensités élevée et faible, et deux temps de cuisson ; nous avons cependant découvert que les nouvelles mijoteuses sont beaucoup plus efficaces et qu'elles fonctionnent à des températures légèrement plus élevées que les anciennes. Vérifiez la consommation en watts de votre appareil ; il existe de légères différences entre les fabricants. Certaines recettes donnent de meilleurs résultats à intensité faible avec un doux frémissement qu'à intensité élevée avec un vigoureux bouillonnement. Pour bien démarrer la cuisson, certains cuisiniers règlent l'appareil à intensité élevée pendant environ 1 heure, puis poursuivent la cuisson à intensité faible.

- La plupart des plats demandent un peu de liquide pour cuire correctement dans la mijoteuse ; il existe cependant des exceptions, par exemple les Pommes de terre à la mijoteuse (page 130). La quantité de liquide varie énormément d'une recette à l'autre, passant de quelques cuillérées pour couvrir le fond du plat à un volume suffisant pour immerger complètement la nourriture. Chaque recette précise la quantité requise. Remplissez la cocotte avec les ingrédients solides et, si amovible, placez-la dans la coque, puis versez-y le liquide afin d'éviter les éclaboussures ou d'avoir à soulever un lourd plat.

- Idéalement, la mijoteuse devrait être remplie au moins à moitié et le contenu ne devrait jamais dépasser 2,5 cm (1 po) du bord supérieur. Il est préférable de la remplir de la moitié jusqu'aux deux tiers ou aux trois quarts, parce que les éléments entourent les parois ; vous obtiendrez ainsi une cuisson plus uniforme.

- Les légumes tendres cuisent facilement ; alors, ajoutez-les durant les dernières 30 à 60 minutes de cuisson. Cette observation vaut également pour les fruits de mer. Pour bien doser les assaisonnements, ajoutez les herbes fraîches durant la dernière heure de cuisson, les herbes séchées et les épices au début avec la majorité des ingrédients. N'oubliez pas que les saveurs vont se concentrer ; alors, ne mettez pas trop d'assaisonnements. Vous pourrez toujours en ajouter à la fin. Les herbes fraîches, le sel et le poivre sont souvent incorporés à la fin de la cuisson.

- À moins d'indication contraire, faites dégeler les aliments congelés avant de les déposer dans la mijoteuse ; ainsi, ils atteindront la température de 60 °C

La mijoteuse est-elle saine ?

Oui, la mijoteuse, un appareil de comptoir, est très saine. Les aliments cuisent à feu plus doux — entre 90 et 150 °C (180 et 300 °F) — et plus lentement que sur la plaque ou dans le four. Cependant, la chaleur multidirectionnelle du pot, le long temps de cuisson et la vapeur qui se concentre dans le contenant hermétiquement couvert se combinent pour éliminer les bactéries et faire de la mijoteuse un appareil sans danger pour cuire les aliments.

Économisez de l'énergie en cuisinant

La mijoteuse est conviviale et très économique, car elle consomme environ la même quantité d'énergie qu'une ampoule de 75 watts. Il faut beaucoup moins d'électricité pour alimenter une mijoteuse qu'un four électrique conventionnel. À intensité élevée, votre appareil consommera moins de 300 watts. Il s'agit d'une excellente solution de rechange pour la cuisson des aliments par journées très chaudes lorsque des avertissements recommandent de limiter l'usage des appareils électriques (dans les régions où l'utilisation de l'air climatisé est importante), sans compter que cela ne réchauffera pas la cuisine.

(140 °F) le plus rapidement possible. Voici une remarque très importante : les aliments congelés peuvent ralentir le réchauffement de la mijoteuse et maintenir votre ragoût ou braisé à une température inadéquate pendant trop longtemps pour qu'il soit sans danger de le manger.

- Un pot de céramique amovible peut être utilisé au four, mais il se brisera s'il est placé directement sur un élément de la cuisinière ou sur une plaque chauffante. Si vous devez faire dorer des ingrédients, comme une viande, faite-le dans une casserole ou une poêle à frire, tel qu'indiqué dans la recette, puis versez-les dans le récipient. Le fabricant précise toujours si un pot peut aller au four, au micro-ondes, au lave-vaisselle ou passer sous le gril.

- Lorsque les aliments sont complètement cuits, vous pouvez les garder très chauds en sélectionnant l'intensité faible ou, si votre modèle offre cette option, le mode attente. La nourriture peut demeurer sans problème jusqu'à quatre heures en mode attente avant d'être consommée. Plusieurs mijoteuses programmables passent automatiquement en mode attente lorsque le temps de cuisson est écoulé. Ne tentez jamais de cuisiner en mode attente ; la température est trop faible pour assurer une saine cuisson des aliments.

- À la fin du temps de cuisson, soulevez le couvercle et brassez les ingrédients avec une cuillère de bois ou de plastique. Si la nourriture n'est pas cuite à votre goût, couvrez la mijoteuse, réglez cette dernière à intensité élevée et poursuivez la cuisson par intervalles de 30 à 60 minutes, et ce, jusqu'à ce que le tout soit à votre goût.

- Lorsque la nourriture est cuite et prête à servir, mettez l'appareil hors tension et débranchez-le. Plusieurs anciens modèles, et les plus petites mijoteuses, n'ont pas de commutateur. L'appareil devient hors tension lorsqu'on le débranche.

- Si vous ne servez pas les aliments directement de la mijoteuse, utilisez des gants de cuisinier pour soulever le pot de grès chaud, si amovible, ainsi que son contenu, et déposez le tout sur un dessous-de-plat ou un linge plié.

- Moins de deux heures après la fin de la cuisson, transférez les restes dans des contenants appropriés pour le réfrigérateur ou le congélateur. Ne rangez pas la nourriture dans le récipient de grès chaud directement au réfrigérateur et encore moins au congélateur ; l'écart soudain de température pourrait le faire craquer.

- Les ustensiles de cuisine en céramique ne supportent pas les brusques changements de température. Ne placez jamais votre pot de grès au congélateur. Le pot peut également craquer si vous y placez trop d'aliments congelés ou si vous le plonger dans l'eau froide lorsqu'il est encore chaud. Assurez-vous de laisser tiédir la cocotte à la température ambiante avant de la laver. Ne versez jamais d'eau froide dans un pot chaud. Si votre cocotte est fendue ou profondément égratignée, communiquez avec le fabricant pour en commander une nouvelle.

- Le pot de grès peut être lavé à la main avec un savon de vaisselle doux à l'aide d'une brosse ou d'un tampon en nylon. Il peut également aller au lave-vaisselle.

- Si vous étiez à l'extérieur de la maison pendant la durée de la cuisson et qu'à votre retour vous découvrez qu'il y a eu une panne d'électricité, jetez les aliments même s'ils vous semblent bien cuits.

- Les aliments cuits conservés au réfrigérateur ne doivent pas être réchauffés dans la cocotte car ils n'atteindront pas assez rapidement une température interne sécuritaire afin qu'ils puissent être consommés sans danger. Cependant, la nourriture cuite peut être réchauffée sur la plaque ou au micro-ondes, puis versée dans une mijoteuse préchauffée pour se conserver au chaud jusqu'au moment d'être servie. Pour réchauffer les parois de la cocotte, remplissez-la d'eau chaude, non bouillante, et laissez reposer quelques minutes. Versez l'eau et asséchez le récipient avant d'y mettre la nourriture.

- Vous ne devez jamais plonger jamais la coque de la mijoteuse dans l'eau ou la remplir d'un liquide quelconque ; la cocotte doit toujours être bien en place lors de la cuisson. Pour nettoyer votre mijoteuse, laissez la coque tiédir à la température ambiante, nettoyez ensuite l'intérieur et l'extérieur avec une éponge humide et savonneuse, rincez et asséchez avec un linge de façon à ne pas abîmer le fini. Assurez-vous que le fond est propre à l'intérieur, qu'il ne reste aucune trace d'aliments ou de débordement.

Une bonne hygiène pour un bon départ

Une surface de travail propre et bien rangée facilitera la préparation des plats à la mijoteuse, ainsi que le nettoyage. Au départ, il vous faut une mijoteuse et des ustensiles propres, et un plan de travail qui le soit aussi. Lavez-vous les mains avant et pendant la préparation des aliments. Conservez les aliments périssables au réfrigérateur jusqu'au moment de les apprêter. Si vous coupez les viandes et les légumes à l'avance, entreposez-les séparément, à couvert, au réfrigérateur. La réfrigération des aliments prévient la prolifération bactérienne pendant les premières heures de cuisson. En effet, il faut jusqu'à deux heures pour que la mijoteuse atteigne une température sécuritaire, propre à éliminer les bactéries qui se multiplient rapidement à la température ambiante. Avant d'entreprendre une recette, lisez-la attentivement du début à la fin et assurez-vous d'avoir tous les ingrédients sous la main, de connaître les techniques à utiliser, d'avoir les ustensiles nécessaires et de connaître le temps de cuisson.

Faites toujours dégeler la viande ou les volailles entières avant de les mettre dans la mijoteuse, sinon elles ne seront pas à point selon le temps alloué. Cependant, certaines recettes demandent explicitement des morceaux de volaille congelés afin d'éviter à la chair délicate de trop cuire. Utilisez la bonne capacité de mijoteuse pour les grosses pièces de viande, par exemple pour un rôti ou un poulet entier, sinon la viande cuira trop lentement et de façon inégale, et pourra demeurer trop longtemps dans la « zone de danger » bactérienne. Lorsque vous préparez de grosses pièces de viande, suivez attentivement la recette et les recommandations pour la cuisson à la mijoteuse.

Remplir la mijoteuse avec la bonne quantité de nourriture

Utiliser la bonne quantité d'ingrédients en tenant compte de la taille de la mijoteuse

Pannes de courant

Si vous n'êtes pas à la maison pendant la totalité du processus de cuisson à la mijoteuse et que vous apprenez qu'il y a eu une coupure de courant pendant la journée, jetez toute la nourriture, même si elle vous semble cuite. Si vous êtes à la maison pendant la panne de courant, terminez immédiatement la cuisson d'une autre manière : sur la cuisinière ou au four, si vous avez une cuisinière au gaz, sur un gril extérieur ou dans une autre maison où il y a toujours de l'électricité. Si la nourriture est complètement cuite quand la panne survient, elle sera bonne à manger dans les deux heures qui suivent si elle demeure dans la mijoteuse non alimentée en courant.

est de la plus haute importance pour une réussite culinaire. Remplissez le pot de grès au moins jusqu'à la moitié et pas plus qu'aux trois quarts pour favoriser l'expansion pendant la cuisson. Le récipient doit être plein au moins à moitié en raison de la position des éléments chauffants dans les parois de l'appareil. Dans une mijoteuse, les légumes cuisent plus lentement que la viande ou la volaille ; c'est pourquoi vous devez les placer en premier, au fond et sur les côtés du pot de cuisson, en couches. Ajoutez ensuite la viande, versez à ce moment le liquide, que ce soit du bouillon, de l'eau ou de la sauce tomate ou barbecue. Assurez-vous de préparer vos ingrédients de la façon appropriée, c'est-à-dire en les coupant à la bonne taille pour une cuisson optimale. Nous respectons les dimensions suivantes dans nos recettes :

finement haché : 2 mm (1/16 po)

haché : 3 à 6 mm (1/8 à 1/4 po)

grossièrement haché : 6 à 13 mm (1/4 à 1/2 po)

émincé : 3 mm (1/8 po)

tranché : 3 à 6 mm (1/8 à 1/4 po)

grossièrement tranché : 13 mm (1/2 po)

en dés : 13 mm carrés (1/2 po carré)

en cubes (sauf mention contraire) : 2,5 cm carrés (1 po carré)

Comment lire nos recettes

Nos recettes sont conçues pour être faciles à déchiffrer. Nous avons essayé de faciliter le repérage efficace des informations importantes. Après le titre de la recette se trouve une courte introduction. Ne la sautez pas : elle contient de l'information sur la nourriture ou le type de plat, et sur toute technique et astuce particulières. Nous y plaçons régulièrement des suggestions pour le service et les accompagnements.

Le rendement de la recette suit aussitôt. Les portions sont notoirement subjectives ; elles ne tiennent pas compte des gros mangeurs qui se servent à plusieurs reprises, des portions pour enfants et du désir d'avoir des restes. Soyez vigilant, et ajustez les quantités selon vos besoins particuliers.

Nous précisons ensuite la taille de mijoteuse qui nous semble, d'après nos expériences, la plus appropriée selon le cas. Si vous doublez la recette, considérez l'utilisation d'un plus gros appareil ; si vous la coupez en deux, diminuez la taille de l'appareil. N'oubliez cependant pas que les plus petits modèles de mijoteuse ne fonctionnent souvent qu'à faible intensité.

Prendre de l'avance

Si la cohue du matin, où tout le monde doit être prêt pour partir à l'heure, ne vous laisse pas suffisamment de temps pour mettre le dîner dans la mijoteuse, ne paniquez plus avant de quitter pour le travail ou pour une journée de courses. La plupart des mets principaux vous permettent de faire le travail de préparation la veille. Il suffit de préparer les ingrédients en suivant les indications de la recette. Si cette dernière vous demande de faire dorer ou de faire sauter des aliments sur la cuisinière, faites le travail. Puis, remplissez la cocotte comme le suggère la recette, couvrez-la et réfrigérez-la durant la nuit. Le matin, déposez le pot de grès dans la coque métallique et commencez la cuisson. Pour les recettes qui cuisent plus de quatre heures, vous ne verrez aucune différence dans les temps de cuisson. Pour celles qui cuisent moins longtemps, vous devrez peut-être compter de 20 à 30 minutes additionnelles de cuisson en raison de la froideur du pot et des ingrédients.

Ainsi, si vous comptez cuisiner un plat demandant une intensité élevée, comme certaines recettes de haricots, vous ne pourrez probablement pas utiliser ce genre de machine.

Suivent ensuite l'intensité (faible ou élevée) et le temps de cuisson. Nous vous suggérons d'écrire le moment approximatif de la fin de cuisson ou de régler un minuteur à affichage numérique comme pense-bête. Vérifiez les aliments à mi-cuisson, puis vers la fin, pour contrôler plus précisément la texture et le degré de tendreté des aliments.

Temps de cuisson

Au départ, Beth s'est sentie déstabilisée. Avec sa formation en cuisine, où les variations des temps de cuisson se maintiennent entre 5 et 10 minutes, l'idée d'un intervalle de 2 heures ou plus pour obtenir une bonne cuisson à la mijoteuse l'a d'abord désarçonnée. Après quelques essais, cette anxiété s'est dissipée. Nous vous suggérons de vérifier la tendreté des aliments au moins une fois à mi-cuisson, puis une autre lorsque le temps suggéré dans la recette est écoulé, surtout la première fois que vous préparez un plat (cela peut faire la différence entre une pomme cuite bien formée et une compote). Nous vous encourageons à noter le temps de cuisson idéal dans la marge d'une recette pour référence ultérieure. Cinq personnes ont testé les recettes de ce livre, chacune avec un modèle et une capacité de mijoteuse légèrement différents. Elles vivaient dans diverses régions, à des altitudes différentes, et ont cuisiné durant les quatre saisons dans des conditions variées. Chaque personne a obtenu des temps de cuisson légèrement différents, qui sont toutefois demeurés dans l'intervalle recommandé.

Guide des températures internes

Il existe toujours une certaine marge lorsque vient le temps de déterminer si un aliment particulier est complètement cuit ou s'il l'est selon les préférences. Ce savoir-faire s'acquiert avec les années. La plupart des chefs professionnels estiment cependant que la façon la plus sûre de déterminer si une viande ou une volaille a atteint un certain degré de cuisson consiste à en mesurer la température interne. Lorsque vous utilisez votre mijoteuse, surtout si vous êtes novice, vous devez porter la température le plus rapidement possible à 60 °C (140 °F), hors de la «zone de danger» bactérienne. Assurez-vous que la viande et la volaille sont totalement cuites avant d'en faire la consommation. On ne peut pas dire qu'elles sont prêtes uniquement parce qu'elles ont cuit durant plusieurs heures. Puisqu'elles ne se colorent pas, il est difficile de se baser sur le seul aspect visuel. Il faut regarder, sentir et toucher pour vérifier la cuisson. Un thermomètre à lecture directe ou un thermomètre à viande de précision sont les outils que nous préconisons dans toute cuisine où l'on trouve une mijoteuse. Ce conseil devient particulièrement important lorsque vient le temps de faire cuire de grosses pièces de viande ou des volailles entières. Un rôti de bœuf qui atteint une

Utilisation des restes de la mijoteuse

La mijoteuse vous permet de cuisiner de grosses quantités de vos plats préférés, ce qui vous fournit des restes à réfrigérer ou à congeler. Conservez ces derniers de la même manière que vous le feriez pour des aliments cuits au four ou sur la cuisinière. Ne laissez pas les aliments dans le pot en grès à la température ambiante pendant une longue période. Versez-en plutôt le contenu dans des contenants plats et hermétiques que vous placerez au réfrigérateur ou au congélateur moins de deux heures après la fin de la cuisson. Il n'est pas recommandé de réchauffer les restes dans la mijoteuse. Réchauffez-les de part en part sur la cuisinière ou au micro-ondes puis, si vous le souhaitez, gardez-les au chaud dans la mijoteuse avant de les servir.

température interne de 52 °C (125 °F) sera toujours saignant, qu'il soit braisé à la mijoteuse, grillé à l'extérieur ou rôti dans un four conventionnel, et ce, indépendamment du temps nécessaire pour atteindre cette température. Référez-vous au tableau de la page 19, « Est-ce que c'est prêt? », pour déterminer si vos viandes et volailles sont cuites quand vous utilisez la mijoteuse.

Adapter pour la mijoteuse des recettes conventionnelles

Si vous êtes une personne habituée à la mijoteuse, vous avez déjà appris un certain nombre d'éléments dont il faut tenir compte lorsque vient le temps d'adapter une recette conventionnelle pour la mijoteuse :

- Les recettes pour la mijoteuse demandent moins de liquide que celles utilisant des modes de cuisson conventionnels parce que l'évaporation se trouve réduite d'une manière significative. Nous avons constaté que, généralement, les recettes pour la mijoteuse demandent de réduire le liquide utilisé de 120 à 240 ml (½ à 1 tasse) par rapport à la quantité employée dans les recettes conventionnelles. Pendant que l'humidité se condense, elle s'accumule sous le couvercle. Les gouttelettes qui retombent arrosent ensuite la nourriture. Le liquide ne s'évaporera pas, ne s'échappera pas ; il se combinera plutôt avec les jus des aliments et, à la fin de la cuisson, vous en obtiendrez plus qu'il n'y en avait au départ. Lorsque nous adaptons une recette pour la première fois, nous réduisons habituellement le liquide de moitié, puis en ajoutons autant que nécessaire à la fin de la cuisson (pour éclaircir par exemple une soupe ou un plat de haricots). Nous notons ensuite en marge de la recette les ajustements apportés.

- Les herbes aromatiques et les épices acquièrent une nouvelle dimension dans la mijoteuse. En vertu du long temps de cuisson et de la concentration survenant pendant la cuisson, les herbes fraîches ont tendance à se désagréger, et leur goût à se dégrader, tandis que les herbes séchées et les épices peuvent devenir envahissantes et amères. Commencez avec la moitié des herbes séchées et des épices requises dans une recette et rectifiez l'assaisonnement une heure avant de servir, en ajoutant également le sel et le poivre. Incorporez les herbes fraîches à la fin de la cuisson.

- La grande différence des modes de cuisson réside dans le temps nécessaire pour apprêter les aliments. Un ragoût

qui cuit en une heure sur la cuisinière demandera de six à huit heures de cuisson à intensité faible dans la mijoteuse. Reportez-vous à la table de conversion des temps de cuisson à la page 20.

Techniques de cuisine utiles pour la mijoteuse

En raison des mets que vous préparerez à la mijoteuse, vous trouverez probablement les techniques suivantes d'un grand secours.

Retirer le gras

Lorsque vous préparez un ragoût à la viande, un plat braisé, un bouillon ou une soupe, vous souhaitez probablement retirer autant de gras que possible du liquide. Voici plusieurs des méthodes que nous préconisons.

Si vous ne servez pas la recette avant le lendemain, votre tâche sera plutôt simple. Pour les bouillons, réfrigérez le liquide dans un bol non couvert. Pour les braisés, réfrigérez le liquide tiède dans un contenant non couvert, séparément de la viande et des autres ingrédients. Pour un ragoût, ce n'est pas toujours possible ; laissez tiédir le plat, puis réfrigérez à couvert. Dans tous les cas, le matin suivant, vous pourrez retirer le gras refroidi, qui aura remonté à la surface et se sera solidifié. Plutôt que d'enlever la totalité du gras, plusieurs cuisiniers aiment en conserver une petite quantité pour la saveur.

Si vous utilisez le bouillon immédiatement, transvidez le liquide du pot de grès chaud dans un bol ou une tasse à mesurer

en verre à l'épreuve de la chaleur (un contenant de Pyrex, par exemple). Attendez
plusieurs minutes que le gras remonte à la
surface du liquide. Vous verrez bientôt une
couche jaunâtre transparente flotter sur le
dessus.

Maintenant, deux choix se présentent à
vous : enlever le gras à la surface du liquide
ou puiser le liquide sous le gras. Pour enlever le gras, utilisez une large cuillère en
métal peu profonde et débarrassez-vous-en
à mesure. Or, il ne s'agit pas de la solution
parfaite : vous perdrez inévitablement un
peu du liquide que vous essayez de sauver
ou il restera encore du gras à la surface de
ce dernier. S'il n'y a qu'un peu de gras,
vous pouvez déposer un papier absorbant
sur le liquide pendant quelques secondes.
Le papier absorbera la première couche de
liquide et pourra par la suite être jeté.

La deuxième méthode consiste à
puiser le liquide qui se trouve sous la
couche de gras. Une façon d'y arriver est
d'utiliser une poire, comme celle servant
à arroser les volailles pendant la cuisson.
Placez un contenant propre assez grand
pour recueillir le liquide dégraissé près

du récipient qui contient la couche de
gras. Pressez la poire et descendez la tige
jusqu'au fond du récipient contenant le
liquide. Relâchez la poire ; elle se remplira
du liquide se trouvant au fond. Sortez la
tige du contenant, en gardant l'ouverture pointée vers le bas et en évitant
d'appuyer sur la poire. Placez la tige dans
le contenant propre et libérez le liquide en
appuyant sur la poire. Répétez l'opération
jusqu'à ce qu'il n'y ait plus que du gras
dans le premier contenant.

Il existe un petit gadget astucieux qui
représente un investissement judicieux si
vous avez souvent des liquides à dégraisser.
Il se présente sous la forme d'une tasse à
mesurer, mais le bec verseur part de la base
plutôt que de se trouver au sommet. Pour
le faire fonctionner, il suffit d'y verser le
liquide à dégraisser et d'attendre plusieurs
minutes que le gras remonte à la surface.
Versez ensuite le liquide dégraissé qui se
trouve au fond, en arrêtant l'opération juste
au moment où la couche de gras arrive à
l'entrée du bec verseur.

• • Est-ce que c'est prêt ? • •

Type de viande	Saignant	À point	Bien cuit
Bœuf	52 à 55 °C (125 à 130 °F)	60 à 63 °C (140 à 145 °F)	71 °C (160 °F)
Canard et gibier à plumes	Non recommandé	77 à 80 °C (170 à 175 °F)	82 °C (180 °F)
Veau	Non recommandé	60 à 63 °C (140 à 145 °F)	71 °C (160 °F)
Agneau	55 à 60 °C (130 à 140 °F)	60 à 63 °C (140 à 145 °F)	71 °C (160 °F)
Porc	Non recommandé	63 à 66 °C (145 à 150 °F)	71 °C (160 °F)
Venaison	52 à 55 °C (125 à 130 °F)	60 à 63 °C (140 à 145 °F)	71 °C (160 °F)

Note : Le poulet et la dinde doivent atteindre une température interne de 77 à 82 °C (170 à 180 °F)

• • Table de conversion des temps de cuisson • •

Nous utilisons cette table de conversion pratique pour transposer les temps de cuisson conventionnels en temps de cuisson pour la mijoteuse. Lorsque vous réalisez une recette pour la première fois, assurez-vous de vérifier la tendreté des aliments à mi-cuisson et juste avant la fin du temps de cuisson proposé. Nous vous suggérons d'écrire vos notes en marge de la recette pour référence ultérieure. Certaines recettes cuisent bien à intensité élevée, et prendront la moitié du temps proposé à intensité faible. De façon générale, 1 heure de cuisson à intensité élevée équivaut à deux ou deux heures et demie de cuisson à intensité faible. Bien que les premières recettes pour la mijoteuse donnaient les temps respectifs pour les intensités faible et élevée, nous avons constaté que la plupart des plats donnent de meilleurs résultats à l'un ou l'autre de ces réglages. C'est un aspect que vous devez considérer lorsque vous transposez vos recettes favorites pour la mijoteuse.

Temps de cuisson conventionnel	Temps pour la mijoteuse à intensité faible
15 minutes	1½ à 2 heures
20 minutes	2 à 3 heures
30 minutes	3 à 4 heures
45 minutes	5 à 6 heures
1 heure	6 à 8 heures
1½ heure	8 à 9 heures
2 heures	9 à 10 heures
3 heures	12 heures ou plus

Épaissir les jus de cuisson

La mijoteuse produit naturellement beaucoup de liquide durant la cuisson et, bien que nous aimions manger nos soupes, ragoûts et les jus de cuisson restants *nature,* nous aimons aussi avoir l'option de les épaissir. Nous vous présentons ici les façons les plus courantes de préparer et d'utiliser les agents liants. Dans la plupart des cas, ces méthodes sont interchangeables. Votre choix se basera sur vos préférences diététiques, le type d'ingrédients à épaissir ou votre propre façon de cuisiner.

La *farine* est le liant le plus courant. Vous y roulez la viande avant de la faire dorer ou la saupoudrez une fois dans la casserole. Vous incorporez ensuite le liquide avant de vider le tout dans la mijoteuse. Vous pouvez utiliser indifféremment de la farine tout usage blanchie ou non blanchie, de la farine de blé entier ou de la farine à pâtisserie. Vous pouvez ajouter la farine à la fin de la cuisson après avoir préparé un mélange avec 15 à 30 ml (1 à 2 c. à table) de farine et une quantité égale d'eau pour chaque 240 ml (1 tasse) de liquide, selon la consistance désirée. Réglez la mijoteuse à intensité élevée, incorporez le mélange de farine et d'eau, couvrez et laisser épaissir de 10 à 15 minutes, ou plus longtemps à intensité faible.

Le *roux* est une pâte constituée d'une quantité égale de farine et de beurre. À feu moyen, faites fondre le beurre dans une casserole peu profonde, puis incorporez la farine. Remuez pendant quelques minutes pour cuire légèrement la farine. Ajoutez un peu de liquide et remuez jusqu'à l'obtention d'une consistance lisse. Incorporez le roux à votre soupe, à votre ragoût ou au jus, et remuez le temps que le liquide épaississe et qu'il soit homogène. Pour une soupe, utilisez une proportion de 15 ml (1 c. à table) de beurre et une quantité égale de farine pour chaque 240 ml (1 tasse) de liquide. Pour les ragoûts et les sauces, employez 30 ml (2 c. à table) de beurre et la même quantité de farine pour chaque 240 ml (1 tasse) de liquide. Réglez la mijoteuse à intensité maximale, incorporez le roux au liquide chaud, couvrez et laissez épaissir de 10 à 15 minutes, ou plus longtemps à intensité faible.

Le *beurre manié*, également un mélange de farine et de beurre, constitue notre agent liant favori. Il s'agit d'une pâte non cuite qui transforme le plus clair des liquides en une sauce riche et appétissante. Pour faire un beurre manié, mettez une quantité égale de beurre doux et de farine dans un bol ou dans un robot culinaire. À l'aide d'une fourchette, mélangez les ingrédients jusqu'à l'obtention d'une pâte semi-ferme. Le beurre manié peut être préparé à l'avance, divisé en portions, puis enveloppé dans une pellicule plastique et réfrigéré pendant une semaine. On peut également le conserver au congélateur (et l'utiliser comme tel). Pour une soupe, la proportion est de 15 ml (1 c. à table) de beurre et une quantité égale de farine pour chaque 240 ml (1 tasse) de liquide. Pour un ragoût, il faudra 30 ml (2 c. à table) de beurre et une quantité égale de farine pour

chaque 240 ml (1 tasse) de liquide. Réglez la mijoteuse à intensité maximale, incorporez le beurre manié au liquide chaud, couvrez et laissez épaissir de 10 à 15 minutes, ou laissez cuire plus longtemps à intensité faible.

Le *beurre*, utilisé seul, épaissira légèrement une soupe ou une sauce et, bien sûr, il ajoutera de la saveur. Ajoutez-le à la fin de la cuisson et remuez légèrement.

La *fécule de maïs* s'utilise comme la farine et donne un liquide velouté, luisant et transparent. Cependant, elle est renommée pour former des grumeaux ; alors, il faut toujours la mélanger avec une certaine quantité de liquide froid au préalable, et remuer constamment le mélange en l'ajoutant au liquide chaud. Utilisez 15 ml (1 c. à table) de fécule de maïs mélangée à 30 ml (2 c. à table) d'eau pour lier 240 ml (1 tasse) de liquide. Réglez la mijoteuse à intensité élevée, incorporez le mélange au liquide chaud, couvrez et laissez épaissir de 10 à 15 minutes, ou plus longtemps à intensité faible.

L'*arrow-root* donne également des sauces brillantes, transparentes et veloutées, et il possède le double du pouvoir liant de la farine. Pour l'utiliser, il faut impérativement le mélanger à un liquide froid. Tout en remuant constamment, incorporez le mélange au liquide chaud. Utilisez 15 ml (1 c. à table) d'arrow-root mélangé à 30 ml (2 c. à table) d'eau pour lier 480 ml (2 tasses) de liquide. Réglez la mijoteuse à intensité maximale, incorporez le mélange au liquide chaud, couvrez et laissez épaissir de 10 à 15 minutes, ou un peu plus longtemps à intensité faible.

La *crème fouettée*, la *crème sure* et la *crème fraîche* sont également considérées comme des agents liants lorsqu'on les ajoute à la fin de la cuisson dans les proportions requises pour obtenir la consistance et le goût recherchés. Ajoutez un de ces produits durant les dernières 20 à 30 minutes de cuisson, ce qui évitera la formation de grumeaux.

La *réduction* est une technique qui reviendra souvent dans nos recettes. Pour réduire une sauce à la mijoteuse, il faut laisser le contenu frémir à découvert jusqu'à ce que le volume diminue et que les saveurs se concentrent. Cette opération se fait à intensité élevée. La réduction est beaucoup plus lente à la mijoteuse que sur la cuisinière. Un avantage est que le liquide ne risque pas de roussir ; nous vous recommandons tout de même de ne pas vous éloigner de la cuisine pendant le processus de réduction. Cette opération ne s'adresse pas aux cuisiniers pressés. Parfois, nous demandons de verser le liquide de cuisson dans une casserole afin de le réduire plus rapidement sur la cuisinière.

Un mélange de *jaunes d'œuf* et de *crème* est un agent liant traditionnel pour enrichir les sauces. Dans les recettes pour la mijoteuse, ce mélange ne doit être utilisé qu'à la fin du temps de cuisson. Fouettez les jaunes d'œuf et la crème dans un petit bol. Ajoutez quelques cuillérées de liquide chaud et fouettez pour réchauffer le mélange afin d'éviter la formation de grumeaux lorsque ce dernier sera incorporé au plat. Versez le mélange dans la sauce ou la soupe en laissant la mijoteuse à intensité faible. Laissez cuire de 15 à 20 minutes. Pour les sauces, employez 1 jaune d'œuf combiné à 30 à 45 ml (2 à 3 c. à table) de crème pour chaque 240 ml (1 tasse) de liquide, si ce dernier est déjà épais. Utilisez 2 ou 3 jaunes d'œuf pour la même quantité de crème si la sauce est très claire. Pour une soupe, employez 2 ou 3 jaunes mélangés à 60 ml (¼ tasse) de crème pour chaque 1,2 à 1,5 l (5 à 6 tasses) de liquide.

Une *purée de légumes* est une des plus anciennes méthodes utilisées pour donner du corps à une soupe ou à un ragoût, ou encore pour épaissir ces derniers. Mélangez des pommes de terre, quelques cuillérées de pois cassés ou de lentilles, des tomates, des courgettes (qui font une jolie bouillie en cuisant à la mijoteuse), des gombos ou des carottes dans des proportions qui vous donneront la consistance désirée. Vous pouvez ajouter du riz ou de l'orge perlé. Nous n'incorporons que le légume (ou la céréale) cru adéquat aux ingrédients de départ. Certaines épices, comme la poudre de sassafras utilisée dans les gombos, sont traditionnellement ajoutées à la fin de la cuisson pour lier le liquide.

Gruaux à la mijoteuse

Une des meilleures façons d'utiliser votre mijoteuse est d'y faire cuire lentement des céréales connues ou moins connues jusqu'à ce qu'elles forment une bouillie crémeuse et nutritive. Lorsque les céréales sont cuites dans l'eau ou le lait, elles donnent un « gruau », un aliment qui a soutenu les êtres humains depuis qu'ils ont moissonné les premières céréales sauvages. L'utilisation de la mijoteuse vous permet d'obtenir un gruau chaud qui vous attendra le matin. La plupart des recettes suivantes peuvent être

préparées dans un petit appareil et donnent de 1 à 4 portions. Il ne faut toutefois pas hésiter à doubler, voire à tripler, n'importe quelle recette et à utiliser un plus grand appareil. Lors de notre période d'expérimentation, la préparation du muesli dans une grande mijoteuse nous a agréablement surprises. Les résultats ont été meilleurs qu'avec une cuisson au four, et ce, avec beaucoup moins de tracas et de dégâts.

Le secret pour préparer d'excellents gruaux est d'utiliser des céréales entières très fraîches, comme les flocons d'avoine et le blé. Pour maximiser les bienfaits de ces recettes sur votre santé, essayez autant que possible de dénicher des produits issus de la culture biologique, donc sans résidus. Une marque commerciale comme Arrowhead Mills' Bear Mush représente une excellente solution de rechange aux farines industrielles, et McCann's Irish Oatmeal peut avantageusement être comparée à Quaker. Recherchez de véritables flocons d'avoine à l'ancienne, plutôt que les variétés instantanées, et faites de même pour les flocons d'orge et de blé. Les grains d'avoine grossièrement concassés, à l'irlandaise ou à l'écossaise, qu'on hésite à faire cuire sur la cuisinière, se transforment sans tracas en céréales crémeuses à la mijoteuse. Les mélanges de céréales concassées

— pouvant inclure du blé, du seigle, de l'avoine, de l'orge, du millet, des graines de lin et du maïs concassés — se réussissent magnifiquement à la mijoteuse.

La clé pour la cuisson des céréales est la façon dont elles ont été transformées. Si la transformation a été minime, comme dans le cas des grains concassés, il faudra plus d'eau (parce que les grains doivent absorber davantage d'eau pour s'attendrir) et un temps de cuisson plus long. Les grains entiers, dont le son et le germe sont intacts, cuiront plus lentement et demanderont plus d'eau que les grains décortiqués et dégermés ; c'est ce qui explique les temps de cuisson différents du riz brun et du riz blanc, et les divers ratios d'eau à utiliser pour une même quantité de différents riz. Les céréales transformées, comme celles en flocons, qui ont été traitées à la vapeur avant d'être aplaties au rouleau demandent moins de cuisson et d'eau pour donner une céréale tendre. Les flocons plus gros prendront toutefois plus de temps et d'eau que les plus fins.

Chacun possède ses préférences en ce qui concerne les céréales. Certains les aiment tendres et onctueuses, alors que d'autres les préfèrent plus consistantes afin qu'elles flottent librement dans le lait. Ajustez ces recettes en fonction de vos préférences personnelles.

Jook (potage chinois au riz pour le petit-déjeuner)

L e *jook* est une bouillie de riz savoureuse et réconfortante. On le mange au petit-déjeuner, comme collation le soir ou chaque fois qu'on désire se régaler d'un plat crémeux et nourrissant. Aussi connu sous le nom de *congee,* ce plat de base en Chine a connu une popularité croissante dans les villes d'Amérique comptant un important bassin sino-américain. Les restaurants qui se spécialisent dans la préparation du *jook* offrent un choix stupéfiant d'ingrédients et de condiments. Une tradition sino-américaine singulière consiste à préparer un *jook* à la dinde le lendemain du Jour d'action de grâce. Cette recette, de l'auteure culinaire Elaine Corn, constitue l'un de ses incontournables pour le petit-déjeuner. Le *jook* cuit à intensité faible de 22 heures à 6 heures pour être prêt et chaud au petit matin ; il offre un petit-déjeuner des plus consistants. Grâce à la magie de la mijoteuse, vous obtiendrez un *jook* si crémeux que vous n'aurez pas à y ajouter de lait ; si vous le désirez, vous pourrez toutefois ajouter 240 ml (1 tasse) de lait de soja nature à la fin de la cuisson afin d'obtenir un produit plus blanc et une consistance davantage veloutée. ◉ **4 à 6 portions**

MIJOTEUSE : Moyenne ou grande, ronde
INTENSITÉ ET TEMPS DE CUISSON : FAIBLE, de 8 à 9 heures ; puis, ÉLEVÉE de
    1 à 1½ heure (période facultative)

240 ml (1 tasse) de riz calrose (grains moyens) ou d'un riz de style japonais
    de qualité supérieure comme le Nishiki
30 ml (2 c. à table) d'huile végétale
2,5 l (10 tasses) de bouillon de poulet ou de dinde
10 ml (2 c. à thé) de sel
Environ 15 ml (1 c. à table) de tiges de coriandre fraîche finement hachées
240 ml (1 tasse) de lait de soja nature (facultatif)

POUR LE SERVICE :
Feuilles de coriandre fraîche ciselées
Oignons verts finement hachés
Sauce aux huîtres, sauce soja et/ou n'importe quelle sauce épicée, comme
    la sriracha ou le Tabasco

1. Laver le riz dans une passoire jusqu'à ce que l'eau qui s'écoule devienne claire. Le couvrir d'eau et le laisser tremper environ 30 minutes.

2. Pendant ce temps, à intensité élevée, faire chauffer l'huile dans la mijoteuse. Égoutter le riz, le rincer de nouveau et l'égoutter une dernière fois. Ajouter le riz dans la mijoteuse et, tout en remuant, le faire chauffer 5 minutes ou jusqu'à ce qu'il soit bien enrobé d'huile et qu'il dégage une odeur de grillé. Incorporer la totalité du bouillon, puis les tiges de coriandre fraîche et le sel. Bien remuer. Mettre le couvercle de la mijoteuse, régler l'appareil à intensité faible et laisser cuire de 8 à 9 heures (ou toute la nuit).

3. Pour terminer le *jook,* bien remuer la préparation car le liquide et le riz peuvent s'être séparés. Pour un *jook* plus épais, régler l'appareil à intensité élevée, mettre le couvercle et, tout en remuant de temps à autre, faire cuire de 1 à 1½ heure de plus. Le potage deviendra épais et blanc. Si désiré, ajouter le lait de soja afin d'obtenir une consistance ultracrémeuse.

4. Remplir de petits bols de feuilles de coriandre et d'oignons verts finement hachés. Prévoir un choix de sauce aux huîtres, de sauce soja et de sauce épicée au moment de servir les portions de *jook.*

Congee

Congee est une autre appellation régionale pour le *jook,* une bouillie de riz savoureuse pour le petit-déjeuner semblable au *kitchari* indien. Le congee est plutôt fade en soi, mais il est habituellement servi avec toutes sortes de garnitures savoureuses, incluant les wontons, les boulettes de viande de porc ou les lanières de canard. La présente recette est servie plus simplement, avec de la sauce soja ou de la sauce épicée. ● **4 portions**

MIJOTEUSE : Moyenne, ronde
INTENSITÉ ET TEMPS DE CUISSON : ÉLEVÉE, de 30 minutes à 1 heure ; FAIBLE
de 7 à 8 heures ; puis, ÉLEVÉE pour 30 minutes (période facultative)

180 ml (¾ tasse) de riz calrose (grains moyens) ou d'un riz de style japonais
de qualité supérieure comme le Nishiki ou le Tamaki Gold
2 l (8 tasses) d'eau ou de bouillon de légumes
5 ml (1 c. à thé) de sel

POUR LE SERVICE :
Sauce soja
Sauce épicée aux piments, comme le Tabasco

1. Laver le riz dans une passoire jusqu'à ce que l'eau qui s'écoule devienne claire. Le couvrir d'eau et le laisser reposer environ 30 minutes.

2. Égoutter le riz. Déposer le riz, l'eau ou le bouillon, et le sel dans la mijoteuse. Bien remuer. À couvert, faire cuire à intensité élevée de 30 minutes à 1 heure pour amener le mélange à ébullition.

3. Régler la mijoteuse à intensité faible et laisser cuire de 7 à 8 heures, voire toute la nuit.

4. Bien remuer le congee. Si le riz n'est pas assez épais et crémeux, bien remuer, parce que le liquide et le riz peuvent s'être séparés ; à couvert, faire cuire 30 minutes de plus à intensité élevée. Le potage deviendra épais et blanc. Servir avec la sauce soja et la sauce épicée.

Gruau à l'ancienne

L e gruau d'avoine qui a cuit dans la mijoteuse pendant la nuit est crémeux, nourrissant et, plus important encore, prêt quand vous l'êtes. Plus besoin de tâtonner au petit matin pour mesurer les ingrédients. Le lève-tôt de la famille peut se remplir un bol, replacer le couvercle de la mijoteuse et garder le reste de la bouillie au chaud pour les autres membres de la famille. Assurez-vous d'utiliser des flocons d'avoine à l'ancienne pour cette recette, non ceux à cuisson rapide. ● **4 portions**

MIJOTEUSE : Petite ou moyenne, ronde
INTENSITÉ ET TEMPS DE CUISSON : FAIBLE, de 7 à 9 heures ou ÉLEVÉE de 2 à
    3 heures

480 ml (2 tasses) de flocons d'avoine à l'ancienne ou de flocons épais
1,1 l (4¾ tasses) d'eau
1 pincée de sel

1. Mettre l'avoine, l'eau et le sel dans la mijoteuse. Remuer pour mélanger. À couvert, laisser cuire de 7 à 9 heures (ou toute la nuit) à intensité faible ou de 2 à 3 heures à intensité élevée.

2. Bien remuer le gruau et le verser dans des bols à l'aide d'une grande cuillère. Servir avec du lait, du babeurre ou de la crème et saupoudrer de germe de blé grillé, de cassonade et de cannelle.

GRUAU AUX BLEUETS (MYRTILLES) : Pendant les 30 dernières minutes de cuisson, ajouter 240 ml (1 tasse) de bleuets frais équeutés ou de bleuets congelés, dégelés et égouttés.

GRUAU À L'ORANGE : Ajouter 60 ml (¼ tasse) d'écorce d'orange confite grossièrement hachée et 30 ml (2 c. à table) de jus d'orange concentré et dégelé aux autres ingrédients de la mijoteuse.

GRUAU MULTIGRAIN : Incorporer 240 ml (1 tasse) de riz blanc ou brun cuit aux flocons d'avoine, que ce soit au commencement ou avant les 30 dernières minutes de la cuisson.

Gruau aux pommes et à la cannelle

Il existe plus d'une façon de manger son gruau ; vous pouvez le déguster comme bon vous semble. Le mélange de pommes fraîches et de flocons d'avoine est une délicieuse façon de consommer vos portions de fruits et de céréales au petit-déjeuner. Si vous faites cuire les pommes pendant la totalité du temps indiqué, elles se fondront au gruau. Si vous préférez conserver des morceaux de fruit, ajoutez-les avant les 30 dernières minutes de cuisson.

⊙ **2 portions**

MIJOTEUSE : Petite, ronde
INTENSITÉ ET TEMPS DE CUISSON : FAIBLE, de 7 à 9 heures ou ÉLEVÉE de 2 à
     3 heures

240 ml (1 tasse) de flocons d'avoine à l'ancienne ou de flocons épais
30 ml (2 c. à table) de cassonade blonde ou brune
2 à 4 ml (½ à ¾ c. à thé) de cannelle moulue, au goût
1 pincée de sel
600 ml (2½ tasses) d'eau ou d'un mélange eau et jus de pomme
22 ml (1½ c. à table) de beurre non salé
1 pomme ou poire moyenne, pelée, étrognée et hachée

1. Mélanger tous les ingrédients dans la mijoteuse. À couvert, laisser cuire de 7 à 9 heures (ou toute la nuit) à intensité faible ou de 2 à 3 heures à intensité élevée.

2. Bien remuer les flocons d'avoine et les verser dans des bols individuels à l'aide d'une grande cuillère. Servir avec du lait ou de la crème.

Gruau et riz chauds

es flocons d'avoine donneront une céréale crémeuse, tandis que l'avoine concassée donnera un peu de corps. ◉ **4 portions**

MIJOTEUSE : Petite, ronde
INTENSITÉ ET TEMPS DE CUISSON : FAIBLE, de 7 à 9 heures

240 ml (1 tasse) de flocons d'avoine à l'ancienne ou d'avoine concassée
240 ml (1 tasse) de riz brun à grains courts
30 ml (2 c. à table) de son d'avoine ou de germe de blé grillé
1 pincée de sel de mer de qualité
1,2 l (5 tasses) d'eau

1. Mélanger tous les ingrédients dans la mijoteuse. À couvert, laisser cuire de 7 à 9 heures (ou toute la nuit) à intensité faible.

2. Bien remuer les céréales et les verser dans des bols individuels à l'aide d'une grande cuillère. Servir avec du lait, du lait de soja ou de la crème à faible teneur en matière grasse et du miel.

Gruau aux flocons d'avoine concassée cuit durant la nuit

Une des façons les plus populaires d'utiliser la mijoteuse est d'y faire cuire l'avoine concassée. Les grains d'avoine concassée, aussi commercialisés sous le nom d'avoine à l'irlandaise ou à l'écossaise, sont des grains entiers coupés en deux ou trois morceaux. Ils sont bien connus pour la longue période de trempage et de cuisson qui est requise pour les ramollir correctement, ce qui fait de l'avoine concassée un plat parfait pour la mijoteuse. Les proportions suggérées donnent un gruau modérément épais; si vous préférez une consistance plus épaisse, réduisez la quantité d'eau de 120 à 240 ml (½ à 1 tasse) la prochaine fois vous le préparerez. Les Écossais consomment ce gruau avec une ale ou une stout froide ou encore ils l'arrosent de scotch single malt et de cassonade. Nous, en Amérique du Nord, nous l'aimons avec une noix de beurre, du miel de trèfle ou du sirop d'érable pur et de la crème. ◉ **2 portions**

MIJOTEUSE : Petite, ronde

INTENSITÉ ET TEMPS DE CUISSON : FAIBLE, de 8 à 9 heures

240 ml (1 tasse) d'avoine concassée
1 l (4 tasses) d'eau

1. Mélanger l'avoine et l'eau dans la mijoteuse. À couvert, laisser cuire de 8 à 9 heures (ou toute la nuit) à faible intensité, le temps que l'avoine soit tendre.

2. Bien remuer l'avoine et la verser dans des bols individuels à l'aide d'une grande cuillère. Servir avec du lait ou de la crème et du sirop d'érable ou de la cassonade.

AVOINE CONCASSÉE AUX NOIX : Pour un gruau parfumé, incorporer à la fin de la cuisson 60 ml (¼ tasse) de graines de tournesol grillées, de noix, de pacanes ou d'amandes hachées.

Gruau crémeux aux fruits séchés

Le chroniqueur culinaire John Thorne a publié dans son magazine *Simple Cooking* un article amusant intitulé « Splendor in the Pot », qui se veut un petit traité du gruau. Sa boîte de métal d'avoine à l'irlandaise McCann's représente pour lui le seul tremplin pour préparer un gruau digne de ce nom. Thorne considère qu'un bol de gruau instantané et un d'avoine concassée sont aussi éloignés en termes de goût que ne le seraient une tasse de café instantané et une de café fraîchement infusé. Ce gruau, plein de fruits séchés, est si bon que vous pouvez réfrigérer les restes, puis les couper en petits carrés et les servir avec de la crème fouettée pour dessert. ◉ **3 portions**

MIJOTEUSE : Petite, ronde

INTENSITÉ ET TEMPS DE CUISSON : FAIBLE, de 8 à 9 heures

240 ml (1 tasse) d'avoine concassée
160 ml (⅔ tasse) de cerises sures séchées ou de canneberges séchées
    sucrées
80 ml (⅓ tasse) de figues séchées hachées
80 ml (⅓ tasse) d'abricots séchés hachés
1,1 l (4½ tasses) d'eau
120 ml (½ tasse) de crème 11,5 % M.G. ou de lait concentré

1. Mélanger tous les ingrédients dans la mijoteuse. À couvert, laisser cuire de 8 à 9 heures (ou toute la nuit) à faible intensité ou jusqu'à l'obtention d'une texture tendre.

2. Servir les flocons d'avoine directement du pot, sans autre garniture qu'une pincée de sel de mer, une noix de beurre et du lait.

Gruau à l'érable aux fruits séchés et aux épices douces

Voici une autre recette fabuleuse de gruau d'avoine concassée qui cuit toute la nuit. Ce gruau est très relevé; alors, si vous préférez une saveur plus discrète, n'utilisez que la moitié des épices indiquées dans la recette. Pour une saveur plus riche, tout en remuant de temps à autre, faites griller l'avoine sur une plaque de cuisson pendant 15 minutes à 180 °C (350 °F). ◦ **2 portions**

MIJOTEUSE : Petite, ronde
INTENSITÉ ET TEMPS DE CUISSON : FAIBLE, de 7 à 9 heures

240 ml (1 tasse) d'avoine concassée
120 ml (½ tasse) de raisins secs ou de cerises séchées, de bleuets
    (myrtilles) séchés ou de canneberges séchées sucrées
5 ml (1 c. à thé) d'épices pour tarte aux pommes, ou de cannelle moulue
    mélangée avec 1 pincée de clou de girofle, de muscade et de piment de
    la Jamaïque moulus
1 l (4 tasses) d'eau
30 ml (2 c. à table) de sirop d'érable pur ou de sucre d'érable en granules, et
    davantage pour le service

1. Mélanger tous les ingrédients dans la mijoteuse. À couvert, laisser cuire de 7 à 9 heures (ou toute la nuit) à faible intensité.

2. Bien remuer le gruau et le verser dans des bols individuels à l'aide d'une grande cuillère. Servir avec du lait et du sirop ou du sucre d'érable.

Gruau de blé entier campagnard de Rebecca

L e blé entier possède un goût plus robuste que les flocons d'avoine ou l'avoine concassée. Il permet de préparer un petit-déjeuner copieux et merveilleux. Cette recette, qui propose un authentique plat de gruau à l'ancienne, provient de l'auteure culinaire et experte en aliments naturels, Rebecca Wood. Servez ce petit festin avec du lait et du miel ou du sirop d'érable, ou avec des fruits frais sautés dans un beurre non salé avec un peu de sucre et de jus de citron. ⊙ **2 à 3 portions**

MIJOTEUSE : Petite, ronde
INTENSITÉ ET TEMPS DE CUISSON : FAIBLE, de 7 à 9 heures

240 ml (1 tasse) d'avoine décortiquée
1 pincée de sel de mer de qualité
1 bâton de de 10 cm (4 po)
1 l (4¼ tasses) d'eau

1. Mélanger tous les ingrédients dans la mijoteuse. À couvert, laisser cuire de 7 à 9 heures à faible intensité, voire toute la nuit. (Si vous avez le temps, réglez la mijoteuse à intensité élevée pendant 1 à 2 heures pour commencer la cuisson ; il s'agit d'une étape facultative.)

2. Retirer le bâton de cannelle. Bien remuer le gruau de blé et le verser dans des bols individuels à l'aide d'une grande cuillère.

Gruau d'orge chaud

L 'orge possède une texture caoutchouteuse et une saveur douce ayant un arrière-goût de malt. La chroniqueuse culinaire Elizabeth Schneider trouve que son goût évoque « les feuilles d'automne et le zeste de citron ». Les flocons d'orge, faits à partir d'orge perlé décortiqué et grillé, sont épais et bons au goût. Ils sont à leur meilleur lorsqu'ils sont cuits à feu doux sur une longue période. Ils offrent une alternative satisfaisante au porridge. ⊙ **4 portions**

MIJOTEUSE : Petite ou moyenne, ronde

INTENSITÉ ET TEMPS DE CUISSON : FAIBLE, de 7 à 9 heures

480 ml (2 tasses) de flocons d'orge à l'ancienne
1 pincée de sel de mer de qualité
1,1 l (4½ tasses) d'eau

1. Mélanger les ingrédients dans la mijoteuse. À couvert, laisser cuire de 7 à 9 heures (ou toute la nuit) à faible intensité.

2. Bien remuer les céréales et les verser dans des bols individuels à l'aide d'une grande cuillère. Servir avec du lait ou du lait de soja et du sirop d'érable, du miel ou de la cassonade.

Gruau d'orge à la vanille

Voici une variante sophistiquée de notre Gruau d'orge chaud (page 32). Pour arranger la gousse de vanille, utilisez un couteau d'office pointu et ouvrez-la en deux dans le sens de la longueur ; nous aimons garder la gousse intacte à une de ses extrémités pour en faciliter la manipulation. Les graines parfumées se répandront dans le gruau. ● **3 à 4 portions**

MIJOTEUSE : Petite, ronde

INTENSITÉ ET TEMPS DE CUISSON : FAIBLE, de 7 à 9 heures

360 ml (1½ tasse) de flocons d'orge à l'ancienne
30 ml (2 c. à table) de miel
1 pincée de sel
1 l (4 tasses) d'eau
15 ml (1 c. à table) de beurre non salé
½ gousse de vanille

POUR LE SERVICE :
Bananes tranchées
Amandes grillées

1. Mélanger l'orge, le miel, le sel, l'eau et le beurre dans la mijoteuse. Séparer la gousse de vanille en deux avec le bout d'un petit couteau pointu. Gratter les graines.

Incorporer la gousse et les graines dans la mijoteuse. À couvert, laisser cuire de 7 à 9 heures (ou toute la nuit) à faible intensité.

2. Enlever la gousse de vanille. Bien remuer le gruau et le verser dans des bols individuels à l'aide d'une grande cuillère. Servir avec du lait ou de la crème et garnir de bananes tranchées et d'amandes grillées.

• • Mélanges personnalisés de céréales chaudes • •

Nous avons appris à apprécier le subtil art qui consiste à faire nos propres mélanges de céréales. Conservez vos mélanges dans des bocaux de 1 ou 2 l (4 ou 8 tasses) munis d'un couvercle à charnière (ils sont si décoratifs sur le comptoir) ou dans des contenants en plastique dotés de couvercles hermétiques (dans le placard). Ce sont les céréales par excellence à servir au petit-déjeuner.

Muesli aux pommes ● donne environ 1,3 l (5½ tasses) de matières sèches

360 ml (1½ tasse) d'avoine concassée

240 ml (1 tasse) de blé concassé

240 ml (1 tasse) de seigle concassé

240 ml (1 tasse) d'orge concassé

240 ml (1 tasse) de pommes séchées finement hachées

180 ml (¾ tasse) de raisins de Corinthe secs

10 ml (2 c. à thé) de cannelle moulue ou d'épices pour tarte aux pommes

Dans un grand bol, mélanger tous les ingrédients. Bien remuer. Conserver dans un contenant couvert à la température ambiante ou dans un sac de plastique. Utiliser le mélange dans n'importe quelle recette demandant de l'avoine concassée.

Flocons multigrains ● Donne environ 1,2 l (5 tasses) de matières sèches

240 ml (1 tasse) de flocons d'avoine à l'ancienne ou de flocons épais (pas des flocons à cuisson rapide)

240 ml (1 tasse) de flocons de blé

240 ml (1 tasse) de flocons de seigle

240 ml (1 tasse) de flocons d'orge à l'ancienne

Dans un grand bol, mélanger tous les ingrédients. Bien remuer. Conserver dans un contenant couvert à la température ambiante ou dans un sac de plastique. Utiliser le mélange dans n'importe quelle recette demandant des flocons d'avoine.

Gruau de riz crémeux aux raisins

C e gruau représente une version américanisée du congee. Il est donc adouci avec du lait et des fruits séchés. Vous devez utiliser un riz à grains courts ou moyens afin qu'il y ait suffisamment d'amidon pour donner à la céréale une consistance crémeuse.

◉ **3 portions**

MIJOTEUSE : Petite, ronde

INTENSITÉ ET TEMPS DE CUISSON : FAIBLE, de 6 à 8 heures

240 ml (1 tasse) de riz à grains moyens comme le calrose ou de riz à grains courts comme l'arborio

480 ml (2 tasses) d'eau

360 ml (1½ tasse) de lait écrémé concentré

2 ml (½ c. à thé) de sel

120 ml (½ tasse) de raisins secs

1. Mélanger tous les ingrédients dans la mijoteuse. À couvert, laisser cuire de 6 à 8 heures (ou toute la nuit) à faible intensité ou jusqu'à l'obtention d'une consistance crémeuse.

2. Bien remuer le gruau. Servir directement du pot, sans garniture.

Bouillie de maïs crémeuse

L a semoule de maïs possède une saveur et une texture uniques. Elle entre dans la recette de pains ayant une texture sablonneuse pour donner des johnnycakes, des bâtonnets de maïs, des muffins à la semoule de maïs et des pains de maïs cuits à la poêle. Ces mets représentent la manière la plus courante de manger la semoule de maïs. Ici, nous retournons plusieurs siècles en arrière pour actualiser une bonne vieille recette, celle de la bouillie de maïs, une céréale qui a soutenu des peuples sur toute la surface du globe pendant des millénaires. Ce plat, meilleur mouillé avec du babeurre acidulé, accompagne bien les fromages aigrelets, par exemple le fromage de chèvre et le monterey jack. Nous vous recommandons d'y faire fondre, tout en remuant constamment, du mascarpone ou du fromage à la crème, puis de garnir la bouillie avec des baies. ◉ **2 portions**

MIJOTEUSE : Petite, ronde

INTENSITÉ ET TEMPS DE CUISSON : FAIBLE, de 7 à 9 heures

120 ml (½ tasse) de semoule de maïs, de polenta ou de maïs concassé,
   moulu à la pierre si possible
480 ml (2 tasses) d'eau
1 pincée de sel
120 ml (½ tasse) de lait concentré

1. Mélanger tous les ingrédients dans la mijoteuse. À couvert, laisser cuire de 7 à 9 heures (ou toute la nuit) à faible intensité. Durant la cuisson, si possible, remuer à plusieurs reprises à l'aide d'un fouet ou d'une cuillère de bois.

2. Bien remuer la bouillie et la verser dans des bols individuels à l'aide d'une grande cuillère. Servir avec une noix de beurre, du lait, et saupoudrer de germe de blé grillé. Si désiré, incorporer du fromage à la crème ou du mascarpone et garnir de baies.

Gruau de maïs sucré

L e maïs concassé provient du maïs nature. Il accompagne bien les pommes, les poires, les pêches et toutes les baies surettes, des framboises aux canneberges. Sous la forme de bouillie, on peut le sucrer avec du miel, du sirop d'érable ou de la mélasse. Nous considérons que la semoule de maïs se marie avec à peu près tout, sauf le chocolat. **⊙ 2 portions**

MIJOTEUSE : Petite, ronde

INTENSITÉ ET TEMPS DE CUISSON : FAIBLE, de 7 à 9 heures

120 ml (½ tasse) de maïs concassé, moulu à la pierre si possible
480 ml (2 tasses) d'eau
1 pincée de sel
45 ml (3 c. à table) de miel ou de sirop d'érable pur
Morceaux de fruits ou baies pour le service

1. Mélanger le maïs concassé, l'eau et le sel dans la mijoteuse. À couvert, laisser cuire de 7 à 9 heures (ou toute la nuit) à faible intensité.

2. À quelques reprises durant la cuisson, remuer la bouillie à l'aide d'un fouet. Incorporer le miel juste avant le service. Bien remuer. Verser la préparation dans des bols

individuels à l'aide d'une grande cuillère. Servir avec du lait et garnir de morceaux de fruits ou de baies.

Gruau de millet aux dattes

L e millet *(Setaria italica)* a une longue histoire dans le monde culinaire, bien que de nos jours il soit quelque peu tombé dans l'oubli. Il fait cependant une brève apparition à titre d'ingrédient-clé dans les mélanges de céréales entières à sept ou neuf grains. Le millet possède un léger goût de noisette et est très facile à digérer. La chroniqueuse culinaire Elizabeth Schneider en décrit la saveur comme évoquant «la noix de cajou et le maïs». Cette variété de millet est d'un doré brillant et le produit devient duveteux et moelleux quand il est cuit. S'il y a des grains foncés dans votre paquet, il s'agit de grains complets qui ont échappé au processus de décorticage. Le millet a une affinité naturelle avec les dattes, que nous ajoutons dans cette recette pour obtenir un goût sucré. ● **4 portions**

MIJOTEUSE : Petite, ronde
INTENSITÉ ET TEMPS DE CUISSON : FAIBLE, de 7 à 9 heures

240 ml (1 tasse) de millet concassé ou entier
840 ml (3½ tasses) d'eau
1 pincée de sel
120 ml (½ tasse) de lait concentré, de lait entier ou de crème à faible teneur
    en matière grasse
60 à 120 ml (¼ à ½ tasse) de dattes dénoyautées hachées, au goût

1. Mélanger le millet, l'eau et le sel dans la mijoteuse. À couvert, laisser cuire de 7 à 9 heures (ou toute la nuit) à faible intensité. À l'aide d'un fouet, remuer à quelques reprises pendant la cuisson.

2. Régler l'appareil à intensité élevée et incorporer le lait et les dattes. À couvert, faire chauffer de 5 à 10 minutes.

3. Bien remuer le gruau et le verser dans des bols individuels à l'aide d'une grande cuillère. Servir avec du lait et du miel.

Gruau de blé concassé

Le blé concassé est une mouture fine, moyenne ou grossière d'un grain de blé entier dont le son a été enlevé. Il diffère du blé boulghour, qui est blanchi, séché, puis concassé. On oublie souvent que le blé concassé, un ingrédient important dans les céréales mélangées, peut être consommé comme tel au petit-déjeuner. Si vous décidez d'utiliser un mélange multigrain pour cette recette, vous obtiendrez probablement un mélange de blé, de seigle, d'orge, de triticale, de maïs, d'avoine, de lin, de millet, de riz brun, de germe de blé, de son de blé et de soja concassé, dans des proportions variables. Cependant, le blé concassé, avec sa riche saveur de noisette, mérite qu'on l'essaie au moins une fois comme ingrédient unique dans la préparation d'une céréale chaude. ◉ **4 portions**

MIJOTEUSE : Petite, ronde
INTENSITÉ ET TEMPS DE CUISSON : FAIBLE, de 7 à 9 heures ou ÉLEVÉE de
   2½ à 3 heures

240 ml (1 tasse) de blé concassé fin, de blé boulghour ou d'un mélange pour
   céréales chaudes à 5 ou 7 grains
720 ml (3 tasses) d'eau
1 pincée de sel

1. À feu moyen, faire griller le blé concassé dans une poêle sèche environ 5 minutes ou jusqu'à ce que l'arôme devienne perceptible.

2. Mélanger le blé, l'eau et le sel dans la mijoteuse. Couvrir l'appareil. À faible intensité, faire cuire de 7 à 9 heures, voire toute la nuit (le blé concassé prendra plus de temps à cuire que le boulghour), jusqu'à ce que le blé soit tendre, ou de 2½ à 3 heures à intensité élevée. À l'aide d'un fouet, remuer à quelques reprises pendant la cuisson.

3. Verser la préparation dans des bols individuels à l'aide d'une grande cuillère. Servir avec du lait et de la cassonade ou du miel.

Blé concassé cuit dans le jus de pomme

Voici une variante du blé concassé nature. La bouillie est préparée avec du jus de pomme (au lieu de l'eau), des pommes séchées et des épices douces. La céréale sera savoureuse et la lente cuisson remplira la cuisine d'un arôme exquis. ◉ **4 portions**

MIJOTEUSE : Petite, ronde
INTENSITÉ ET TEMPS DE CUISSON : FAIBLE, de 7 à 9 heures

240 ml (1 tasse) de blé concassé fin ou de blé boulghour
1 l (4 tasses) de jus de pomme
45 ml (3 c. à table) de miel
30 ml (2 c. à table) de beurre non salé
1 pincée de sel
2 ml (½ c. à thé) de cannelle moulue
1 ml (¼ c. à thé) de cardamome moulue
120 ml (½ tasse) de pommes séchées hachées

1. À feu moyen, faire griller le blé concassé dans une poêle sèche environ 5 minutes ou jusqu'à ce que l'arôme devienne perceptible.

2. Mélanger le blé, le jus de pomme, le miel, le beurre, le sel, la cannelle, la cardamome et les pommes séchées dans la mijoteuse. À couvert, laisser cuire de 7 à 9 heures (ou toute la nuit) jusqu'à ce que le blé soit tendre (le blé concassé prendra plus de temps à cuire que le boulghour, qui est blanchi). À l'aide d'un fouet, remuer à quelques reprises pendant la cuisson.

3. Bien remuer la céréale et la verser dans des bols individuels à l'aide d'une grande cuillère. Servir avec du lait, de la crème ou du lait de soja.

Crème de blé

La semoule provient de la mouture de l'endosperme du blé dur, qui est de couleur crème. Elle entre communément dans la confection des pâtes alimentaires. Le blé dur, un produit riche en protéines et délicieux, est également issu d'une mouture grossière, semblable à la semoule de maïs, appelée semoule de blé. Si la semoule de blé ne vous est pas familière, peut-être la crème de blé le sera-t-elle davantage. Elle provient de la mouture de l'endosperme seulement, tandis que d'autres produits résultent de la mouture du blé dur entier. Ces produits, tels Roman Meal et Bear Mush, sont disponibles dans les magasins d'aliments naturels. La semoule de blé sera plus crémeuse que jamais après avoir cuit toute la nuit dans la mijoteuse. ◉ **4 portions**

MIJOTEUSE : Petite, ronde
INTENSITÉ ET TEMPS DE CUISSON : FAIBLE, de 7 à 9 heures

120 ml (½ tasse) de crème de blé
80 ml (⅓ tasse) de céréales de blé, comme Wheatena
1,1 l (4½ tasses) d'eau
1 pincée de sel

1. Mélanger tous les ingrédients dans la mijoteuse. Mettre le couvercle et, à faible intensité, laisser cuire de 7 à 9 heures (ou toute la nuit) ou jusqu'à l'obtention d'une consistance crémeuse. Si possible, à l'aide d'un fouet, remuer à quelques reprises durant la cuisson.

2. Verser la préparation dans des bols individuels à l'aide d'une grande cuillère. Servir avec du lait et de la cassonade.

Gruau maison cuit durant la nuit

Rendez-vous dans un magasin d'aliments naturels et achetez des grains entiers, peut-être certains que vous n'avez jamais utilisés auparavant, et mélangez-les pour préparer des céréales chaudes à servir au petit-déjeuner. Le mélange suivant peut facilement cuire durant la nuit. ◉ **6 portions**

MIJOTEUSE : Moyenne, ronde
INTENSITÉ ET TEMPS DE CUISSON : FAIBLE, de 8 à 9 heures

120 ml (½ tasse) d'avoine concassée
120 ml (½ tasse) de riz brun à grains courts ou un mélange de riz de qualité
    supérieure
120 ml (½ tasse) de millet
120 ml (½ tasse) d'orge à grains entiers

80 ml (⅓ tasse) de riz sauvage

60 ml (¼ tasse) de polenta (semoule de maïs) ou de maïs concassé

45 ml (3 c. à table) de graines de lin moulues ou entières

2 ml (½ c. à thé) de sel

1,7 l (7 tasses) d'eau

1. Mélanger tous les ingrédients dans la mijoteuse. Mettre le couvercle et, à faible intensité, laisser cuire de 8 à 9 heures (ou toute la nuit) ou jusqu'à ce que les céréales soient tendres.

2. Bien remuer. Verser la préparation dans des bols individuels à l'aide d'une grande cuillère. Servir avec du lait ou de la crème et du sirop d'érable ou de la cassonade.

Muesli à l'ancienne aux amandes et à la noix de coco

Le secret pour obtenir un muesli vraiment savoureux est d'utiliser des flocons d'avoine très frais et de grande qualité. Vous désirerez probablement préparer une pleine mijoteuse de ce muesli pour en avoir pendant un petit bout de temps. Cette recette demande quelques heures à cuire au four conventionnel, mais prévoyez de 4 à 6 heures pour la mijoteuse. Hormis l'obligation de le remuer au tout début, le muesli, contre toute attente, cuit plus uniformément dans le pot de la mijoteuse que dans le four, et ce, sans risque de roussissement (le roussissement altère le bon goût du muesli). Conservez votre muesli dans un contenant de plastique fermant hermétiquement ou dans des bocaux de verre étanches ; il sera disponible pour les petits-déjeuners et les fringales d'après-midi. Pour le conserver plus longtemps, congelez-le. Il vous faudra une grande mijoteuse pour faire cette recette ; notez que vous devrez la couper de moitié si vous utilisez une mijoteuse moyenne. ● **Donne environ 3 l (12 tasses)**

MIJOTEUSE : Grande, ronde ou ovale

INTENSITÉ ET TEMPS DE CUISSON : ÉLEVÉE, pour 2 heures ; puis, FAIBLE de 4 à 6 heures

INGRÉDIENTS HUMIDES :

120 ml (½ tasse) de miel doux, réchauffé pour verser plus facilement

240 ml (1 tasse) d'huile de canola (ou de tournesol) biologique pressée à froid

10 ml (2 c. à thé) d'extrait de vanille pur

5 ml (1 c. à thé) d'extrait d'amande pur

INGRÉDIENTS SECS :

1,5 l (6 tasses) de flocons d'avoine à l'ancienne (454 g ou 1 lb, pas des
flocons à cuisson rapide)

240 ml (1 tasse) de graines de tournesol crues

240 ml (1 tasse) de noix de coco râpée non sucrée (disponible dans les
magasins d'aliments naturels, dans la section des produits congelés)

240 ml (1 tasse) d'amandes mondées en julienne

240 ml (1 tasse) de germe de blé cru (113 g ou 4 oz)

240 ml (1 tasse) de lait écrémé en poudre

120 ml (½ tasse) de cassonade blonde bien tassée

1. Mettre les ingrédients humides dans la mijoteuse et régler l'appareil à intensité élevée. À découvert, tout en remuant à l'aide d'un fouet pour bien mélanger, réchauffer le mélange durant 30 minutes afin de faire fondre le miel.

2. Dans un grand bol, mélanger tous les ingrédients secs et remuer pour bien en faire la répartition. Ajouter un tiers des ingrédients secs au mélange chaud et remuer à l'aide d'une spatule résistante à la chaleur ou d'une cuillère de bois afin de les humecter. Tout en continuant à remuer, ajouter lentement le reste des ingrédients secs et s'assurer qu'ils soient uniformément humectés. Toujours à découvert, en remuant aux 30 minutes pour obtenir un rôtissage uniforme, poursuivre la cuisson à intensité élevée pour exactement 1½ heure.

3. Régler l'appareil à intensité faible et, à couvert, laisser cuire le muesli de 4 à 6 heures ou jusqu'à l'obtention d'une consistance sèche et d'une couleur légèrement dorée ; pour une cuisson uniforme, remuer une fois l'heure. Lorsqu'à point, le muesli glissera d'une spatule ou d'une cuillère.

4. Éteindre la mijoteuse, enlever le couvercle et laisser tiédir le muesli à la température ambiante ; en tiédissant, il deviendra plus croustillant. Verser la préparation dans un contenant muni d'un couvercle hermétique ; le muesli s'y conservera jusqu'à 1 mois.

Muesli à l'avoine et à l'érable avec canneberges séchées

Ces céréales, d'une belle couleur ambre, ont une saveur prononcée et une faible teneur en gras. ● **Donne environ 2,5 l (10 tasses)**

MIJOTEUSE : Grande, ronde ou ovale

INTENSITÉ ET TEMPS DE CUISSON : ÉLEVÉE, pour 2 heures ; puis, FAIBLE de 4 à 6 heures

INGRÉDIENTS HUMIDES :

180 ml (¾ tasse) de sirop d'érable pur

120 ml (½ tasse) d'eau

60 ml (¼ tasse) de cassonade blonde bien tassée

60 ml (¼ tasse) d'huile de canola (ou de tournesol) biologique pressée à froid

INGRÉDIENTS SECS :

1,5 l (6 tasses) de flocons d'avoine à l'ancienne (454 g ou 1 lb, pas des flocons à cuisson rapide)

240 ml (1 tasse) de graines de tournesol crues

120 ml (½ tasse) de graines de citrouille crues

120 ml (½ tasse) de son d'avoine cru

240 ml (1 tasse) de germe de blé au miel, grillé (113 g ou 4 oz)

360 ml (1½ tasse) de canneberges séchées sucrées

120 ml (½ tasse) d'abricots séchés hachés

45 ml (3 c. à table) de graines de sésame crues

1. Mettre les ingrédients humides dans la mijoteuse et régler l'appareil à intensité élevée. À découvert, tout en remuant à l'aide d'un fouet pour bien mélanger, réchauffer le mélange durant 30 minutes afin de faire fondre le miel.

2. Dans un grand bol, mélanger tous les ingrédients secs et remuer pour bien en faire la répartition. Ajouter un tiers des ingrédients secs au mélange chaud et remuer à l'aide d'une spatule résistante à la chaleur ou d'une cuillère de bois afin de les humecter. Tout en continuant de remuer, ajouter lentement le reste des ingrédients secs et s'assurer qu'ils soient uniformément humectés. Toujours à découvert, en remuant aux 30 minutes pour obtenir un rôtissage uniforme, poursuivre la cuisson à intensité élevée pour exactement 1½ heure.

3. Régler l'appareil à intensité faible et, à couvert, laisser cuire le muesli de 4 à 6 heures ou jusqu'à l'obtention d'une consistance sèche et d'une couleur légèrement

dorée ; pour une cuisson uniforme, remuer une fois l'heure. Lorsqu'à point, le muesli glissera d'une spatule ou d'une cuillère.

4. Pendant que le muesli est chaud, incorporer le germe de blé, les canneberges séchées, les abricots et les graines de sésame. Laisser tiédir complètement ; le mélange deviendra plus croustillant. Verser la préparation dans un contenant muni d'un couvercle hermétique ; le muesli s'y conservera jusqu'à 1 mois.

Soupes à
la mijoteuse

Qu'il s'agisse d'une soupe nourrissante aux haricots ou aux pois cassés, d'un potage velouté exotique ou d'une soupe contenant de gros morceaux de légumes, les soupes maison font le régal de tout le monde. Au dire de l'expert en soupes et en pains, Bernard Clayton, elles «alimentent notre feu intérieur». La soupe constitue l'aliment réconfortant par excellence et semble taillée sur mesure pour la mijoteuse. Les soupes sont présentes dans toutes les cultures et cuisines du monde. Elles peuvent demander quelques jours de préparation, alors qu'on doit porter une attention particulière au bouillon ainsi qu'aux autres ingrédients, ou être préparées simplement et rapidement avec ce qu'on a sous la main. Certaines soupes sont assez nourrissantes pour constituer un repas complet, la solution idéale pour les cuisiniers pressés.

Secrets d'une bonne soupe à la mijoteuse

- Les soupes à la mijoteuse sont faciles à préparer; cependant, il importe de ne pas les faire trop cuire et d'ainsi les transformer en bouillies insipides. Portez attention aux temps de cuisson recommandés dans chaque recette. Cette remarque ne s'applique pas aux bouillons (pages 98 à 112), qui peuvent cuire très longtemps.

- Tirez avantage des ingrédients qui sont disponibles à prix abordable sur le marché. Utilisez les ingrédients les plus frais et accordez vos soupes aux produits saisonniers. De plus, les soupes cuisent plus facilement lorsque tous les ingrédients sont coupés en morceaux semblables, ce qui donne une cuisson uniforme; alors, prenez le temps de les apprêter correctement.

- Ajoutez du bouillon ou de l'eau pour au moins couvrir les ingrédients solides placés dans la mijoteuse. À n'importe quel moment de la cuisson, vous pouvez ajouter du liquide bouillant pour ajuster la consistance de la préparation. Calculez le nombre et la taille des portions que vous souhaitez servir. Si la soupe est servie en entrée, calculez 240 ml (1 tasse) par convive; s'il s'agit d'un plat principal, il vous faudra compter 480 ml (2 tasses) ou plus par personne.

- Sauf mention contraire, nous considérons que l'intensité faible convient mieux aux soupes, surtout avec les nouveaux modèles de mijoteuse où l'intensité élevée produit une ébullition vive. L'intensité faible produit un doux frémissement. Pourquoi se presser?

- Utilisez les herbes et les épices avec modération et rectifiez toujours l'assaisonnement à la fin de la cuisson. La mijoteuse tend à concentrer les saveurs.

- Si vous le désirez, vous pouvez faire suer certains légumes, comme les oignons et l'ail, dans le beurre ou l'huile avant de les verser dans la mijoteuse. Cette étape, bien que facultative, ajoute de la saveur aux mets.

- Pour réduire les potages en purée, utilisez un mélangeur à main que vous pourrez plonger dans les liquides (l'ustensile favori de Beth) en prenant toutefois soin de ne pas heurter les parois de la mijoteuse. Sinon, vous pouvez verser en plusieurs étapes le potage dans un robot culinaire et le réduire en purée par touches successives. Avec le mélangeur à main, vous n'aurez pas besoin de transvider le potage. Certains potages, à l'artichaut ou aux asperges par exemple, contiennent des fibres résistantes. Il vaut mieux les couler dans une passoire à gros trous.

Soupe à l'orge, aux fines herbes et au babeurre

Cette soupe acidulée, pauvre en matière grasse, est une adaptation d'une recette fort populaire tirée de *Diet for a Small Planet* (Ballantine, 1975), une des bibles culinaires de la génération hippie. Le babeurre de culture y ajoute du corps et de la saveur ; les fines herbes fournissent l'étincelle qui transforme un plat ordinaire en un mets extraordinaire. Variez les herbes selon vos préférences et la saison. ◉ **4 à 6 portions**

MIJOTEUSE : Moyenne, ronde
INTENSITÉ ET TEMPS DE CUISSON : FAIBLE, de 5 à 6 heures ; puis, ÉLEVÉE
      pour 30 minutes

30 ml (2 c. à table) de beurre non salé
2 gros oignons jaunes hachés
240 ml (1 tasse) de céleri haché
180 ml (¾ tasse) d'orge perlé, rincé et égoutté
1 l (4 tasses) d'eau
480 ml (2 tasses) de babeurre
Sel, et poivre noir du moulin, au goût
60 ml (¼ tasse) d'herbes fraîches finement hachées (comme la coriandre,
      l'estragon, la ciboulette, l'aneth, le thym ou le persil, ou encore un
      mélange de celles-ci)

1. À feu moyen, faire fondre le beurre dans une grande poêle. Tout en remuant de temps à autre, attendrir les oignons et le céleri durant 10 minutes ou jusqu'à ce que l'oignon soit légèrement doré. Verser la préparation dans la mijoteuse. Ajouter l'orge et l'eau ; remuer pour bien mélanger. À couvert, laisser cuire de 5 à 6 heures à faible intensité, le temps que l'orge devienne très tendre.

2. Incorporer le babeurre. Mettre le couvercle de la mijoteuse et faire cuire à intensité élevée jusqu'à ce que la soupe soit bien chaude, soit environ 30 minutes de plus. Saler et poivrer. Juste avant le service, incorporer la moitié des herbes. Garnir les bols individuels avec le reste des herbes.

Vous avez le choix de garnir une soupe ou non. Les garnitures peuvent être saupoudrées ou déposées à la cuillère pour donner un effet visuel ; de plus, elles apportent une saveur et une texture supplémentaires, comme c'est le cas pour les amandes grillées ou une salsa contenant de gros morceaux de tomate.

- Pour les potages épais, utilisez des croûtons (page 72), du fromage râpé, par exemple du parmesan ou du cheddar, de la ciboulette fraîche ciselée, des oignons rouges ou verts hachés, du persil plat, de la roquette ou du cresson hachés, des fleurs comestibles, comme des capucines, de fines tranches de citron ou de lime, des lanières de viande ou de volaille, de la salsa, des légumes frais ou de l'oignon, de l'échalote française ou du poireau frits.

- Pour les crèmes, employez des amandes ou des pignons grillés, de la ciboulette ou de l'oignon vert ciselés, du persil plat haché, une cuillerée de crème sure, de la *crema mexicana* ou de la crème fraîche.

- Pour les soupes claires, choisissez entre des lanières de crêpes fraîchement cuites, des croûtons, des boulettes de pâtes ou des gnocchis, de la ciboulette ou de l'oignon vert ciselés, du persil plat haché, des morceaux de tofu ou des tranches d'avocat ou de citron.

Soupe aux pois cassés et à l'orge de Mary

Mary Cantori, l'amie de Beth, enseigne au primaire. Le jeudi est la journée où elle utilise sa mijoteuse. Elle quitte la maison vers sept heures le matin pour y revenir vers dix-neuf heures ; sa cuisine est remplie des effluves alléchants d'une soupe aux pois cassés qui ne demande qu'à être dégustée. Elle ajoute des herbes fraîches, qu'elle a tirées de son impressionnant jardin, fait probablement cuire de la saucisse au poulet et aux pommes qu'elle ajoutera à la soupe, et le dîner est servi. La sauce Bragg's est un substitut de sauce végétarien que l'on trouve dans les magasins d'aliments naturels. • **6 portions**

MIJOTEUSE : Moyenne, ronde
INTENSITÉ ET TEMPS DE CUISSON : FAIBLE, de 10½ à 12½ heures ; le sel, le
    poivre, la marjolaine et la saucisse sont ajoutés avant les 30 dernières
    minutes de la cuisson

454 g (1 lb) de pois verts cassés séchés
30 ml (2 c. à table) d'huile d'olive

1 oignon jaune moyen, finement haché

1 branche de céleri hachée

1 carotte moyenne, finement hachée

180 ml (¾ tasse) d'orge perlé, rincé et égoutté

30 à 45 ml (2 à 3 c. à table) de sauce Bragg's

30 ml (2 c. à table) de bouillon de poulet ou de légumes, en cubes

5 ml (1 c. à thé) de poudre d'ail

1 ml (¼ c. à thé) de piment de Cayenne

Sel, et poivre noir du moulin, au goût

15 à 30 ml (1 à 2 c. à table) de marjolaine fraîche ciselée, au goût

113 à 227 g (4 à 8 oz) de saucisses au poulet et aux pommes (facultatif), au goût, dorées dans une sauteuse ou sous le gril et tranchées

1. À l'aide d'une passoire, rincer les pois cassés sous l'eau froide courante. Éliminer ceux qui sont décolorés. Faire tremper les pois toute la nuit à la température ambiante en les couvrant de 5 cm (2 po) d'eau froide. Égoutter et mettre dans la mijoteuse.

2. Dans une grande poêle, à feu moyen, tout en remuant de temps à autre, attendrir l'oignon, le céleri et la carotte pendant environ 5 minutes. Verser les légumes dans la mijoteuse. Ajouter l'orge, la sauce Bragg's, le bouillon en cube, la poudre d'ail et le piment de Cayenne. Couvrir les légumes de 7,5 cm (3 po) d'eau. Puis, à couvert, laisser cuire de 10 à 12 heures à faible intensité.

3. Saler et poivrer. Incorporer ensuite la marjolaine et la saucisse, si utilisées. Si la soupe est trop épaisse, ajouter de l'eau pour l'éclaircir. Mettre le couvercle de la mijoteuse et poursuivre la cuisson pendant 30 minutes à faible intensité ou jusqu'à ce que la saucisse soit chaude de part en part. À l'aide d'une louche, verser la préparation dans des bols individuels. Servir chaud.

Soupe végétarienne aux poix cassés

Si vous avez déjà emprunté les autoroutes de la Californie, vous avez certainement vu les restaurants Pea Soup Andersen's ou, du moins, les panneaux publicitaires de cette entreprise. Nous avons toujours ces panneaux en tête lorsque nous préparons cette soupe, qui ressemble énormément à celle du restaurant concerné. Cette recette est veloutée, savoureuse et peut être mise à cuire dans la mijoteuse en un rien de temps. Pour une purée vraiment lisse, coulez la soupe dans une passoire avant d'en faire le service. ◉ **4 à 6 portions**

MIJOTEUSE : Moyenne ou grande, ronde

INTENSITÉ ET TEMPS DE CUISSON : FAIBLE, de 12 à 15 heures

240 ml (1 tasse) de pois verts cassés séchés

1,2 l (5 tasses) d'eau

160 ml (⅔ tasse) d'échalotes françaises hachées (2 à 3 moyennes)

240 ml (1 tasse) de carottes hachées

240 ml (1 tasse) de céleri haché

1 feuille de laurier

2 ml (½ c. à thé) de thym séché ou 7 ml (1½ c. à thé) de thym frais ciselé

1 ml (¼ c. à thé) de sauge séchée ou 5 ml (1 c. à thé) de sauge fraîche
   ciselée (facultatif)

Sel, au goût

1 pincée de piment de Cayenne

Pain chaud ou croûtons pour le service

1. À l'aide d'une passoire, rincer les pois cassés sous l'eau froide courante. Éliminer ceux qui sont décolorés. Verser les pois dans la mijoteuse. Ajouter l'eau, les échalotes, les carottes, le céleri, la feuille de laurier, le thym et la sauge, si cette dernière est utilisée. Bien mélanger. Mettre le couvercle de la mijoteuse et laisser cuire de 12 à 15 heures à faible intensité ou jusqu'à ce que les pois soient très tendres. Retirer la feuille de laurier.

2. À l'aide d'un mélangeur, d'un robot culinaire, d'un mélangeur à main ou d'un presse-purée muni d'une lame fine, réduire le potage en purée. Il faudra probablement faire cette opération en plusieurs étapes. Assaisonner le potage avec le sel (commencer avec environ 1 ml ou ¼ c. à thé) et un peu de piment de Cayenne. Servir tout de suite avec du pain chaud ou des croûtons.

SOUPE AUX POIS CASSÉS ET AUX POIS FRAIS D'AMY : Vers la fin de la cuisson, ajouter 480 ml (2 tasses) combles de petits pois congelés dégelés. Lorsque la cuisson est complétée, réduire le tout en purée comme indiqué précédemment.

Potage saisonnier aux lentilles à l'indienne

N ous avons rencontré Pat Li, entrepreneure culinaire et traiteuse, qui nous a invitées à sa cuisine de démonstration et à une dégustation dans sa salle à manger privée. Elle a cuisiné un repas de 12 services qui démontrait un mariage réussi des techniques françaises et de celles utilisées dans la préparation des plats classiques chinois. Mariée à un Indien, elle fait aussi de la cuisine indienne, et voici sa version du dal, une soupe aux lentilles. Pat s'en tient à une version simple. « N'exagérez pas sur la quantité d'ingrédients, conseille-t-elle, et réservez les plats compliqués pour les occasions spéciales. » Pat utilise des lentilles différentes en hiver et en été ; elle en combine deux ou trois variétés pour marier les textures, les saveurs et les couleurs. Certaines lentilles sont plus douces, d'autres plutôt petites, d'autres encore plus grosses et farineuses. Les mélanges intéressants associent d'égales quantités des variétés de lentilles suivantes : *moong, urad et toovar,* ou encore *moong et chana* (toutes ces légumineuses sont cassées et décortiquées, et cuisent facilement sans nécessiter un trempage préalable). Cherchez dans les comptoirs de votre épicerie indienne des lentilles de couleur uniforme, non flétries, et expérimentez les divers mélanges ; peu importe votre choix, tentez d'obtenir 240 ml (1 tasse) comme résultat final de cette recette. Pour varier, ajoutez une botte de bettes à carde ou d'épinards frais et une gousse d'ail ; ou 1 très petit chou-fleur et 240 ml (1 tasse) de pois frais ; ou des cubes de pommes de terre et des petits pois surgelés dégelés ou des gombos. Si vous préférez, utilisez 2 tomates et ajoutez des flocons de piment rouge et de l'aneth frais ciselé. Servez avec du riz basmati, Patna nature, Texmati, ou du riz brun. Nous aimons le pain plat indien au blé entier (paratha), qui est plus feuilleté, plus riche, et qui goûte davantage le beurre qu'un simple chapati (galette de blé sans levain). Le dal est la soupe idéale pour vous dorloter lorsque vous êtes enrhumé. ◉ **4 à 5 portions**

MIJOTEUSE : Moyenne ou grande, ronde ou ovale
INTENSITÉ ET TEMPS DE CUISSON : FAIBLE, de 6 à 8 heures

120 ml (½ tasse) de *mansoor* dal (lentilles rouges)
120 ml (½ tasse) de *moong* dal cassés
½ grosse tomate mûre, épépinée, hachée, ou 60 ml (¼ tasse) de tomates en
    dés en conserve, égouttées
1,7 l (7 tasses) d'eau
45 ml (3 c. à table) d'huile d'olive, ou moitié huile d'olive et moitié huile de soja
1 oignon rouge moyen, haché
1 jalapeno, épépiné, haché
7 ml (1½ c. à thé) de graines de cumin
15 à 60 ml (2 à 4 c. à table) de coriandre fraîche ou de persil plat frais
    finement hachés, au goût
Sel, au goût

POUR LE SERVICE :
Yaourt nature
Poudre chili du Nouveau-Mexique
Quartiers de lime

1. Rincer les lentilles et retirer tout débris ou caillou. Mettre les lentilles, la tomate et l'eau dans la mijoteuse.

2. Verser l'huile d'olive dans une poêle de format moyen chaude. À feu moyen, tout en remuant, y faire revenir l'oignon, le jalapeno et les graines de cumin pendant 5 minutes ou jusqu'à ce que l'oignon ait ramolli et que les graines de cumin soient dorées. Verser le tout dans la mijoteuse. À couvert, laisser cuire de 6 à 8 heures à faible intensité. Le mélange aura la consistance d'un gruau liquide.

3. Ajouter la coriandre, puis le sel, au goût. Servir la soupe dans des bols placés sur du riz ou l'accompagner de pain plat au blé entier. Si désiré, garnir d'une cuillerée de yaourt, d'1 pincée d'assaisonnement au chili rouge et de quartiers de lime.

Kitchari

L e *kitchari* est une bouillie végétarienne indienne des plus populaires au petit-déjeuner. Il est aussi souvent consommé après un jeûne, ou avec des aliments très simples afin de reposer le système digestif, d'éliminer les toxines accumulées et de reconstituer les tissus. Les recettes de ce plat se trouvent dans tous les livres de cuisine indienne. Dans la cuisine ayurvédique, ce plat est reconnu pour rétablir l'équilibre systémique entre les trois types de constituants corporels *dosha* : le *vâta*, le *pitta* et le *kapha*. Il peut à la fois affermir, calmer et réchauffer le corps. Voici une version indienne du bouillon de poulet de maman, un bouillon dont la saveur est à la croisée d'une soupe aux lentilles et d'une céréale de riz. Il s'agit d'une recette délicieuse, simple à préparer et particulièrement délectable en hiver. ❂ **4 portions**

MIJOTEUSE : Moyenne, ronde ou ovale
INTENSITÉ ET TEMPS DE CUISSON : FAIBLE, de 5 à 6½ heures ; la purée de
    gingembre et la noix de coco sont ajoutées après 4 à 5 heures de cuisson

300 ml (1¼ tasse) de *moong* dal jaunes fendus
1,6 l (6½ tasses) d'eau
45 ml (3 c. à table) de beurre non salé
2 ml (½ c. à thé) de cannelle moulue
1 ml (¼ c. à thé) de cardamome moulue
1 ml (¼ c. à thé) de poivre noir du moulin
1 ml (¼ c. à thé) de clou de girofle moulu
1 ml (¼ c. à thé) de curcuma

1 feuille de laurier

15 ml ou un peu plus (1 c. à table comble) de gingembre frais haché

30 ml (2 c. à table) de noix de coco râpée non sucrée (disponible dans les magasins d'aliments naturels, dans la section des produits congelés)

⅓ botte de coriandre fraîche ciselée

240 ml (1 tasse) de riz basmati blanc, rincé

Sel, au goût

Tortillas ou chapatis au blé entier pour le service

1. Rincer les lentilles et retirer tout débris ou caillou. Les déposer dans la mijoteuse après y avoir versé 1,5 L (6 tasses d'eau). Mélanger.

2. À feu moyen, dans une poêle de format moyen, faire fondre le beurre. Ajouter les épices moulues et, tout en remuant constamment, les faire cuire de 1 à 2 minutes pour les réchauffer et les faire griller quelque peu. Incorporer les épices aux légumineuses et ajouter la feuille de laurier. À couvert, laisser cuire de 4 à 5 heures à faible intensité. Le potage sera dense.

3. Dans un mélangeur ou un petit robot culinaire, mettre le gingembre, la noix de coco, la coriandre et 120 ml (½ tasse d'eau), et réduire le tout jusqu'à l'obtention d'une consistance lisse. Verser le mélange dans la mijoteuse en même temps que le riz. Mettre le couvercle de la mijoteuse et, à faible intensité, laisser cuire de 1 à 1½ heure de plus ou jusqu'à ce que le riz soit tendre.

4. Retirer la feuille de laurier et saler. Servir immédiatement le potage dans des bols ; accompagner de tortillas ou de chapatis au blé entier chauds.

Soupe aux lentilles rouges

Les lentilles rouges séchées, aussi nommées lentilles égyptiennes, sont une denrée de base dans la cuisine moyenne-orientale et indienne musulmane. Ces lentilles d'un rose foncé et d'apparence délicate sont débarrassées de leur enveloppe, ce qui explique que ces petites légumineuses se transforment en une purée lisse pendant la cuisson. Cherchez les lentilles rouges dans les épiceries bien garnies, les magasins d'aliments naturels et les boutiques gastronomiques. Si vous faites l'épicerie dans un marché indien, cherchez les *mansoor* dal. Servez cette soupe sur quelques cuillerées de riz basmati chaud. ● **6 portions**

MIJOTEUSE : Moyenne, ronde

INTENSITÉ ET TEMPS DE CUISSON : ÉLEVÉE, pendant 1 heure ; puis, FAIBLE
pour 5 à 6 heures

30 ml (2 c. à table) d'huile d'olive
1 oignon jaune (facultatif), émincé
2 branches de céleri hachées
600 ml (2½ tasses) de lentilles rouges séchées, triées et rincées (environ
454 g ou 1 lb)
5 ml (1 c. à thé) de cumin moulu
5 ml (1 c. à thé) de curcuma
3 ml (¾ c. à thé) de coriandre moulue
30 ml (2 c. à table) de jus de citron frais
1,5 l (6 tasses) de bouillon de poulet ou de légumes
Sel, et poivre noir du moulin (facultatif), au goût

1. Dans une grande poêle, faire chauffer l'huile d'olive à feu moyen. Tout en remuant souvent, y attendrir l'oignon et le céleri pendant environ 5 minutes. Verser l'oignon dans la mijoteuse. Ajouter les lentilles, les épices et le jus de citron. Verser suffisamment de bouillon et d'eau pour couvrir les légumes de 7,5 cm (3 po) de liquide. À couvert, faire cuire 1 heure à intensité élevée.

2. Régler la mijoteuse à intensité faible et laisser cuire la soupe de 5 à 6 heures de plus. Si désiré, saler et poivrer. Si la soupe est trop épaisse, ajouter de l'eau pour l'éclaircir. À l'aide d'une louche, verser la préparation dans des bols individuels. Servir chaud.

Soupe aux lentilles à l'italienne

Voici une soupe aux lentilles brunes provenant de notre amie Sharon Jones, sous-chef réputée et chef traiteuse au restaurant St. Michael's Alley que Beth tenait à Palo Alto, en Californie. Notez l'addition plutôt inhabituelle d'un peu de mélasse à la fin de la recette pour sucrer légèrement la soupe. ◉ **6 portions**

MIJOTEUSE : Moyenne, ronde
INTENSITÉ ET TEMPS DE CUISSON : FAIBLE, de 7 à 9 heures ; l'oignon, le céleri, les carottes et l'ail sont ajoutés après 3 à 4 heures de cuisson ; le vin, le jus de citron, la mélasse, le sel et le poivre avant les 30 dernières minutes de cuisson

720 ml (3 tasses) de lentilles brunes séchées, triées et rincées

1,7 l (7 tasses) d'eau ou de bouillon de légumes

30 ml (2 c. à table) d'huile d'olive

30 ml (2 c. à table) de beurre non salé

1 oignon jaune moyen, émincé

2 branches de céleri, hachées fin

2 carottes moyennes, hachées menu

10 ml (2 c. à thé) d'ail finement haché

30 ml (2 c. à table) de vin rouge sec

30 ml (2 c. à table) de jus de citron frais

25 ml (1½ c. à table) de mélasse claire ou de cassonade

Sel, et poivre noir du moulin, au goût

POUR LE SERVICE :
Oignons verts hachés
Vinaigre de vin rouge

1. Mettre les lentilles et l'eau dans la mijoteuse ; à couvert, laisser cuire à faible intensité de 3 à 4 heures.

2. Dans une poêle de taille moyenne, faire chauffer l'huile et le beurre à feu moyen jusqu'à ce que le beurre soit fondu. Tout en remuant à quelques reprises, y attendrir l'oignon, le céleri et les carottes pendant environ 5 minutes. Ajouter l'ail et, tout en continuant à remuer, poursuivre la cuisson durant 2 minutes de plus. Incorporer les légumes aux lentilles partiellement cuites. Mettre le couvercle de la mijoteuse et, à faible intensité, poursuivre la cuisson de 3 à 4 heures.

3. Incorporer le vin, le jus de citron et la mélasse. Saler, puis poivrer généreusement. Si la soupe est trop épaisse, ajouter de l'eau pour l'éclaircir. Mettre le couvercle de la mijoteuse et, toujours à faible intensité, continuer la cuisson durant 30 minutes.

4. À l'aide d'une louche, verser la préparation dans des bols individuels. Servir chaud, garni d'oignons verts hachés et d'un filet de vinaigre.

Soupe aux lentilles et aux poivrons rouges

Julie a préparé cette soupe lorsqu'elle se trouvait en vacances dans la fraîche région de Galice, située dans le nord-ouest de l'Espagne. C'était la pleine saison des poivrons et les piles de gros globes rouges sur les étals des marchés mettaient l'eau à la bouche. Après une longue journée de marche ou de plage, cette soupe, accompagnée d'une tranche ronde du pain local rustique, constituait un repas chaleureux. Utilisez votre meilleure huile d'olive et du paprika frais pour bien goûter les deux saveurs de ces ingrédients. ○ **4 à 6 portions**

MIJOTEUSE : Moyenne ou grande, ronde
INTENSITÉ ET TEMPS DE CUISSON : FAIBLE, de 7 à 9 heures

30 ml (2 c. à table) d'huile d'olive extravierge
1 petit oignon, émincé
4 à 6 gousses d'ail, au goût, hachées fin
5 ml (1 c. à thé) de paprika doux ou de *pimentón* (paprika fumé)
1 gros ou 2 poivrons rouges moyens, épépinés et hachés menu
240 ml (1 tasse) de lentilles brunes séchées, triées et rincées
1,2 l (5 tasses) d'eau
10 ml (2 c. à thé) de sel, ou au goût
2 ml (½ c. à thé) de poivre noir du moulin, ou au goût
15 à 30 ml (1 à 2 c. à table) de vinaigre de xérès ou de vinaigre de vin blanc
    ou rouge, au goût

1. Dans une poêle de format moyen, faire chauffer 15 ml (1 c. à table) d'huile à feu moyen. Tout en remuant de temps à autre, y attendrir l'oignon et l'ail durant environ 3 minutes. Si ces derniers commencent à roussir, réduire l'intensité du feu. Incorporer le paprika et poursuivre la cuisson 1 minute de plus. Ajouter le poivron et, tout en remuant de temps à autre, continuer la cuisson de 2 à 3 minutes ou jusqu'à ce que le poivron commence tout juste à ramollir. Gratter les légumes et l'huile à l'aide d'une spatule en caoutchouc résistante à la chaleur et les verser dans la mijoteuse. Ajouter les lentilles et l'eau ; remuer pour mélanger. Mettre le couvercle de la mijoteuse et, à faible intensité, laisser cuire de 7 à 9 heures, le temps que les lentilles deviennent complètement tendres.

2. Saler et poivrer, puis ajouter 15 ml (1 c. à table) d'huile d'olive. Incorporer 15 ml (1 c. à table) de vinaigre, ou plus si nécessaire. À l'aide d'une louche, verser la préparation dans des bols individuels. Servir chaud.

Soupe aux lentilles et aux haricots à l'ancienne

Au supermarché, dans la section des haricots, on trouve un nombre stupéfiant de mélanges pour potage aux haricots, séchés et assaisonnés, empaquetés dans des boîtes ou des sachets par différentes entreprises culinaires. Les formats varient de 340 à 454 g (12 à 16 oz) et contiennent un choix de haricots, de pois cassés, de lentilles et de légumes déshydratés. L'idée est de verser le contenu d'un de ces sachets dans une marmite ou une poterie en grès de taille moyenne, avec couvercle, d'ajouter de l'eau, et voilà! Quelques heures plus tard, votre soupe est prête. Pas d'histoires, pas de dégâts. La présente recette utilise un de ces mélanges. Vous pouvez certainement employer le mélange seul, mais nous préférons ajouter une petite touche au plat. ○ **4 portions**

MIJOTEUSE : Ronde, moyenne
INTENSITÉ ET TEMPS DE CUISSON : ÉLEVÉE, pour 1 heure ; puis, FAIBLE de
      8 à 10 heures ; le chou frisé est ajouté après 4 à 5 heures de cuisson

1 mélange de 340 à 454 g (12 à 16 oz) pour potage aux haricots séchés du
      commerce, triés et rincés
2 l (8 tasses) d'eau, de bouillon de poulet ou de légumes
60 ml (¼ tasse) de persil plat frais ciselé
1 bouquet garni : 4 brins de persil plat, 1 feuille de laurier, 1 ou 2 brins de
      thym frais, 1 brin d'estragon frais, 10 grains de poivre noir et 1 gousse
      d'ail pelée, le tout enveloppé dans une étamine liée avec une ficelle de
      cuisine
30 ml (2 c. à table) d'huile d'olive
1 oignon jaune moyen, haché menu
1 botte de chou frisé, étrognée, et les feuilles hachées
30 ml (2 c. à table) de vin blanc sec
30 ml (2 c. à table) de vinaigre de cidre
5 ml (1 c. à thé) de sauce épicée, comme le Tabasco
Sel, et poivre noir du moulin, au goût

1. Mettre le mélange de potage aux haricots, l'eau, le persil et le bouquet garni dans la mijoteuse. À couvert, faire cuire 1 heure à intensité élevée.

2. Pendant ce temps, dans une poêle de taille moyenne, faire chauffer l'huile à feu moyen. Tout en remuant à quelques reprises, y attendrir l'oignon pendant environ

5 minutes. Verser le contenu de la poêle dans la mijoteuse, mettre le couvercle, régler l'appareil à intensité faible et laisser cuire la soupe de 4 à 5 heures.

3. Incorporer le chou frisé. (Si vous n'êtes pas à la maison pendant que la soupe cuit, ajoutez le chou frisé au début de la cuisson ou remplacez-le par des épinards que vous ajouterez au moment de servir.) À couvert, poursuivre la cuisson à faible intensité de 4 à 5 heures de plus ou jusqu'à ce que les haricots soient tendres.

4. Jeter le bouquet garni. Incorporer le vin, le vinaigre et la sauce épicée. Saler, puis poivrer généreusement. Si la soupe est trop épaisse, ajouter de l'eau bouillante pour l'éclaircir. À l'aide d'une louche, verser dans des bols individuels. Servir chaud.

Potage aux haricots noirs à l'ancienne

Le chili aux haricots noirs est un ragoût épais, alors que le potage de haricots noirs, fait à partir d'ingrédients frais, est plus clair mais tout aussi satisfaisant. Les haricots noirs ont une peau noire mais, après la cuisson, leur centre devient tendre et crémeux. Ce potage est si bon que vous serez souvent incapable de vous contenter d'un seul bol. ❍ **6 portions**

MIJOTEUSE : Moyenne ou grande, ronde
INTENSITÉ ET TEMPS DE CUISSON : ÉLEVÉE, pour 1 heure; puis, FAIBLE
    de 7 à 8 heures; le sel, le poivre et le xérès sont ajoutés avant les
    15 dernières minutes de cuisson

454 g (1 lb) de haricots Black turtle séchés, triés, trempés toute la nuit dans
    suffisamment d'eau pour les couvrir, puis égouttés
1 os de jambon ou de jarret de jambon
1,5 l (6 tasses) de bouillon de poulet ou d'eau
45 ml (3 c. à table) de beurre non salé
2 oignons jaunes moyens, hachés
2 gousses d'ail finement hachées
240 ml (1 tasse) de céleri, avec quelques feuilles, hachés
5 ml (1 c. à thé) de marjolaine séchée
1 feuille de laurier
Sel, au goût
1 ml (¼ c. à thé) de poivre noir du moulin
120 ml (½ tasse) de xérès sec (facultatif)

1. Mélanger les haricots égouttés, l'os ou le jarret de jambon et le bouillon dans la mijoteuse. À couvert, porter à ébullition (environ 1 heure à intensité élevée).

2. Pendant ce temps, à feu moyen, faire fondre le beurre dans une grande poêle. Tout en remuant à quelques reprises, y attendrir les oignons, l'ail et le céleri pendant environ 5 minutes. Verser la préparation dans la mijoteuse. Ajouter la marjolaine et la feuille de laurier. Mettre le couvercle de la mijoteuse, régler l'appareil à faible intensité et laisser cuire le potage de 7 à 8 heures.

3. Incorporer le sel, le poivre et le xérès. À couvert, poursuivre la cuisson pour 15 minutes de plus.

4. Jeter la feuille de laurier. Débarrasser l'os ou le jarret de jambon de toute parcelle de viande. Ajouter la viande récupérée au potage. Jeter l'os. Dans un robot culinaire ou directement dans la mijoteuse à l'aide d'un mélangeur à main, réduire la préparation en purée, en plusieurs étapes si nécessaire. Rectifier l'assaisonnement. Si désiré, ajouter de l'eau bouillante pour éclaircir le mélange. À l'aide d'une louche, verser le potage dans des bols individuels. Servir chaud.

Soupe aux haricots noirs et aux tomates

Voici une recette de la sœur de Beth, Amy, qui aime les haricots noirs sous toutes leurs formes, du chili à la salade froide. Elle prépare cette soupe épaisse et copieuse dans sa mijoteuse de 3 l (12 tasses). Tôt le matin, mélangez tous les ingrédients dans la mijoteuse et la soupe sera prête pour le déjeuner. ◉ **4 à 6 portions**

MIJOTEUSE : Ronde, moyenne
INTENSITÉ ET TEMPS DE CUISSON : FAIBLE, de 5 à 7 heures

2 boîtes de 425 ml (15 oz) de haricots noirs, rincés et égouttés
2 boîtes de 128 ml (4,5 oz) de chilis verts rôtis, hachés
1 boîte de 411 ml (14,5 oz) de tomates étuvées à la mexicaine avec chilis verts
1 boîte de 411 ml (14,5 oz) de tomates en dés, avec leur jus
1 boîte de 312 ml (11 oz) de grains de maïs entiers, égouttés ; ou 360 ml
    (1½ tasse) de maïs miniatures jaunes ou blancs surgelés, dégelés ; ou
    les grains de 3 à 4 épis de maïs frais
4 oignons verts (parties blanches et 5 cm ou 2 po des parties vertes), tranchés
2 gousses d'ail écrasées

15 à 30 ml (1 à 2 c. à table) d'assaisonnement au chile, au goût

5 ml (1 c. à thé) de cumin moulu

POUR LE SERVICE :

Cheddar râpé

Crème sure

1. Mettre tous les ingrédients dans la mijoteuse. Remuer pour bien mélanger. À couvert, laisser cuire de 5 à 7 heures à faible intensité.

2. Si désiré, ajouter de l'eau bouillante pour éclaircir le mélange. À l'aide d'une louche, verser la soupe dans des bols individuels. Garnir de cheddar râpé et d'une cuillerée de crème sure. Servir chaud.

Soupe aux haricots du Sénat américain

C'est difficile à imaginer, mais le Sénat américain possède sa propre salle à manger et certains des plats qui y sont servis sont offerts depuis des décennies. Le plat suivant est l'un des meilleurs. ○ **6 portions**

MIJOTEUSE : Grande, ronde

INTENSITÉ ET TEMPS DE CUISSON : ÉLEVÉE, pour 1 heure ; puis, FAIBLE de 8 à 10 heures ; le persil et le poivre sont ajoutés avant les 15 dernières minutes de cuisson

454 g (1 lb) de petits haricots blancs séchés, triés, trempés toute la nuit dans suffisamment d'eau pour les couvrir, puis égouttés

1 gros jarret de jambon

2,5 l (10 tasses) d'eau

2 oignons jaunes moyens, finement hachés

3 pommes de terre moyennes à cuire au four, pelées et coupées en cubes

6 branches de céleri, plus quelques feuilles, hachées menu

80 ml (⅓ tasse) de persil plat frais ciselé

1 ml (¼ c. à thé) de poivre noir du moulin, ou au goût

Sel, au goût

1. Mettre les haricots égouttés et le jarret de jambon dans la mijoteuse, puis couvrir le tout d'eau froide fraîche. À couvert, faire cuire 1 heure à intensité élevée.

2. Égoutter les haricots, en évitant les éclaboussures d'eau chaude. Ajouter les 2,5 l (10 tasses) d'eau. Incorporer les oignons, les pommes de terre, le céleri et la moitié du persil. Mettre le couvercle de la mijoteuse, régler l'appareil à intensité faible et laisser cuire le mélange de 8 à 10 heures.

3. Incorporer le reste du persil et le poivre, saler. À couvert, poursuivre la cuisson 15 minutes de plus.

4. Enlever le jarret de jambon. Récupérer toute parcelle de viande sur l'os et l'ajouter à la soupe ; jeter l'os. À l'aide d'une louche, verser la soupe dans des bols individuels. Servir chaud avec du pain à l'ail.

Potage aux haricots blancs et au bacon

L e potage aux haricots constitue une soupe-repas dans la gastronomie italienne et dans la cuisine de la Nouvelle-Angleterre. Utilisez de petits haricots blancs ou des haricots Great Northern, deux produits faciles à trouver sur les étagères des supermarchés. ◉ **4 à 6 portions**

MIJOTEUSE : Moyenne ou grande, ronde
INTENSITÉ ET TEMPS DE CUISSON : FAIBLE, de 8 à 9 heures ; les assaisonnements et la crème sont ajoutés avant les 15 dernières minutes de cuisson

480 ml (2 tasses) de petits haricots blancs ou de haricots Great Northern séchés, triés, trempés toute la nuit dans suffisamment d'eau pour les couvrir, puis égouttés

2 à 3 tranches de bacon, cuites jusqu'à ce que le gras ait fondu sans être croustillantes, égouttées sur un papier absorbant et hachées ; ou 1 os de jambon

1 petit oignon jaune, émincé

1 branche de céleri finement hachée

1 petite carotte finement hachée

1 bouquet garni : 2 ml (½ c. à thé) d'origan séché, 3 brins de persil plat frais, ½ feuille de sauge fraîche et 1 feuille de laurier, le tout enveloppé dans une étamine liée avec une ficelle de cuisine

1,5 l (6 tasses) de bouillon de poulet ou d'eau

Sel, tamari ou une autre sauce soja, au goût

1 ml (¼ c. à thé) de poivre noir du moulin, ou au goût

120 ml (½ tasse) de crème 35 % M.G. (facultatif)

1. Mélanger les haricots, le bacon, l'oignon, le céleri, la carotte, le bouquet garni et le bouillon dans la mijoteuse. À couvert, laisser cuire de 8 à 9 heures à faible intensité.

2. Jeter le bouquet garni et l'os, si ce dernier est utilisé. Dans un robot culinaire ou à l'aide d'un mélangeur à main, réduire environ un tiers du potage en purée. Saler, ajouter le poivre et, si utilisée, la crème. À couvert, poursuivre la cuisson durant 15 minutes à faible intensité. À l'aide d'une louche, verser le potage dans des bols individuels. Servir chaud.

Soupe aux haricots blancs, au chou frisé et aux tomates

Qu'ils entrent dans la composition de potages ou de ragoûts, les haricots et le chou frisé ont une affinité naturelle. Ils servent de base pour de nombreux plats traditionnels. Puisque le chou frisé est surtout constitué d'eau, vous pouvez l'ajouter directement à la fin de la cuisson. Les feuilles de chou frisé offrent de nombreuses surfaces bouclées où le sable peut se cacher ; alors, nettoyez-les soigneusement, comme vous le feriez pour des épinards. Elles ont une merveilleuse saveur douce qui ne devient jamais amère, contrairement à tant de légumes verts lorsqu'ils sont ajoutés à un bouillon. Notez que le temps de cuisson peut s'avérer un peu plus long si le chou frisé est plus vieux et que ses feuilles sont grosses. Pendant la cuisson, le chou frisé perdra environ le quart de son volume d'origine. Cette soupe est délicieuse avec ou sans saucisse. ● **4 à 6 portions**

MIJOTEUSE : Moyenne ou grande, ronde

INTENSITÉ ET TEMPS DE CUISSON : FAIBLE, de 5½ à 7½ heures ; la saucisse et le chou frisé sont ajoutés avant les 20 à 30 dernières minutes de cuisson

3 boîtes de 398 ml (14 oz) de bouillon de légumes

1 boîte de 425 ml (15 oz) de purée de tomates

1 boîte de 425 ml (15 oz) de haricots blancs (cannellinis) ou Great Northern, rincés et égouttés

120 ml (½ tasse) de riz étuvé

1 oignon jaune moyen, haché

2 gousses d'ail finement hachées

10 ml (2 c. à thé) de basilic séché

Sel, et poivre noir du moulin, au goût

454 g (1 lb) de chou frisé, tiges enlevées, les feuilles grossièrement coupées
en lanières (en diagonale) et grossièrement hachées (2 l ou 8 tasses
combles)

454 g (1 lb) de saucisses italienne douces (facultatif), poêlées et bien cuites,
puis refroidies et grossièrement tranchées

POUR LE SERVICE :

Parmesan finement râpé

Huile d'olive extravierge

1. Mettre le bouillon, la purée de tomates, les haricots, le riz, l'oignon, l'ail et le basi-lic dans la mijoteuse. Saler et poivrer. Remuer pour bien mélanger. À couvert, laisser cuire de 5½ à 7½ heures à faible intensité.

2. Incorporer le chou frisé et, si utilisées, les tranches de saucisse. À couvert, pour-suivre la cuisson de 20 à 30 minutes, le temps que le chou frisé tombe et s'attendrisse. Lorsque le chou frisé est ajouté au mélange, il risque de remplir la mijoteuse ; si néces-saire, procéder à cette opération en plusieurs étapes.

3. À l'aide d'une louche, verser la soupe dans des bols individuels. Servir chaud avec le parmesan et un filet d'huile d'olive.

Zuppa bastarda

L a *zuppa bastarda* est l'une des soupes les plus simples et les plus traditionnelles de Toscane. Essentiellement, il s'agit d'un potage modeste et nourrissant, que vous pouvez faire s'il n'y a pas grand-chose dans votre armoire. Le pain qui est au fond du bol est d'habitude une variété de pain toscan sans sel, mais n'importe quel pain artisanal plus rustique fera l'affaire. En hiver, utilisez des haricots borlotti; en été, des cannellinis. Si vous ne pouvez trouver des haricots borlotti, un des haricots les plus prisés et utilisés en Italie, remplacez-les par des haricots canneberges séchés. **◦ 8 portions**

MIJOTEUSE : Moyenne ou grande, ronde

INTENSITÉ ET TEMPS DE CUISSON : FAIBLE, de 7 à 9 heures; la sauge est
    ajoutée après 5 à 7 heures de cuisson

454 g (1 lb) de haricots borlotti séchés, triés, trempés toute la nuit dans
    suffisamment d'eau froide pour les couvrir, puis égouttés
1 gros oignon blanc grossièrement haché
3 gousses d'ail finement hachées
30 ml (2 c. à table) de sauge fraîche hachée menu, plus quelques feuilles
    entières
Sel, et poivre noir du moulin, au goût
8 minces tranches de pain de campagne aux grains entiers ou de pain
    rustique, séchées ou grillées

POUR LE SERVICE :
Huile d'olive extravierge
Parmesan ou asiago, râpé ou en copeaux

1. Mettre les haricots égouttés dans la mijoteuse et y verser de l'eau pour les couvrir d'une épaisseur de 10 cm (4 po). Ajouter l'oignon et l'ail. À couvert, laisser cuire les haricots de 5 à 7 heures à faible intensité.

2. Incorporer la sauge, mettre le couvercle de la mijoteuse et continuer la cuisson 2 heures à faible intensité, le temps que les haricots soient tendres.

3. Saler et poivrer. Le potage sera très épais. Mettre une tranche de pain grillé dans 8 bols individuels peu profonds; arroser généreusement d'huile d'olive. À l'aide d'une louche, verser le potage sur le pain, puis saupoudrer de parmesan avant de donner quelques tours de moulin à poivre. Manger chaud à la grosse cuillère.

Minestrone

Minestrone est le nom fourre-tout italien désignant une soupe composée de «tout ce qu'il y a dans la cuisine». Il existe autant de variantes qu'il existe de cuisiniers et de jours au calendrier. Le minestrone est une excellente soupe d'hiver. ● **6 portions**

MIJOTEUSE : Moyenne, ronde ou ovale

INTENSITÉ ET TEMPS DE CUISSON : FAIBLE, de 7 à 8 heures (les bettes à carde et le vin sont ajoutés après 5 heures de cuisson) ; puis, ÉLEVÉE pour 30 minutes ; les pâtes sont ajoutées avant les 30 dernières minutes de cuisson

45 ml (3 c. à table) d'huile d'olive

1 oignon jaune moyen, émincé

2 petites carottes coupées en dés

2 branches de céleri hachées

2 petites courgettes, les extrémités enlevées, coupées en cubes

1 boîte de 425 ml (15 oz) de haricots rouges, rincés et égouttés, la moitié des haricots écrasés

5 ml (1 c. à thé) de sel

1 feuille de laurier

Poivre noir du moulin, au goût

60 ml et un peu plus (¼ tasse comble) de feuilles de persil plat ciselées

1 boîte de 796 ml (28 oz) de tomates entières, écrasées, avec leur jus

1 paquet de 283 g (10 oz) de haricots de Lima nains surgelés

600 ml (2½ tasses) de bouillon de poulet

5 feuilles de bettes à carde, hachées, ou ½ petit chou Napa, étrogné et haché

120 ml (½ tasse) de vin rouge sec, comme un chianti, un merlot ou un pinot noir

80 ml (⅓ tasse) de macaronis ou de petites coquilles

Parmesan frais râpé pour le service

1. À feu moyen, faire chauffer l'huile d'olive dans une grande poêle. Tout en remuant à plusieurs reprises, y attendrir l'oignon, les carottes, le céleri et les courgettes durant environ 5 minutes. Verser le mélange dans la mijoteuse. Ajoutez les haricots rouges, le sel, la feuille de laurier, le poivre, le persil, les tomates et leur jus, les haricots de Lima et le bouillon. Verser de l'eau pour en couvrir les légumes d'une épaisseur de 2,5 cm (1 po). À couvert, laisser cuire durant 5 heures à faible intensité.

2. Ajouter les bettes à carde et le vin ; couvrir de nouveau et poursuivre la cuisson de 2 à 3 heures à faible intensité. Jeter la feuille de laurier.

3. Incorporer les pâtes. À couvert, faire cuire pendant environ 30 minutes à intensité élevée, le temps que les pâtes soient tout juste tendres. À l'aide d'une louche, verser le minestrone dans des bols individuels. Servir chaud avec beaucoup de parmesan.

Panade italienne à la mijoteuse

Cette panade, un potage campagnard, est simplement constituée de couches successives de bouillon, de légumes verts et de pain. Pendant la cuisson, le pain absorbe le liquide pour donner un potage « sec ». Employez du bouillon maison, si possible, pour donner un goût fantastique à cette panade. Servez cette dernière avec des saucisses grillées et une simple salade. ● **4 portions**

MIJOTEUSE : Moyenne, ronde ou ovale
INTENSITÉ ET TEMPS DE CUISSON : ÉLEVÉE, de 2½ à 3 heures

1 l (4 tasses) de riche Bouillon de bœuf (page 104) chaud ou de Bouillon de
    légumes rôtis (page 109) ou de bouillon en conserve
2 bottes de bettes à carde, feuilles et tiges hachées
2 à 3 tranches épaisses de pain de campagne blanc ferme, comme un
    ciabatta ou une baguette
Sel, et poivre noir du moulin, au goût
240 ml (1 tasse) de parmesan finement râpé pour le service

1. Mélanger le bouillon et les bettes hachées dans la mijoteuse. Régler l'appareil à intensité élevée. Remuer pour faire tomber les légumes verts. Déchirer les tranches de pain en gros morceaux et en couvrir les bettes en une seule couche ; appuyer sur le pain pour l'humecter. Mettre le couvercle de la mijoteuse et, à intensité élevée, poursuivre la cuisson durant 2½ à 3 heures, le temps que la majorité du bouillon ait été absorbé. Le potage sera très épais.

2. À l'aide d'une grande cuillère, verser la panade dans des bols individuels peu profonds. Saler et poivrer, puis saupoudrer de parmesan. Manger le potage chaud à la grosse cuillère.

Tout ce qu'il faut savoir sur la soupe à l'oignon

La soupe à l'oignon est préparée dans tous les pays d'Europe; les ingrédients utilisés reflètent la région où on la prépare. À Chartres, on trouve la «beauceronne», une soupe à l'oignon faite avec du vin blanc, de la ciboulette et des tomates, et un œuf poché flottant sur le dessus. En Italie, on sert la *acqua a sale,* une soupe végétarienne à l'oignon faite avec du persil, des tomates et de l'eau. En Suisse, il y a la *gebrannte Mehlsuppe,* une soupe au bouillon de bœuf et au roux avec une feuille de laurier et un oignon piqué de clous de girofle que l'on retire avant le service. Mais la mère de toutes les soupes à l'oignon est la soupe à l'oignon gratinée, celle qui a fortifié des millions de Français au cours des siècles, que ce soit à des époques fastes ou en des temps difficiles. Beth a cuisiné sa première soupe à l'oignon dans le style végétarien, le bouillon étant constitué uniquement d'eau et de vin blanc. Elle a servi sa soupe le jour suivant, pour être certaine que la saveur de l'oignon ait pu enrichir le bouillon. C'était merveilleux!

Les ingrédients pour la soupe à l'oignon sont simples et peu nombreux, mais chacun est important (justement parce qu'il y a en a si peu). Les oignons, le bouillon, le vin et les garnitures sont des classiques.

- **Les oignons :** Le meilleur oignon pour faire cette soupe est le gros rouge, que l'on appelle parfois oignon italien ou Torpedo. Il possède un goût puissant et mordant, avec un parfum suffisamment marqué pour donner toute la force nécessaire à la soupe. L'autre oignon de choix est le White Bermuda, dont le goût délicat reste néanmoins mordant. Les oignons jaunes peuvent aussi faire l'affaire, mais nous aimons les mélanger à parts égales avec des oignons rouges. Prévoyez suffisamment de temps pour cuire les oignons à la perfection. C'est cette technique qui fait la soupe. Ce qui semble être une grosse quantité d'oignons, remplissant la mijoteuse, tombera au cours de la cuisson et se caramélisera, donnant aux oignons cette nuance brune provenant des sucres naturels qui y sont contenus. C'est exactement ce que vous cherchez à atteindre.

- **Le bouillon :** Certaines recettes françaises plus anciennes demandent d'utiliser des quantités égales de bouillon de bœuf et de poulet. Les chefs que nous avons interrogés confessent toutefois préférer utiliser seulement du bouillon de bœuf. Le bouillon maison est plus savoureux, mais celui qu'on trouve en boîte peut faire l'affaire.

- **Le vin :** Un vin blanc sec, incluant le champagne, est le choix le plus courant. Plusieurs versions mélangent le vin blanc à du brandy, du cognac ou du porto.

- **Le fromage :** Le mozzarella et le gruyère trônent au sommet de la liste, le parmesan récoltant la troisième place.

Soupe à l'oignon gratinée facile

L a voisine de la mère de Beth s'extasiait devant la saveur de la soupe à l'oignon qu'elle concoctait et n'en revenait pas à quel point il était facile de la préparer. Quand nous avons obtenu sa recette, qu'elle avait découpée dans un journal de quartier, nous ne pouvions qu'être d'accord avec elle : il s'agissait d'une recette merveilleuse! Les oignons cuisent pendant un bon bout de temps, et deviennent colorés et caramélisés dans le fond de la mijoteuse. Achetez du véritable gruyère, le riche fromage suisse au goût de noix, avec ses petits trous, qui fond si bien sur une tranche de pain français grillé imbibée d'une savoureuse soupe. ● **4 à 6 portions**

MIJOTEUSE : Moyenne, ronde ou ovale
INTENSITÉ ET TEMPS DE CUISSON : ÉLEVÉE, de 9 à 10 heures

6 gros oignons jaunes
45 ml (3 c. à table) d'huile d'olive, plus ce qu'il faut pour frotter le pain
1 boîte de 398 ml (14 oz) de bouillon de poulet
1 boîte de 298 ml (10,5 oz) de bouillon de bœuf
30 ml (2 c. à table) de marsala ou de vin rouge (facultatif)
4 à 6 tranches de pain français de 2,5 cm (1 po) d'épaisseur
227 g (8 oz) de gruyère coupé en minces tranches

1. Peler et émincer les oignons à la main ou dans un robot culinaire. Les déposer dans la mijoteuse et les mélanger avec l'huile d'olive. À couvert, laisser cuire de 9 à 10 heures à intensité élevée.

2. Ajouter les 2 bouillons et, si utilisé, le marsala. *N'incorporer* ni eau ni sel. Mettre le couvercle de la mijoteuse et, à intensité élevée, poursuivre la cuisson de 15 à 30 minutes, le temps que la soupe soit bien chaude.

3. Entre-temps, préchauffer le four à 200 °C (400 °F). Mettre les tranches de pain sur une plaque de cuisson et les frotter avec l'huile d'olive (si désiré, les garder nature). Faire dorer environ 10 minutes. Réserver.

4. À l'aide d'une louche, verser la soupe dans des bols individuels allant au four et déposer ces derniers sur une plaque de cuisson pour prévenir les renversements. Garnir chaque bol de soupe d'une tranche de pain grillée et couvrir d'une tranche de gruyère. Ajuster la grille du four pour conserver 10 cm (4 po) entre les bols et l'élément du gril. Passer les bols sous le gril environ 2 minutes, le temps que le fromage ait fondu et fasse des bulles. Servir immédiatement.

Soupe à l'oignon gratinée pour deux de Julie

L a soupe à l'oignon préparée selon les méthodes conventionnelles convient parfaitement à de grosses tablées. En d'autres termes, il n'est pas vraiment pratique d'en préparer une ou deux portions à la fois. Une petite mijoteuse peut toutefois régler le problème ! Beaucoup de petites mijoteuses ne possèdent qu'un seul réglage qui équivaut à l'intensité faible des grosses mijoteuses. C'est donc ainsi que nous avons conçu cette recette pour deux de soupe à l'oignon. Pour le côté pratique de la chose, vous pouvez vous rabattre sur un bouillon en conserve d'excellente qualité mais, si c'est possible, il est de loin préférable d'utiliser un bouillon maison. ⊙ **1 à 2 portions**

MIJOTEUSE : Petite, ronde

INTENSITÉ ET TEMPS DE CUISSON : FAIBLE, de 11 à 13 heures ; le vin et le bouillon sont ajoutés après 10 à 11 heures de cuisson

7 ml (1½ c. à thé) de beurre non salé, coupé en 4 morceaux

7 ml (1½ c. à thé) d'huile d'olive parfumée

1 gros oignon ou 2 de tailles moyennes

1 ml (¼ c. à thé) de sucre

1 ml (¼ c. à thé) de sel

30 ml (2 c. à table) de vin blanc sec

480 ml (2 tasses) de Bouillon de bœuf maison (page 104) ou 1 boîte de 411 ml (14,5 oz) de bouillon de bœuf d'excellente qualité

1 ou 2 tranches de pain français, italien, au levain ou d'un autre pain blanc rustique d'une épaisseur de 1,85 cm ou ¾ po, par portion (assez petites pour entrer dans les bols individuels)

10 ml (2 c. à thé) de cognac

Poivre noir du moulin, au goût

Environ 120 ml (½ tasse) de gruyère râpé, par portion

1. Mélanger le beurre et l'huile dans la mijoteuse et mettre le couvercle de l'appareil. Placer la mijoteuse sous tension pour permettre au beurre de fondre et à l'huile de chauffer pendant la préparation de l'oignon.

2. Peler l'oignon. Le trancher en deux dans le sens de la longueur, puis en fines demi-lunes. Il faudra obtenir environ 480 ml (2 tasses) de tranches d'oignon. Ajouter les oignons au contenu de la mijoteuse. Les saupoudrer de sucre et de sel. Utiliser

2 fourchettes pour remuer les tranches d'oignon dans l'huile, le beurre, le sucre et le sel afin de bien les enrober. À couvert, laisser cuire le tout de 10 à 11 heures à faible intensité, le temps que les oignons soient d'un brun foncé et caramélisés, mais pas brûlés. Ils n'occuperont qu'une fraction de leur ancien volume et la majorité du liquide se sera évaporé. Pour favoriser une cuisson uniforme, remuer si possible les oignons à une ou deux reprises durant la cuisson. (Si vous les remuez plus souvent, il vous faudra augmenter le temps de cuisson.)

3. Lorsque les oignons sont cuits, ajouter le vin et le bouillon. À couvert, poursuivre la cuisson de 1 à 2 heures à faible intensité, le temps que le contenu soit chaud et parfumé.

4. Pendant ce temps, faire griller le pain. Préchauffer le four à 180 °C (350 °F). Mettre les tranches de pain sur une plaque de cuisson et les faire griller de 10 à 15 minutes. Augmenter la température du four à 200 °C (400 °F).

5. Le moment venu de servir la soupe, incorporer le cognac, le poivre et, si nécessaire, saler davantage. Verser la soupe dans 2 bols individuels allant au four. Les placer sur une plaque de cuisson pour prévenir les renversements. Saupoudrer un peu de fromage râpé dans la soupe. Garnir chaque bol avec un morceau de pain, ou deux si les contenants sont petits. Saupoudrer ensuite le pain avec le reste du fromage. Mettre la plaque au four et faire cuire la soupe environ 10 minutes, le temps que le fromage ait fondu et qu'il soit doré. Servir immédiatement.

Potage à l'ail provençal

Un restaurant de Tijuana, au Mexique, est reconnu pour sa magnifique cuisine d'inspiration méditerranéenne. Une de ses spécialités est ce potage à l'ail et aux tomates qui est servi en entrée avec des triangles de pita chauds, de l'huile d'olive locale en guise de trempette et une tapenade pour tartiner. L'ail cru peut être piquant mais, après le braisage, il s'adoucit de surprenante façon. Il peut s'avérer fastidieux de peler individuellement les petites gousses ; alors, adoptez notre technique qui consiste à blanchir d'abord l'ail, et la pelure se détachera facilement. En Provence, on considère que le potage à l'ail est un puissant fortifiant. **◉ 4 portions**

MIJOTEUSE : Ronde, moyenne
INTENSITÉ ET TEMPS DE CUISSON : FAIBLE, de 6 à 7 heures

•• Préparer des croûtons pour les soupes ••

Tout bon pain de la veille, par exemple une baguette au pain noir ou au blé entier, permet de faire de bons croûtons pour les soupes. Les croûtons les plus simples, de forme cubique, sont jetés sur la soupe, tandis que les plus gros sont mis au fond du bol ou flottent sur la soupe.

Croûtons préparés au four : Préchauffer le four à 180 °C (350 °F). Si le pain est moelleux, couper des tranches de 2 cm (¾ po) pour en faire des cubes épais. Si le pain est dense, par exemple le pain de seigle, faite des tranches et des cubes plus minces. Mettre les morceaux de pain sur une plaque de cuisson non graissée. Verser un filet de beurre fondu ou d'huile d'olive (les Français aiment se servir du gras recueilli dans un pot-au-feu) sur les croûtons et, tout en remuant aux 5 minutes pour éviter le roussissement, les faire griller jusqu'à ce qu'ils soient secs et croustillants. Les retirer du four à l'apparition d'une belle couleur dorée et les asperger d'un autre filet de beurre fondu ou d'huile d'olive. Les utiliser nature ou saupoudrer de quelques cuillerées de parmesan râpé ou les garnir de fromage de chèvre mou. Les croûtons seront meilleurs s'ils sont servis le jour de leur cuisson.

Gros croûtons à la sauteuse : Couper le pain de la veille en tranches de 1,5 à 2 cm (½ à ¾ po) d'épaisseur ou couper les petits pains de la veille en deux dans le sens de la longueur. Dans une poêle ou une sauteuse, faire chauffer du beurre, de l'huile d'olive ou un mélange des deux. Lorsque le corps gras est prêt, y déposer les tranches. Si nécessaire, les tourner jusqu'à ce qu'elles soient dorées et croustillantes. Les retirer avec des pinces et les déposer sur un essuie-tout. On peut également les préparer sous le gril de la cuisinière ou sur un gril extérieur. Servir immédiatement.

Croûtons aux fines herbes : Ces croûtons sont excellents avec les potages ou les veloutés, que ce soit d'asperges, de carottes, de citrouille, de pommes de terres et de poireaux, ou de courgettes. Disposer les croûtons dans des bols remplis de soupe chaude juste avant le service. Pour les préparer, préchauffer le four à 200 °C (400 °F); couper le pain en tranches de 2,5 cm (1 po) d'épaisseur, puis en cubes. Mettre les morceaux sur une plaque de cuisson non graissée. Les arroser d'un filet d'huile d'olive. Tout en remuant aux 5 minutes pour éviter le roussissement, les faire griller jusqu'à ce qu'ils soient secs et croustillants. Pendant qu'ils sont chauds, les saupoudrer de 30 ml (2 c. à table) d'herbes fraîches ciselées ou d'herbes séchées, par exemple de l'aneth, et de parmesan râpé. Ces croûtons sont meilleurs lorsqu'ils sont servis la journée de leur préparation.

4 têtes d'ail
1 gros oignon jaune haché
3 boîtes de 398 ml (14 oz) de bouillon de poulet
1 boîte de 170 ml (6 oz) de pâte de tomates
45 ml (3 c. à table) d'huile d'olive extravierge
Pain croûté frais et chaud pour le service

1.   Remplir d'eau une petite casserole profonde et porter à ébullition. Défaire les têtes d'ail pour séparer les gousses et plonger ces dernières dans l'eau bouillante. Blanchir exactement 1 minute. Égoutter les gousses dans une passoire et les rincer sous l'eau froide courante. Peler avec un couteau d'office.

2.   Mettre les gousses d'ail, l'oignon, le bouillon et la pâte de tomates dans la mijoteuse. Remuer pour bien mélanger. À couvert, laisser cuire de 6 à 7 heures à faible intensité.

3.   Réduire le potage en purée, soit directement dans la mijoteuse à l'aide d'un mélangeur à main, soit en transférant le mélange dans un mélangeur ou un robot culinaire en plusieurs étapes. Ajouter l'huile d'olive avant de servir. À l'aide d'une louche, verser la soupe dans des bols individuels. Servir chaud avec du pain croûté frais. Si désiré, verser un filet d'huile d'olive supplémentaire sur le potage.

Chaudrée de maïs

Cette recette est une adaptation de celle que Linda Lingg de Palo Alto, en Californie, a un jour donnée pour contribuer à la rédaction d'un livre de cuisine scolaire à l'époque où son fils et la fille de Julie fréquentaient la même maternelle. Depuis ce temps, Julie prépare régulièrement ce plat. Ce potage nourrissant, plein de gros morceaux, se réussit très bien à la mijoteuse. Si vous avez des restes de poulet, il vous sera facile de transformer ce plat en chaudrée de maïs et de poulet. ◉ **4 à 6 portions**

MIJOTEUSE : Moyenne ou grande, ronde
INTENSITÉ ET TEMPS DE CUISSON : FAIBLE, de 5 à 6 heures ; puis, ÉLEVÉE
    pour 1 heure ; le lait, le maïs et le poulet sont ajoutés avant la dernière
    heure de cuisson

15 ml (1 c. à table) de beurre non salé
1 petit oignon haché menu

3 branches de céleri hachées menu

2 pommes de terre Russet moyennes, pelées et coupées en dés de 1,5 cm (½ po)

480 ml (2 tasses) de bouillon de poulet

½ feuille de laurier

0,5 ml (⅛ c. à thé) de paprika

5 ml (1 c. à thé) de thym séché ou 15 ml (1 c. à table) de thym frais ciselé

1 ml (¼ c. à thé) de poivre noir du moulin

2 ml (½ c. à thé) de sel (facultatif)

480 ml (2 tasses) de lait

720 ml (3 tasses) de grains de maïs surgelés

240 à 480 ml (1 à 2 tasses) de poulet cuit, coupé en cubes de 1,5 cm ou ½ po (facultatif)

1. À feu moyen-élevé, faire fondre le beurre dans une poêle de taille moyenne. Tout en remuant de temps à autre, y faire revenir l'oignon et le céleri de 2 à 3 minutes, le temps que l'oignon soit transparent, mais pas doré. Pendant que l'oignon et le céleri cuisent, mettre les pommes de terre dans la mijoteuse. Verser l'oignon et le céleri dans la mijoteuse ; au besoin, gratter le beurre se trouvant encore dans la poêle. Ajouter le bouillon, la feuille de laurier, le paprika, le thym et le poivre. Si le bouillon n'est pas salé, y ajouter du sel. Remuer très doucement la couche supérieure des ingrédients ; essayer de ne pas déplacer les pommes de terre, qui devraient rester submergées. À couvert, laisser cuire de 5 à 6 heures à faible intensité, le temps que les pommes de terre soient tendres.

2. Incorporer le lait, le maïs et, si utilisé, le poulet. Bien remuer. Mettre le couvercle de la mijoteuse et poursuivre la cuisson environ 1 heure à intensité élevée, le temps que la chaudrée soit bien chaude. Rectifier l'assaisonnement. Jeter la feuille de laurier. Servir.

Potage de poireaux et de pommes de terre

Ce potage Parmentier est le cheval de bataille de la cuisine française et a réconforté nombre d'âmes lors des froides nuits. C'est la première recette que Beth a faite dans les années 1970 ; elle l'avait alors tirée de *Mastering the Art of French Cooking* de Julia Child. Ce potage est si simple à faire qu'il devient presque embarrassant de le décrire. Cependant, il sert de base à de nombreuses variantes (voir ci-après) qui sont toutes aussi savoureuses les unes que les autres. Si vous désirez faire un potage français classique, le «potage à la bonne femme», ajoutez simplement une poignée de cerfeuil frais ciselé à la fin de la cuisson. Les poireaux ont une saveur plus douce que les oignons réguliers. Assurez-vous de bien les nettoyer à l'eau courante car il pourrait y avoir du sable entre les couches. Vous n'avez pas vraiment à vous casser la tête pour les proportions, puisque nous utilisons un poireau pour chacune des pommes de terre. Qu'il soit préparé à base d'eau ou de bouillon, le potage sera tout aussi délicieux. Vous n'avez qu'à faire cuire les légumes, les réduire en purée, et voilà! Votre potage est prêt pour le dîner. ○ **6 portions**

MIJOTEUSE : Moyenne, ronde ou ovale
INTENSITÉ ET TEMPS DE CUISSON : FAIBLE, de 5 à 7 heures

4 poireaux de taille moyenne (partie blanche seulement), bien nettoyés et
     émincés (environ 1 l ou 4 tasses)
4 pommes de terre Russet, moyennes à grosses, pelées et coupé en dés
1 à 1,5 l (4 à 6 tasses) d'eau ou de bouillon de poulet ou de légumes
Sel, au goût
30 ml (2 c. à table) de beurre non salé
Pain français pour le service

1. Mettre les poireaux et les pommes de terre dans la mijoteuse. Ajouter suffisamment d'eau ou de bouillon pour tout juste les couvrir. À couvert, laisser cuire de 5 à 7 heures à faible intensité, le temps que les pommes de terre soient tendres.

2. Réduire le tout en purée, soit directement dans la mijoteuse à l'aide d'un mélangeur à main, soit en transférant le mélange dans un mélangeur ou un robot culinaire en plusieurs étapes. Ajouter le sel et le beurre. Remuer jusqu'à ce que ce dernier soit fondu. À l'aide d'une louche, verser le potage chaud dans des bols individuels. Servir immédiatement, accompagné de pain français.

POTAGE PARMENTIER AVEC PETITS POIS ET CRESSON D'EAU : Préparer la recette précédente selon les directives. Une heure avant la fin de la cuisson, ajouter au contenu de la mijoteuse les feuilles et les tiges tendres de 1 botte de cresson et 1 paquet de 340 g (12 oz) de petits pois surgelés, dégelés, puis mettre le couvercle de la mijoteuse. Une fois les ingrédients cuits, réduire le potage en purée. Servir immédiatement, sinon la couleur se ternira à la longue. Nous ne passons jamais le potage au tamis ; nous aimons les morceaux de légumes verts.

POTAGE PARMENTIER AVEC OSEILLE OU ÉPINARDS : Préparer la recette précédente selon les directives. Une heure avant la fin de la cuisson, ajouter au contenu de la mijoteuse 480 ml (2 tasses) bien tassées d'oseille ou de feuilles d'épinard, puis mettre le couvercle de la mijoteuse. Une fois les ingrédients cuits, réduire le potage en purée. Incorporer 240 ml (1 tasse) de crème 35 % M.G. Servir immédiatement.

CRÈME DE CÉLERI DE BETH : Disposer des extrémités d'un pied de céleri, puis ajouter dans la mijoteuse les branches et les feuilles hachées en même temps que les poireaux et les pommes de terre. À couvert, faire cuire selon les directives données. Réduire le potage en purée et incorporer 240 ml (1 tasse) de crème 35 % M.G. Servir immédiatement.

POTAGE PARMENTIER AU FENOUIL : Ajouter 750 g (1½ lb) de fenouil (soit l'équivalent de 2 bulbes coupés en quartiers), les bases coupées et le cœur dur du bas enlevé, aux poireaux et aux pommes de terre déjà dans la mijoteuse. Mettre le couvercle de l'appareil et faire cuire selon les directives données. Réduire le potage en purée et incorporer 60 ml (¼ tasse) de crème sure. Servir immédiatement.

Soupe aux pommes de terre cuites au four à la façon de Gina

Pourquoi aimons-nous tant les pommes de terre cuites au four ? Il y a d'abord le beurre fondu, puis la cuillerée de crème sure froide et, bien sûr, la ciboulette hachée. Ce potage simple combine tous ces ingrédients en un délicieux plat unique, dont la saveur ne se dément jamais. Ce potage provient de la chef de pâtisserie Gina DiLeone-Dodd, qui l'a créé pour le Black Cat Cafe, un établissement se trouvant dans le New Hampshire rural, pour accompagner les foccacias et les sandwiches. Elle le prépare toujours à la mijoteuse et le garde chaud toute la journée en réglant son appareil à faible intensité. ● **12 portions**

> **MIJOTEUSE :** Grande, ronde
> **INTENSITÉ ET TEMPS DE CUISSON :** ÉLEVÉE, pour environ 5 heures ; le beurre, la crème 11,5 % M.G., la crème sure, le sel et le poivre sont ajoutés avant les 30 dernières minutes de cuisson
>
> 2,25 kg (5 lb) de pommes de terre Russet, pelées et coupées en cubes de 2,5 cm (1 po)
> 120 ml (½ tasse ou 1 bâtonnet) de beurre
> 240 ml (1 tasse) de crème 11,5 % M.G.
> 120 ml (½ tasse) de crème sure (ne pas utiliser une variété sans matière grasse)
> Sel, et poivre noir du moulin, au goût

227 g (8 oz) de bacon croustillant, égoutté sur du papier essuie-tout, puis
    émietté
6 oignons verts (parties blanches et vertes) tranchés ou 45 ml (3 c. à table)
    de ciboulette fraîche finement hachée

1. Mettre les pommes de terre dans la mijoteuse et les couvrir d'eau. À couvert, laisser cuire environ 5 heures à intensité élevée, le temps que les pommes de terre soient cuites et commencent à se défaire.

2. Régler la mijoteuse à intensité faible ; ajouter le beurre, la crème 11,5 % M.G. et la crème sure. Saler et poivrer. Mettre le couvercle de la mijoteuse et réchauffer pendant environ 20 minutes.

3. Incorporer les miettes de bacon et les oignons verts tranchés. Servir immédiatement ou garder au chaud à faible intensité ; au besoin, ajouter de l'eau ou du lait pour éclaircir le potage.

Crème d'artichaut

Dans le village côtier de Pescadro, en Californie, situé au cœur des champs d'artichauts, se trouve sur la seule rue du patelin une cabane qui abrite un petit restaurant. Duarte, c'est le nom du village, situé sur la route menant à San Francisco, est connu pour son cioppino, ses tartes aux fruits et sa crème d'artichaut, un potage facile et rapide à réaliser ; la crème fraîche est indispensable. ◦ **6 portions**

MIJOTEUSE : Moyenne, ronde ou ovale
INTENSITÉ ET TEMPS DE CUISSON : ÉLEVÉE, pour 30 minutes ; puis, FAIBLE
    de 6 à 7 heures ; la crème est ajoutée avant les 20 dernières minutes de
    cuisson

90 ml (6 c. à table, ¾ bâtonnet) de beurre non salé, coupé en 4 ou
    5 morceaux
1 petit oignon blanc haché
3 poireaux (partie blanche et 2,5 cm ou 1 po de partie verte), bien nettoyés
    et émincés
3 paquets de 283 g (10 oz) de cœurs d'artichaut surgelés, décongelés
1,5 l (6 tasses) de bouillon de poulet
Sel et poivre blanc, au goût

250 ml (1 tasse) de crème 35 % M.G.
Croûtons pour le service (facultatif)

1. Mettre le beurre, l'oignon et les poireaux dans la mijoteuse. Régler l'appareil à intensité élevée, mettre le couvercle de la mijoteuse et laisser suer les légumes durant 30 minutes.

2. Ajouter les cœurs d'artichauts et le bouillon. À couvert, poursuivre la cuisson de 5 à 6 heures à faible intensité.

3. Réduire le tout en purée, soit directement dans la mijoteuse à l'aide d'un mélangeur à main, soit en transférant le mélange dans un mélangeur ou un robot culinaire en plusieurs étapes. Tout en pressant à l'aide d'une spatule, couler la soupe dans une passoire à grands trous afin d'éliminer les longues fibres. Saler et poivrer. Remettre le potage dans la mijoteuse. Incorporer la crème, mettre le couvercle de l'appareil et réchauffer environ 20 minutes à faible intensité. Ne pas faire bouillir.

4. À l'aide d'une louche, verser la soupe chaude dans des bols individuels et, si désiré, garnir de croûtons.

Crème de brocoli à l'ail et à l'huile d'olive

Le brocoli est habituellement cuit très rapidement à la vapeur ou dans un wok. Il donne cependant d'excellents résultats dans ce potage campagnard italien, concocté par James Peterson et facile à réaliser. Ce potage démontre qu'un petit nombre d'ingrédients peuvent très bien se marier pour donner un plat hautement satisfaisant. Tandis que la plupart des gens apprécient surtout les fleurettes, nous aimons également la saveur et la texture des tiges. Rappelez-vous que plus mince est la tige, plus tendre elle est ; les tiges les plus minces n'ont pas à être pelées. Ne songez pas à utiliser moins d'ail qu'en demande la recette : vous cherchez à ce que la saveur de l'ail équilibre celle du brocoli. Servez cette crème avec du pain grillé et du parmesan ou garnissez-la à l'aide d'une cuillerée de crème fraîche (ou de crème sure) mélangée avec un peu de zeste de citron râpé. **◉ 6 portions**

MIJOTEUSE : Ronde, moyenne
INTENSITÉ ET TEMPS DE CUISSON : FAIBLE, de 5 à 6 heures

2 brocolis (environ 1,5 kg ou 3 lb)

120 ml (½ tasse) d'huile d'olive

8 gousses d'ail tranchées

10 ml (2 c. à thé) de marjolaine ou de thym frais ciselés, ou 2 ml (½ c. à thé)
    d'une de ces mêmes herbes séchées

1,5 l (6 tasses) de bouillon de poulet ou de légumes

60 ml (¼ tasse) de vin blanc sec

30 ml (2 c. à table) de jus de citron frais

Sel, et poivre noir du moulin, au goût

POUR LE SERVICE :

Tranches de pain français grillées

Parmesan frais râpé

1. Couper et hacher les fleurettes de brocoli. Couper et émincer 5 cm (2 po) de chaque tige pelée. Mélanger le brocoli, l'huile, l'ail, le thym, le bouillon, le vin et le jus de citron dans la mijoteuse. À couvert, laisser cuire de 5 à 6 heures à faible intensité.

2. Avec le dos d'une grande cuillère, écraser un peu de brocoli contre le bord de la mijoteuse ; la soupe contiendra de gros morceaux. Pour obtenir un potage velouté, procéder de la façon suivante : réduire le tout en purée, soit directement dans la mijoteuse à l'aide d'un mélangeur à main, soit en transférant le mélange dans un mélangeur ou un robot culinaire en plusieurs étapes. Saler et poivrer. Servir dans des bols individuels, en passant le pain grillé et le parmesan aux convives.

Soupe au chou rouge et aux légumes-racines

Cette délicieuse soupe au bœuf, faite avec du chou rouge, se sert en plat principal. Il vous faudra planifier votre temps et préparer le bouillon un jour avant de faire la soupe. Vos deux journées de préparation seront récompensées par un plat dense, savoureux et satisfaisant, et plutôt faible en calories. Le chou rouge donne toute sa couleur au potage, ce qui vous laisse avec un bouillon d'une jolie teinte rose et laisse supposer l'emploi de choux verts. S'il vous reste des os à soupe dans le congélateur, utilisez-les pour enrichir le bouillon. Il s'agit d'une recette aux quantités généreuses ; alors, vous aurez besoin d'une mijoteuse de grande capacité. Pour une mijoteuse moyenne, il faut couper la recette en deux. ● **10 à 12 portions**

MIJOTEUSE : Grande, ronde ou ovale

INTENSITÉ ET TEMPS DE CUISSON : Bouillon : FAIBLE, de 8 à 10 heures.

Soupe : ÉLEVÉE, pour 1 heure ; puis, FAIBLE de 10 à 12 heures (le bœuf est ajouté avant la dernière ou les deux dernières heures de cuisson)

BOUILLON :

1 grosse ou 2 petites tranches de jarret de bœuf (750 g ou 1½ lb)

Os de bœuf en plus (facultatif)

1 petit oignon coupé en quatre

1 petite carotte coupée en quatre

1 branche de céleri, avec ses feuilles, coupée en tronçons

1 ou 2 brins de persil plat frais

4 à 5 grains de poivre noir

SOUPE :

15 ml (1 c. à table) d'huile d'olive

1 gros oignon jaune haché

2 carottes, moyennes à grosses, tranchées en rondelles ou en demi-lunes

3 grandes branches de céleri, coupées en bouchées

1 navet moyen, pelé et coupé en bouchées

½ chou rouge moyen, étrogné et coupé en lanières de 0,30 x 2,5 cm (⅛ x 1 po), soit environ 1,2 l ou 5 tasses

1 boîte de 796 ml (28 oz) de tomates broyées, avec leur jus

1 grosse pomme de terre à cuire au four ou tout usage, pelée et coupée en dés

1,5 l (6 tasses) de bouillon de bœuf

30 ml (2 c. à table) de persil plat frais ciselé

5 ml (1 c. à thé) de thym séché

5 ml (1 c. à thé) de sarriette séchée

360 ml (1½ tasse) de bœuf cuit, coupé en dés, réservé de la pièce servant à faire le bouillon

5 ml (1 c. à thé) de sel, ou au goût

0,5 ml (⅛ c. à thé) de poivre noir du moulin, ou au goût

15 à 30 ml (1 à 2 c. à table) de vinaigre de vin rouge (facultatif), au goût

1 pincée de sucre (facultatif)

1. Pour faire le bouillon, préchauffer le four à 190 °C (375 °F). Dans une poêle à rôtir peu profonde, déposer le jarret de bœuf et, si utilisés, les os à soupe. Enfourner et faire dorer de 30 à 45 minutes, en tournant une fois. Mettre le bœuf, les os et tous les jus de la poêle dans la mijoteuse. Ajouter l'oignon, la carotte, le céleri, le persil et les grains de poivre. Verser une quantité suffisante d'eau pour couvrir tous les ingrédients. Mettre le couvercle de la mijoteuse et, à faible intensité, laisser cuire de 8 à 10 heures.

2. À l'aide de pinces ou d'une cuillère à égoutter, mettre le jarret de bœuf et les os dans un plat; laisser tiédir. Couler le bouillon dans un contenant et le laisser tiédir avant de le réfrigérer à découvert. Jeter les légumes. Quand la viande et les os sont suffisamment tièdes pour être manipulés, récupérer la viande et la réfrigérer. Jeter les os.

3. Le jour suivant, à l'aide d'une cuillère, récupérer le gras solidifié sur le dessus du bouillon et le jeter. Couper la partie maigre de la viande en dés, pour obtenir environ 360 ml (1½ tasse). Couvrir le plat et le réfrigérer jusqu'au moment de la préparation de la soupe.

4. Pour la soupe, chauffer l'huile dans une grande poêle à feu moyen-élevé. Tout en remuant à quelques reprises, y attendrir l'oignon durant 3 ou 4 minutes. Incorporer les carottes, le céleri et le navet. Tout en remuant de temps à autre, poursuivre la cuisson jusqu'à ce que l'oignon et le céleri soient transparents. Ne pas laisser roussir l'oignon. Verser les légumes dans la mijoteuse. Ajouter le chou, les tomates, la pomme de terre et le bouillon, puis le persil, le thym et la sarriette. Remuer pour bien mélanger. À couvert, laisser cuire 1 heure à intensité élevée.

5. Régler la mijoteuse à faible intensité et laisser cuire de 10 à 12 heures. (Si vous quittez la maison tôt, laissez simplement cuire de 10 à 12 heures et omettez l'étape à intensité élevée). Une à deux heures avant le service, incorporer le bœuf coupé en dés.

6. Avant de servir, saler et poivrer et, si désiré, ajouter le vinaigre et le sucre. Goûter la soupe et, si nécessaire, rectifier l'assaisonnement. À l'aide d'une louche, verser le potage chaud dans des bols individuels. Servir.

Potage à la courge musquée

D'une année à l'autre, ce potage velouté de couleur orange fait à partir de la solide courge musquée semble gagner en popularité, et ce n'est pas une surprise. Il est nourrissant sans être lourd, légèrement sucré et réjouissant; il constitue un mets d'automne et d'hiver incontournable pour plusieurs. À l'aide de la mijoteuse, il est très facile à préparer. Il s'agit de dénicher une courge qui entrera complètement dans la mijoteuse et qui permettra de placer le couvercle correctement.

Ce potage vous offre un merveilleux canevas pour exprimer votre créativité. Il est facile d'en varier les saveurs : omettez la cassonade et parfumez-le avec 10 ml (1 c. à thé) de poudre de cari. Faites revenir avec les oignons une pomme ou une poire râpée et un peu de gingembre finement haché, et ajoutez le tout à la mijoteuse lorsque les oignons sont à moitié cuits. Au lieu d'utiliser du bouillon, mélangez des parts égales d'eau et de cidre. Ou encore, faites revenir avec les oignons environ 10 ml (2 c. à thé) de sauge fraîche finement hachée. Servez la soupe avec des croûtons beurrés et un peu plus de sauge finement hachée.

Si vous êtes vraiment pressé par le temps, vous pourrez simplifier davantage la préparation. Au lieu de hacher et de faire suer les oignons, laissez la pelure, nettoyez-la, puis mettez l'oignon entier dans la mijoteuse avec la courge. Lorsque la courge sera tendre, l'oignon le sera aussi. Vous n'aurez alors qu'à couper l'oignon en deux, à enlever la pelure et à le réduire en purée avec la courge.

Nous aimons servir ce potage avec une cuillerée d'un produit crémeux, garni de quelques graines de cumin ou de *pepitas* (graines de citrouille). Si vous avez le temps, faites griller les graines. ● **6 portions**

MIJOTEUSE : Moyenne ou grande, ronde ou ovale
INTENSITÉ ET TEMPS DE CUISSON : FAIBLE, de 7 à 9 heures ; puis, ÉLEVÉE
     pour 1 heure

1 courge musquée (qui entrera dans la mijoteuse)
30 ml (2 c. à table) d'eau
1 gros oignon jaune
15 ml (1 c. à table) d'huile d'olive, d'huile végétale ou de beurre non salé
1 l (4 tasses) de bouillon de poulet ou de légumes
5 ml (1 c. à thé) de cassonade blonde
Sel, et poivre noir du moulin, au goût

POUR LE SERVICE :
Crème sure, yaourt nature ou crème fraîche
Quelques graines de cumin ou des pepitas, grillées dans une poêle sèche à
    feu moyen, jusqu'à ce qu'elles exhalent leur parfum

1. Laver et assécher la courge, puis la mettre dans la mijoteuse. Ajouter 30 ml (2 c. à table) d'eau. À couvert, laisser cuire de 7 à 9 heures à faible intensité, le temps que la courge soit tendre. Lorsque la courge est cuite, la percer à l'aide d'une brochette de bois ou d'un couteau d'office et faire glisser l'accessoire jusqu'en son centre. Si la courge n'est pas cuite, mettre le couvercle de la mijoteuse et continuer la cuisson à faible intensité ; vérifier la cuisson aux 30 minutes. Laisser tiédir la courge. Ne jeter aucun liquide présent dans la mijoteuse.

2. Pendant que la courge cuit, peler et hacher l'oignon. Dans une poêle antiadhésive de taille moyenne, faire chauffer l'huile à feu moyen. Tout en remuant, y attendrir l'oignon durant environ 5 minutes. Réserver.

3. Couper la courge en deux dans le sens de la longueur. À l'aide d'une cuillère à table, enlever les graines et les filaments, et les jeter. Prélever la chair cuite et jeter la peau. Dans un mélangeur ou un robot, réduire en purée la moitié de la courge et la moitié de l'oignon avec environ 480 ml (2 tasses) du bouillon. Verser la purée dans la mijoteuse ; remuer pour dissoudre tous les sucs de courge caramélisés au fond de l'appareil. Réduire en purée le reste de la courge et de l'oignon avec 480 ml (2 tasses) de bouillon, puis verser dans la mijoteuse. Ajouter la cassonade. Saler et poivrer. À couvert, réchauffer le potage environ 1 heure à intensité élevée.

4. Si nécessaire, rectifier l'assaisonnement. Servir le potage chaud, garni d'une cuillerée de crème sure, de yaourt ou de crème fraîche, et de quelques graines de cumin ou de pepitas grillées.

Bisque de courgette

L a courgette, un légume populaire, devient très tendre avec une lente cuisson. Elle permet d'obtenir une bisque légère et délicieuse. Le riz donnera du corps à cette bisque ; il sera réduit en purée, de telle sorte que vos convives ne sauront jamais qu'il entre dans la composition de cette recette. Si possible, utilisez de la crème 11,5 % M.G. biologique ; la saveur de la crème fraîche ressortira, car cette soupe est vraiment des plus simples au point de vue des ingrédients. ● **4 portions**

MIJOTEUSE : Moyenne, ronde ou ovale
INTENSITÉ ET TEMPS DE CUISSON : ÉLEVÉE, pour 30 minutes ; puis, FAIBLE de
   5½ à 6½ heures ; la crème 11,5 % M.G. est ajoutée avant les 20 dernières
   minutes de cuisson

90 ml (6 c. à table ou ¾ bâtonnet) de beurre non salé, coupé en 3 ou
   4 morceaux
1 gros oignon jaune haché
2 ml (½ c. à thé) de poudre de cari
750 g (1½ lb) de courgettes, les extrémités enlevées, coupées en gros
   morceaux
30 ml et un peu plus (2 c. à table combles) de riz basmati blanc ou de riz
   blanc à grains longs
15 ml (1 c. à table) de basilic frais ciselé
720 ml (3 tasses) de bouillon de poulet ou de légumes

Sel, et poivre noir du moulin, au goût

240 ml (1 tasse) de crème 11,5 % M.G.

Croûtons pour le service (facultatif)

1. Mettre le beurre, l'oignon, la poudre de cari et la courgette dans la mijoteuse. À couvert, faire suer les légumes durant 30 minutes à intensité élevée.

2. Ajouter le riz, le basilic et le bouillon. À couvert, laisser mijoter de 5 à 6 heures à faible intensité.

3. Réduire le tout en purée, soit directement dans la mijoteuse à l'aide d'un mélangeur à main, soit en transférant le mélange dans un mélangeur ou un robot culinaire en plusieurs étapes. Saler et poivrer. Incorporer la crème 11,5 % M.G., mettre le couvercle de la mijoteuse et continuer la cuisson pendant 20 minutes à faible intensité, le temps que la bisque soit bien chaude. Ne pas faire bouillir.

4. À l'aide d'une louche, verser le potage chaud dans des bols individuels. Si désiré, garnir de croûtons.

Borscht végétarien de Beth

La betterave, *Beta vulgaris,* nous provient de la côte méditerranéenne. Elle fait partie de la même famille que la bette à carde et la betterave à sucre. Sa saveur terreuse provient d'un microorganisme, contenu dans le sol, qu'elle absorbe naturellement pour créer un composé nommé géosmine, qui se retrouve aussi dans les algues bleu-vert, le «superaliment». Cette soupe se fait en un tournemain dans la mijoteuse. Elle prend une coloration rouge rubis aussitôt que l'eau touche aux betteraves et elle devient plus foncée au cours de la cuisson. Servez le borscht chaud ou froid — il est aussi délicieux d'une manière que de l'autre. Vous pouvez utiliser 60 ml (¼ tasse) d'aneth ou d'estragon frais ciselé en remplacement des mêmes herbes séchées proposées dans la recette. ● **6 à 8 portions**

MIJOTEUSE : Moyenne, ronde ou ovale
INTENSITÉ ET TEMPS DE CUISSON : ÉLEVÉE, pour 1 heure ; puis, FAIBLE de
    4 à 5 heures

1 botte de betteraves rouges, radicelles enlevées, pelées et hachées, et les
    feuilles, rincées

1 gros oignon jaune haché

2 à 3 pommes de terre rouges ou blanches de taille moyenne, non pelées et
hachées

2 grosses carottes grossièrement tranchées

5 ml et un peu plus (1 c. à thé comble) d'aneth ou d'estragon séché, ou un
mélange d'herbes sans sel, par exemple Mme Dash ou McCormick

45 ml (3 c. à table) de vin rouge sec, comme le merlot

1 ml (¼ c. à thé) de poivre noir du moulin, ou au goût

Sel de mer, au goût

Crème sure froide ou yaourt nature pour le service

1. Mettre les betteraves, l'oignon, les pommes de terre, les carottes et les herbes dans la mijoteuse. Hacher environ la moitié des feuilles de betterave et les ajouter dans la mijoteuse (réserver le reste pour une autre recette). Ajouter le vin et suffisamment d'eau pour couvrir les ingrédients de 2,5 cm (1 po) de liquide. Si désiré, utiliser une certaine quantité de bouillon de poulet pour remplacer l'eau. À couvert, faire cuire 1 heure à intensité élevée.

2. Régler la mijoteuse à faible intensité et laisser cuire de nouveau de 4 à 5 heures, le temps que les légumes soient tendres mais qu'ils ne se défassent pas.

3. Incorporer le poivre et saler. À l'aide d'une louche, verser la soupe chaude dans des bols individuels. Garnir d'une cuillerée de crème sure froide ou de yaourt. Servir.

Crème de tomate d'hiver

Ce potage pourrait bien vous surprendre : il est absolument délicieux, et vous ne pourrez vous contenter d'un seul bol. Si vous en avez sous la main, utilisez des tomates en conserve maison ; autrement, les tomates du commerce donneront aussi une merveilleuse crème. En vue de préparer cette recette, Il vaut certainement la peine d'acheter une bouteille de vermouth sec, par exemple du Martini & Rossi, et de la conserver au réfrigérateur. La recette de cette crème a, à l'origine, été publiée dans un livre de cuisine exceptionnel, *The American Table* (Silver Spring, 2000), il y a des décennies. Elle est l'œuvre d'un lauréat en poésie, Ronald Johnson ; il s'agit d'un des livres de cuisine très populaires auprès des professionnels de l'alimentation et des pairs de Johnson. Depuis que cette recette a fait l'objet d'une chronique culinaire de Jim Wood dans le *San Francisco Examiner* en décembre 1986, Beth la prépare chaque année ; la crème semble délicieuse, même sur la photographie accompagnant l'article. La recette donne quatre portions, mais il est possible que vous ne vouliez pas la partager. Servez ce potage avec une baguette. ● **4 portions**

MIJOTEUSE : Moyenne, ronde
INTENSITÉ ET TEMPS DE CUISSON : FAIBLE, de 5 à 6 heures

120 ml (½ tasse ou 1 bâtonnet) de beurre non salé
1 gros ou 2 oignons jaunes de grosseur moyenne, hachés
1 l (4 tasses) de tomates en conserve maison ou 1 boîte de 796 ml (28 oz) de
   tomates italiennes entières ou en dés, et leur jus
120 ml (½ tasse) de vermouth sec ou de vin blanc sec
15 ml (1 c. à table) de sucre
5 ml (1 c. à thé comble) d'estragon séché
Sel de mer, au goût
Crème sure froide pour le service

1. Dans une grande poêle, faire fondre le beurre à feu moyen. En remuant fréquemment pour obtenir une cuisson uniforme, faire cuire l'oignon environ 15 minutes ou jusqu'à ce qu'il soit doré.

2. Mélanger les tomates, le vermouth, le sucre et l'estragon dans la mijoteuse. En raclant le fond de la poêle, ajouter l'oignon et le beurre au mélange. À couvert, laisser cuire de 5 à 6 heures à faible intensité.

3. Dans un robot culinaire ou directement dans la mijoteuse à l'aide d'un mélangeur à main, réduire la préparation en purée, en plusieurs étapes si nécessaire. Si les graines ne sont pas désirées, passer la crème dans une passoire. Saler. Garder au chaud à faible intensité (éviter de faire bouillir) jusqu'au moment de servir. Verser le potage chaud dans des bols individuels à l'aide d'une louche. Garnir d'une cuillerée de crème sure froide.

Consommé chaud à la tomate

Voici une soupe légère et singulière adaptée d'un des livres préférés de Beth, *Home for the Holidays,* d'Irena Chalmers (Potpourri Press, 1980). Ce consommé est parfait pour une entrée ou une légère collation. N'oubliez pas la garniture d'avocat; elle est vraiment délicieuse. Essayez de servir ce consommé avec des bruschettas ou des sandwichs au fromage fondant. ● **4 portions**

MIJOTEUSE : Moyenne, ronde
INTENSITÉ ET TEMPS DE CUISSON : ÉLEVÉE, de 2 à 2½ heures

1 l (4 tasses) de jus de tomate
1 l (4 tasses) de bouillon de poulet en conserve ou de bouillon de légumes
    de bonne qualité
30 ml (2 c. à table) de pâte de tomates
3 grosses échalotes françaises, coupées en gros morceaux
1 ml (¼ c. à thé) de poudre d'ail
1 ml (¼ c. à thé) de piment de la Jamaïque moulu
2 ml (½ c. à thé) de basilic séché
30 ml (2 c. à table) de jus de citron frais
30 ml (2 c. à table) de madère ou de xérès sec
30 ml (2 c. à table) de ciboulette fraîche, finement hachée
30 ml (2 c. à table) de persil plat frais, finement haché

POUR LE SERVICE :
Minces tranches de citron
2 tomates italiennes, coupées en dés
1 avocat ferme et mûr, pelé, dénoyauté et coupé en dés

1. Mélanger le jus de tomate, le bouillon, la pâte de tomates (délayée dans un peu de bouillon), les échalotes, la poudre d'ail, le piment de la Jamaïque et le basilic dans la mijoteuse. À couvert, laisser cuire de 2 à 2½ heures à faible intensité.

2. Jeter les échalotes. Incorporer le jus de citron, le madère, la ciboulette et le persil. Servir immédiatement ou garder au chaud à faible intensité pour une période n'excédant pas 2 heures. Servir dans des bols à soupe avec une tranche de citron en accompagnement. Garnir de quelques dés de tomate et d'avocat.

Potage Crécy au miel et à la muscade

Le potage Crécy était la soupe maison servie dans un café-restaurant végétarien de Castro Street, la rue principale à Mountain View, en Californie, mieux connue sous le nom de la rue des affamés. Ce potage était servi avec des falafels (boules de pois chiches épicés) que l'on enveloppait dans un pain pita. Lorsque ce commerce a fermé, Beth, qui était friande de ce potage, a réussi à obtenir la recette de Rick, le propriétaire, qui s'apprêtait alors à déménager. Bien sûr, ce dernier était plutôt pressé ; il a donc récité de mémoire et en vitesse la liste des ingrédients et leur mode d'emploi. Pour tirer le meilleur de cette recette, essayez de trouver des carottes avec leur feuillage : elles sont plus sucrées. Si vous désirez une garniture, recourez à la coriandre fraîche ciselée et au yaourt nature, mais ce n'est vraiment pas indispensable. ● **8 portions**

MIJOTEUSE : Grande, ronde
INTENSITÉ ET TEMPS DE CUISSON : ÉLEVÉE, pour 1 heure ; puis, FAIBLE de
    5 à 7 heures

60 ml (¼ tasse) d'huile d'olive
2 oignons jaunes moyens, hachés
2 grosses pommes de terre Russet, pelées et hachées
1,5 kg (3 lb) de carottes (environ 15 moyennes), bien nettoyées, les bouts
    coupés, hachées
1 ou 2 petites gousses d'ail, pressées
2 ml (½ c. à thé), de thym séché et la même quantité de marjolaine séchée,
    ou 5 ml (1 c. à thé) d'assaisonnement sans sel naturel Spike
1 à 1,5 l (4 à 6 tasses) d'eau ou de bouillon de poulet, au besoin
30 ml (2 c. à table combles) de miel
2 à 5 ml (½ à 1 c. à thé) de muscade fraîchement râpée, au goût
Sel de mer, et poivre noir du moulin, au goût

1. Faire chauffer l'huile dans une grande poêle à feu moyen. En remuant fréquemment pour obtenir une cuisson uniforme, y attendrir les oignons de 6 à 8 minutes.

2. Déposer les pommes de terre, les carottes, l'ail et les herbes dans la mijoteuse. En raclant le fond de la poêle, incorporer les oignons et l'huile. Ajouter suffisamment d'eau pour couvrir tous les ingrédients. À couvert, laisser cuire 1 heure à intensité élevée.

3. Régler la mijoteuse à faible intensité et faire cuire de 5 à 7 heures, le temps que les légumes soient tendres. Dans un robot culinaire ou directement dans la mijoteuse à l'aide d'un mélangeur à main, réduire la préparation en purée, en plusieurs étapes si nécessaire. Le potage sera agréablement épais. Incorporer le miel et la muscade dans le

pot de grès. Saler et poivrer. Garder au chaud à faible intensité (éviter de faire bouillir) jusqu'au moment de servir. Verser le potage chaud dans des bols individuels à l'aide d'une louche. Servir et déguster.

Soupe japonaise aux champignons et au tofu

Cette recette, rapide à préparer, est impressionnante. Le mirin, une douce boisson alcoolisée obtenue par la fermentation du riz, est disponible dans la section des aliments asiatiques des supermarchés. Si vous faites vos courses dans une boutique gastronomique ou à votre marché asiatique local, recherchez le mirin sans alcool; il est tout aussi savoureux. Servez cette soupe avec des boulettes chinoises à la viande (jiaozi) ou des rouleaux de printemps, ou encore en entrée. ◉ **12 portions**

MIJOTEUSE : Moyenne ou grande, ronde
INTENSITÉ ET TEMPS DE CUISSON : ÉLEVÉE, de 2 à 3 heures

3 l (12 tasses) de bouillon de poulet en conserve de bonne qualité ou
    maison (page 101), de Dashi végétarien pour soupe miso (page 110) ou
    de Bouillon végétarien asiatique (page 111)
120 ml (½ tasse) de mirin
45 ml (3 c. à table) de tamari ou d'une autre sauce soja
227 g (8 oz) de champignons, tranchés
½ chou Napa, étrogné et grossièrement haché
2 blocs de 340 g (12 oz) de tofu extraferme, coupés en cubes de 1,5 cm (½ po)
1 botte d'oignons verts (parties blanches et vertes), coupés en oblique en
    tranches de 0,6 cm (¼ po) pour le service
60 ml (¼ tasse) d'huile de sésame grillée pour le service

1. Mélanger le bouillon, le mirin, le tamari, les champignons et le chou dans la mijoteuse. À couvert, laisser cuire de 2 à 3 heures à intensité élevée.

2. Incorporer le tofu. Servir immédiatement ou garder au chaud à faible intensité jusqu'à 1 heure avant le service. Verser la soupe japonaise dans des bols à soupe à l'aide d'une louche. Garnir chaque portion de 15 ml (1 c. à table) d'oignons verts et l'asperger de 5 ml (1 c. à thé) d'huile de sésame.

Soupe au poulet et à la tortilla

À Baja, en Californie, et dans bien des endroits au Mexique, chaque restaurant a sa propre version de la soupe à la tortilla. Cette dernière est habituellement claire, à la manière d'un consommé, et se compose de croustillantes lanières de tortilla et de filaments de poulet dans un bouillon de tomate ou de poulet maison. La présente recette s'inspire de l'une des meilleures versions que Beth ait goûtées ; cette dernière se trouvait alors dans un petit restaurant du port de La Paz, en Bolivie. Les feuilles de coriandre donnent une note rafraîchissante au bouillon ; alors, ne les omettez pas. ◉ **4 à 5 portions**

MIJOTEUSE : Moyenne, ronde ou ovale

INTENSITÉ ET TEMPS DE CUISSON : FAIBLE de 5 à 6 heures ou ÉLEVÉE de 3 à 3½ heures ; le poulet et le maïs sont ajoutés avant la dernière heure de cuisson, peu importe le réglage de la mijoteuse

1 boîte de 796 ml (28 oz) de tomates en dés, et leur jus

1 boîte de 284 ml (10 oz) de sauce enchilada rouge ou verte

2 oignons jaunes ou blancs moyens, hachés

1 boîte de 114 ml (4 oz) de chilis verts, égouttés

1 gousse d'ail, finement hachée

45 ml (3 c. à table) de coriandre fraîche, ciselée

480 ml (2 tasses) d'eau

1 boîte de 411 ml (14,5 oz) de bouillon de poulet ou de légumes

5 ml (1 c. à thé) de cumin moulu

5 ml (1 c. à thé) d'assaisonnement au chile

2 ml (½ c. à thé) de sel

Poivre noir du moulin

1 feuille de laurier

3 ml (¾ c. à thé) d'origan séché

750 g (1½ lb) de poitrine de poulet désossée, sans la peau, cuite dans une eau frémissante, égouttée et taillée en fines lanières

1 boîte de 284 ml (10 oz) de maïs mexicain, égoutté

8 tortillas de maïs tendre, jaune ou blanc

45 ml (3 c. à table) d'huile d'olive légère

POUR LE SERVICE :

Cheddar fort, finement râpé, par exemple le longhorn

Crème sure éclaircie avec quelques cuillerées de lait, ou de *crema Mexicana*

Tranches d'avocat

Brins de coriandre fraîche

1. Mélanger les tomates, la sauce enchilada, les oignons, les chilis, l'ail, la coriandre, l'eau, le bouillon, le cumin, l'assaisonnement au chile, le sel, le poivre, la feuille de laurier et l'origan dans la mijoteuse. À couvert, laisser cuire de 5 à 6 heures à faible intensité ou à intensité élevée de 2 à 2½ heures.

2. Ajouter les lanières de poulet et le maïs, puis continuer la cuisson à faible intensité pendant 1 heure. Jeter la feuille de laurier.

3. Pendant ce temps, préchauffer le four à 200 °C (400 °F). Frotter les côtés de chacune des tortillas avec un peu d'huile. À l'aide d'un couteau, tailler les tortillas en lanières de 6,5 x 2,5 cm (2½ x 1 po). Les étendre sur une plaque de cuisson couverte de papier parchemin. Les faire cuire de 8 à 12 minutes ou jusqu'à l'obtention d'une consistance croustillante (sans laisser brunir) ; les tourner une fois à mi-cuisson.

4. Verser la soupe dans des bols individuels à l'aide d'une louche. Saupoudrer chaque portion de fines lanières de tortilla et de fromage râpé. À la cuillère, garnir de crème sure ou de *crema Mexicana*, de quelques tranches d'avocat et de brins de coriandre. Servir immédiatement.

Gombo

Cette soupe, semblable à un épais ragoût, a une saveur délicieusement complexe. On la sert avec de la poudre «filé» faite de feuilles de sassafras moulues. Cette poudre donne à la soupe une saveur unique et est fréquemment utilisée comme agent liant. Il ne faut jamais réchauffer un plat une fois que la poudre de sassafras y a été ajoutée. On la saupoudre à la table, comme on le fait avec le sel ou le poivre. Le sassafras est cet aromatisant familier que l'on trouve dans la «root beer». On bêche les racines de sassafras au printemps, on en enlève l'écorce et on les fait bouillir pour obtenir une infusion permettant d'«éclaircir» le sang. À l'instar du menudo au Mexique, la soupe gombo se veut un plat fortifiant pour les gens de la Louisiane. ● **4 portions**

MIJOTEUSE : Moyenne, ronde ou ovale
INTENSITÉ ET TEMPS DE CUISSON : ÉLEVÉE, pour 30 minutes ; puis FAIBLE
    pour 6 heures ; les tomates, le riz et les gombos sont ajoutés avant la
    dernière heure de cuisson

**2 tranches de bacon, cuites jusqu'à consistance croustillante, égouttées sur
    des essuie-tout, puis émiettées**

1 gros oignon, haché menu

454 g (1 lb) de poitrine de poulet désossée, sans la peau, tout gras enlevé

2 grandes branches de céleri, hachées

½ poivron vert, épépiné et coupé en dés

1 feuille de laurier

1 l (4 tasses) de bouillon de poulet

1 boîte de 411 ml (14,5 oz) de tomates entières, et leur jus, hachées

240 ml (1 tasse) de gombos (okras) tranchés surgelés, rincés à l'eau fraîche
    et égouttés, ou encore frais, extrémités coupées, et tranchés

80 ml (⅓ tasse) de riz blanc étuvé

30 ml (2 c. à table) de persil plat, frais ciselé

1 ml (¼ c. à thé) de thym séché

1 ml (¼ c. à thé) de poivre noir fraîchement moulu

Sel, au goût

5 à 10 ml (1 à 2 c. à thé) de poudre de sassafras pour le service

1. Mettre le bacon, l'oignon, le poulet, le céleri, le poivron, la feuille de laurier et le bouillon de poulet dans la mijoteuse. À couvert, laisser cuire 30 minutes à intensité élevée.

2. Régler la mijoteuse à faible intensité, puis faire cuire pendant 5 heures.

3. Enlever le poulet. Couper la viande en bouchées et remettre ces dernières dans la mijoteuse. Jeter la feuille de laurier. Ajouter les tomates et leur jus, les gombos, le riz, le persil, le thym et le poivre. Faire cuire 1 heure de plus à faible intensité ou jusqu'à ce que la soupe soit bien chaude et le riz à point.

4. Saler. Saupoudrer de poudre de sassafras. Servir dans des bols à soupe peu profonds.

Potage écossais – Cock-a-leekie

Ce potage écossais, fait de poulet et de poireaux, est simple à préparer et des plus réconfortants. Il a sa place au panthéon des potages aux noms étranges, par exemple le *cullen skink,* le *feather fowlie,* le *neep broase,* le hochepot et le *powsowdie.* Les premières versions du cock-a-leekie auraient été faites avec les coqs perdants des combats locaux; on les cuisait à l'étouffée. Ce potage est vite devenu populaire dans la cuisine française. Cette version, qui nous vient de Brit Susie Dymoke, est aussi économique que délicieuse. Elle utilise quelques cuillerées d'orge comme épaississant, mais il n'est pas inusité d'utiliser des flocons d'avoine en remplacement. Les potages aux pommes de terre et aux poireaux n'exigent pas des proportions exactes ; il suffit d'utiliser tous les ingrédients de la recette. Bien que peu commune, la garniture de pruneaux dénoyautés et hachés se veut la touche traditionnelle. La recette demande une feuille de laurier turc, plus petite et à saveur plus subtile que sa version californienne. ◉ **4 à 5 portions**

MIJOTEUSE : Moyenne, ronde ou ovale
INTENSITÉ ET TEMPS DE CUISSON : FAIBLE, de 6 à 8 heures

1 botte de poireaux d'environ 454 g (1 lb), partie blanche et environ 5 cm (2 po) de verdure
750 g (1½ lb) de cuisses de poulet, sans les os et sans la peau, coupées en dés
2 pommes de terre Russet de grosseur moyenne, pelées et coupées en dés
30 ml (2 c. à table) d'orge perlé
2 petits oignons blancs ou jaunes, coupés en dés
5 brins de persil plat frais
1 feuille de laurier turc ou ½ feuille de laurier californien
720 ml (3 tasses) de bouillon de poulet ou d'eau
Sel, et poivre noir du moulin, au goût

POUR LE SERVICE :
113 g (4 oz) de pruneaux dénoyautés, hachés
Persil plat frais, ciselé
Sauce Worcestershire

1. Rincer les poireaux sous l'eau froide courante. Les couper en deux dans le sens de la longueur et enlever l'enveloppe externe plus coriace. Rincer de nouveau pour enlever tout le sable. Trancher finement.

2. Mettre les poireaux, le poulet, les pommes de terre, l'orge, l'oignon, le persil, la feuille de laurier et le bouillon dans la mijoteuse. Bien mélanger. À couvert, laisser cuire de 6 à 8 heures à faible intensité.

3. Saler et poivrer. Verser le potage dans des bols individuels à l'aide d'une louche. Garnir de pruneaux et de persil hachés. Garder la bouteille de sauce Worcestershire à portée de la main pour en verser quelques gouttes.

Poulet poché dans
le bouillon de tomate

Voici le genre de plat simple, chaud et nourrissant qui fait du bien lorsqu'on n'est pas dans son assiette, voire en tout temps. Nous utilisons quelques raccourcis qui simplifient grandement la préparation. Tout d'abord, nous enlevons pratiquement toute la peau du poulet avant la cuisson, ce qui permet d'obtenir un bouillon maigre et d'éviter l'étape du dégraissage. Puis, nous utilisons des tomates en conserve pour ne pas perdre de temps à en peler des fraîches. Servez le poulet et son bouillon dans des bols à soupe, en garnissant chaque plat de nouilles aux œufs ou de riz déjà cuits. ◉ **4 à 5 portions**

MIJOTEUSE : Grande, ronde ou ovale
INTENSITÉ ET TEMPS DE CUISSON : FAIBLE, de 6 à 8 heures

1 oignon moyen à gros, haché
3 carottes moyennes, hachées
3 branches de céleri, hachées, plus les feuilles et la partie supérieure de
    1 branche moyenne
1 poulet de grosseur moyenne d'environ 1,7 kg (3½ lb)
Quelques brins de persil plat frais
1 feuille de laurier
1 boîte de 411 ml (14,5 oz) de tomates hachées, et leur jus
480 ml (2 tasses) de bouillon de poulet
1 l (4 tasses) d'eau
5 ml (1 c. à thé) de sel
2 ml (½ c. à thé) de poivre noir fraîchement moulu

POUR LE SERVICE :
Riz blanc cuit à la vapeur ou nouilles aux œufs bouillies
Persil plat frais, finement haché (facultatif)

1. Mettre l'oignon, les carottes et le céleri haché dans la mijoteuse.

2. Enlever le plus de peau et de gras possible du poulet. Pour ce faire, utiliser un couteau d'office ou une paire de ciseaux et découper la peau en suivant la ligne centrale de la poitrine. Retirer une partie de la peau de la chair; répéter l'opération autant de fois que nécessaire. Il sera probablement possible d'enlever toute la peau, sauf celle des ailes. Mettre la branche et les feuilles de céleri, le persil et la feuille de laurier dans la cavité du poulet. Déposer le poulet sur le dos et, à l'aide d'une ficelle de cuisine, lier

les cuisses ensemble, puis faire une boucle en croix autour de la carcasse pour attraper les ailes. Mettre le poulet dans la mijoteuse. Verser les tomates et leur jus sur le poulet. Ajouter le bouillon, l'eau, le sel et le poivre. À couvert, laisser cuire de 6 à 8 heures à faible intensité. Le poulet sera très tendre, et le bouillon richement parfumé.

3. Pour le service, retirer le couvercle de la mijoteuse et transférer soigneusement le poulet sur une planche à découper. Au besoin, s'aider de la ficelle, car le poulet sera très tendre et risquera de se défaire. Goûter au bouillon. Saler et poivrer au goût. À couvert, garder le bouillon au chaud à faible intensité. Découper le poulet de la manière désirée. Jeter les herbes contenues dans la cavité. Pour chaque portion, mettre des nouilles ou du riz, cuits et chauds, dans une assiette à soupe plate ou un bol peu profond. Ajouter un morceau, une tranche ou des lanières de poulet. Verser un peu de bouillon et ajouter des légumes sur le poulet. Si désiré, garnir de persil finement haché. La quantité restante de poulet peut être découpée en lanières ou hachée avant d'être ajoutée au bouillon pour donner une soupe vraiment remarquable.

Bouillon écossais

L e bouillon écossais, aussi appelé «bouillon d'orge», est très populaire durant la saison hivernale; on réalise toutes les étapes nécessaires à la création de ce bouillon à partir d'un jarret d'agneau coupé en morceaux. Dans ce cas, on ne parle pas d'un vieux mouton! Beth a obtenu cette recette à la fin de son adolescence, alors qu'elle travaillait dans une fabrique de lingerie haut de gamme, surnommée «l'usine de sous-vêtements». Dans le tourbillon des machines à coudre, des rouleaux de tissu et des étagères de chemises de nuit dans les teintes pastel de Monet, il y avait une vieille photographie d'un Paul Newman décontracté, une photo tirée du film *Hud* (*Le plus sauvage d'entre tous*). Des femmes de tous âges travaillaient en parlant de la vie, de l'amour, des vedettes de cinéma et, bien sûr, de nourriture. Une de ces femmes, une véritable experte en soupes, a donné cette recette à Beth qui la prépare depuis ce jour. Le riche bouillon cuit de 6 à 8 heures et peut être préparé la veille. Alors, planifiez votre temps en conséquence. ◉ **6 portions**

MIJOTEUSE : Moyenne ou grande, ronde
INTENSITÉ ET TEMPS DE CUISSON : Bouillon : ÉLEVÉE, pour 1 heure ; puis
    FAIBLE de 6 à 8 heures ; Soupe : FAIBLE, pour environ 7 heures (la viande
    est ajoutée avant la dernière heure de cuisson)

BOUILLON :

750 g (1½ lb) de jarret d'agneau, coupé en morceaux

2,5 l (10 tasses) d'eau froide

5 ml (1 c. à thé) de sel

POTAGE :

1 gros oignon jaune, haché

2 grosses carottes, hachées

3 branches de céleri avec les feuilles, hachées

120 ml (½ tasse) d'orge perlé

60 ml (¼ tasse) de persil plat frais, ciselé

1 pincée de thym séché

Sel, au goût

Poivre noir du moulin

POUR LE SERVICE :

Pain irlandais maison (au bicarbonate de soude)

Beurre

1. Pour faire le bouillon, mettre les morceaux de jarret d'agneau, l'eau et le sel dans la mijoteuse. À couvert, laisser cuire à intensité élevée pendant 1 heure.

2. Écumer la surface. À couvert, laisser cuire de 6 à 8 heures à faible intensité.

3. À découvert, laisser tiédir la préparation. Chemiser d'étamine une grande passoire ou utiliser une passoire à mailles fines. La placer au-dessus d'un grand bol et verser le bouillon dans la passoire. Récupérer la viande sur les os. Jeter les os. Réserver la viande au réfrigérateur pour faire la soupe.

4. Pour faire la soupe, mettre tous les ingrédients, sauf le sel et le poivre, dans la mijoteuse. Ajouter le bouillon, mettre le couvercle et laisser cuire à faible intensité environ 6 heures.

5. Ajouter la viande réservée, couvrir et poursuivre la cuisson à faible intensité pendant 1 heure. Saler et poivrer. Verser la soupe dans des bols individuels à l'aide d'une louche. Servir chaud avec du pain irlandais maison et du beurre.

Soupe au bœuf haché

Cette soupe, est épaisse, copieuse et chaleureuse et se veut l'antidote parfait pour les froides journées. Il vaut la peine de chercher l'assaisonnement Maggi, que l'on peut trouver dans les sections asiatiques ou sud-américaines des supermarchés. ● **8 portions**

MIJOTEUSE : Moyenne ou grande, ronde
INTENSITÉ ET TEMPS DE CUISSON : ÉLEVÉE, de 4 à 6 heures

227 g (½ lb) de bœuf haché
1 gros oignon jaune, haché
2 gousses d'ail, hachées
120 ml (½ tasse) d'huile d'olive
240 ml (1 tasse) de farine tout usage
2 boîtes de 398 ml (14 oz) de bouillon de bœuf
3 branches de céleri, hachées
2 carottes moyennes, hachées
1 boîte de 411 ml (14,5 oz) de tomates hachées, et leur jus
1 ml (¼ c. à thé) d'assaisonnement Maggi ou 2 ml (½ c. à thé) de sauce soja
2 ml (½ c. à thé) de poivre noir fraîchement moulu
Sel, au goût
1 paquet de 283 g (10 oz) de jardinière de légumes surgelés

1. Dans une grande poêle épaisse, à feu moyen-vif, faire dorer le bœuf haché, l'oignon et l'ail jusqu'à ce que la viande ait perdu sa coloration rosée. Dégraisser autant que possible. Transférer la préparation dans un bol.

2. Bien essuyer la poêle à l'aide d'un essuie-tout. Y faire chauffer l'huile à feu moyen-vif. Ajouter la farine. Bien mélanger. À l'aide d'une cuillère en bois, tout en remuant constamment, faire cuire le roux jusqu'à l'obtention d'une riche coloration brune, comme celle de la poudre de cacao ou d'un chocolat au lait léger. Prendre son temps ; il faudra de 10 à 15 minutes pour réaliser cette étape. Si la farine brûle, la jeter et recommencer avec plus d'huile et de farine.

3. Ajouter 1 boîte de bouillon et, à l'aide d'un fouet, remuer le mélange jusqu'à l'obtention d'une consistance homogène. Incorporer le reste du bouillon et remuer jusqu'à l'obtention d'une consistance lisse. Verser dans la mijoteuse. Incorporer le mélange de viande et d'oignons, le céleri, les carottes, les tomates, l'assaisonnement Maggi et le poivre. Saler. (Si un bouillon en conserve a été utilisé, le sel ne sera peut-être pas nécessaire.) Ajouter la jardinière de légumes congelée dans la mijoteuse et la submerger. À couvert, laisser cuire de 4 à 6 heures à intensité élevée. Servir chaud.

• • À propos du bouquet garni • •

La combinaison aromatique persil frais, thym, feuille de laurier et grains de poivre enveloppés dans un morceau d'étamine compose un bouquet d'herbes méditerranéen classique, aussi appelé « bouquet garni ». Au lieu de répandre les herbes dans le bouillon et de les laisser flotter librement, on les place au centre d'un carré de 4 cm (10 po) d'étamine (coton à fromage) que l'on attache avec de la ficelle de cuisine. Si vous n'avez pas d'étamine, faites un petit bouquet avec les herbes et entourez-le de ficelle. Un petit bouquet garni suffira dans chacune des recettes de bouillon qui suivent.

Vous pouvez improviser avec n'importe quel mélange de fines herbes qui vous plaisent, comme le romarin, la sauge, la marjolaine, le persil plat ou frisé, une gousse d'ail écrasée, voire des champignons séchés et un petit piment chili séché et bien piquant. De plus, vous pouvez essayer des épices indiennes, comme des clous de girofle entiers, un bâton de cannelle, des graines de fenouil et quelques graines de moutarde brune. Le mélange d'herbes de Provence est très populaire. Lorsque vous changez le réglage de la mijoteuse pour passer à l'intensité faible, c'est le moment d'ajouter le bouquet garni. Pendant le dégraissage, vous serez facilement capable de retrouver et de retirer le sac détrempé.

Bouillons à la mijoteuse

Un des plus merveilleux aliments qu'une mijoteuse permet de créer, c'est le bouillon maison. La chroniqueuse culinaire Shirley O. Corriher décrit ce dernier comme « un réel trésor pour les cuisiniers ». Pourquoi faire son bouillon maison ? Pour répondre simplement, il faut avouer qu'il n'existe aucun substitut. Le but est d'obtenir une richesse de saveurs et de nutriments pour les soupes et les ragoûts, une richesse qu'on ne peut tout simplement pas tirer de l'eau. Nos recettes proposent également les bouillons en conserve comme solution de rechange ; cependant, si vous faites vos propres bouillons, vous pourrez goûter la différence. Qui plus est, préparer des bouillons n'est pas difficile, surtout avec les recettes que nous vous proposons. Vous n'avez qu'à mettre les os, les légumes et les fines herbes dans le pot, à ajouter de l'eau et à laisser mijoter. Les proportions sont très souples.

Il existe quatre bouillons classiques : le fond blanc, fait à partir de poulet ou d'une autre volaille ; le fond brun, fait à partir de bœuf et de veau ; le fumet de poisson ; et le bouillon de légumes. Le porc et l'agneau, sauf s'ils sont utilisés pour des bouillons déterminés ou pour faire un *chile verde,* sont plutôt doux et ne conviennent pas à l'obtention d'un bouillon tout usage. Les bouillons de viande et de volaille sont plus savoureux si on les fait avec des jarrets, des dos, des cuisses, des cous et des ailes, des parties qui contiennent davantage de collagène, lequel se transforme en gélatine après une cuisson prolongée. C'est la gélatine qui donne aux bouillons maison une consistance riche et veloutée.

La mijoteuse constitue l'instrument par excellence pour extraire la substance de la volaille et de la viande, ce qui ne serait pas le cas si on faisait bouillir ces dernières.

De plus, l'évaporation est minime dans la mijoteuse, de telle sorte que vous n'avez pas besoin de faire de nombreux remplissages d'eau, comme vous le feriez pour une cuisson sur la cuisinière. Les recettes suivantes donnent des quantités modérées de bouillon ; c'est pourquoi une mijoteuse de 6 à 7 l (24 à 28 tasses) devrait convenir et être facile à soulever, même pleine.

Quelques minutes sont nécessaires pour assembler tous les ingrédients dans le pot de la mijoteuse et pour ajouter suffisamment d'eau afin de couvrir les os. Ensuite, le bouillon est laissé à mijoter sans surveillance pendant une partie de la journée, jusqu'à ce qu'il développe son agréable bouquet et sa riche couleur. L'eau froide donne un bouillon dont la couleur est plus profonde, et la saveur plus intense. Elle prévient également la coagulation des protéines des os, ce qui produit un bouillon trouble. Au lieu de cela, les protéines flotteront à la surface et vous pourrez facilement écumer la mousse résiduelle.

Pour la préparation d'un bouillon, les légumes achetés au supermarché sont aussi bons que ceux récoltés dans le jardin familial. Pour être honnête, plus les ingrédients sont simples, meilleur est le bouillon. Résistez donc à la tentation de jeter toutes sortes de rognures de légumes dans la mijoteuse, même si certains légumes légèrement fanés (mais pas moisis) donnent de bons résultats parce qu'ils sont mous et goûteux. Il faut utiliser des légumes aromatiques, par exemple le classique mélange d'oignons, de carottes et de céleris hachés, qu'on appelle « un mirepoix ». Le but, c'est que ces légumes se défassent et se dissolvent dans le bouillon. Après 1 heure de cuisson à intensité élevée pour augmenter

rapidement la température du liquide, le long temps de cuisson permettra à l'eau d'extraire toutes les saveurs. Aucun sel n'est ajouté durant la cuisson. Alors, goûtez le bouillon et rectifiez l'assaisonnement en fin de cuisson.

Lorsque le bouillon est prêt, passez-le au tamis, puis versez-le dans des contenants hermétiques que vous rangerez au réfrigérateur ou au congélateur. Ne laissez pas votre bouillon trop longtemps à la température ambiante : c'est un bouillon parfait pour la culture de bactéries. Si le bouillon s'est gâté, il sentira la fermentation. Dans ce cas, il faut le jeter immédiatement.

Au départ, il vous semblera que vous avez une grande quantité de bouillon dans la mijoteuse, mais le volume diminuera quelque peu lorsque les ingrédients auront cuit et que le bouillon aura été égoutté dans une passoire. Utilisez une petite casserole ou une grande louche pour transvider le liquide encore chaud (idéalement autour de 70 °C, 160 °F) dans une passoire chemisée d'étamine et placée au-dessus d'un grand bol pour recueillir le bouillon. Faites cette opération dans l'évier afin d'éviter les risques d'éclaboussures. Les ingrédients solides resteront dans la passoire et, lorsque vous soulèverez cette dernière, vous pourrez admirer votre merveilleux bouillon translucide. Après l'égouttage, réfrigérez le bouillon jusqu'à ce qu'il soit bien froid. Si vous faites un bouillon à la viande ou à la volaille, le gras se solidifiera à la surface et il vous sera facile de l'enlever à l'aide d'une cuillère. Laissez le gras dans le bouillon durant la période de réfrigération (il formera une couche protectrice qui évitera que le bouillon soit directement exposé à l'air). Il faut cependant l'enlever avant la congélation. Certaines personnes n'enlèvent pas la totalité du gras ; vous pouvez donc faire comme elles et laisser quelques cuillerées de gras qui contribueront à la saveur globale de votre bouillon.

Achetez un assortiment de contenants pour congélateur de 0,5 à 1 l (2 à 4 tasses) qui s'y empileront facilement. Ensuite, vous serez prêt à composer un ragoût ou une soupe dans la mijoteuse, et ce, en quelques minutes. Peu importe la recette, portez toujours le bouillon au point d'ébullition avant de l'utiliser. Saler et poivrer légèrement, et dégustez le bouillon tel quel ou versez-le sur une tranche de pain campagnard grillée pour une superbe collation !

Bouillon de poulet

Le bouillon de poulet maison est un ingrédient essentiel dans la fabrication de potages, de risottos et de ragoûts. Nous aimons découper un poulet entier et y ajouter des morceaux supplémentaires préalablement conservés au congélateur; cependant, si vous avez une grande mijoteuse, vous pouvez simplement mettre le poulet entier et le cuire pour le temps maximal sans autre manipulation. Le temps de cuisson est très flexible. ● **Donne environ 2,5 l (10 tasses)**

MIJOTEUSE : Grande, ronde ou ovale

INTENSITÉ ET TEMPS DE CUISSON : ÉLEVÉE, pour 1 heure; puis FAIBLE de 6 à 16 heures

1,7 kg (3½ lb) de morceaux de poulet avec des os, comme des hauts de cuisse, des cous, des cuisses, des ailes et des carcasses; ou 1 poulet entier de 1,5 à 1,9 kg (3 à 4 lb), coupé en morceaux, le gras et le foie enlevés

1 gros oignon jaune, coupé en quartiers

1 grosse carotte, coupée en tronçons

2 à 3 branches de céleri avec les feuilles

8 brins de persil plat frais, avec les tiges

Poivre noir du moulin ou quelques grains de poivre noir

Sel, au goût (facultatif)

1. Mettre tous les ingrédients dans la mijoteuse, sauf le sel. Ajouter suffisamment d'eau froide pour couvrir les ingrédients de 5 à 7,5 cm (2 à 3 po). À couvert, laisser cuire pendant 1 heure à intensité élevée.

2. Écumer la surface du liquide à l'aide d'une grande cuillère. Mettre le couvercle, régler la mijoteuse à intensité faible et faire cuire de 6 à 16 heures. Si le niveau de l'eau descend sous celui des ingrédients, ajouter de l'eau bouillante.

3. À découvert, laisser tiédir la préparation. Chemiser d'étamine une grande passoire ou utiliser une passoire à mailles fines. La placer au-dessus d'un grand bol et y verser le bouillon. Presser les légumes pour en extraire la totalité du liquide. Jeter les légumes, la peau et les os. Si désiré, réserver la viande pour une soupe, une salade ou un autre plat. Goûter le bouillon et le saler si nécessaire, ou attendre de l'utiliser pour le saler. Réfrigérer.

4. Le bouillon est prêt à l'emploi et peut être réfrigéré dans des contenants hermétiques de 2 à 3 jours. Le gras solidifié à la surface du bouillon peut être retiré et le

bouillon peut être versé dans des contenants de congélation hermétiques en plastique ; laisser 5 cm (2 po) d'air libre pour permettre l'expansion du contenu. Le bouillon peut se conserver de 3 à 4 mois au congélateur. Qu'il soit réfrigéré ou congelé (et dégelé), s'assurer de le porter au point d'ébullition avant de l'utiliser.

Riche bouillon de poulet

Ce riche bouillon peut être utilisé à la place du bouillon de poulet ordinaire dans les risottos et les ragoûts de veau ou de volaille. Achetez des poitrines de poulet pour le dîner, désossez-les et conservez les os viandeux crus dans des sacs de congélation en plastique jusqu'à ce que vous soyez prêt à faire ce riche bouillon. de poulet qui est vraiment délicieux. ● **Donne environ 3 l (12 tasses)**

MIJOTEUSE : Grande, ronde ou ovale

INTENSITÉ ET TEMPS DE CUISSON : ÉLEVÉE, pour 1 heure ; puis FAIBLE de 8 à
  10 heures

2 oignons jaunes moyens, coupés en quartiers
2 carottes moyennes, coupées en tronçons
2 poireaux (partie blanche seulement), bien nettoyés et hachés
3 branches de céleri avec feuilles, coupées en tronçons
1 ou 2 articulations de veau, coupées en morceaux
6 bréchets de poulet (os restants après que les poitrines ont été retirées)
  et quelques ailes ; ou 1 poulet entier de 1,7 à 1,9 kg (3½ à 4 lb), le gras
  enlevé
1 bouquet garni : 4 brins de persil frais, 1 feuille de laurier, 1 ou 2 brins de
  thym frais, 1 brin d'estragon frais, 10 grains de poivre noir et 1 gousse
  d'ail épluchée, le tout enveloppé dans un carré d'étamine attaché avec
  une ficelle de cuisine
240 ml (1 tasse) de vin blanc sec
Sel, au goût (facultatif)

1. Mettre les légumes, le veau, le poulet et le bouquet garni dans la mijoteuse. Ajouter suffisamment d'eau froide pour couvrir les ingrédients d'au moins 7,5 cm (3 po). Incorporer le vin. À couvert, laisser cuire à intensité élevée environ 1 heure ou jusqu'à ce que le contenu soit bien chaud.

2. Écumer la surface du bouillon à l'aide d'une grande cuillère. Mettre le couvercle, régler la mijoteuse à intensité faible et faire cuire de 8 à 10 heures. Si le niveau de l'eau descend sous celui des ingrédients, ajouter de l'eau bouillante.

3. À découvert, laisser tiédir la préparation. Chemiser d'étamine une grande passoire ou utiliser une passoire à mailles fines. La placer au-dessus d'un grand bol et y verser le bouillon. Presser les légumes pour en extraire la totalité du liquide. Jeter les légumes, le bouquet garni, les os et la viande. Si désiré, saler. Réfrigérer.

4. Utiliser le bouillon immédiatement ou le réfrigérer de 2 à 3 jours dans des contenants hermétiques. Le gras solidifié à la surface du bouillon peut être retiré et le bouillon peut être versé dans des contenants de congélation hermétiques en plastique; laisser 5 cm (2 po) d'air libre pour permettre l'expansion du contenu. Le bouillon peut se conserver de 3 à 4 mois au congélateur. Qu'il soit réfrigéré ou congelé (et dégelé), s'assurer de le porter au point d'ébullition avant de l'utiliser.

Bouillon de dinde

L a prochaine fois que vous ferez rôtir une dinde, utilisez la carcasse pour faire un riche et délicieux bouillon. Si vous avez une mijoteuse ronde, vous devrez casser la carcasse (séparer les côtes de l'épine dorsale) pour que celle-ci entre dans la mijoteuse. Si le bouillon n'est pas assez concentré après la cuisson, ajoutez une certaine quantité de bouillon de poulet en conserve. Utilisez cette même recette pour faire un bouillon avec des restes de lapin, de faisan ou de canard. Ce bouillon convient bien pour les potages et les ragoûts, ainsi que pour le Jook (page 25). ● **Donne environ 3 l (12 tasses)**

MIJOTEUSE : Grande, ronde ou ovale
INTENSITÉ ET TEMPS DE CUISSON : ÉLEVÉE, pour 1 heure ; puis FAIBLE de 8 à
   10 heures

1 carcasse de dinde rôtie viandeuse, incluant les ailes et la peau, brisée
2 oignons jaunes moyens, coupés en quartiers
2 poireaux (partie blanche seulement), bien nettoyés et hachés
5 carottes moyennes, coupées en tronçons
3 branches de céleri avec feuilles, coupées en tronçons
6 brins de persil plat frais avec les tiges
5 ml (1 c. à thé) de thym séché ou 2 brins de thym frais

Poivre noir du moulin

Sel, au goût (facultatif)

1. Mettre les morceaux de carcasse de dinde dans la mijoteuse. Ajouter suffisamment d'eau froide pour couvrir les ingrédients d'au moins 10 cm (4 po). À couvert, laisser cuire à intensité élevée environ 1 heure ou jusqu'à ce que le contenu soit bien chaud.

2. Écumer la surface à l'aide d'une grande cuillère. Ajouter le reste des ingrédients, sauf le sel. Régler la mijoteuse à intensité faible, mettre le couvercle et faire cuire de 8 à 10 heures. Si le niveau de l'eau descend sous celui des ingrédients, ajouter de l'eau bouillante.

3. À découvert, laisser tiédir la préparation. Chemiser d'étamine une grande passoire ou utiliser une passoire à mailles fines. La placer au-dessus d'un grand bol et y verser le bouillon. Presser les légumes pour en extraire la totalité du liquide. Jeter les légumes et les os, en réservant la viande pour une soupe ou un autre plat, si désiré. Saler au goût. Réfrigérer.

4. Le bouillon se conservera de 2 à 3 jours dans des contenants hermétiques. Le gras solidifié à la surface du bouillon peut être retiré et le bouillon peut être versé dans des contenants de congélation hermétiques en plastique ; laisser 5 cm (2 po) d'air libre pour permettre l'expansion du contenu. Le bouillon peut se conserver de 3 à 4 mois au congélateur. Qu'il soit réfrigéré ou congelé (et dégelé), s'assurer de le porter au point d'ébullition avant de l'utiliser.

Bouillon de bœuf maison

L e secret pour obtenir une riche saveur de bœuf et une couleur profonde dans un bouillon consiste à faire rôtir les os au four avant de les mettre dans la mijoteuse. Vous pouvez omettre cette étape, mais la saveur de votre bouillon ne sera pas la même. ● **Donne environ 2 l (8 tasses)**

MIJOTEUSE : Grande, ronde ou ovale

INTENSITÉ ET TEMPS DE CUISSON : ÉLEVÉE, pour 1 heure ; puis FAIBLE de
    10 à 16 heures

1,9 kg (4 lb) d'os de bœuf viandeux crus, comme des jarrets, coupés en
    quelques endroits ; ou 1 kg (2 lb) d'os et 1 kg (2 lb) de cubes de bœuf à
    ragoût

2 oignons jaunes moyens, coupés en quartiers

2 carottes moyennes, coupées en tronçons

4 branches de céleri avec feuilles, coupées en tronçons

¼ botte de persil plat frais

1 feuille de laurier, coupée en deux

4 clous de girofle

10 grains de poivre noir

120 ml (½ tasse) de vin blanc sec

30 ml (2 c. à table) de pâte de tomates

2,5 l (10 tasses) d'eau froide

1. Préchauffer le four à 230 °C (450 °F). Mettre les os, la viande, les oignons et les carottes sur une plaque à rôtir. Faire cuire pendant 30 minutes ; tourner les ingrédients à mi-cuisson.

2. Pendant ce temps, mélanger le céleri, les herbes et les épices, le vin, la pâte de tomates et 2 l (8 tasses) d'eau dans la mijoteuse. À couvert, laisser cuire à intensité élevée environ 1 heure ou jusqu'à ce que le contenu soit bien chaud.

3. Ajouter les os, la viande, les oignons et les carottes dans la mijoteuse. Enlever le gras de la plaque à rôtir. Ajouter 480 ml (2 tasses) d'eau et racler le fond du contenant pour libérer les morceaux de viande. Verser le contenu dans la mijoteuse. À couvert, laisser cuire à intensité faible de 10 à 16 heures. Si le niveau de l'eau descend sous celui des ingrédients, ajouter de l'eau bouillante. Écumer la surface du liquide à l'aide d'une grande cuillère.

4. À découvert, laisser tiédir la préparation. Chemiser d'étamine une grande passoire ou utiliser une passoire à mailles fines. La placer au-dessus d'un grand bol et y verser le bouillon. Presser les légumes pour en extraire la totalité du liquide. Jeter les légumes, les os et la viande. Ce bouillon est meilleur non salé. Réfrigérer.

5. Le bouillon se conservera de 2 à 3 jours au réfrigérateur dans des contenants hermétiques. Le gras solidifié à la surface du bouillon peut être retiré et le bouillon peut être versé dans des contenants de congélation hermétiques en plastique ; laisser 5 cm (2 po) d'air libre pour permettre l'expansion du contenu. Le bouillon peut se conserver de 3 à 4 mois au congélateur. Qu'il soit réfrigéré ou congelé (et dégelé), s'assurer de le porter au point d'ébullition avant de l'utiliser.

Bouillon de porc fumé

V oici le bouillon à préparer avec vos restes de jambon fumé ou au miel. Il constitue la base idéale pour les soupes aux lentilles, aux haricots, aux pois cassés ou au chou, ou encore pour faire un borscht ou des haricots au four. ⊙ **Donne environ 3 l (12 tasses)**

MIJOTEUSE : Grande, ronde ou ovale

INTENSITÉ ET TEMPS DE CUISSON : ÉLEVÉE, pour 1 heure ; puis FAIBLE de 8 à
     10 heures

1 os de jambon de 0,5 à 1 kg (1 à 2 lb) ou 0,5 à 1 kg (1 à 2 lb) d'os de
     côtelettes de porc fumées ou 2 gros jarrets de jambon
2 oignons jaunes moyens, coupés en quartiers
2 poireaux (partie blanche seulement), bien nettoyés et hachés
2 branches de céleri avec les feuilles, coupées en tronçons
1 carotte moyenne, coupée en tronçons
1 panais moyen, pelé et coupé en tronçons
1 feuille de laurier
8 grains de poivre noir

1. Mettre tous les ingrédients dans la mijoteuse. Ajouter suffisamment d'eau froide pour couvrir les ingrédients d'au moins 7,5 cm (3 po). À couvert, laisser cuire à intensité élevée environ 1 heure ou jusqu'à ce que le contenu soit bien chaud.

2. Écumer la surface du bouillon à l'aide d'une grande cuillère. Mettre le couvercle, régler la mijoteuse à intensité faible et laisser cuire de 8 à 10 heures. Si le niveau de l'eau descend sous celui des ingrédients, ajouter de l'eau bouillante.

3. À découvert, laisser tiédir la préparation. Chemiser d'étamine une grande passoire ou utiliser une passoire à mailles fines. La placer au-dessus d'un grand bol et y verser le bouillon. Presser les légumes pour en extraire la totalité du liquide. Jeter les légumes, les os et la viande. Le bouillon est meilleur non salé. Réfrigérer.

4. Le bouillon se conservera de 2 à 3 jours au réfrigérateur dans des contenants hermétiques. Le gras solidifié à la surface du bouillon peut être retiré et le bouillon peut être versé dans des contenants de congélation hermétiques en plastique ; laisser 5 cm (2 po) d'air libre pour permettre l'expansion du contenu. Le bouillon peut se conserver de 3 à 4 mois au congélateur. Qu'il soit réfrigéré ou congelé (et dégelé), s'assurer de le porter au point d'ébullition avant de l'utiliser.

Bouillon de légumes

L e bouillon de légumes, aussi appelé «fond de légumes», est un merveilleux mélange aromatique d'herbes douces et de légumes au goût décidément neutre. Notez que les légumes ayant une forte saveur, comme les navets, les choux de Bruxelles, les poivrons, le brocoli et le chou-fleur, doivent être utilisés avec précaution ; ils donneront une saveur particulière à votre bouillon, qui prendra peut-être un goût amer. Réservez vos pommes de terre et vos betteraves pour faire un potage plutôt que de les utiliser pour obtenir un bouillon ; l'amidon des pommes de terre rendra le bouillon trouble, alors que les betteraves lui donneront instantanément une teinte brillante et insistante, ce qui n'est pas l'effet recherché pour un bouillon tout usage. Utilisez plutôt des feuilles de poireau, des trognons de tomate, des épinards, des tiges de persil, des épluchures de carotte et des extrémités de haricots verts. Nous aimons employer des légumes frais pour ce bouillon ; des légumes défraîchis ne donneront pas un bouillon très savoureux.

Nous faisons deux genres de bouillons de légumes : un avec des légumes rôtis (page 109) pour utilisation dans des recettes qui demandent un bouillon plus corsé ; l'autre, comme celui de cette recette, pour utilisation dans des plats plus délicats où nous faisons préalablement suer les légumes dans un peu d'huile avant d'y ajouter le liquide. En été, vous pouvez ajouter le jus d'une conserve de fruits maison pour obtenir une saveur sucrée très agréable dans les potages froids aux fruits ou comme court-bouillon pour le poisson. ◉ **Donne environ 2 l (8 tasses)**

MIJOTEUSE : Grande, ronde ou ovale

INTENSITÉ ET TEMPS DE CUISSON : ÉLEVÉE, pour 1 heure ; puis FAIBLE de 4 à 6 heures

3 oignons jaunes pelés

3 ou 4 clous de girofle

45 ml (3 c. à table) d'huile d'olive

2 poireaux (parties blanches et vertes), bien nettoyés et hachés

2 carottes moyennes, coupées en tronçons

1 panais moyen, pelé et coupé en tronçons

1 petit pied de céleri avec les feuilles, coupé en gros morceaux

1 ou 2 épis de maïs (facultatif), cassés en gros morceaux (après avoir été égrenés)

3 gousses d'ail, broyées

6 brins de persil plat frais, avec les tiges

1 feuille de laurier

1 brin de thym frais ou de marjolaine fraîche

15 ml (1 c. à table) de grains de poivre noir

10 à 15 ml (2 à 3 c. à thé) de sel, au goût

1. Hacher grossièrement 2 des oignons. Réserver 1 oignon entier après y avoir planté les clous de girofle. À feu moyen-vif, faire chauffer l'huile dans une grande marmite. Tout en remuant, y faire revenir les oignons hachés, les poireaux, les carottes, le panais et le céleri de 10 à 15 minutes. (Cette étape est facultative, mais elle donnera un bouillon plus savoureux.)

2. Mettre les légumes sautés, l'oignon aux clous de girofle, les épis de maïs (si utilisés), l'ail, le persil, la feuille de laurier, le thym et les grains de poivre dans la mijoteuse. Ajouter suffisamment d'eau froide pour couvrir les légumes de 5 à 7,5 cm (2 à 3 po). À couvert, laisser cuire à intensité élevée environ 1 heure ou jusqu'à ce que le contenu soit bien chaud.

3. Régler ensuite la mijoteuse à faible intensité et faire cuire de 4 à 6 heures. Si le niveau de l'eau descend sous celui des ingrédients, ajouter de l'eau bouillante.

4. À découvert, laisser tiédir la préparation. Chemiser d'étamine une grande passoire ou utiliser une passoire à mailles fines. La placer au-dessus d'un grand bol et y verser le bouillon. Presser les légumes pour en extraire la totalité du liquide. Jeter les légumes. Saler. Il faudra peut-être beaucoup de sel, de 10 ml (2 c. à thé) à 15 ml (1 c. à table). Le bouillon est prêt à servir et peut être réfrigéré jusqu'à 1 semaine ou congelé de 3 à 4 mois.

VARIATIONS DE SAVEUR POUR LE BOUILLON DE LÉGUMES

- 2 à 3 tomates italiennes, coupées en dés, ajoutent de la couleur, de la saveur et de l'acidité au bouillon. Cette variante convient parfaitement à de nombreux potages d'été.

- 1 bulbe de fenouil, coupé en dés, donne une saveur remarquable aux plats de fruits de mer; utiliser le bulbe, le trognon et les feuilles extérieures.

- 113 à 170 g (4 à 6 oz) de champignons frais ou quelques champignons séchés peuvent être ajoutés pendant que le bouillon mijote. Les champignons séchés donnent une saveur forestière prononcée, tandis que les frais sont un peu plus discrets.

Bouillon de légumes rôtis

P our un bouillon très goûteux, faites d'abord rôtir les légumes au four. Vous n'en reviendrez pas de constater à quel point cette technique améliore le bouquet d'un bouillon. Remarquez que les poireaux et les oignons sont des ingrédients essentiels de tout bouillon de légumes ; cependant, omettez les pelures d'oignon, car elles donneraient un petit goût amer. Voici un bouillon d'hiver classique, idéal pour les soupes contenant de gros morceaux de légumes ou pour les soupes aux haricots. ◉ **Donne environ 2 l (8 tasses)**

MIJOTEUSE : Grande, ronde ou ovale

INTENSITÉ ET TEMPS DE CUISSON : ÉLEVÉE, pour 1 heure ; puis FAIBLE de 4 à
6 heures

2 poireaux moyens (partie blanche seulement), bien nettoyés et coupés en
dés
2 gros oignons jaunes, hachés
3 gousses d'ail, pressées
2 branches de céleri avec les feuilles, hachées
3 carottes moyennes, coupées en tronçons
½ courge musquée, pelée, épépinée et coupée en gros morceaux
1 poivron rouge moyen, épépiné et coupé en gros morceaux
25 ml (1½ c. à table) d'huile d'olive
1 à 2 feuilles de bettes à carde vertes (pas des bettes rouges ; facultatif)
60 ml (¼ tasse) de lentilles séchées, triées et rincées
½ botte de persil plat frais
60 ml (¼ tasse) de tomates séchées au soleil (non conditionnées dans l'huile)
1 grande feuille de laurier
Sel, au goût (facultatif)

1. Préchauffer le four à 200 °C (400 °F). Dans un grand bol, mettre les poireaux, les oignons, l'ail, le céleri, les carottes, la courge, le poivron et l'huile. Bien remuer pour enduire les légumes d'huile. Sur une plaque de cuisson, faire rôtir au four de 50 à 60 minutes ou jusqu'à ce que les légumes soient caramélisés.

2. Mettre les légumes rôtis dans la mijoteuse. Incorporer les cardes, les lentilles, le persil, les tomates et la feuille de laurier. Ajouter suffisamment d'eau froide pour couvrir les légumes de 5 à 7,5 cm (2 à 3 po). À couvert, laisser cuire à intensité élevée environ 1 heure ou jusqu'à ce que le contenu soit bien chaud.

3. Régler la mijoteuse à intensité faible et faire cuire de 4 à 6 heures.

4. À découvert, laisser tiédir la préparation. Chemiser d'étamine une grande passoire ou utiliser une passoire à mailles fines. La placer au-dessus d'un grand bol et y verser le bouillon. Presser les légumes pour en extraire la totalité du liquide. Jeter les légumes. Si désiré, saler. Le bouillon est prêt à servir et peut être réfrigéré jusqu'à 1 semaine. Il peut aussi être versé dans des contenants de congélation hermétiques en plastique ; laisser 5 cm (2 po) d'air libre pour permettre l'expansion du contenu. Le bouillon peut se conserver de 3 à 4 mois au congélateur.

Dashi végétarien pour soupe miso

Beth se plaint constamment d'avoir à préparer son dashi avec des flocons de bonite chaque fois qu'elle veut un bol de soupe miso claire. Eh bien, remercions l'as de la cuisine, Victoria Wise, qui nous propose une solution de rechange végétarienne qui a été adaptée de son livre *The Vegetarian Table: Japan,* publié chez Chronicle Books en 1998. Le dashi végétarien est assez répandu, particulièrement dans la cuisine des monastères. Il est fait de racines et de tiges bouillies, et de différents produits alimentaires disponibles. Ce bouillon doux est rapide et facile à préparer, et n'a pas besoin de mijoter toute la journée. ● **Donne environ 2 l (8 tasses)**

MIJOTEUSE : Moyenne, ronde
INTENSITÉ ET TEMPS DE CUISSON : ÉLEVÉE, pour 1 heure ; puis FAIBLE
      pendant environ 3 heures

1 botte d'oignons verts (parties blanches et vertes), coupés en tronçons de
    5 cm (2 po)
227 g (8 oz) de daïkon, coupé en rondelles de 1,5 cm (½ po)
Quelques brins de coriandre fraîche, avec les tiges
4 gros champignons shiitake séchés ou frais, rincés
2 branches de céleri, hachées, plus 120 ml (½ tasse) de feuilles de céleri
    hachées
1 longue bande de kombu, bien essuyée
1 pincée de sel de mer

1. Mettre tous les ingrédients dans la mijoteuse. Ajouter suffisamment d'eau froide pour les couvrir d'au moins 7,5 cm (3 po). À couvert, laisser cuire à intensité élevée environ 1 heure ou jusqu'à ce que le contenu soit bien chaud.

2. Régler la mijoteuse à faible intensité et laisser cuire environ 3 heures ou jusqu'à ce que le daïkon soit tendre.

3. À découvert, laisser tiédir la préparation. Chemiser d'étamine une grande passoire ou utiliser une passoire à mailles fines. La placer au-dessus d'un grand bol et y verser le bouillon. Presser les légumes pour en extraire la totalité du liquide. Jeter les aliments solides. Le bouillon est prêt à servir et peut être réfrigéré jusqu'à 3 jours. Il peut aussi être versé dans des contenants de congélation hermétiques en plastique; laisser 5 cm (2 po) d'air libre pour permettre l'expansion du contenu. Le bouillon peut se conserver jusqu'à 3 mois au congélateur.

Préparer une soupe miso

Pour faire une soupe miso, utiliser de 10 à 15 ml (de 2 c. à thé à 1 c. à table) de miso rouge par tasse de Dashi végétarien (p. 110) et, à l'aide d'un fouet, incorporer au dashi chaud. (Si on utilise du miso blanc, qui est plus doux, ou un mélange à parts égales de miso blanc et rouge, il faut doubler la quantité.). Ne pas laisser bouillir le mélange. Ajouter des oignons verts hachés, de la coriandre ou du mitsuba (une herbe japonaise parfois nommée «trèfle») ciselés, des cubes de tofu velouté ou ferme. Puis, au goût, incorporer des champignons shiitake en julienne, du chou Napa râpé ou des épinards, ou encore quelques azukis en conserve ou des haricots noirs. Laisser mijoter pendant 30 minutes. Servir.

Bouillon végétarien asiatique

Cette recette propose une variante parfumée du simple Bouillon de légumes (page 107). L'addition de coriandre au goût rafraîchissant (aussi nommée «persil chinois»), de champignons shiitake séchés, de quelques pointes d'anis étoilé au goût de réglisse (une épice populaire pour les bouillons asiatiques) et de tranches de racines de gingembre frais donne un bouillon délicatement parfumé. Des grains de poivre de Sichuan, une épice aromatique, sont utilisés à la place du poivre noir. Ils sont grillés pour en libérer le parfum. Si vous ne pouvez en trouver, employez simplement du poivre noir régulier. Les champignons shiitake sont nommés «champignons noirs» lorsqu'ils sont vendus avec des ingrédients asiatiques. L'anis étoilé est un autre ingrédient asiatique, mais on le nomme *anis estrella* dans la section des produits alimentaires en provenance de l'Amérique latine. ⊙ **Donne environ 2 l (8 tasses)**

MIJOTEUSE : Grande, ronde ou ovale
INTENSITÉ ET TEMPS DE CUISSON : ÉLEVÉE, pour 1 heure; puis FAIBLE de 5 à 6 heures

2 oignons jaunes moyens, coupés en quartiers

1 botte d'oignons verts (parties blanches et vertes), coupés en diagonale en plusieurs tronçons

1 chou Napa, étrogné et grossièrement râpé

2 carottes moyennes, coupées en tronçons

3 branches de céleri ou feuilles de bok choy, coupées en morceaux

½ botte de coriandre fraîche, avec les tiges

3 à 4 gros champignons shiitake séchés

1 tête d'ail, non épluchée, coupée en deux dans le sens de la largeur de telle sorte que chaque gousse soit coupée en demies

8 minces tranches de gingembre frais, non épluché

45 ml (3 c. à table) de tamari ou d'une autre sauce soja

1 anis étoilé

5 ml (1 c. à thé) de grains de poivre de Sichuan, grillés dans une poêle sèche à feu moyen jusqu'à ce que leur parfum soit perceptible

5 ml (1 c. à thé) de poudre chinoise Cinq-épices

1. Mettre les légumes, l'ail et le gingembre dans la mijoteuse. Ajouter suffisamment d'eau froide pour les couvrir d'au moins 7,5 cm (3 po). Ajouter le tamari et les épices. À couvert, laisser cuire à intensité élevée environ 1 heure ou jusqu'à ce que le contenu soit bien chaud.

2. Régler ensuite la mijoteuse à faible intensité et laisser cuire de 5 à 6 heures.

3. À découvert, laisser tiédir la préparation. Chemiser d'étamine une grande passoire ou utiliser une passoire à mailles fines. La placer au-dessus d'un grand bol et y verser le bouillon. Presser les légumes pour en extraire la totalité du liquide. Jeter les aliments solides. Le bouillon est prêt à servir et peut être réfrigéré de 3 à 4 jours. Il peut aussi être versé dans des contenants de congélation hermétiques en plastique ; laisser 5 cm (2 po) d'air libre pour permettre l'expansion du contenu. Le bouillon peut se conserver jusqu'à 3 mois au congélateur.

Accompagnements, ragoûts végétariens et farces

Les légumes sont particulièrement délicats à faire cuire à la mijoteuse, et ce, en raison de différences importantes dans leur texture et dans le temps de cuisson qu'ils exigent. Le secret pour réussir les légumes à la mijoteuse est de se rappeler qu'ils cuisent beaucoup plus rapidement que les ragoûts de viande ou de haricots, ce qui signifie qu'on a pas à cuisiner toute la journée. Soyez particulièrement attentif aux temps de cuisson suggérés ; ils varient grandement. Les meilleurs légumes à braiser sont ceux qui contiennent beaucoup de cellulose parce qu'ils conservent leur saveur, même lorsqu'ils sont ramollis et réduits en purée. Les racines, les tubercules et les courges d'hiver sont vraiment les étoiles de la mijoteuse mais, étonnamment, les légumes verts et les haricots verts cuits de cette façon sont excellents, tout comme les artichauts et les betteraves. N'oubliez pas d'essayer de faire vos propres tomates à l'étuvée et votre ail rôti dans le pot de grès.

Artichauts à l'étuvée

L a mijoteuse ovale est le meilleur appareil pour faire cuire des artichauts entiers. Si vous ne possédez qu'un modèle rond, achetez des artichauts de même taille et déposez-en le plus possible, côte à côte, dans la mijoteuse. ● **4 à 6 portions**

MIJOTEUSE : Moyenne ou grande, ronde ou ovale
INTENSITÉ ET TEMPS DE CUISSON : FAIBLE, de 6 à 7 heures

4 à 6 gros artichauts
360 ml (1½ tasse) d'eau
30 ml (2 c. à table) d'huile d'olive
3 tranches de citron
2 gousses d'ail, pelées, ou 1 tranche d'oignon

1. Couper la tige à la base de chaque artichaut, de sorte que le légume puisse tenir à plat. Enlever 2,5 cm (1 po) de la partie supérieure et, à l'aide de ciseaux de cuisine, couper le bout exposé de chaque feuille. Placer les artichauts dans la mijoteuse de façon à ce qu'ils soient serrés les uns contre les autres, la base sur le fond. Ajouter l'eau, l'huile, le citron et l'ail. À couvert, laisser cuire à intensité faible de 6 à 7 heures, le temps que les feuilles soient très tendres et qu'elles s'enlèvent sans offrir de résistance.

2. À l'aide de pinces, retirer les artichauts de la mijoteuse. Ils peuvent être mangés alors qu'ils sont encore chauds ou servis à la température ambiante, ou encore après les avoir laissés tiédir, enveloppés dans une pellicule plastique et réfrigérés.

Asperges au soja et au saké

Les asperges fraîches sont une des merveilles du printemps ; leur saison s'étend de la mi-février au mois de juin. Voici une façon de les déguster qui, au chapitre des saveurs, dépasse nettement la simple cuisson à la vapeur. Si vous pouvez trouver des graines de sésame du Japon, n'hésitez pas à vous les procurer ; elles sont habituellement vendues dans un grand cylindre en plastique et, ce qui est pratique, elles sont déjà grillées. D'un brun pastel, elles sont plus grosses et plus savoureuses que la variété habituelle. Si vous avez un moment de libre, faites-les griller à nouveau de 2 à 3 minutes dans une petite poêle à feu moyen, ce qui intensifiera leur saveur. ◉ **4 à 5 portions**

MIJOTEUSE : Moyenne ou grande, ovale
INTENSITÉ ET TEMPS DE CUISSON : ÉLEVÉE, de 1¼ à 1½ heure

625 à 750 g (1¼ à 1½ lb) d'asperges, moyennes à grosses
15 ml (1 c. à table) d'huile d'olive
15 ml (1 c. à table) de saké
5 ml (1 c. à thé) de sauce soja
1 pincée de cassonade
1 pincée de sel
5 à 10 ml (1 à 2 c. à thé) de graines de sésame grillées (facultatif) pour la garniture

1. Laver et égoutter les asperges. Une à une, prendre chaque tige dans les mains. Plier la tige jusqu'à ce que la pointe se sépare de la base. Jeter la base. Mettre les asperges dans la mijoteuse. Asperger d'huile d'olive, de saké et de sauce soja. Saupoudrer de

cassonade et de sel. Avec les mains, remuer doucement les asperges pour les enrober des assaisonnements. À couvert, laisser cuire à intensité élevée de 1¼ à 1½ heure ou jusqu'à ce qu'un couteau pointu perce facilement les asperges.

2. À l'aide d'une paire de pinces, déposer les asperges sur un plat de service. Verser sur les asperges le liquide contenu dans le pot de grès. Saupoudrer de graines de sésame. Servir.

Pois braisés et laitue

Les Français ont une méthode particulière pour préparer ces gros pois coriaces que l'on peut acheter en fin de saison ; qu'ils soient frais ou surgelés, ils les font braiser sous une nappe de laitue où ils restent tendres et verts. Ne vous inquiétez pas si vos pois semblent un peu ridés après la cuisson ; ils seront délicieux. Ce plat accompagne particulièrement bien les recettes de poulet. ◉ **8 portions**

MIJOTEUSE : Moyenne, ronde
INTENSITÉ ET TEMPS DE CUISSON : ÉLEVÉE, pour 30 minutes ; puis, FAIBLE
de 2 à 3 heures

1 pomme de laitue Boston de grosseur moyenne
1 brin d'une fine herbe fraîche : thym, sarriette ou menthe
8 oignons perlés blancs (16 s'ils sont vraiment petits), pelés
120 ml (½ tasse ou 1 bâtonnet) de beurre non salé, ramolli
2 ml (½ c. à thé) de sucre
2 ml (½ c. à thé) de sel
2 ml (½ c. à thé) de poivre blanc moulu
1,7 à 2 kg (3½ à 4 lb) de pois frais à cosse, soit de 1,3 à 1,5 l (5 à 6 tasses)
de pois écossés d'une grosseur uniforme, ou 2 sacs de 340 g (12 oz) de
gros pois surgelés, dégelés
60 ml (¼ tasse) d'eau

1. Graisser la mijoteuse avec du beurre ou y vaporiser un enduit de cuisson antiadhésif. Couvrir le fond et les côtés avec les premières feuilles de la laitue. Réserver quelques feuilles. Ouvrir le cœur de la laitue, y placer le brin de fines herbes et attacher le tout à l'aide d'une ficelle de cuisine. Déposer le cœur de la laitue dans la mijoteuse et ajouter les oignons.

2. Dans un petit bol, battre en crème le beurre avec le sucre, le sel et le poivre. Ajouter le mélange au bol contenant les pois écossés et, avec les mains, presser délicatement les pois pour les enduire de beurre ; il est normal que quelques pois soient écrasés, mais il faut faire en sorte que les autres demeurent intacts. Bien tasser ce mélange autour du cœur de laitue dans la mijoteuse. Recouvrir le tout avec les feuilles réservées. Verser l'eau. À couvert, laisser cuire à intensité élevée pendant 30 minutes pour faire réchauffer.

3. Régler la mijoteuse à faible intensité et laisser cuire jusqu'à ce que les pois soient tendres, soit de 2 à 3 heures. Vérifier la cuisson après 2 heures. Enlever les feuilles et le cœur de laitue. Servir immédiatement.

Haricots frais braisés

Nous avons choisi de placer les haricots à cosses frais dans cette section, avec les légumes, plutôt que dans le chapitre portant sur les haricots secs. On trouve rarement ces haricots dans les supermarchés, mais ils sont en vedette l'été dans les marchés publics ou les kiosques des producteurs agricoles en bordure des routes. Les haricots fraîchement cueillis, encore dans leur longue cosse, représentent une véritable source de plaisir pour les amateurs de légumes. Tous les types de haricot frais que vous trouverez feront l'affaire, qu'il s'agisse de haricots de Lima, de canneberges ou de haricots blancs. Les petits haricots peuvent cuire aussi rapidement qu'en 1½ heure ; les gros prendront de 3 à 4 heures. Servez-les avec un filet de votre huile d'olive extravierge préférée et du pain frais. ○ **6 portions**

MIJOTEUSE : Moyenne, ronde
INTENSITÉ ET TEMPS DE CUISSON : ÉLEVÉE, de 1½ à 4 heures, selon le type
    de haricot

45 ml (3 c. à table) d'huile d'olive
2 échalotes françaises, finement hachées
1,5 kg (3 lb) de haricots frais à cosses, soit de 240 à 360 ml (1 à 1½ tasse)
    par 0,5 kg (1 lb) une fois écossés, selon la taille
240 ml (1 tasse) d'eau, de bouillon de légumes ou de bouillon de poulet
Sel, et poivre noir du moulin, au goût
10 à 15 ml (2 à 3 c. à thé) de fines herbes fraîches, ciselées, par exemple du
    thym, du persil, de la marjolaine ou du basilic
10 à 15 ml (2 à 3 c. à thé) de vinaigre balsamique, foncé ou blanc

1. Dans une petite poêle, faire chauffer l'huile d'olive à feu moyen et y attendrir les échalotes. Verser dans la mijoteuse avec les haricots et l'eau. À couvert, laisser cuire à intensité élevée de 1½ à 4 heures, selon la taille des haricots.

2. Saler et poivrer. Incorporer les fines herbes et le vinaigre. Servir immédiatement ou réfrigérer et manger froid.

Haricots verts barbecue au bacon à la mode du Sud

L es haricots verts à cosses longues, minces et effilées sont étonnamment bons lorsqu'ils sont cuits à la mijoteuse, particulièrement les Blue Lake, une variété de mi-saison. Les haricots braisés sont excellents avec les viandes rôties ou cuites au barbecue, voire pour accompagner un hamburger. ⊙ **4 à 6 portions**

MIJOTEUSE : Moyenne, ronde ou ovale
INTENSITÉ ET TEMPS DE CUISSON : FAIBLE, de 6 à 7 heures

2 tranches de lard de porc ou de dinde
1 petit oignon, jaune ou blanc, haché
454 g (1 lb) de haricots verts frais, les extrémités enlevées
180 ml (¾ tasse) de sauce barbecue, au choix

1. Dans une petite poêle, à feu moyen-vif, faire cuire le lard jusqu'à l'obtention d'une consistance croustillante. L'éponger sur un essuie-tout et l'émietter. Réserver.

2. Graisser la mijoteuse avec un peu de la graisse de lard.

3. Ajouter l'oignon dans la poêle et, tout en remuant, le faire cuire environ 5 minutes pour l'attendrir.

4. Mettre les haricots, le lard émietté et l'oignon dans la mijoteuse. Recouvrir de la sauce barbecue. À couvert, laisser cuire à faible intensité de 6 à 7 heures, le temps que les haricots soient tendres et glacés. Servir chaud.

• • Betteraves à la mijoteuse • • dans une vinaigrette tiède à la framboise

Voici une de nos façons préférées de servir les betteraves rouges fraîchement cuites. Le goût de la framboise est leur complément naturel ! ◉ 4 portions

80 ml (⅓ tasse) d'huile d'olive

1 petite échalote française, hachée

60 ml (¼ tasse) de vinaigre de framboise

8 petites ou 3 grosses betteraves, cuites, et 15 ml (1 c. à table) du liquide
    de cuisson

Laitue Boston pour le service

Sel, et poivre noir du moulin, au goût

Dans une petite poêle, faire chauffer 15 ml (1 c. à table) d'huile d'olive à feu moyen et y attendrir les échalotes. Ajouter le vinaigre de framboise et 15 ml (1 c. à table) du liquide de cuisson des betteraves. Faire chauffer de nouveau. Ajouter le reste de l'huile et verser dans un bol contenant les betteraves ; bien mélanger pour enduire les betteraves du liquide. Avec une cuillère, déposer les betteraves sur un lit de laitue dans un plat de service. Saler et poivrer. Servir.

Betteraves à l'étuvée

Plusieurs lèvent le nez sur les betteraves ; cependant, cuites à la mijoteuse, elles ne ressemblent pas beaucoup à leurs cousines en conserve. Le temps de cuisson des betteraves variera quelque peu ; les petites cuiront plus rapidement. De plus, si vous remplissez la mijoteuse de betteraves, planifiez un temps de cuisson un peu plus long. Vous pouvez servir les betteraves de plusieurs façons : entières, en quartiers ou en purée. Elles sont bonnes chaudes, avec du beurre, du sel et du poivre. Pour les servir froides, laissez-les tiédir dans une Vinaigrette (voir page 119). ◉ **4 portions**

MIJOTEUSE : Petite ou moyenne, ronde ou ovale
INTENSITÉ ET TEMPS DE CUISSON : ÉLEVÉE, de 4 à 6 heures

1 grosse ou 2 petites bottes de betteraves (4 à 10 betteraves, selon la
    grosseur), bien nettoyées

1.   Parer les betteraves en laissant la racine intacte et en conservant 2,5 cm (1 po) de la tige pour empêcher l'écoulement du jus. Envelopper chaque betterave entière dans du

papier d'aluminium et la déposer dans la mijoteuse. Si les betteraves sont petites, les envelopper trois à trois. À couvert, laisser cuire à intensité élevée de 4 à 6 heures, selon la taille des betteraves. (Pour vérifier la cuisson, piquer une betterave avec la pointe d'un couteau à travers le papier d'aluminium ; si le couteau y entre sans résistance, la betterave est cuite.) Plus il y a de betteraves dans la mijoteuse, plus le temps de cuisson est long.

2. À l'aide de pinces, retirer les betteraves de la mijoteuse, les débarrasser du papier d'aluminium et les peler avec un couteau d'office. Les conserver entières si elles sont petites, ou les trancher ou encore les couper en gros morceaux. Servir immédiatement, ou réfrigérer et manger froid.

Chou rouge et pommes

L e chou rouge illumine la table avec sa couleur et il a une saveur plus douce que son cousin vert. Le braisage intensifie cette douceur. Si vous apprêtez le chou rouge avec des pommes et du vinaigre, vous obtiendrez un des plats traditionnels de l'Europe du Nord. Choisissez des choux compacts et fermes qui semblent lourds pour leur taille. Dans une variante de ce plat, un favori des enfants depuis des générations, on farcit les pommes d'oignons sautés et de jambon, puis on les place sur le chou afin qu'elles cuisent à la manière des pommes au four. Servez ce plat comme tel, chaud ou froid, ou froid en accompagnement de saucisses ou de porc. ● **6 à 8 portions**

MIJOTEUSE : Moyenne ou grande, ronde ou ovale
INTENSITÉ ET TEMPS DE CUISSON : FAIBLE, de 5 à 6 heures

1 ou 2 choux rouges, étrognés et émincés, donnant de 3 à 3,5 l (12 à
    14 tasses)
2 pommes surettes fermes, pelées, étrognées et coupées en dés
120 ml (½ tasse) de vinaigre de vin rouge
30 ml (2 c. à table) de cassonade blonde
7 ml (1½ c. à thé) de sel
2 ml (½ c. à thé) de poivre noir fraîchement moulu

1. Mettre le chou et les pommes dans la mijoteuse. Bien remuer. Mélanger le vinaigre et la cassonade. Verser la préparation sur le chou et les pommes, et remuer pour bien enduire le tout. À couvert, laisser cuire à faible intensité de 5 à 6 heures ou jusqu'à ce que le chou soit tendre.

2. Saler et poivrer. Brasser pour bien répartir l'assaisonnement. Servir chaud, ou réfrigérer couvert d'une pellicule plastique, au plus 24 heures.

Choucroute et oignons

C e plat est la simplicité incarnée. Utilisez la choucroute fraîche, vendue dans des sacs en plastique, non celle en conserve. Servez chaud avec du porc rôti ou des saucisses.

◉ 6 à 8 portions

MIJOTEUSE : Moyenne, ronde ou ovale
INTENSITÉ ET TEMPS DE CUISSON : FAIBLE, de 4 à 6 heures

1 kg (2 lb) de choucroute fraîche, rincée et égouttée
1 gros oignon jaune, coupé en tranches de 0,6 cm (¼ po)
30 ml (2 c. à table) de cassonade, blonde ou foncée
15 ml (1 c. à table) de beurre non salé

1. Mélanger tous les ingrédients dans la mijoteuse. À couvert, laisser cuire à faible intensité de 4 à 6 heures.

Chou cavalier et chou frisé

À moins que vous ne soyez né dans le Sud, le chou cavalier est presque un aliment mystérieux — comment transformer ces bottes d'immenses feuilles lisses en un savoureux plat de chou qui va enthousiasmer tout le monde ? Plusieurs recettes prétendent que n'importe quel chou vert convient, mais les choux cavaliers ont vraiment un goût qui leur est propre, plus subtil et très doux, et ils se marient bien avec les autres variétés. Puisqu'ils ont tendance à être sablonneux, vous devez les laver soigneusement. Ce qui, au départ, vous semblera une montagne de feuilles se réduira à une fraction de son volume, soit environ 1,1 l (4½ tasses) de chou cuit dans cette recette. Le liquide de cuisson est connu comme «boisson alcoolisée de pot» et peut être servi avec le chou ou bu séparément. Pour un repas complet, allongez le bouillon pour obtenir 720 ml (3 tasses) et ajoutez 1 ou 2 boîtes de 425 ml (15 oz) de haricots blancs avant la dernière heure de cuisson. Si vous préférez, n'utilisez que des choux et faites un puits au centre de ces derniers où vous déposerez deux ailes de dinde fumée, ce qui donnera une merveilleuse saveur. ◉ **4 à 6 portions**

MIJOTEUSE : Moyenne, ronde ou ovale
INTENSITÉ ET TEMPS DE CUISSON : FAIBLE, de 4 à 5 heures

1 botte de chou cavalier de 750 g (1½ lb)
1 botte de chou frisé de 750 g (1½ lb)
45 ml (3 c. à table) d'huile d'olive
4 gousses d'ail ou 2 petites échalotes françaises, hachées
240 ml (1 tasse) de bouillon de poulet, de bœuf ou de légumes
1 jalapeno en conserve dans une sauce adobo ou 1 petit piment fort séché
    (facultatif)
Sel, et poivre noir du moulin, au goût
Jus de 1 citron
15 ml (1 c. à table) de vinaigre de cidre

POUR LE SERVICE :
Beurre non salé
Pain à la farine de maïs

1. Bien rincer le chou dans l'évier. L'égoutter, et enlever les tiges dures. Couper les feuilles dans le sens de la largeur en bandes de 1,25 cm (½ po), ce qui donnera de 3 à 3,5 l (12 à 14 tasses).

2. Dans une casserole profonde, faire chauffer l'huile d'olive à feu moyen. Y ajouter l'ail et, tout en remuant, l'attendrir de 30 secondes à 1 minute. Ajouter le chou par poignées. Mélanger pour l'enduire d'huile. Après chaque addition de feuilles, couvrir la casserole pendant 1 minute jusqu'à ce que les feuilles aient ramolli, puis poursuivre l'opération. Quand tout le chou est ramolli, le transférer dans la mijoteuse et ajouter le bouillon. Si le jalapeno est utilisé, faire un puits au centre de la préparation et l'y déposer. À couvert, laisser cuire à faible intensité jusqu'à tendreté, soit de 4 à 5 heures.

3. Saler et poivrer. Incorporer le jus de citron et le vinaigre. Servir chaud avec un carré de beurre et du pain de maïs.

Maïs lessivé et maïs en grains

Voici un des plats végétariens favoris de Beth. Ce plat, si facile à faire à la mijoteuse, est particulièrement délicieux lorsqu'il est préparé avec du maïs frais et de la mozzarella au lait entier. La recette peut être doublée ou triplée. Préparez-la dans une grande mijoteuse et ajoutez de 1 à 2 heures au temps de cuisson. ● **6 portions comme plat principal**

MIJOTEUSE : Moyenne, ronde ou ovale
INTENSITÉ ET TEMPS DE CUISSON : ÉLEVÉE, pour 1 heure ; puis, FAIBLE de
    3 à 5 heures

1 boîte de 207 ml (7 oz) de chilis verts entiers grillés, égouttés, ou 4 gros
    piments Anaheim grillés, pelés et épépinés (voir la note à la fin du mode
    de préparation)
2 boîtes de 454 ml (16 oz) de maïs lessivé, jaune ou blanc, égoutté
1 l (4 tasses) de grains de maïs miniatures blancs, surgelés, dégelés ; ou
    2 boîtes de 454 ml (16 oz) de maïs en grains, égoutté ; ou les grains de
    7 à 8 épis de maïs blanc frais
480 ml (2 tasses) de fromage cheddar, de monterey jack ou de mozzarella,
    râpé
Tortillas chaudes ou petits croissants pour le service

1. Vaporiser la mijoteuse d'un enduit de cuisson antiadhésif. Si des piments en conserve sont utilisés, les couper en demies, les rincer à l'intérieur et à l'extérieur, puis les éponger et les couper en larges bandes. Si des piments frais grillés sont utilisés, les éponger et les couper en bandes.

2. Par couches successives, ajouter le tiers du maïs lessivé, le tiers des grains de maïs, le tiers des piments et le tiers du fromage dans la mijoteuse. Répéter l'opération à deux reprises en suivant l'ordre indiqué. À couvert, laisser cuire à intensité élevée pendant 1 heure.

3. Régler la mijoteuse à faible intensité et laisser cuire de 3 à 5 heures. Servir chaud avec des tortillas ou de petits croissants.

NOTE : Pour rôtir, peler et épépiner les piments frais ou les poivrons, suivez la procédure suivante. Tout en les tournant, passez-les d'abord au-dessus d'une flamme, sous le gril ou au barbecue, jusqu'à ce que la peau soit noircie. Placez-les ensuite dans un sac de papier fermé pendant 10 minutes afin que la peau se détache, puis enlevez cette dernière sous l'eau froide. Coupez chaque poivron ou piment en demies, puis épépinez-le et retirez-en le pédoncule.

Épis de maïs du marché

Le meilleur maïs est celui fraîchement cueilli ou tout juste acheté d'un producteur. Aussitôt que l'épi est cueilli, le sucre des grains commence à se transformer en amidon, ce qui explique pourquoi les épis achetés du supermarché doivent cuire plus longtemps et pourquoi ils sont un peu plus fermes après la cuisson; c'est normal, puisqu'ils sont généralement vieux de quelques jours. Si vous devez attendre avant de faire cuire vos épis frais, n'oubliez pas de les réfrigérer. Vous serez surpris des résultats que vous obtiendrez en faisant cuire des épis de maïs à la mijoteuse (de plus, vous n'aurez pas besoin de vous débattre avec une grande marmite d'eau bouillante!), même si le temps de cuisson est de 1 à 2 heures. Pour cette recette, utilisez des épis encore vêtus; vous allez les cuire à l'étuvée, dans leurs feuilles. ❂ **4 à 8 portions**

MIJOTEUSE : Moyenne ou grande, ronde
INTENSITÉ ET TEMPS DE CUISSON : ÉLEVÉE, de 1 à 2 heures

4 à 8 épis de maïs frais, jaune ou blanc, dans leurs feuilles
120 à 180 ml (½ à ¾ tasse) d'eau
Beurre pour le service

1. Détacher soigneusement les feuilles des épis, mais les laisser attachées au pied. Enlever la barbe et rincer les épis sous l'eau froide. Rabattre les feuilles sur les épis et en fermer les extrémités avec de la ficelle de cuisine ou une lanière de feuille. Couper les pieds de façon que les épis puissent tenir debout dans la mijoteuse (ne pas les placer à l'horizontale).

2. Placer les épis, pied en bas, dans la mijoteuse; les serrer les uns contre les autres afin qu'ils puissent rester à la verticale. Ajouter 120 ml (½ tasse) d'eau pour une mijoteuse de format moyen, et 180 ml (¾ tasse) pour un grand format. À couvert, laisser cuire à intensité élevée de 1 à 2 heures, selon l'âge du maïs, jusqu'à obtention de grains très tendres (pour vérifier la cuisson, détacher les feuilles et percer les grains avec la pointe d'un couteau).

3. À l'aide de pinces, retirer les épis de la mijoteuse, enlever les feuilles et les enduire de beurre. Servir immédiatement.

Maïs en crème à l'ancienne

Le maïs en crème est un plat du temps des fêtes. Dans la présente recette, il est commodément préparé avec du maïs surgelé. En été, vous pouvez utiliser du maïs frais.

○ **4 à 6 portions**

MIJOTEUSE : Moyenne, ronde ou ovale

INTENSITÉ ET TEMPS DE CUISSON : ÉLEVÉE, de 3 à 3½ heures

480 ml (2 tasses) de crème 11,5 % M.G.

15 ml (1 c. à table) de sucre

60 ml (¼ tasse) de farine instantanée, par exemple de marque Wondra

3 sacs de 454 g (1 lb) de grains de maïs miniatures, blancs ou jaunes,
    dégelés et égouttés

Sel, et poivre noir du moulin, au goût

30 ml (2 c. à table) de beurre non salé

1. À l'aide d'un fouet, mélanger énergiquement la crème, le sucre et la farine dans la mijoteuse jusqu'à l'obtention d'une texture lisse. Ajouter les grains de maïs. Bien mélanger. Mettre le couvercle et, en brassant aux 60 minutes, laisser cuire à intensité élevée de 3 à 3½ heures ou jusqu'à ce que le mélange épaississe et bouillonne.

2. Saler et poivrer. Incorporer le beurre et attendre qu'il soit fondu.

Succotash

Le succotash, un mot emprunté de la langue amérindienne du Nord-Est américain, est un plat qui a survécu à l'Amérique coloniale. Grâce aux réserves de haricots et de maïs, le succotash était préparé durant toute l'année : en hiver, avec du maïs et des haricots séchés ; en été, avec du maïs et des haricots frais. Les cuisiniers modernes utilisent des haricots de Lima surgelés et du maïs frais ou surgelé, ce qui est plus commode. Si vous avez des haricots de Lima frais, ils feront bien l'affaire ; il n'en demeure pas moins que les haricots de Lima nains surgelés donnent toujours un régal. ❍ **6 portions**

MIJOTEUSE : Moyenne, ronde
INTENSITÉ ET TEMPS DE CUISSON : FAIBLE, de 2¾ à 4¼ heures ; le sel, le poivre et la crème sont ajoutés avant les 15 dernières minutes de cuisson

4 épis de maïs blanc ou jaune, ou 720 ml (3 tasses) de grains de maïs surgelés, dégelés
480 ml (2 tasses) de haricots de Lima frais écossés (environ 1 kg ou 2 lb avec les cosses), ou 1 paquet de 283 g (10 oz) de haricots de Lima nains, surgelés, dégelés
60 ml (¼ tasse) d'eau
60 ml (¼ tasse ou ½ bâtonnet) de beurre non salé, coupé en morceaux
Sel, et poivre noir ou blanc du moulin, au goût
80 ml (⅓ tasse) de crème 35 % M.G.

1. Si du maïs frais est utilisé, l'égrener et gratter les épis pour en extraire le lait. Verser l'eau dans la mijoteuse. Y déposer le maïs, les haricots de Lima et le beurre. À couvert, laisser cuire à faible intensité de 2½ à 4 heures ou jusqu'à ce que les légumes soient tendres. Le temps de cuisson variera selon que les légumes sont frais ou surgelés. Vérifier la cuisson après 2½ heures.

2. Saler et poivrer. Incorporer la crème. À couvert, faire cuire 15 minutes de plus. À l'aide d'une cuillère de service, vider la mijoteuse.

LE SUCCOTASH DU SUD-OUEST : Dans une grande poêle, faire cuire 3 tranches de bacon haché et 1 oignon jaune haché jusqu'à ce que ce dernier soit ramolli. Mettre la préparation dans la mijoteuse. Ajouter le maïs, les haricots de Lima, l'eau et le beurre, ainsi que 227 g (8 oz) de gombos tranchés, 1 jalapeno épépiné et finement haché et 15 ml (1 c. à table) de basilic frais ciselé. Faire cuire comme indiqué. À la fin de la cuisson, ajouter 480 ml (2 tasses) de tomates cerises coupées en demies ou 1 grosse tomate épépinée et hachée. Omettre la crème.

Ail en chemise

L'ail rôti joue un rôle de second plan dans nombre de plats savoureux, mais il a aussi le plein droit d'être la vedette de certains autres. Le fait de faire rôtir une tête d'ail change complètement les caractéristiques intrinsèques des gousses : de croquant, blanc et piquant, l'ail devient crémeux, brun et doux, avec tout juste une pointe du mordant de l'ail cru. Nous aimons tartiner du pain croustillant avec de l'ail rôti plutôt du beurre. L'ail rôti se marie très bien aux haricots verts vapeur ou aux asperges. Essayez-le comme couche de base sur la pizza, dans les trempettes, les sauces ou la purée de pommes de terre. Utilisez-le en remplacement des gousses crues dans les sautés ou les braisés à la mijoteuse ; il suffit de l'ajouter au liquide de cuisson. ◉ **4 à 6 portions**

MIJOTEUSE : Ronde, petite, moyenne ou grande, selon le nombre de têtes d'ail
INTENSITÉ ET TEMPS DE CUISSON : FAIBLE, pour 5 heures

2 têtes d'ail, ou plus
Huile d'olive extravierge
Herbes fraîches ou séchées, comme du romarin, du thym, de l'origan ou de
    la marjolaine (facultatif)

1. Retirer la pelure sèche des têtes d'ail, en laissant les gousses intactes. Mettre les têtes, deux à deux, sur des carrés de papier d'aluminium assez grands pour les envelopper. Verser 10 ml (2 c. à thé) d'huile d'olive en filet sur chaque paire. Si désiré, ajouter une ou plusieurs fines herbes. Si ces dernières sont séchées, les émietter entre les doigts au-dessus de l'ail. Si elles sont fraîches, placer de petits brins dans chacun des paquets. Essayer un brin de 1,5 cm (½ po) de romarin, deux ou trois brins de 5 cm (2 po) de thym, ou un brin de 5 cm (2 po) d'origan ou de marjolaine (ou une combinaison de deux ou de plusieurs fines herbes). Envelopper l'ail et les herbes dans le papier d'aluminium ; bien sceller les bords. Placer les paquets dans la mijoteuse. À couvert, laisser cuire à faible intensité environ 5 heures ou jusqu'à ce que l'ail soit très tendre (pour vérifier, presser une tête avec les doigts).

2. Pour utiliser les gousses, couper les têtes d'ail en deux, ou simplement l'extrémité pointue de chaque tête. Extraire les gousses par pression. Pour servir avec du pain, séparer les têtes en sections et en offrir une à chaque personne ; enlever doucement la peau des gousses. L'ail peut être conservé au réfrigérateur pour au plus 3 jours.

Poireaux braisés à l'oignon

Voici un plat de légumes braisés complet et satisfaisant. Servez-le avec des viandes ou de la volaille rôties, grillées ou au barbecue. ◉ **4 à 6 portions**

MIJOTEUSE : Moyenne ou grande, ronde ou ovale
INTENSITÉ ET TEMPS DE CUISSON : ÉLEVÉE, de 1½ à 2 heures

8 poireaux de grosseur moyenne, partie blanche et environ 5 cm (2 po) de la
    partie verte
2 oignons jaunes moyens
30 ml (2 c. à table) d'huile d'olive
3 tomates italiennes moyennes, pelées, épépinées et hachées
120 ml (½ tasse) de bouillon de légumes ou de poulet
Sel, et poivre noir du moulin, au goût

1. Rincer les poireaux sous l'eau froide. Les couper en deux dans le sens de la lon-gueur et enlever les couches extérieures les plus dures. Rincer de nouveau pour élimi-ner tout le sable. Couper les oignons en tranches de 0,6 cm (¼ po).

2. À feu moyen-vif et, tout en remuant de temps à autre, faire chauffer l'huile dans une grande poêle. Y attendrir l'oignon environ 2 minutes. Transférer le contenu dans la mijoteuse et déposer les poireaux sur l'oignon. Ajouter les tomates, puis le bouillon. À couvert, laisser cuire à intensité élevée de 1½ à 2 heures ou jusqu'à ce que les poi-reaux soient tendres.

3. Saler et poivrer. Servir chaud.

Poivrons farcis

De bons amis de Julie, Karin Schlanger et David Winsberg, possèdent une ferme, la Happy Quail Farms, située à Palo Alto East, en Californie, où ils cultivent des poivrons. David y fait pousser un arc-en-ciel de poivrons ainsi que quelques variétés de piments forts. Et croyez-nous, s'il faut savoir quelque chose sur les poivrons, ces gens-là le savent ! Pour la plus belle des présentations, Karin suggère d'acheter une variété de couleurs : vert, bien sûr, mais aussi rouge, jaune, orange et chocolat (un brun pourpre foncé). Nous avons adapté pour la mijoteuse une des excellentes recettes de poivrons de Karin. Puisque David et Karin ont facilement accès aux meilleurs marchés de producteurs de leur région, ils font la sauce avec de savoureuses tomates fraîches en saison, mais les tomates en conserve peuvent aussi convenir. ● **6 portions**

MIJOTEUSE : Moyenne, ovale, ou grande, ronde ou ovale
INTENSITÉ ET TEMPS DE CUISSON : FAIBLE de 5 à 6 heures ou ÉLEVÉE de
    2½ à 3 heures

30 ml (2 c. à table) d'huile d'olive ou de beurre
2 oignons moyens, hachés
1 l (4 tasses) de tomates fraîches pelées, épépinées et hachées ; ou 1 boîte
    de 796 ml ou de 825 ml (28 ou 29 oz) de tomates entières, égouttées et
    hachées
30 ml (2 c. à table) de menthe fraîche, ciselée ; ou 10 ml (2 c. à thé) de
    menthe séchée
454 g (1 lb) de bœuf haché maigre
360 ml (1½ tasse) de riz étuvé cuit
30 ml (2 c. à table) de persil plat frais, ciselé
3 ml (¾ c. à thé) de sel, et plus pour l'assaisonnement
0,5 ml (⅛ c. à thé) de poivre noir fraîchement moulu, et plus pour
    l'assaisonnement
6 gros poivrons de différentes couleurs, dessus enlevés, épépinés

1. À feu moyen-vif et, tout en remuant de temps à autre, faire chauffer l'huile dans une grande poêle. Y attendrir la moitié de l'oignon environ 5 minutes. Ajouter les tomates. Amener au point d'ébullition et, en brassant de temps à autre, laisser bouillir de 5 à 7 minutes, le temps qu'un peu de liquide se soit évaporé et que la sauce ait légèrement épaissi. Incorporer la moitié de la menthe. Saler et poivrer. Transférer le tout dans la mijoteuse.

2. Ajouter le bœuf haché et le reste de l'oignon dans la poêle (sans la laver au préalable) et, à feu moyen, faire cuire en défaisant la viande à l'aide d'une spatule. Après 5 à 7 minutes, lorsque la viande a perdu sa teinte rosée et que l'oignon a commencé à ramollir, retirer la poêle du feu. Dégraisser. Incorporer le riz, le reste de la menthe et le persil. Ajouter 3 ml (¾ c. à thé) de sel et 0,5 ml (⅛ c. à thé) de poivre, ou au goût.

3. À l'aide d'une cuillère, farcir chaque poivron d'un peu du mélange de viande. Ne pas trop remplir les poivrons. Les disposer côte à côte, à la verticale, dans la mijoteuse. Ne pas les superposer. À couvert, laisser cuire à faible intensité de 5 à 6 heures ou à intensité élevée de 2½ à 3 heures. Les poivrons seront bien tendres.

4. Servir nappé d'un peu de sauce aux tomates ou présenter la sauce à part.

Pommes de terre à la mijoteuse

Cette recette demande des pommes de terre «mûres», ces grosses pommes de terre brunes et difformes qui semblent sortir de terre et qui sont vendues à l'unité ou en sacs en cellophane de 4,5 kg (10 lb). Ces pommes de terre tout usage, disponibles toute l'année, sont bonnes au four, grillées, en purée ou en frites. N'achetez pas les pommes de terre qui présentent une couleur verdâtre; elles ont été entreposées longtemps à la lumière du soleil et auront un goût amer. Pour éviter que les pommes de terre éclatent durant la cuisson, les piquer avant de les faire cuire. Vous pouvez certainement omettre de les badigeonner de beurre ou d'huile, mais vous vous priveriez d'une peau délicieuse. ● **4 à 10 portions**

MIJOTEUSE : Moyenne ou grande, ronde ou ovale
INTENSITÉ ET TEMPS DE CUISSON : ÉLEVÉE de 3 à 5 heures ou FAIBLE de 6 à 9 heures

4 à 10 pommes de terre Idaho ou Russet de taille moyenne, nettoyées sous l'eau courante et épongées
15 à 30 ml (1 à 2 c. à table) de beurre non salé ou de margarine ramollis, ou d'huile d'olive

POUR LE SERVICE :
Beurre ou crème sure
Ciboulette fraîche, ciselée

1. À l'aide d'une fourchette ou de la pointe d'un couteau, piquer chaque pomme de terre à plusieurs reprises, puis la badigeonner de beurre. Mettre les pommes de terre dans la mijoteuse; ne pas ajouter d'eau. À couvert, laisser cuire à intensité élevée de 3 à 5 heures, ou à faible intensité de 6 à 9 heures (percer avec la pointe d'un couteau pour vérifier la cuisson). Plus il y a de pommes de terre dans la mijoteuse (on peut la remplir complètement, si désiré), plus le temps de cuisson est long.

2. À l'aide de pinces, enlever les pommes de terre de la mijoteuse. Les servir ouvertes, très chaudes, avec du beurre ou de la crème sure et de la ciboulette fraîche ciselée. Manger immédiatement.

Pommes de terre nouvelles à l'ail et aux fines herbes

Pour faire ce plat, oubliez les pommes de terre à cuire au four et les grandes marmites rouge et blanc remplies d'eau bouillante. Recherchez les plus petites variétés de pommes de terre, pâles et savoureuses, comme les Yellow Finns, les fingerling, les Yukon Gold, les petites pommes de terre nouvelles, rouges ou blanches, voire pourpres. Au cours de nos essais, nous avons particulièrement aimé l'onctuosité et la riche saveur de la Yukon Gold. Dans cette recette, les fines herbes fraîches ne constituent pas le meilleur des choix car elles ont tendance à brûler ; alors, optez pour les herbes séchées. Vous pouvez augmenter un peu les quantités suggérées, particulièrement si vous avez une très grande mijoteuse ; cependant, évitez de remplir complètement cette dernière. L'ail se pèlera facilement si vous prenez le temps de placer les gousses non épluchées dans l'eau froide pour quelques minutes. ⊙ **4 à 6 portions**

MIJOTEUSE : Moyenne ou grande, ronde ou ovale
INTENSITÉ ET TEMPS DE CUISSON : ÉLEVÉE, de 2½ à 3½ heures

750 g à 1 kg (1½ à 2 lb) de petites pommes de terre pâles à bouillir (voir les
    variétés suggérées précédemment)
4 à 5 gousses d'ail (au goût), pelées
15 ml (1 c. à table) d'huile d'olive
2 ml (½ c. à thé) de romarin séché
1 ml (¼ c. à thé) de sel casher ou de sel marin
1 pincée de thym séché

1.   Nettoyer les pommes de terre à fond, puis les éponger. Les déposer dans la mijoteuse avec l'ail. Verser un filet d'huile d'olive. Saupoudrer de romarin, de sel et de thym. À l'aide d'une cuillère ou des mains, mélanger les pommes de terre et l'ail pour les enduire légèrement d'huile et de fines herbes. Les disposer le plus uniformément possible dans la mijoteuse. À couvert, laisser cuire à intensité élevée de 2½ à 3½ heures ou jusqu'à ce que la pointe d'un couteau s'enfonce facilement dans les pommes de terre. Servir immédiatement.

Pommes de terre farcies au cheddar et à la ciboulette, double cuisson

 Servez ces pommes de terre farcies chaudes en accompagnement de votre meilleur plat de viande braisée ou de pain de viande. ● **6 portions**

MIJOTEUSE : Moyenne ou grande, ronde ou ovale
INTENSITÉ ET TEMPS DE CUISSON : ÉLEVÉE de 4 à 6 heures ou FAIBLE de 6 à 8 heures, puis ÉLEVÉE de 45 à 60 minutes

6 grosses pommes de terre, Idaho ou Russet, à cuire au four, nettoyées à fond (ne pas les éponger)
60 à 90 ml (4 à 6 c. à table ou ½ à ¾ de bâtonnet) de beurre non salé, ramolli
227 ml (8 oz) de crème sure
Environ 60 ml (¼ tasse) de lait, ou plus si nécessaire
Sel, au goût
240 ml (1 tasse) de cheddar râpé, doux ou fort
30 ml (2 c. à table) de ciboulette fraîche (facultatif), ciselée, pour le service

1. À l'aide d'une fourchette ou de la pointe d'un couteau, piquer les pommes de terre encore mouillées. Sans ajouter d'eau, les déposer dans la mijoteuse. À couvert, laisser cuire à intensité élevée de 4 à 6 heures ou à faible intensité de 6 à 8 heures (pour vérifier la cuisson, percer une pomme de terre avec la pointe d'un couteau).

2. À l'aide de pinces. retirer les pommes de terre de la mijoteuse et les couper en deux dans le sens de la longueur. À l'aide d'une grande cuillère, vider chaque moitié de pomme de terre en laissant assez de chair pour en conserver la forme. Mettre la chair retirée dans un bol et ajouter le beurre, la crème sure et le lait. À la fourchette, au mélangeur ou à l'aide d'un presse-purée, battre le mélange jusqu'à l'obtention d'une texture lisse. Cette farce doit être très épaisse. Saler. À la cuillère, remplir les pommes de terre évidées de farce en formant un petit monticule. Les replacer dans la mijoteuse, en une seule couche, de façon qu'elles se touchent. Saupoudrer de fromage. À couvert, laisser cuire à intensité élevée de 45 à 60 minutes.

3. Retirer soigneusement les pommes de terre de la mijoteuse. Si désiré, les saupoudrer de ciboulette. Manger immédiatement.

Salade chaude de pommes de terre à l'allemande

Des versions de ce classique figuraient déjà dans les tout premiers livres de cuisine à la mijoteuse, et il s'agit encore d'une excellente façon de préparer cette savoureuse salade de pommes de terre. Le secret du bon goût de ce plat est de mélanger les pommes de terre au vinaigre lorsqu'elles sont encore chaudes. Dans le cas de la présente recette, les pommes de terre cuisent dans le vinaigre, ce qui leur assure cette indispensable aigreur. ● **4 portions**

MIJOTEUSE : Moyenne, ronde ou ovale
INTENSITÉ ET TEMPS DE CUISSON : FAIBLE, de 4 à 4½ heures

1 kg (2 lb) de pommes de terre à cuire au four (5 à 6), comme la Russet,
    coupées en tranches de 0,6 cm (¼ po)
1 petit oignon rouge, haché
3 branches de céleri, hachées
½ poivron vert, épépiné et haché menu
60 ml (¼ tasse) de vinaigre de cidre
120 ml (½ tasse) d'eau
60 ml (¼ tasse) d'huile de canola ou d'huile d'olive légère
30 ml (2 c. à table) de sucre
2 ml (½ c. à thé) de graines de céleri
60 ml (¼ tasse) de persil plat frais, haché
6 tranches de lard de porc ou de dinde, cuites jusqu'à consistance
    croustillante, épongées sur des essuie-tout et émiettées, ou 45 ml
    (3 c. à table) de brisures de bacon végétarien
Sel, et poivre noir du moulin, au goût

1. Mettre les pommes de terre, l'oignon, le céleri et le poivron dans la mijoteuse. Bien mélanger. Ajouter le vinaigre, l'eau, l'huile, le sucre et les graines de céleri. À couvert, laisser cuire à faible intensité de 4 à 4½ heures.

2. Tout en remuant délicatement, ajouter le persil et le bacon. Saler et poivrer. Servir chaud.

Purée de pommes de terre à l'ail

Vous faites cuire les pommes de terre et l'ail ensemble, puis vous pilez le tout à l'aide d'un presse-purée ou d'un mélangeur. C'est excellent! Si vous le désirez, vous pouvez garder les pommes de terre dans la mijoteuse pendant quelques heures avant le service.
○ **4 portions**

MIJOTEUSE : Moyenne, ronde ou ovale
INTENSITÉ ET TEMPS DE CUISSON : ÉLEVÉE, de 3½ à 4½ heures

1 kg (2 lb) de pommes de terre à cuire au four (5 à 6), comme la Russet,
    pelées et coupées en gros morceaux
4 gousses d'ail, hachées
1 feuille de laurier
480 ml (2 tasses) de bouillon de poulet, de bouillon de légumes ou d'eau
120 ml (½ tasse) de lait entier (ou de babeurre) chaud
30 ml (2 c. à table) de beurre non salé
Sel, et poivre noir ou blanc du moulin, au goût

1. Mettre les pommes de terre, l'ail et la feuille de laurier dans la mijoteuse. Ajouter suffisamment de bouillon pour recouvrir le tout. À couvert, laisser cuire à intensité élevée de 3½ à 4½ heures, selon la taille des morceaux de pommes de terre.

2. Égoutter dans une passoire au-dessus d'un bol. Réserver le liquide et retirer la feuille de laurier. Remettre les pommes de terre dans la mijoteuse, ajouter le lait et le beurre. Réduire en purée, en ajoutant au besoin un peu de liquide de cuisson pour obtenir la consistance souhaitée. Saler et poivrer. Si désiré, ajouter un carré de beurre. À couvert, laisser cuire à faible intensité jusqu'au moment de servir. Servir à table, directement de la mijoteuse.

Patates douces ou ignames à l'étuvée

Voici la recette de base pour faire cuire des patates douces entières et des ignames. Les aliments peuvent rester dans la mijoteuse chaude pendant une heure ou deux avant le service. Servez fumant, avec du beurre, directement de la mijoteuse. ○ **5 portions**

MIJOTEUSE : Moyenne ou grande, ronde ou ovale

INTENSITÉ ET TEMPS DE CUISSON : FAIBLE, de 4 à 6 heures

5 patates douces ou ignames de taille moyenne, nettoyées à fond (ne pas
    les éponger)
Beurre pour le service

1. Piquer les patates douces à l'aide d'une fourchette ou de la pointe d'un couteau
pour empêcher qu'elles n'éclatent durant la cuisson. Sans ajouter d'eau, les déposer
dans la mijoteuse. À couvert, les laisser cuire à faible intensité de 4 à 6 heures, selon
leur taille, ou jusqu'à ce qu'elles soient tendres (percer avec la pointe d'un couteau
pour vérifier la cuisson). Plus il y a de patates dans la mijoteuse, plus le temps de
cuisson est long.

2. À l'aide de pinces, retirer les patates douces de la mijoteuse. Les servir ouvertes,
très chaudes, avec du beurre. Manger immédiatement.

Ignames à la noix de coco et aux pacanes

Même si nous aimons les patates douces, l'igname rubis, avec sa chair orange foncé,
demeure un favori de toujours durant la saison automnale. N'oubliez surtout pas
l'extrait de coco ; il accentue la douceur de ce plat d'accompagnement parfait pour les jours de
fête. ◦ **6 à 8 portions**

MIJOTEUSE : Moyenne ou grande, ronde ou ovale

INTENSITÉ ET TEMPS DE CUISSON : FAIBLE, de 6 à 7 heures

1 kg (2 lb) d'ignames ou de patates douces, pelées et coupées en tranches
    de 1,5 cm (½ po)
1 ml (¼ c. à thé) d'extrait de noix de coco
1 ml (¼ c. à thé) d'extrait de vanille
60 ml (¼ tasse ou ½ bâtonnet) de beurre non salé, fondu
120 ml (½ tasse) de cassonade, blonde ou foncée, bien tassée
60 ml (¼ tasse) de noix de coco sucrée, râpée
60 ml (¼ tasse) de pacanes, émiettées
1 ml (¼ c. à thé) de cannelle moulue
30 ml (2 c. à table) de beurre non salé froid, coupé en morceaux

1. Graisser la mijoteuse de beurre ou y vaporiser un enduit de cuisson antiadhésif. Disposer les tranches d'ignames, en une seule couche, en les faisant se chevaucher. Incorporer les extraits de noix de coco et de vanille au beurre fondu. Verser le mélange en filet sur les ignames. Dans un petit bol, combiner la cassonade, la noix de coco, les pacanes et la cannelle. Répartir uniformément sur les ignames. Parsemer de petits morceaux de beurre froid. À couvert, laisser cuire à faible intensité de 6 à 7 heures ou jusqu'à ce que les ignames soient tendres (les percer avec la pointe d'un couteau pour vérifier la cuisson).

Tomates à l'ancienne

Que serait la vie sans la tomate? Servez ces tomates à l'ancienne dans des bols en accompagnement d'un macaroni au fromage, ou utilisez-les dans vos recettes comme s'il s'agissait de tomates en conserve. Même si la recette est doublée, les ingrédients tiendront encore dans une mijoteuse moyenne. ● **4 à 6 portions**

MIJOTEUSE : Moyenne, ronde ou ovale
INTENSITÉ ET TEMPS DE CUISSON : FAIBLE, de 8 à 10 heures

8 grosses tomates mûres, bien fermes
1 petit oignon blanc, émincé
120 ml (½ tasse) de céleri, haché menu
60 ml (¼ tasse) de poivron vert, épépiné et finement haché
2 ml (½ c. à thé) de sucre
2 ml (½ c. à thé) de basilic séché
1 petite feuille de laurier
Sel, et poivre noir du moulin, au goût
30 à 45 ml (2 à 3 c. à table) de jus de citron frais, ou au goût
30 ml (2 c. à table) de beurre non salé

1. Plonger les tomates dans l'eau bouillante, puis les transférer sur une double couche d'essuie-tout. Les peler et les couper en demies, les épépiner et retirer les pédoncules.

2. Mettre les tomates, l'oignon, le céleri, le poivron, le sucre, le basilic et la feuille de laurier dans la mijoteuse. À couvert, laisser cuire à faible intensité de 8 à 10 heures.

3. Enlever la feuille de laurier. Saler et poivrer. Incorporer le jus de citron. Ajouter le beurre et mélanger jusqu'à ce qu'il soit fondu. Servir chaud.

Courge d'hiver

La cuisson conventionnelle des grosses courges d'hiver — si crémeuses et si délicieuses — peut causer certains inconvénients. La chaleur sèche du four peut faire dessécher et durcir le côté coupé de la courge, formant ainsi une croûte difficile à percer à la fourchette. Une marmite à vapeur ou le micro-ondes feront un assez bon travail, mais on peut difficilement quitter la maison en laissant une marmite sur la cuisinière ou un micro-ondes en fonction. Laissez votre mijoteuse venir à la rescousse. Puisque vous n'y ajouterez aucun liquide, votre courge sera extrêmement savoureuse. Suivez l'exemple de la belle-mère de Julie, une fameuse jardinière du Vermont, qui se retrouve toujours avec une montagne de courges à la fin de la saison : congelez la pulpe cuite en portions individuelles dans des sacs de congélation. Ainsi, vous disposerez à tout moment d'une purée de courge, de muffins ou de tartes faites avec votre propre citrouille cuite maison.

Les citrouilles dans lesquelles on sculpte habituellement des lanternes d'Halloween peuvent être assez aqueuses et elles n'ont pas la saveur parfumée des variétés de courge destinées

---

• • Cuire les courges d'hiver à la mijoteuse • •

La mijoteuse est une vraie bénédiction pour les amateurs de courges d'hiver — particulièrement pour ceux qui n'aiment pas avoir à couper les courges, à retirer en grattant laborieusement les filaments tenaces et les graines glissantes et à enlever la peau. Avec votre mijoteuse, vous devez simplement vous assurer de choisir une courge — ou plusieurs petites — qui y entrera complètement sans qu'elle empêche le couvercle de fermer. Si la courge y entre entière, il suffit de la laver et de la sécher, puis de la déposer dans la mijoteuse avec 30 ml (2 c. à table) d'eau. Fermez le couvercle et laissez cuire à faible intensité de 4 à 9 heures, selon le type et la quantité de courges, et la taille de votre mijoteuse, jusqu'à ce que la courge soit assez tendre pour qu'une brochette ou un couteau s'y enfonce jusqu'au centre. Laissez la courge tiédir, ensuite tranchez-la en deux, de la tige à la base. Les graines et les filaments s'enlèveront à merveille avec une cuillère à soupe. Jetez-les et détachez la chair de la peau coriace à l'aide d'une cuillère. Jetez la peau. La courge cuite peut être mangée comme telle, utilisée dans des recettes, ou congelée pour une prochaine utilisation.

Si vous voulez faire cuire une courge trop grosse pour votre mijoteuse, la technique est légèrement différente. Lavez la courge, coupez-la en morceaux et enlevez en grattant les graines et les filaments. Versez 30 ml (2 c. à table) d'eau dans la mijoteuse, ajoutez-y les morceaux de courge, côté peau vers le bas. Fermez le couvercle et laissez cuire à faible intensité jusqu'à ce que la courge soit tendre, soit de 2 à 6 heures, selon la courge et le format de votre mijoteuse. Quand la courge est suffisamment tiède pour être manipulée, retirez-en la chair à l'aide d'une cuillère et jetez la peau.

à la gastronomie. Beaucoup de personnes jettent les lanternes d'Halloween immédiatement après la fête. Nous avons constaté que la chair cuite, débarrassée de l'excès de liquide, est tout à fait acceptable et parfaite pour la cuisson ou d'autres utilisations si elle est bien relevée. Versez la chair cuite et réduite en purée dans une passoire placée sur un grand bol. Laissez la citrouille s'égoutter environ 1 heure. Jetez ensuite le liquide qui se trouve dans le bol.

MIJOTEUSE : Grande, ronde ou ovale
INTENSITÉ ET TEMPS DE CUISSON : FAIBLE, de 7 à 9 heures

1 grosse ou 2 petites courges d'hiver à écorce dure ou citrouilles

1. Laver et essuyer la courge. La couper en deux et, à l'aide d'une cuillère de métal, enlever les graines et les filaments du centre. Tailler la courge non pelée en morceaux qui entreront dans la mijoteuse. Mettre les morceaux dans la mijoteuse, côté peau vers le bas. (Si vous en avez trop pour les faire cuire en une seule fois, procédez en plusieurs étapes, en conservant les morceaux non cuits dans un sac de plastique jusqu'à ce que vous soyez prêt à les utiliser.) À couvert, laisser cuire à faible intensité de 7 à 9 heures ou jusqu'à ce que la chair soit tendre. Quand la courge est assez tiède pour être manipulée, prélever la chair à la cuillère et jeter la peau. La courge peut être servie tout de suite ou réduite en purée pour être utilisée dans d'autres recettes.

2. Pour servir la courge telle quelle, la garnir d'un peu de beurre. Ajouter une pincée de sel et de poivre, ou de cassonade et de gingembre ou de cannelle moulue. Pour servir la courge en purée, la laisser tiédir et, à l'aide d'une grande cuillère de métal, en prélever la chair. Réduire la courge en purée au robot culinaire ou avec un presse-purée. Parfumer de jus d'orange frais et de gingembre frais, moulu ou râpé.

Casserole mexicaine de courges d'été aux trois fromages

Voici un plat principal végétarien qui enchantera tous les amateurs de la tendre courge d'été — tant les personnes qui la cultivent que celles qui ne font que la déguster. Vous n'êtes pas obligé d'utiliser les variétés que nous proposons ici. Il s'agit simplement d'en choisir deux de couleurs différentes. Par exemple, vous trouverez la courgette jaune, la courge cou tors jaune, la courgette vert pâle et le pâtisson vert chez votre marchand de fruits et légumes ou dans les marchés. Utilisez impérativement de jeunes courges tendres. La courgette oubliée dans le jardin et qui a atteint la taille d'un rouleau à pâtisserie sera trop amère pour cette casserole. Si vous ne pouvez trouver le fromage de style mexicain à texture friable, le *queso fresco*, utilisez une feta douce pour le remplacer. Si vous employez de la feta, qui peut être assez salée, rincez-la à l'eau froide (et égouttez-la bien) pour la débarrasser d'un peu de sel. Si vous ne pouvez trouver la sauce enchilada aux chilis verts en boîte (nous aimons la marque Las Palmas), remplacez-la par la salsa aux chilis verts. ● **8 portions**

MIJOTEUSE : Grande, ovale de préférence
INTENSITÉ ET TEMPS DE CUISSON : ÉLEVÉE pour 2 heures ou FAIBLE pour
4 heures

15 ml (1 c. à table) d'huile d'olive
1 gros oignon, haché
4 gousses d'ail, finement hachées
454 g (1 lb) de courgette verte ou d'une autre courge d'été verte, les
extrémités enlevées, coupée en rondelles de 2 cm (¾ po) d'épaisseur
454 g (1 lb) de pâtisson jaune ou d'une autre courge d'été jaune, coupé en
tranches de 2 cm (¾ po) d'épaisseur
5 ml (1 c. à thé) d'origan séché ou 30 ml (2 c. à table) d'origan frais, finement
haché
2 ml (½ c. à thé) de cumin moulu
240 ml (1 tasse) de grains de maïs frais ou surgelés, décongelés
480 ml (2 tasses) de monterey jack, finement râpé
480 ml (2 tasses) de cheddar, finement râpé
0,75 à 1 l (3 à 4 tasses) de sauce enchilada aux chilis verts en conserve
12 tortillas de maïs tendre, chacune coupée en 4 bandes
227 g (8 oz) de *queso fresco,* ou de feta douce, rincée et bien égouttée,
émiettés

1. À feu moyen-vif, faire chauffer l'huile dans une grande poêle antiadhésive. Tout en remuant de temps à autre, y faire cuire l'oignon environ 5 minutes, le temps qu'il ramollisse. Ajouter l'ail, la courgette, le pâtisson jaune, l'origan et le cumin. Poursuivre la cuisson de 4 à 5 minutes, en remuant quelques fois, jusqu'à ce que les légumes commencent à dorer. Ajouter les grains de maïs et faire cuire 1 ou 2 minutes de plus. Retirer la poêle du feu.

2. Mélanger les fromages monterey jack et cheddar. Verser environ 120 ml (½ tasse) de sauce enchilada dans la mijoteuse ; bien l'étendre dans le fond du pot. En couches successives, ajouter un quart des bandes de tortilla, un quart de la sauce enchilada

restante, un tiers des légumes sautés et un quart du mélange de fromages. Saupoudrer d'un quart du *queso fresco*. Répéter les couches à deux reprises, en terminant avec le *queso fresco*. Terminer la casserole avec le reste des bandes de tortilla, de sauce, de mélange de fromages et de *queso fresco*. À couvert, laisser cuire à intensité élevée pendant 2 heures ou à faible intensité pendant 4 heures. La casserole commencera à brunir sur les bords; ne pas la laisser roussir.

3. Laisser tiédir pendant quelques minutes. Couper en carrés ou en tranches. Servir.

Ratatouille

La ratatouille, un ragoût de légumes provençal, est pour nous synonyme de l'été. Quand Beth enseignait la cuisine française dans la minuscule cuisine de son appartement, le premier menu qu'elle concoctait se composait invariablement d'une ratatouille, d'une salade classique et de sa vinaigrette, et d'une tarte aux pommes. Ce ragoût est encore plus succulent le lendemain de sa préparation; alors, vous pouvez le faire à l'avance. La ratatouille se sert chaude et garnie de fromage de chèvre émietté, à la température ambiante, avec des quartiers de citron et du parmesan fraîchement râpé, ou froide avec un filet de vinaigre balsamique. ◉ **4 à 6 portions**

MIJOTEUSE : Moyenne ou grande, ronde ou ovale
INTENSITÉ ET TEMPS DE CUISSON : ÉLEVÉE de 2½ à 3 heures ou FAIBLE pour 4 à 5½ heures; la courgette est ajoutée après 1½ à 3 heures de cuisson, et le basilic, le sel et le poivre avant la dernière heure

1 grosse aubergine de 750 g (1½ lb), pelée et coupée en cubes de 2,5 cm (1 po)
Sel
1 oignon jaune moyen, grossièrement haché
2 poivrons, moyens ou gros (verts, rouges, orange ou jaunes), épépinés et coupés en gros carrés
10 tomates italiennes, pelées et hachées, ou 1 boîte de 411 ml (14½ oz) de tomates italiennes en dés, égouttées
2 à 3 gousses d'ail (au goût), finement hachées
120 ml (½ tasse) d'huile d'olive
5 courgettes ou autres courges d'été, les extrémités enlevées, coupées en rondelles épaisses

15 à 30 ml (1 à 2 c. à table) de basilic frais (au goût), ciselé

Poivre noir du moulin, au goût

1. Mettre les cubes d'aubergine dans une passoire et les saupoudrer de sel. Laisser égoutter pendant 1 heure. Avec le dos d'une spatule, presser les cubes pour en extraire l'eau. Essuyer les aubergines avec des essuie-tout.

2. Mélanger l'aubergine, l'oignon, les poivrons, les tomates et l'ail dans la mijoteuse. Ajouter l'huile d'olive. Bien remuer pour enduire les ingrédients. À couvert, laisser cuire à intensité élevée pendant 1 à 1½ heure ou à faible intensité de 2 à 3 heures.

3. Incorporer les courgettes. Mettre le couvercle et poursuivre la cuisson à intensité élevée pendant 1½ heure ou à faible intensité de 2 à 2½ heures. Avant la dernière heure de cuisson, ajouter le basilic. Saler et poivrer. Les légumes seront cuits, mais conserveront leur forme initiale.

Calabacitas

L a *calabacitas,* ou « petite courge » est un ragoût de légumes qui ressemble beaucoup au succotash du Sud-Ouest. Elle contient des chilis verts, du maïs, de l'oignon et des courgettes, qui peuvent se transformer en bouillie dans la mijoteuse. Eh bien, avec la *calabacitas,* c'est exactement le résultat que vous chercherez à obtenir. Vous voulez que la courgette se défasse quelque peu. Ce plat est incroyablement délicieux. ● **4 portions**

MIJOTEUSE : Moyenne, ronde ou ovale

INTENSITÉ ET TEMPS DE CUISSON : FAIBLE, de 3 à 4 heures

30 ml (2 c. à table) de beurre non salé ou d'huile d'olive

2 oignons de grosseur moyenne, jaunes ou blancs, hachés

6 chilis verts doux, comme des piments Anaheim, rôtis, pelés, épépinés et coupés en gros morceaux

454 g (1 lb) de courgettes, les extrémités enlevés, coupées en morceaux de 5 à 7 cm (2 à 3 po)

2 à 3 épis de maïs jaune ou blanc, égrenés, ou 1 paquet de 283 g (10 oz) de maïs surgelé, décongelé

120 ml (½ tasse) d'eau

240 ml (1 tasse) de cheddar ou de monterey jack, râpé

1. Dans une petite poêle, faire fondre le beurre à feu moyen. Tout en remuant de temps à autre, y faire cuire les oignons environ 5 minutes, le temps qu'ils ramollissent.

2. Transférer les oignons dans la mijoteuse. Incorporer les piments chilis, les courgettes, le maïs et l'eau. À couvert, laisser cuire à faible intensité de 3 à 4 heures ou jusqu'à ce que les courgettes commencent à se défaire.

3. Saupoudrer de fromage. Servir directement du pot de grès à l'aide d'une grosse cuillère.

Légumes-racines rôtis

Les légumes-racines et les courges d'automne ou d'hiver se prêtent bien à la cuisson à la mijoteuse ; ces légumes deviennent tendres et savoureux sans se transformer en bouillie. Vous pouvez préparer cette recette sans problème dans une mijoteuse ronde, mais nous préférons utiliser le modèle ovale, qui possède une plus grande surface de cuisson. Ce mélange de racines comestibles, en accompagnement de viandes rôties ou de fruits de mer grillés, est particulièrement réconfortant par une froide soirée d'hiver. ◉ **6 portions**

MIJOTEUSE : Moyenne ou grande, ronde ou ovale
INTENSITÉ ET TEMPS DE CUISSON : ÉLEVÉE, de 3½ à 4 heures

1 courge musquée de 1,2 à 1,3 kg (2½ à 3 lb) pelée, épépinée et coupée en cubes de 2,5 cm (1 po)

750 g (1½ lb) de pommes de terre nouvelles, rouges ou blanches, coupées en cubes de 2,5 cm (1 po)

1 grosse ou 2 petites bottes de betteraves, bien nettoyées, ébarbées et pelées

2 navets ou rutabagas moyens, pelés et coupés en cubes de 2,5 cm (1 po)

2 grosses carottes, coupées en rondelles épaisses, ou 20 carottes miniatures entières

1 oignon rouge, moyen à gros, coupé en deux, puis en tranches de 1,5 cm (½ po)

6 gousses d'ail, pelées

30 à 45 ml (2 à 3 c. à table) d'huile d'olive ou de noix

Sel, et poivre noir du moulin, au goût

Environ 45 ml (3 c. à table) de persil plat frais, ciselé

1. Régler la mijoteuse à intensité élevée et, le pot de grès vide, la préchauffer de 3 à 5 minutes. Entre-temps, déposer les légumes dans un grand bol. Y ajouter l'huile. Saler et poivrer. Remuer en douceur. Verser les légumes dans la mijoteuse. À couvert, laisser cuire à intensité élevée de 3½ à 4 heures ou jusqu'à ce que les légumes soient juste tendres mais qu'ils aient conservé leur forme initiale.

2. Garnir de beaucoup de persil frais. Servir.

POTAGE AUX LÉGUMES-RACINES RÔTIS À LA MIJOTEUSE : Ajouter 2 grosses tomates coupées en quartiers aux légumes présents dans la mijoteuse. Lorsque la cuisson est terminée, retirer les légumes de la mijoteuse et les réduire en purée, en plusieurs étapes, avec 1 l (4½ tasses) de bouillon de légumes ou de poulet et 30 ml (2 c. à table) de jus de citron frais. Déposer la purée dans la mijoteuse. À couvert, laisser cuire à faible intensité pendant 20 minutes. Servir avec des Croûtons de fromage (voir page 72).

Légumes d'été rôtis à l'étuvée

Les légumes d'été sont si tendres qu'on ne les fait habituellement pas rôtir. Cependant, ce mélange de légumes et de fines herbes, avec un soupçon d'huile d'olive, est fantastique. Servez ces légumes chauds, à la température ambiante, ou froids avec de la viande, des saucisses ou du poisson grillé, ou encore avec une casserole de poulet. ◉ **6 portions**

MIJOTEUSE : Moyenne ou grande, ronde ou ovale
INTENSITÉ ET TEMPS DE CUISSON : ÉLEVÉE, de 1½ à 2 heures

2 gros poivrons rouges, ou 1 rouge et 1 jaune, épépinés et coupés en
    julienne
2 gros oignons rouges, chacun coupé en 8 segments
3 courges d'été de grosseur moyenne, cou tors jaune ou pâtisson, les
    extrémités enlevés, coupées en tranches de 1,5 cm (½ po) d'épaisseur
3 courgettes moyennes, les extrémités enlevées, coupées en grosses
    allumettes, ou 454 g (1 lb) de petites courgettes en fleurs (les garder
    entières)
142 g (5 oz) de haricots verts frais, les bouts cassés
4 gousses d'ail, pelées
30 à 45 ml (2 à 3 c. à table) d'huile d'olive
15 ml (1 c. à table) de sarriette ou de basilic frais, haché

Sel, et poivre noir du moulin, au goût

Environ 45 ml (3 c. à table) de persil plat frais, haché

30 à 60 ml (2 à 4 c. à table) de vinaigre balsamique, pâle ou foncé

1. Mettre tous les légumes dans la mijoteuse. Ajouter l'huile et la sarriette. Saler et poivrer. Remuer pour bien enduire les légumes. À couvert, laisser cuire à intensité élevée de 1½ à 2 heures ou jusqu'à ce que les légumes soient tout juste tendres et qu'ils aient conservé leur forme initiale.

2. Garnir de persil et verser un filet de vinaigre. Servir.

Ragoût zuni

Lorsque le livre de cuisine végétarienne du restaurant Greens est paru en 1987 (*The Greens Cookbook*, par Deborah Madison et Edouard Espe Brown, Brodway Books), il a été reçu avec un grand soupir de soulagement; enfin, un livre élaboré par le restaurant végétarien le plus innovateur de la baie de San Francisco, dirigé par les membres de la communauté Tassajara Zen. L'ouvrage a connu un franc succès. La première recette que la plupart de nos amis ont essayée a été le ragoût zuni, un ragoût de légumes simple et nourrissant à la manière du Sud-Ouest. Dans la présente recette, nous avons adapté quelque peu ce plat pour une cuisson à la mijoteuse, puisque la recette originale n'utilisait que des ingrédients frais. Si vous avez des graines de cumin et de coriandre sous la main, moulez-les à l'aide d'un mortier. Si vous aimez les chilis, ajoutez un second piment ancho. Servez ce plat avec des tortillas chaudes et une bonne salsa fraîche en garniture. ● **6 portions**

MIJOTEUSE : Grande, ronde ou ovale

INTENSITÉ ET TEMPS DE CUISSON : FAIBLE, de 5½ à 6½ heures; la courgette est ajoutée après 2½ à 3 heures de cuisson

1 boîte de 796 ml (28 oz) de tomates hachées, et leur jus

4 épis de maïs frais, blanc ou jaune, égrenés, ou 600 ml (2½ tasses) de grains de maïs surgelés, décongelés

227 g (8 oz) de haricots verts frais, les tiges cassées, coupés en tronçons de 2,5 cm (1 po)

2 boîtes de 426 ml (15 oz) de haricots pinto, et leur liquide

1 piment ancho, épépiné, membranes blanches enlevées, coupé en minces bandes

1 pincée d'origan (ou de marjolaine), séché

30 à 45 ml (2 à 3 c. à table) d'huile d'olive ou de maïs

2 oignons jaunes moyens, coupés en dés

2 gousses d'ail, finement hachées

30 ml (2 c. à table) d'assaisonnement au chile

2 ml (½ c. à thé) de cumin moulu

1 ml (¼ c. à thé) de coriandre moulue

454 g (1 lb) de courgettes ou de courges d'été variées, les extrémités enlevées, coupées en tranches de 1,5 cm (½ po) d'épaisseur

Sel, et poivre noir du moulin, au goût

Feuilles d'environ ½ botte de coriandre fraîche, ciselées

360 ml (1½ tasse) de monterey jack ou de muenster, râpé

1. Mélanger les tomates et leur jus, le maïs, les haricots verts, les haricots pinto et leur liquide, le piment ancho et l'origan dans la mijoteuse. À cette étape, il est possible de régler la mijoteuse à intensité élevée pendant environ 15 minutes, mais c'est facultatif.

2. À feu moyen, faire chauffer l'huile dans une grande poêle. Tout en remuant de temps à autre, y faire cuire les oignons environ 5 minutes, le temps qu'ils ramollissent. Ajouter l'ail, l'assaisonnement au chile, le cumin et la coriandre moulue. En remuant, poursuivre la cuisson 1 minute de plus. Verser les oignons dans la mijoteuse. Le ragoût sera épais mais, si désiré, il est possible d'y ajouter de l'eau. À couvert, laisser cuire à faible intensité de 2½ à 3 heures.

3. Ajouter les courgettes. Mettre le couvercle et poursuivre la cuisson à faible intensité de 3 à 3½ heures ou jusqu'à ce que les légumes soient tout juste tendres mais qu'ils aient conservé leur forme initiale.

4. Saler et poivrer. Incorporer la coriandre fraîche et le fromage. Servir chaud.

Oden végétarien
(ragoût de légumes-racines japonais)

L'oden, un ragoût japonais très apprécié, se compose de légumes, d'œufs durs et de boulettes de poisson. Au Japon, dans les restaurants des petites rues, appelés *oden-yas,* on le sert directement de grandes marmites à vapeur. La version au poisson ne plaît cependant pas à tout le monde. Nous proposons ici une version végétarienne qui combine les saveurs classiques du Japon : kombu, tamari, gingembre et mirin. Cette recette est adaptée du livre *Angelica Home Kitchen* (Ten Speed Press, 2003). Cherchez la racine de bardane, le daïkon, un grand radis blanc doux, et l'épaississant kuzu, ou arrow-root, dans une épicerie asiatique. La racine de bardane exige un traitement spécial. Essayez de l'acheter le jour même de son utilisation ou, au maximum, un ou deux jours à l'avance. Lorsque vous arrivez à la maison, si vous ne l'utilisez pas tout de suite, enveloppez-la fermement dans un sac de plastique et réfrigérez-la. Pour préparer la bardane, aussi appelée *gobu,* nettoyez-la bien à l'eau froide courante avec une brosse à légumes raide. Prélevez et jetez toutes les parties décolorées. En taillant la bardane, laissez tomber les morceaux dans un bol d'eau froide, ce qui les empêchera de se décolorer. Afin d'obtenir une cuisson uniforme des légumes, les tailler aux mêmes dimensions. Servez ce plat avec des nouilles soba au sarrasin, du tofu mariné cuit et le condiment kimchi. ◉ **4 à 6 portions**

MIJOTEUSE : Grande, ronde ou ovale

INTENSITÉ ET TEMPS DE CUISSON : ÉLEVÉE de 3½ à 4 heures ou FAIBLE de 6 à 7 heures ; le tofu et le kuzu sont ajoutés avant les 15 dernières minutes de cuisson

15 ml (1 c. à table) d'huile d'olive

1 gros oignon jaune, coupé en deux, puis en segments de 1,5 cm (½ po) d'épaisseur

454 g (1 lb) de pommes de terre blanches nouvelles, coupées en cubes de 2,5 cm (1 po)

360 ml (1½ tasse) de racine de bardane, coupée en cubes (voir l'introduction de cette recette)

120 ml (½ tasse) de daïkon, pelé et coupé en cubes

2 rutabagas (ou navets blancs) moyens, pelés et coupés en cubes de 2,5 cm (1 po)

3 grosses carottes, coupées en rondelles épaisses

2 gros panais, pelés et coupés en rondelles épaisses

6 champignons shiitake séchés, rincés et brisés en morceaux

1 morceau de 7,5 à 10 cm (3 à 4 po) de kombu, essuyé et coupé en bandes

5 à 8 tranches de gingembre frais, pelé, écrasé avec le plat d'un grand couteau

120 ml (½ tasse) de tamari ou d'une autre sauce soja de bonne qualité

30 ml (2 c. à table) de mirin (le non alcoolisé convient)

1 bloc de 397 g (14 oz) de tofu ferme ou extraferme, bien égoutté avec des essuie-tout et coupé en cubes de 2,5 cm (1 po)

60 ml (¼ tasse) de kuzu (arrow-root)

60 ml (¼ tasse) d'eau froide

POUR LE SERVICE :

30 ml (2 c. à table) d'huile de sésame grillée

Environ 45 ml (3 c. à table) d'oignons verts frais, hachés (partie blanche et 5 cm ou 2 po de la partie verte)

1. Enduire la mijoteuse d'huile d'olive. Mettre tous les légumes-racines dans la mijoteuse. Ajouter les champignons, le kombu, le gingembre, le tamari, le mirin et suffisamment d'eau pour couvrir les légumes. À couvert, laisser cuire à intensité élevée de 3½ à 4 heures ou à faible intensité de 6 à 7 heures, le temps que les légumes soient tout juste tendres mais qu'ils aient conservé leur forme initiale.

2. Ajouter le tofu. Remuer en douceur. Délayer le kuzu dans 60 ml (¼ tasse) d'eau froide. L'incorporer au ragoût chaud et laisser frémir à intensité élevée environ 15 minutes ou jusqu'à ce que le liquide ait légèrement épaissi.

3. Verser un filet d'huile de sésame et garnir d'oignons verts. Servir.

Farces

Une des préparations à la mijoteuse qui nous a le plus agréablement surprises est celle des farces au pain. De nos jours, plutôt que de farcir la cavité de la dinde, plusieurs puristes et professionnels de l'alimentation préfèrent préparer la farce séparément. Eh bien, les farces cuites en casserole nous ont toujours paru trop sèches, mais ce n'est plus le cas avec la mijoteuse, où elles prennent l'apparence d'un soufflé dense et moelleux.

Pendant que la dinde occupe le four, laissez la farce cuire à la perfection... sur le comptoir.

•• Trucs et astuces pour réussir •• les farces à la mijoteuse

- Un pain de 454 g (1 lb) donnera environ 1,5 l (6 tasses) de cubes de pain; 750 g (1½ lb), environ 2,5 l (10 tasses); et 1 kg (2 lb), environ 3 l (12 tasses). Le pain blanc produira une farce à la texture plus légère que le pain de blé entier ou de grains entiers. Vous pouvez utiliser n'importe quel pain, du pain croûté à la focaccia. Pendant la période des fêtes, les petites boulangeries préparent souvent des sacs de pain de la veille, offrant ainsi de délicieux mélanges pour les farces. Ayez-les à l'œil. Si vous utilisez un pain de maïs, préparez-le la veille. Si vous le désirez, vous pouvez aussi employer des paquets de mélange à farce du commerce.

- N'utilisez jamais de viandes ou de poisson crus dans les farces, particulièrement les produits du porc ou les huîtres. La chair à saucisse, ou n'importe quelle saucisse crue, doit être complètement cuite, qu'elle soit sautée, bouillie, chauffée au four ou grillée, avant d'être incorporée dans une farce

- Si vous employez du pain vraiment rassis, vous devrez le faire tremper dans un bouillon de poulet ou du lait afin de le ramollir. Le pain frais n'absorbe pas la même quantité de liquide que le pain séché. Vous pouvez utiliser du pain frais coupé en cubes et séché au four, du pain de la vieille coupé en cubes et séché à l'air libre pendant la nuit ou un paquet de mélange à farce commercial déjà assaisonné.

- L'addition de légumes feuillus, comme les bettes à carde ou le persil, allège la texture de la farce.

- Nous donnons les quantités de liquide requises dans chaque recette mais, selon que vous aimez une texture plus humide ou plus croquante, vous pourrez en ajouter plus ou moins.

- Déposez la farce lâchement dans le pot de grès, plutôt que de la tasser fermement, ce qui lui permettra de gagner en volume pendant la cuisson.

- Il faut compter de 120 à 240 ml (½ à 1 tasse) de farce cuite par personne. Avant de décider de la quantité de farce à préparer, pensez aux restes que vous aimeriez avoir.

- Laissez les restes tiédir à la température ambiante, puis déposez-les dans un contenant hermétique et réfrigérez-les.

Farce à la sauge à l'ancienne

 ette recette de farce simple s'adresse à ceux qui ne veulent rien d'autre que la traditionnelle trinité oignon, céleri et sauge. ● **6 portions**

MIJOTEUSE : Moyenne, ronde ou ovale

INTENSITÉ ET TEMPS DE CUISSON : ÉLEVÉE, pour 1 heure ; puis, FAIBLE de
    4 à 5 heures

120 ml (½ tasse ou 1 bâtonnet) de beurre non salé, ou 120 ml (½ tasse)
    d'huile d'olive
2 gros oignons jaunes, finement hachés
4 branches de céleri, hachées
1 pomme surette, pelée, étrognée et hachée ; ou 1 grosse carotte, hachée
1 petite miche de pain français, coupée en petits cubes
1 paquet de 198 g (7 oz) de mélange à farce assaisonné, ou 480 ml
    (2 tasses) de pain de maïs rassis, émietté
120 ml (½ tasse) de persil plat frais, haché
7 ml (1½ c. à thé) de sauge séchée
7 ml (1½ c. à thé) de thym séché
7 ml (1½ c. à thé) de marjolaine séchée
5 ml (1 c. à thé) de sel
Poivre noir ou blanc du moulin
1 gros œuf battu (facultatif)
360 à 420 ml (1½ à 1¾ tasse) de bouillon de poulet ou de dinde, autant que
    nécessaire
30 ml (2 c. à table) de beurre non salé, coupé en morceaux

1. À feu moyen-vif, faire fondre le beurre dans une grande poêle. Tout en remuant de temps à autre, y faire cuire les oignons, le céleri et la pomme environ 5 minutes, le temps qu'ils ramollissent.

2. Déposer le pain et le mélange à farce dans un grand bol. Ajouter le persil, les herbes séchées, le sel et le poivre. Bien mélanger. Placer les légumes sautés sur les cubes de pain. Bien mélanger. En remuant jusqu'à ce que les ingrédients soient humectés de façon uniforme, incorporer l'oeuf battu et autant de bouillon que nécessaire. Goûter et rectifier l'assaisonnement.

3. Enduire la mijoteuse de beurre, d'huile d'olive ou d'un antiadhésif. Déposer la farce lâchement dans la mijoteuse. Parsemer de morceaux de beurre et verser quelques cuillerées de plus de bouillon de poulet. À couvert, laisser cuire à intensité élevée pendant 1 heure.

4. Régler la mijoteuse à intensité faible et faire cuire la préparation de 4 à 5 heures ou jusqu'à ce qu'elle soit gonflée et joliment dorée sur les bords. La farce peut demeurer en mode d'attente, à couvert, de 2 à 3 heures avant le service. Servir chaud, directement du pot de grès.

Farce aux noix et aux fruits séchés

Tout le monde a sa recette préférée de farce tout usage. Nous vous présentons la nôtre ; elle contient beaucoup de fruits séchés et de noix. N'importe quel pain peut faire l'affaire. Il faut faire sécher les cubes de pain toute la nuit ; alors, planifiez votre temps en conséquence. ◉ **6 portions**

MIJOTEUSE : Moyenne ou grande, ronde
INTENSITÉ ET TEMPS DE CUISSON : ÉLEVÉE, pour 1 heure ; puis, FAIBLE de
    4 à 5 heures

750 g (1½ lb) de pain blanc, de blé entier ou de pain français, coupé en
    cubes (environ 2,5 l ou 10 tasses)
120 ml (½ tasse ou 1 bâtonnet) de beurre non salé
2 oignons jaunes moyens, hachés
4 branches de céleri, hachées
120 ml (½ tasse) de persil plat frais, ciselé
15 à 30 ml (1 à 2 c. à table) de feuilles de sauge fraîche, finement hachées,
    au goût
10 ml (2 c. à thé) d'assaisonnement pour volaille ; ou 3 ml (¾ c. à thé) de
    thym, et la même quantité de marjolaine et de romarin séchés
227 g (8 oz) de fruits secs variés, trempés dans l'eau chaude et hachés, ou
    de petites bouchées de fruits secs en emballage humide
120 ml (½ tasse) de raisins secs, de cerises séchées ou de canneberges
    séchées et sucrées
120 ml (½ tasse) de pacanes, hachées
240 à 360 ml (1 à 1½ tasse) de bouillon de poulet ou de dinde, autant que
    nécessaire
30 ml (2 c. à table) de beurre non salé, coupé en morceaux

1. Couvrir les cubes de pain d'un linge à vaisselle propre et les laisser sécher toute la nuit à la température ambiante.

2. À feu moyen, faire fondre le beurre dans une grande poêle. Tout en remuant de temps à autre, y faire cuire les oignons et le céleri environ 5 minutes, le temps qu'ils ramollissent. Retirer du feu.

3. Mettre le pain dans un grand bol. Ajouter le persil, la sauge, les herbes séchées, les fruits secs et les noix. Bien mélanger. Placer les légumes sautés sur les cubes de pain. Bien mélanger. En remuant, ajouter juste assez de bouillon pour que les ingrédients soient humectés de manière uniforme. Goûter et rectifier l'assaisonnement.

4. Enduire l'intérieur de la mijoteuse de beurre, d'huile d'olive ou d'un antiadhésif. Déposer lâchement la farce dans la mijoteuse. Parsemer de morceaux de beurre et verser quelques cuillerées de plus de bouillon de poulet. À couvert, laisser cuire à intensité élevée pendant 1 heure.

5. Régler la mijoteuse à faible intensité et laisser cuire la préparation de 4 à 5 heures ou jusqu'à ce qu'elle soit gonflée et joliment dorée sur les bords. La farce peut demeurer en mode d'attente, à couvert, de 2 à 3 heures avant le service. Servir chaud, directement du pot de grès.

Quenelles au babeurre

L es quenelles, ou dumplings, sont des boulettes de pâte, en forme de sphères ou de petites saucisses, qui cuisent dans les soupes, les ragoûts ou dans une casserole d'eau bouillante. À l'instar des pâtes, on les sert au dîner en accompagnement ou en plat principal avec du beurre ou de la sauce. Cette recette est conçue pour cuire à la surface d'un ragoût dans la mijoteuse. Les connaisseurs de dumplings savent que le secret de la réussite consiste à les faire glisser lentement dans une eau frémissante ; il ne faut ni les manipuler brusquement ni les entasser. Sinon, même la boulette de pâte la plus dure se désagrégera ou fera des grumeaux dans le fond du pot. Assurez-vous de déposer la pâte sur quelque chose de solide, par exemple un gros morceau de viande ou de légume, afin qu'elle puisse cuire à la vapeur juste au-dessus du bouillon frémissant. Préparez toujours les dumplings juste avant le service. Si vous pouvez trouver une farine blanche tendre, comme la White Lily, utilisez-la. Beth mélange une farine tout usage non blanchie avec de la farine à gâteau pour se rapprocher d'une farine à pâtisserie. Pour varier, ajoutez 15 ml (1 c. à table) de persil ou de basilic frais haché, ou encore une grosse pincée d'herbes séchées finement hachées, comme de la sauge ou de la marjolaine. ◦ **6 portions**

MIJOTEUSE : Moyenne ou grande, ronde ou ovale

INTENSITÉ ET TEMPS DE CUISSON : ÉLEVÉE, de 25 à 30 minutes

240 ml (1 tasse) de farine tout usage

180 ml (¾ tasse) de farine à gâteau, comme Softasilk, ou de farine à
   pâtisserie de blé entier

10 ml (2 c. à thé) de levure chimique

2 ml (½ c. à thé) de bicarbonate de soude

3 ml (¾ c. à thé) de sel

45 ml (3 c. à table) de margarine ou de shortening végétal solide

1 gros œuf

160 à 180 ml (⅔ à ¾ tasse) de babeurre froid, autant que nécessaire

1. Dans un bol moyen, mélanger les farines, la levure chimique, le bicarbonate de soude et le sel. En coupant la margarine à l'aide d'une fourchette, l'incorporer au mélange jusqu'à l'obtention d'une consistance friable. Ajouter l'œuf et 160 ml (⅔ tasse) de babeurre. Mélanger le tout jusqu'à l'obtention d'une pâte grumeleuse, épaisse et souple ; ajouter le babeurre restant si la préparation est trop sèche. Ne pas trop mélanger.

2. À l'aide une grande cuillère, prendre une certaine quantité de pâte et la déposer immédiatement sur le ragoût bouillant de la mijoteuse ; faire attention pour placer les boulettes de pâte sur quelque chose de solide. À couvert, laisser cuire à intensité élevée de 25 à 30 minutes ou jusqu'à ce que les quenelles soient à point. Percer les boulettes de pâte avec un cure-dent, une brochette de bois ou une sonde à gâteau métallique. L'ustensile doit ressortir propre. Servir immédiatement.

DUMPLINGS À LA MIJOTEUSE À PARTIR D'UN MÉLANGE : Si vous avez un mélange à biscuits sous la main, vous pouvez faire des dumplings en un éclair. Incorporer 480 ml (2 tasses) de mélange à biscuits, par exemple la marque Bisquick, à 160 ou 180 ml (⅔ ou ¾ tasse) de lait entier ou de babeurre. Bien remuer et faire cuire comme indiqué précédemment.

Riz et autres céréales

Les céréales riches en fibres, faibles en matières grasses, en glucides et en sodium, sont un choix alimentaire judicieux. De nos jours, à la suite de recommandations maintes fois répétées d'augmenter notre apport quotidien en fibres, la plupart des gens connaissent les vertus des grains entiers. Les céréales contiennent le plus faible pourcentage de résidus chimiques et inorganiques des produits alimentaires disponibles. Sans cholestérol et faibles en matières grasses, elles renferment un antibiotique

naturel qui protège le corps contre les maladies. Les céréales féculentes nous sustentent et nous rassasient.

Elles ont bon goût et, depuis très longtemps, sont présentes dans toutes les cuisines du monde. Chaque jour, sous une forme ou une autre, nous consommons des céréales.

Qu'est-ce qu'une céréale ? Toutes les céréales possèdent la même structure, une structure à la fois simple et sophistiquée. Chaque grain est un minuscule fruit séché contenant une seule graine qui a la capacité de se reproduire. Une dure enveloppe externe, non comestible, protège la graine. Cette dernière est entourée d'une couche de glucides féculents destinés à nourrir l'embryon, ou germe, qui contient une véritable centrale énergétique, une concentration de micronutriments, de matières grasses et de protéines. L'enveloppe externe, le son, fournit les réputées fibres hydrosolubles, une source importante de glucides complexes et une mine d'or de minéraux. Dans des proportions différentes, chaque céréale contient les 10 acides aminés essentiels. Pendant le processus de digestion, les céréales fournissent un apport constant d'énergie et de force, tout en équilibrant le métabolisme par la libération graduelle de glucose dans le flux sanguin. Elles absorbent l'eau dans

le système digestif, donnant une sensation de satiété. Le composé auxine contribue à régénérer les cellules, jouant un rôle dans le ralentissement du vieillissement. Les céréales contiennent également de l'acide phytique, que l'on considère neutraliser les toxines radioactives et chimiques.

Bref, les céréales sont un aliment complet. À une certaine époque, elles étaient la chasse gardée d'une minorité soucieuse de son alimentation. De nombreuses céréales sont maintenant en vedette dans les comptoirs et les rayons des supermarchés. Elles prennent diverses formes : grains de blé, farine de blé entier, maïs, maïs lessivé, grains de seigle, orge, millet, riz sauvage, riz ordinaire, sarrasin et avoine. Les pages de ce chapitre présentent quelques-unes des meilleures céréales pour la cuisson à la mijoteuse ; cependant, vous trouverez plusieurs autres recettes les utilisant dans le présent ouvrage (consultez l'index). Par exemple, les chapitres Haricots nouvelle vague et Gruaux à la mijoteuse contiennent de délicieuses recettes faites à partir de céréales de grains entiers. Nous vous encourageons à utiliser nos recettes comme un tremplin pour créer davantage de recettes à base de céréales.

Une des belles surprises de la mijoteuse, c'est qu'elle vous permet de réussir d'excellents risottos sans avoir à remuer la préparation et à y ajouter du bouillon en petites quantités durant la cuisson. Oui, vous pouvez réussir le riz ordinaire à la mijoteuse, mais vous ne devez pas acheter n'importe quelle variété de riz. Il vous faut utiliser du riz étuvé. Ce dernier a été précuit à la vapeur avant d'être décortiqué, ce qui donne un grain plus ferme. C'est cette fermeté qui lui permet de soutenir la lente cuisson à la mijoteuse et de ne pas devenir collant. La mijoteuse devient ainsi une solution épatante lorsque vous devez préparer du riz pour de nombreuses personnes. Vous pouvez mettre l'appareil en fonction à l'avance en sachant pertinemment que votre riz sera chaud au moment où vous serez prêt à servir. Il nous arrive à l'occasion de demander d'autres sortes de riz dans nos recettes, par exemple le riz cargo ou brun, afin obtenir une consistance ou une saveur particulière. Il est important de suivre nos suggestions à la lettre.

Risotto

En raison de l'obligation de remuer la préparation et d'ajouter de petites quantités de bouillon chaud tout au long de la demi-heure de cuisson, le risotto est réputé être le plat de riz qui exige le plus de temps à faire. Vous pouvez préparer un risotto vraiment remarquable à la mijoteuse ; cependant, vous devrez être très attentif au temps de cuisson afin d'éviter de trop le cuire.

Dans la littérature, on décrit le risotto comme étant composé de « petites paillettes d'or », en référence au risotto milanais, le riz cuit étant coloré par le brillant du safran. Traditionnellement, le risotto se veut une entrée dans la cuisine italienne, non un accompagnement comme le sont les riz américains, sauf quand il est servi avec l'osso bucco. Nous l'aimons avec tous les ragoûts de bœuf.

Le riz à grains moyens arborio est de deux types : *fino* ou *superfino*. Il s'agit d'un grain parfait pour le risotto. D'autres catégories à grains courts passent de *fino* à *semi-fino* et *commune*. On les destine surtout aux soupes. L'entreprise Lundberg a lancé sur le marché un riz arborio californien. Elle a mis une dizaine d'années à développer ce produit. RiceSelect propose un arborio texan (aussi appelé « riz à risotto »), et il existe aussi un autre produit américain nommé CalRiso. Tous ces grains peuvent remplacer, tasse pour tasse, leurs homologues italiens importés. Les risottos obtenus seront excellents et économiques à faire. Les puristes insisteront toutefois pour dire que les riz italiens permettent de préparer les plus authentiques risottos. Un sac de 500 g, qui correspond à un peu plus de 1 lb, contient environ 480 ml (2 tasses) de riz cru.

Il existe une petite famille de riz italiens à grains moyens cultivés pour le risotto. Cette catégorie comprend la carnaroli et le vialone nano, ainsi que l'arborio. Le carnaroli est cultivé à côté de l'arborio dans le Piémont et la Lombardie. L'hybride le plus récent de carnaroli italien commence seulement à être exporté de l'Argentine par Lotus Food et est considéré de qualité égale, sinon supérieure, à l'arborio. À Venise et Vérone, le vialone nano est cuit jusqu'à consistance *all'onde*, « ondulée » ; il donne une texture moins serrée que les autres recettes de risottos.

On peut obtenir ce riz de l'entreprise Williams-Sonoma en téléphonant au 1 800 541-2233 ou en visitant le site Web www.williams-sonoma.com. Vous pouvez utiliser chacun de ces riz de manière interchangeable dans les recettes de risottos.

Le risotto est plus savoureux lorsqu'il est servi immédiatement (il épaissit de façon impressionnante à la température ambiante). Il pourra toutefois se garder au chaud en mode d'attente pour moins de 1 heure. Un bol à soupe peu profond et chaud, ainsi

• • Règles de base du risotto à la mijoteuse • •

Il y a trois étapes distinctes dans la préparation du risotto : la cuisson de l'oignon et du riz, l'ajout du bouillon et des autres ingrédients, et l'addition de beurre et de fromage, c'est-à-dire « le crémage » du riz.

1. L'étape initiale consiste à faire sauter l'oignon haché dans du beurre (ou un mélange de beurre et d'huile d'olive), puis à y ajouter le riz. À feu moyen, déposer de petits carrés de beurre dans une sauteuse. Le beurre fondra en 1 à 2 minutes. Ajouter l'oignon haché, le poireau ou l'échalote française. Faire cuire jusqu'à l'obtention d'une consistance tendre ; toute l'eau de végétation doit s'être évaporée. Si utilisé, ajouter le vin et le faire réduire environ 1 minute.

2. Ajouter la quantité de riz mesurée au beurre et à l'oignon chauds. Remuer à l'aide d'une cuillère de bois. Le riz se réchauffera graduellement et grésillera doucement. Remuer de temps à autre pour bien enduire tous les grains. Faire cuire de 1 à 2 minutes. Cette opération permet de garder les grains séparés et de les aider à libérer leur amylopectine féculente tandis qu'ils absorbent lentement le bouillon parfumé et y cuisent.

3. Tout en raclant les parois de la sauteuse à l'aide d'une spatule de caoutchouc qui résiste à la chaleur, transférer le mélange de riz chaud dans la mijoteuse. Ajouter le bouillon (jamais d'eau) et les autres ingrédients, tel qu'indiqué dans la recette. Remuer à quelques reprises. À couvert, laisser cuire à intensité élevée. Si désiré, ouvrir la mijoteuse à une ou deux reprises durant la cuisson pour remuer le riz en douceur. Utiliser un bouillon léger, par exemple un bouillon de poulet. Il faudra de 3 à 4 fois plus de liquide que de riz, et il y aura moins d'évaporation avec une cuisson à couvert que si cette dernière était faite sur la cuisinière. Nul besoin de s'inquiéter de la quantité exacte de bouillon à incorporer au riz car le bouillon se verse en une seule fois (sans avoir été chauffé au préalable).

4. Après 2 heures de cuisson, vérifier la tendreté du riz ; à ce moment, poursuivre la cuisson ou éteindre l'appareil. Lorsque le risotto est prêt, tout en le remuant à quelques reprises à l'aide d'une cuillère de plastique ou de bois, incorporer le beurre et le fromage, ou la crème. La noix de beurre ajoutée à la fin de la cuisson est une tradition, mais il s'agit d'une étape facultative. Ne jamais ajouter de vin à la fin de la cuisson : le risotto serait alors trop amer et perdrait sa délicate saveur. Le risotto peut être gardé environ 1 heure au chaud en mode attente, si la machine est munie de cette fonction. Transférer immédiatement le risotto dans des bols à soupe peu profonds. Garnir de parmesan. Servir. Faire circuler le moulin à poivre.

qu'une cuillère à soupe, conviennent pour le déguster, mais l'étiquette veut que l'on mange le risotto à la fourchette.

Bien sûr, les Italiens sont tatillons sur le fromage à utiliser dans un risotto : il faut du parmigiano reggiano. Si vous le pouvez, procurez-vous un morceau de ce parmesan importé. Autrement, choisissez un produit local, qui conviendra également. Au lieu du parmesan, vous pouvez utiliser du pecorino romano, fait avec du lait de brebis (ce fromage est un peu plus corsé), de l'asiago (le parmesan des pauvres) ou un mélange de parmesan et de romano. C'est à votre convenance. Nous aimons ces fromages tant en copeaux que râpés menu.

Risotto au parmesan

Ce risotto simple est crémeux et réconfortant. Essayez-le avec du poulet rôti. ◉ **3 à 4 portions**

MIJOTEUSE : Moyenne ou grande, ronde
INTENSITÉ ET TEMPS DE CUISSON : ÉLEVÉE, de 2 à 2½ heures

60 ml (¼ tasse) d'huile d'olive
2 échalotes françaises de grosseur moyenne, finement hachées
60 ml (¼ tasse) de vin blanc sec
300 ml (1¼ tasse) de riz arborio, vialone nano ou carnaroli
900 ml (3¾ tasses) de bouillon de poulet
2 ml (½ c. à thé) de sel
180 ml (¾ tasse) de parmigiano reggiano frais, râpé

1. À feu moyen, faire chauffer l'huile dans une petite poêle. Y attendrir les échalotes de 3 à 4 minutes, sans les faire brunir. Incorporer le vin et, tout en remuant, faire chauffer environ 1 minute. En continuant de remuer, ajouter le riz et faire cuire environ 2 minutes, le temps que le riz passe d'une apparence translucide à opaque (ne pas faire brunir). À l'aide d'une spatule en caoutchouc qui résiste à la chaleur, transférer le tout dans la mijoteuse. Ajouter le bouillon et le sel. À couvert, laisser cuire à intensité élevée de 2 à 2½ heures ou jusqu'à ce que tout le liquide soit absorbé, mais que le riz soit toujours humide. Le risotto devrait être quelque peu mouillé et le riz al dente, c'est-à-dire tendre avec un soupçon de fermeté.

2. Incorporer 120 ml (½ tasse) de fromage et passer le reste aux convives pour saupoudrer le risotto. Transférer immédiatement le risotto dans des bols à l'aide d'une cuillère. Servir. Le risotto peut être gardé au chaud en mode attente pendant environ 1 heure.

Risotto aux edamames

Les edamames, de jeunes pousses de soja vert, constituent un casse-croûte populaire au Japon, où ils sont bouillis dans la cosse et servis légèrement salés. On presse la cosse ramollie pour l'ouvrir afin de dégager les haricots verts tendres qui s'y trouvent, on les mange et on jette la cosse. Une bonne chose à grignoter avec un verre de bière froide! Autrefois, les edamames étaient difficiles à trouver aux États-Unis; de nos jours, on les offre dans la section des produits congelés au supermarché. Ils se présentent aussi bouillis dans des pots, mais nous considérons qu'ils ne sont pas toujours aussi frais qu'ils devraient l'être. Nous préférons les acheter surgelés. Les edamames sont offerts dans la cosse ou écossés dans la plupart des marchés d'alimentation. Pour les faire cuire, on n'a qu'à suivre le mode d'emploi sur l'emballage. Habituellement, il suffit de les faire cuire de 3 à 5 minutes et de les égoutter rapidement pour freiner le processus de cuisson. Nous les avons utilisés dans cette recette pour faire un risotto qui évoque un plat italien plus traditionnel, mais plus difficile à réaliser, les haricots fava. ◉ **3 à 4 portions**

MIJOTEUSE : Moyenne, ronde

INTENSITÉ ET TEMPS DE CUISSON : ÉLEVÉE, de 1¾ à 2¼ heures

720 ml (3 tasses) de bouillon de poulet, ou 1 boîte de 426 ml (15 oz) de
    bouillon faible en sodium et l'eau nécessaire pour obtenir 720 ml
    (3 tasses) de liquide
454 g (1 lb) d'edamames dans la cosse, ou 240 ml (1 tasse) d'edamames
    écossés
15 ml (1 c. à table) d'huile d'olive
30 ml (2 c. à table) de beurre non salé
1 petit oignon jaune, haché
240 ml (1 tasse) de riz arborio, vialone nano ou carnaroli
80 ml (⅓ tasse) de parmesan frais, râpé, et plus pour le service
Sel, et poivre noir du moulin, au goût

1. Dans une grande casserole, amener le bouillon de poulet au point d'ébullition. Y ajouter les edamames et les faire cuire selon les directives indiquées sur le paquet, généralement 5 minutes. À l'aide d'une cuillère à égoutter, retirer les haricots du bouillon et les étaler sur un grande plaque. Réserver le bouillon. S'il s'agit d'edamames dans la cosse, pincer les cosses aussitôt qu'elles sont assez tièdes afin de récupérer les haricots. Jeter les cosses.

2. À feu moyen, faire chauffer l'huile et 15 ml (1 c. à table) du beurre dans une petite poêle. Tout en remuant de temps à autre, y faire cuire les oignons de 3 à 4 minutes, le temps qu'ils ramollissent. En continuant de remuer, incorporer le riz et le faire cuire environ 2 minutes ou jusqu'à ce qu'il passe d'une apparence translucide à opaque (ne pas faire brunir). À l'aide d'une spatule en caoutchouc qui résiste à la chaleur, déposer la préparation dans la mijoteuse. Ajouter le bouillon chaud. À couvert, laisser cuire à intensité élevée de 1¾ à 2¼ heures. Le risotto devrait être quelque peu mouillé et le riz al dente, c'est-à-dire tendre avec un soupçon de fermeté.

3. Incorporer les edamames et les derniers 15 ml (1 c. à table) de beurre. Mettre le couvercle et attendre 5 minutes, le temps que les edamames soient chauds et que le beurre soit ramolli. Incorporer le fromage. Saler et poivrer. Transférer immédiatement le risotto dans des bols à l'aide une cuillère. Saupoudrer d'un peu plus de parmesan. Servir. Le risotto peut être gardé au chaud en mode attente pendant environ 1 heure.

Préparation du riz à la mijoteuse

Pendant nos essais, nous avons constaté que, de façon générale, le riz étuvé cuisait mieux à intensité élevée. De petites quantités (jusqu'à 480 ml ou 2 tasses) se réussissent presque aussi bien à faible intensité. Vous pouvez ainsi préparer de 240 à 360 ml (1 à 1½ tasse) de riz dans une petite mijoteuse qui a par exemple une capacité de 2,5 l (10 tasses). Toute quantité de riz plus importante doit impérativement être cuite à intensité élevée ; à faible intensité, le riz au fond de la mijoteuse a tendance à se faire écraser par le poids du riz de la partie supérieure. Prenez garde de ne pas trop remplir la mijoteuse. Les plus grosses quantités de riz, par exemple de 1 à 1,2 l (4 à 5 tasses) devraient *uniquement* être cuites dans une mijoteuse d'au moins 4,5 l (14 tasses) afin de permettre l'expansion du riz durant la cuisson.

Voici la méthode de base pour préparer le riz étuvé à la mijoteuse. Sous la recette de la page 160 se trouve un tableau indiquant les quantités de liquide et les temps de cuisson pour les grandes quantités. Nous commençons habituellement par faire cuire notre riz et l'assaisonnons par la suite. Si vous préférez, vous pouvez ajouter 2 ml (½ c. à thé) de sel et jusqu'à 15 ml (1 c. à table) de beurre à l'eau de cuisson. Si vous remplacez l'eau par du bouillon, omettez le sel. Remarquez que la proportion d'eau diminue au fur et à mesure que le volume de riz augmente. Le riz cuit restera chaud et prêt à servir jusqu'à 1 heure dans une mijoteuse éteinte (avec le couvercle en place, et le pot sur sa base).

Riz étuvé à la mijoteuse

O ui, vous pouvez faire cuire le riz plus rapidement sur la cuisinière ou dans un cuiseur à riz électrique ; par contre, lorsque vous serez pressé ou que l'espace se fera rare sur la cuisinière, vous verrez qu'il est très pratique de préparer le riz à la mijoteuse. ◦ **4 portions**

MIJOTEUSE : Moyenne, ronde
INTENSITÉ ET TEMPS DE CUISSON : ÉLEVÉE pour 1½ heure ou FAIBLE pour
    2½ heures

240 ml (1 tasse) de riz blanc étuvé (comme du Uncle Ben's)
480 ml (2 tasses) d'eau
2 ml (½ c. à thé) de sel (facultatif)
15 ml (1 c. à table) de beurre non salé (facultatif)

1. Mélanger le riz, l'eau et, si utilisé, le sel dans la mijoteuse. Lisser le riz avec les doigts ou à l'aide d'une cuillère afin d'obtenir une couche aussi uniforme que possible. Si utilisé, ajouter le beurre. À couvert, laisser cuire à intensité élevée pendant 1½ heure ou à faible intensité pendant 2½ heures.

2. Éteindre la mijoteuse. À l'aide d'une fourchette, en brisant tout bloc de riz qui se serait formé, remuer doucement afin de gonfler le riz. Servir immédiatement ou couvrir. Le riz restera chaud pendant environ 1 heure. Il est préférable de laisser le pot sur la base afin de conserver la chaleur.

• • Mode de cuisson du riz étuvé • •

Quantité de riz	Portions	Quantité d'eau	INTENSITÉ ÉLEVÉE	FAIBLE
240 ml (1 tasse)	4	480 ml (2 tasses)	1½ heure	2½ heures
480 ml (2 tasses)	8	840 ml (3½ tasses)	1¾ heure	2½ heures
720 ml (3 tasses)	12	1,1 l (4½ tasses)	2 heures	
1 l (4 tasses)	16	1,3 l (5½ tasses)	2 heures	
1,25 l (5 tasses)	20	1,7 l (7 tasses)	2¾ heures	

Riz cargo à l'espagnole et saucisses épicées

C e repas tenant dans un seul pot se prépare en un clin d'œil : il suffit de mettre tous les ingrédients dans la mijoteuse et de tourner le bouton de l'appareil. Assurez-vous que les saucisses soient bien cuites — jamais crues. ◉ **6 portions**

MIJOTEUSE : Moyenne, ronde
INTENSITÉ ET TEMPS DE CUISSON : FAIBLE, de 8 à 9 heures

120 ml (½ tasse) d'oignons jaunes, coupés en dés
1 gousse d'ail, finement hachée
1 poivron rouge moyen, épépiné et grossièrement haché
1 boîte de 426 à 455 ml (15 à 16 oz) de tomates broyées, et leur jus
360 ml (1½ tasse) d'eau
10 ml (2 c. à thé) d'assaisonnement au chile
10 ml (2 c. à thé) de sauce Worcestershire
180 ml (¾ tasse) de riz cargo (brun) à grains courts
15 ml (1 c. à table) de jalapeno haché : *en escabeche,* de style nacho ou frais
454 g (1 lb) de saucisses de style Santa Fe ou d'autres saucisses épicées, bien cuites et coupées en dés

1. Mettre tous les ingrédients dans la mijoteuse. Remuer pour répartir également. À couvert, laisser cuire à faible intensité de 8 à 9 heures. Servir chaud. Le plat restera chaud jusqu'à 30 minutes dans une mijoteuse éteinte.

Mujedrah

À n'en point douter, toutes les régions du monde proposent un plat de riz et de légumes nourrissant et économique que ses habitants adorent ; la présente recette nous vient du Moyen-Orient. Le mujedrah (qui s'écrit également *mujadarra* ou *megaderra*) est un simple ragoût de lentilles et de riz qui se caractérise par une bonne quantité d'oignons bien dorés. La sauce aux concombres et au yaourt, un ajout intéressant, n'est cependant pas indispensable. Servez le mujedrah comme plat végétarien principal ou en accompagnement. Il est aussi bon chaud qu'à la température ambiante. Dans les versions du mujedrah pour la cuisinière, le riz doit être ajouté lorsque les lentilles sont presque cuites. Dans cette version adaptée pour la mijoteuse, le riz et les lentilles cuisent ensemble. Le seul riz qu'on peut utiliser dans cette recette est le riz étuvé, car il conserve sa forme pendant la lente cuisson. **◉ 3 à 4 portions en mets principal, 6 en accompagnement**

MIJOTEUSE : Moyenne ou grande, ronde
INTENSITÉ ET TEMPS DE CUISSON : ÉLEVÉE, de 1½ à 2 heures

180 ml (¾ tasse) de lentilles brunes ou vertes, séchées
180 ml (¾ tasse) de riz blanc étuvé (comme du Uncle Ben's)
720 ml (3 tasses) d'eau
3 à 5 ml (¾ à 1 c. à thé) de sel, au goût
Poivre noir du moulin, au goût

GARNITURE À L'OIGNON :
3 oignons rouges moyens ou 2 gros, coupés en tranches de 0,6 cm (¼ po)
30 ml (2 c. à table) d'huile d'olive

SAUCE AU YAOURT :
240 ml (1 tasse) de yaourt nature
120 ml (½ tasse) de concombres coupés en petits dés ou grossièrement
      râpés (peler d'abord si la peau est amère et épépiner)
15 ml (1 c. à table) de menthe fraîche, ciselée
1 ml (¼ c. à thé) de sel, ou au goût

1. Trier les lentilles et jeter toutes celles qui ne sont pas belles. Les rincer dans une passoire à mailles fines sous l'eau froide courante et les égoutter. Transférer les lentilles dans la mijoteuse et les combiner au riz et à l'eau. À couvert, laisser cuire à intensité élevée de 1½ à 2 heures, le temps que les lentilles et le riz soient tendres ; l'eau aura presque été complètement absorbée. Ajouter 3 ml (¾ c. à thé) de sel et poivrer. À l'aide d'une cuillère de bois ou de plastique, en faisant attention à ne pas écraser les lentilles, remuer délicatement le mélange. Goûter et rectifier l'assaisonnement.

2. Pendant que les lentilles et le riz cuisent, préparer la garniture à l'oignon et la sauce. Pour faire la garniture à l'oignon, faire chauffer l'huile dans une grande poêle à feu moyen. Y ajouter les oignons, réduire l'intensité du feu à moyen-doux et, tout en remuant de temps à autre, les faire cuire au moins 20 minutes, le temps qu'ils soient bien dorés, non brûlés.

3. Pour faire la sauce au yaourt, mélanger le yaourt, les concombres et la menthe dans un petit bol. Réfrigérer, à couvert, jusqu'au moment du service.

4. Répartir le mélange de lentilles et de riz dans des assiettes individuelles ou le disposer sur un plateau. Garnir d'oignon. Servir. Présenter la sauce au yaourt à part.

Spoonbread aux deux maïs

L e spoonbread est une spécialité réjouissante du Sud; on le sert avec des mets savoureux, comme on le ferait avec une purée de pommes de terre. Cette purée de semoule de maïs peut contenir du riz cuit, du maïs lessivé, différents fromages et des légumes, par exemple le maïs contenu dans la présente recette. Servez-la très chaude directement de la mijoteuse en accompagnement d'une viande ou d'une volaille rôties. ● **4 à 6 portions**

MIJOTEUSE : Moyenne, ronde
INTENSITÉ ET TEMPS DE CUISSON : ÉLEVÉE, de 3 à 3½ heures

720 ml (3 tasses) de lait
120 ml (½ tasse) de semoule de maïs jaune (mouture moyenne)
6 ml (1¼ c. à thé) de sel
60 ml (¼ tasse ou ½ bâtonnet) de beurre non salé, coupé en morceaux
480 ml (2 tasses) de grains de maïs, jaune ou blanc, frais ou d'épis
    miniatures surgelés, puis dégelés
5 ml (1 c. à thé) de sauce épicée, comme le Tabasco
15 ml (1 c. à table) de levure chimique
6 gros œufs
240 ml (1 tasse) de cheddar, râpé fin

1. Dans une grande casserole, à l'aide d'un fouet, mélanger le lait, la semoule de maïs et le sel. En continuant de battre, à feu élevé, porter au point d'ébullition. Réduire l'intensité du feu et laisser mijoter environ 1 minute, le temps que le mélange épaississe. Ajouter le beurre et brasser jusqu'à ce qu'il fonde. Incorporer le maïs et la sauce épicée. Saupoudrer la levure chimique sur le mélange. Incorporer les œufs au fouet jusqu'à l'obtention d'une consistance lisse. Ajouter le fromage.

2. Vaporiser la mijoteuse d'un enduit de cuisson antiadhésif. Y transférer la pâte. À couvert, laisser cuire à intensité élevée de 3 à 3½ heures ou jusqu'à ce que le spoonbread semble pris mais pas tout à fait ferme. À la cuillère, répartir dans des assiettes. Servir immédiatement.

Polenta

La polenta est un plat italien traditionnel et polyvalent que l'on sert avec un délicieux braisé de bœuf ou garni d'une sauce rouge. La mijoteuse simplifie admirablement la préparation de ce plat qui, habituellement, exige que le cuisinier se tienne debout à la cuisinière et qu'il remue pendant une heure. Vous serez surpris du résultat ; en ne brassant que quelques fois pour éviter la formation de grumeaux, vous obtiendrez un mets moelleux et crémeux. Il est à noter que, lorsqu'on fait cette recette à la mijoteuse, la quantité d'eau est plus importante que celle de grains. Le ratio est de 5:1 plutôt que de 4:1. Si vous doublez cette recette pour recevoir un groupe, assurez-vous d'utiliser une plus grande mijoteuse ; le pot de grès ne doit jamais être rempli plus qu'aux trois quarts de sa capacité. Le grain nommé « polenta » est une mouture particulièrement grossière de maïs séché ; vous pouvez cependant faire ce plat avec de la semoule de maïs jaune régulière à mouture moyenne. Si on laisse figer la polenta en la réfrigérant, on peut la faire frire dans le beurre ou l'huile d'olive, ou la faire griller avec des saucisses. ◉ **8 portions**

MIJOTEUSE : Moyenne ou grande, ronde
INTENSITÉ ET TEMPS DE CUISSON : ÉLEVÉE, de 30 minutes à 1 heure ; puis,
    FAIBLE pour environ 5 heures

1,8 l (7½ tasses) d'eau
360 ml (1½ tasse) de polenta jaune, grossièrement moulue
7 ml (1½ c. à thé) de sel
Poivre noir du moulin, au goût
120 ml (½ tasse ou 1 bâtonnet) de beurre non salé
240 ml (1 tasse) de parmesan ou de fontina italien, râpé

1. Au fouet, pendant quelques secondes, mélanger l'eau, la polenta, le sel et le poivre dans la mijoteuse. À couvert, laisser cuire à intensité élevée de 30 minutes à 1 heure, afin de faire chauffer l'eau.

2. Remuer de nouveau, mettre le couvercle et régler la mijoteuse à faible intensité. En remuant de temps à autre à l'aide d'une cuillère de bois, faire cuire environ 5 heures. La polenta épaissira assez rapidement après 2 heures de cuisson ; comme par magie, elle aura pris beaucoup d'expansion, mais il faudra plus de temps pour cuire tous les grains uniformément. Après 5 heures de cuisson, goûter à la préparation et s'assurer d'avoir la consistance désirée et que tous les grains soient tendres. Plus la polenta cuira, plus elle deviendra crémeuse. Une fois cuit, le contenu sera lisse, très épais (mais il sera encore possible de le verser) et une cuillère de bois tiendra verticalement en son

centre (c'est le vrai test). La polenta sera parfaite après une heure supplémentaire de cuisson à faible intensité, si nécessaire. Ajouter un peu plus d'eau chaude si elle devient trop dure. Remuer avant de servir.

3. Pour servir en purée molle, à l'aide d'une grande cuillère, verser le contenu de la mijoteuse dans des assiettes ou des bols à soupe peu profonds. Garnir chaque portion d'une noix de beurre. Saupoudrer d'un peu de fromage. Servir immédiatement.

POLENTA FRITE : Vous pouvez aussi verser la polenta sur une planche de marbre ou dans un moule graissé pour la laisser tiédir ; elle se figera tout en demeurant tendre. Si elle n'est pas utilisée dans les heures qui suivent sa préparation, la ranger au réfrigérateur. Le moment venu, si désiré, la couper et faire frire des tranches dans le beurre ou dans l'huile d'olive. Servir en accompagnement de viandes rôties ou de plats d'œufs.

Gruau de maïs aux chilis verts

L e gruau de maïs, dont la consistance est semblable à celle de la polenta, doit être servi dans les plus brefs délais. Garni d'une noix de beurre ou de fromage râpé, il accompagne à merveille les viandes, les saucisses ou les volailles grillées. Vous pouvez déposer le mélange dans un moule à pain beurré, le couvrir d'une pellicule plastique et le réfrigérer pendant quelques heures, voire la nuit. Le moment venu, vous n'avez qu'à le démouler, à le couper en tranches de 1,5 cm (½ po) et à le faire dorer dans le beurre, en le tournant à mi-cuisson. Il s'agit aussi d'un merveilleux accompagnement pour les omelettes. **◎ 6 à 8 portions**

MIJOTEUSE : Moyenne, ronde
INTENSITÉ ET TEMPS DE CUISSON : ÉLEVÉE de 3 à 3½ heures ou FAIBLE de
      7 à 9 heures

480 ml (2 tasses) de gruau de maïs régulier, moulu à la pierre si possible
1,5 l (6 tasses) d'eau
2 ml (½ c. à thé) de paprika doux
2 à 5 ml (½ à 1 c. à thé) de sel, au goût
1 boîte de 114 ml (4 oz) de chilis verts doux, égouttés et hachés
1 jalapeno, épépiné et finement haché
1 pincée de poivre de Cayenne ou d'une autre poudre de chili rouge

1. Mélanger tous les ingrédients dans la mijoteuse. Mettre le couvercle et, en remuant de temps à autre, laisser cuire à faible intensité de 7 à 9 heures ou à intensité élevée de 3 à 3½ heures. Si la cuisson se fait à intensité élevée, il faudra vérifier la consistance du plat. Quand le gruau est presque cuit, ajouter de 60 à 120 ml (¼ à ½ tasse) d'eau bouillante si le mélange est trop épais.

Gruau de maïs
à la citrouille et au cheddar

Voici une adaptation d'une recette tirée de notre livre sur les riz. Nous adorons servir ce gruau en accompagnement d'un plat automnal. Le gruau de maïs est devenu à la mode à l'extérieur de la région Sud ; ainsi, nous avons maintenant accès à un grand nombre de recettes créatives qui proposent une panoplie d'ingrédients. Dans cette recette, vous devez ajouter de la purée de citrouille, fraîche de préférence. Ce plat accompagnera à merveille le porc, la dinde, le canard ou le poulet rôtis. ● **4 portions**

MIJOTEUSE : Moyenne, ronde

INTENSITÉ ET TEMPS DE CUISSON : ÉLEVÉE de 3 à 3½ heures ou FAIBLE de
   7 à 9 heures

160 ml (⅔ tasse) de gruau de maïs, grossièrement moulu à la pierre
360 ml (1½ tasse) d'eau
240 ml (1 tasse) de lait concentré non sucré
5 ml (1 c. à thé) de sel
240 ml (1 tasse) de purée de citrouille cuite ou d'une autre courge d'hiver,
   comme la courge musquée ou la Blue Hubbard ; ou 240 ml (1 tasse) de
   purée de citrouille en conserve
Poivre noir du moulin
60 ml (¼ tasse ou ½ bâtonnet) de beurre non salé
120 ml (½ tasse) de cheddar, râpé fin

1.   Dans un bol, mélanger le gruau de maïs à de l'eau froide ; les enveloppes monteront à la surface. Éliminer ces dernières dans une passoire à mailles, puis égoutter le gruau.

2.   Mélanger le gruau de maïs, 360 ml (1½ tasse) d'eau, le lait concentré non sucré et le sel dans la mijoteuse. À l'aide d'une cuillère de bois ou de plastique, brasser le mélange pendant 15 secondes. Ajouter la citrouille et poivrer. À couvert, laisser cuire à intensité élevée de 3 à 3½ heures ou à faible intensité de 7 à 9 heures, le temps d'obtenir une consistance épaisse et crémeuse.

3.   Incorporer le beurre et le fromage. Mettre le couvercle et éteindre la mijoteuse. Laisser reposer le mélange pendant 10 minutes afin que le beurre et le fromage puissent fondre. Servir immédiatement.

Maïs lessivé frais

Le maïs lessivé est constitué de grains de maïs entiers qui ont été traités par trempage avec un agent de blanchiment, puis décortiqués ; il s'agit d'une méthode de conservation qui donne une saveur caractéristique aux grains de maïs. Une fois séché, le maïs est moulu pour faire la *masa harina*, la farine utilisée pour préparer les tortillas. Beaucoup de nos recettes utilisent du maïs lessivé en conserve, mais nous vous présentons ici la méthode pour en préparer du frais. Congelé ou séché ce maïs remplace avantageusement son homologue en conserve dans les potages, les chilis et les posoles (ragoûts mexicains). Le maïs lessivé frais, ou partiellement cuit et congelé, doit être cuit avant d'être utilisé, même si les grains semblent dodus et prêts à être employés. Le maïs lessivé frais se trouve au comptoir des viandes des supermarchés, particulièrement pendant la période des fêtes, et vaut la peine qu'on se donne pour le préparer. N'ajoutez pas de sel pendant la cuisson, sinon les grains ne ramolliront pas suffisamment. Si vous utilisez du maïs lessivé séché, une spécialité du Sud-Ouest, il vous faudra doubler la quantité d'eau et le temps de cuisson. Le maïs lessivé est délicieux servi chaud avec la Sauce chili rouge de Jacquie Higuera McMahan (voir page 281) et du cheddar. ◉ **Donne environ 1 l (4 tasses)**

MIJOTEUSE : Moyenne, ronde

INTENSITÉ ET TEMPS DE CUISSON : ÉLEVÉE, pour 1 heure ; puis, FAIBLE de 5 à 6 heures pour le maïs lessivé frais ou congelé, ou de 9 à 12 heures pour le maïs lessivé séché

454 g (1 lb) de maïs lessivé frais ou congelé et décongelé pendant la nuit au réfrigérateur ; ou 480 ml (2 tasses) de maïs lessivé séché (voir l'introduction)

1. Mettre le maïs lessivé dans la mijoteuse et le couvrir d'au moins 5 cm (2 po) d'eau froide. À couvert, laisser cuire à intensité élevée pendant 1 heure pour amener au point d'ébullition.

2. Régler la mijoteuse à faible intensité. Laisser mijoter jusqu'à ce que le maïs lessivé soit tendre, et que les grains soient gonflés, mais qu'il soit encore ferme sous la dent. Compter de 5 à 6 heures pour le produit frais ou congelé, ou de 9 à 12 heures pour le produit séché.

3. Éliminer la plus grande quantité de liquide possible en plaçant le maïs lessivé dans une passoire. Rincer à l'eau froide. Laisser tiédir à la température ambiante. Utiliser immédiatement dans un potage ou un posole, ou réfrigérer à couvert pour une période n'excédant pas 2 jours.

Casserole d'orge à l'orange

L'orge perlé est décortiqué, ce qui lui donne une apparence blanche et lisse, un peu comme une petite perle ; il se veut une excellente solution de rechange pour le riz. On n'a pas besoin de faire tremper l'orge et il cuit en moins d'une heure. L'orge perlé n'a rien à voir avec l'orge instantané, un produit précuit et séché qui, en cuisant, se transforme en une bouillie. C'est pourquoi nous n'utilisons pas ce dernier. Les grains d'orge doivent demeurer un peu caoutchouteux. Ce plat accompagne merveilleusement la volaille ou le gibier à plumes.

⊙ **4 portions**

MIJOTEUSE : Moyenne, ronde
INTENSITÉ ET TEMPS DE CUISSON : FAIBLE, de 3 à 4 heures

240 ml (1 tasse) de jus d'orange
240 ml (1 tasse) de bouillon de poulet ou de légumes
80 ml (⅓ tasse) d'orge perlé
60 ml (¼ tasse) de raisins secs
60 ml (¼ tasse) d'abricots séchés, en julienne
60 ml (¼ tasse) de dattes dénoyautées, hachées
1 pomme surette, pelée, étrognée et hachée
30 ml (2 c. à table) de pacanes, hachées

1. Mettre tous les ingrédients dans la mijoteuse. Bien remuer pour les distribuer uniformément. À couvert, laisser cuire à faible intensité de 3 à 4 heures. Servir chaud.

Kasha

Le kasha est fait de sarrasin rôti, un aliment pauvre en matières grasses et riche en protéines, qui a une saveur de noisette caractéristique. Parfois appelé aussi « blé noir », le sarrasin n'est pas une variété de blé ; en fait, ce n'est véritablement pas une céréale (graminée). De forme triangulaire, les « grains » de sarrasin sont la semence comestible du sarrasin. Les grains entiers se nomment gruaux, mais on trouve plus facilement les granulations fine, moyenne et grosse. Nous utilisons ces trois granulations de façon interchangeable, même si les temps de cuisson varient légèrement. Si vous n'avez jamais préparé un plat de ce genre, vous pourriez vous demander pourquoi le kasha est enrobé d'œuf et sauté avant la cuisson. C'est une technique qui empêche les morceaux de coller. (Cette étape n'est pas nécessaire avec les grains entiers.) Ce pilaf simple et délicieux est l'adaptation d'une recette qui se trouve sur l'emballage de kasha de la marque Wolff's. Si vous ne trouvez pas de kasha dans un marché local, vous pouvez en commander en ligne à www.thebirkettmills.com. ◉ **4 portions**

MIJOTEUSE : Moyenne, ronde
INTENSITÉ ET TEMPS DE CUISSON : ÉLEVÉE, pour environ 1½ heure

1 gros œuf ou 1 blanc d'un gros œuf
0,5 ml (⅛ c. à thé) de sel
0,5 ml (⅛ c. à thé) de poivre noir fraîchement moulu
240 ml (1 tasse) de kasha, granulation grosse, moyenne ou fine (pas les gruaux)
30 ml (2 c. à table) de beurre non salé ou d'huile d'olive
60 ml (¼ tasse) d'échalotes françaises, hachées
420 ml (1¾ tasse) de Bouillon de poulet maison (page 101) ou 1 boîte de 426 ml (15 oz) de bouillon de poulet faible en sodium
15 à 30 ml (1 à 2 c. à table) de persil frais (ou de thym), haché, ou un mélange des deux (facultatif)

1. Vaporiser la mijoteuse d'un antiadhésif.

2. Dans un petit bol, battre l'œuf avec le sel et le poivre. Ajouter le kasha et remuer pour l'enduire d'œuf. Réserver.

3. À feu moyen-vif, faire fondre le beurre dans une poêle moyenne. Y attendrir les échalotes de 3 à 4 minutes. En remuant, incorporer le kasha et faire cuire de 5 à 7 minutes, le temps qu'il soit sec et sente le pain grillé. Ajouter le bouillon. Régler la cuisinière à feu vif.

4. Dès que le point d'ébullition est atteint, transférer le mélange dans la mijoteuse. À couvert, laisser cuire à intensité élevée environ 1½ heure ou jusqu'à ce que le liquide soit absorbé et que le kasha soit tendre.

5. À l'aide d'une fourchette, gonfler le kasha. Goûter et rectifier l'assaisonnement. (Si vous avez employé du bouillon en conserve, vous n'aurez probablement pas besoin de saler davantage.) Incorporer les herbes fraîches à la fourchette, si utilisées. Servir chaud.

Grains de blé, recette de base

es grains de blé — les grains entiers avec le son et le germe naturels intacts — sont bien connus des adeptes d'aliments naturels et des gens qui font leur propre farine. Malheureusement, cette forme de blé est peu connue de la plupart, si ce n'est des cuisiniers chevronnés. Les grains de blé ont une texture caoutchouteuse, une saveur agréable et un doux arome. Ils se prêtent bien aux casseroles, aux soupes (ajoutez-en dans votre prochain minestrone), aux farces, aux pilafs, et comme base ou garniture dans des salades. Ils se marient naturellement avec le riz. On doit faire tremper les grains pour en attendrir les enveloppes extérieures mais, grâce à la mijoteuse, cette étape peut être omise. Le temps de cuisson peut varier en fonction de l'âge des grains. Vous pouvez également utiliser cette recette pour faire cuire l'épeautre, un grain traditionnel que l'on nomme farro dans le nord de l'Italie et qui jouit actuellement d'une grande popularité. **◉ Donne environ 720 ml (3 tasses) ; 4 à 6 portions**

MIJOTEUSE : Moyenne, ronde
INTENSITÉ ET TEMPS DE CUISSON : ÉLEVÉE, de 3½ à 4½ heures

240 ml (1 tasse) de grains de blé
1 l (4 tasses) d'eau

1. À feu moyen-vif, tout en remuant constamment, faire griller les grains de blé environ 4 minutes dans une poêle sèche, le temps qu'ils éclatent et prennent une coloration plus foncée. Cette étape est facultative, mais plusieurs cuisiniers préfèrent cette saveur grillée à celle du grain cru.

2. Déposer les grains de blé dans la mijoteuse et ajouter l'eau. À couvert, laisser cuire à intensité élevée de 3½ à 4½ heures.

3. Bien égoutter. Servir immédiatement ou laisser tiédir, à couvert, avant de réfrigérer pour une période n'excédant pas 3 jours.

Casserole de riz sauvage aux amandes

Le riz sauvage doit avoir une saveur de noisette et de fumée prononcée. En inspectant le riz, souvenez-vous que plus sa couleur sera sombre, plus sa saveur sera prononcée. Seule l'écale est enlevée, non le son ; ainsi, l'eau de cuisson sera toujours foncée en raison de la riche couche de son. Pendant la cuisson, vous cherchez à obtenir un grain qui gonfle et se sépare légèrement sur les côtés pour montrer un intérieur gris-blanc. S'il se fend et s'ouvre comme un papillon, il est trop cuit, et vous devrez ajuster votre temps de cuisson lors d'un prochain essai. Certaines recettes demandent de cuire le riz sauvage dans une grande quantité d'eau, puis de l'égoutter. Nous n'utilisons jamais cette méthode, puisque l'eau de cuisson est riche en nutriments. ● **6 portions**

MIJOTEUSE : Moyenne, ronde
INTENSITÉ ET TEMPS DE CUISSON : FAIBLE, de 4½ à 6 heures

480 ml (2 tasses) de riz sauvage
240 ml (1 tasse) d'amandes, en julienne
1 à 2 échalotes françaises (au goût), hachées menu
120 ml (½ tasse) de céleri, haché menu
227 g (8 oz) de champignons frais, hachés ou tranchés
1,5 l (6 tasses) de bouillon de légumes
Sel, et poivre noir du moulin, au goût

1. Rincer le riz sous l'eau froide courante jusqu'à ce que l'eau s'écoule claire. Égoutter.

2. Mettre tous les ingrédients dans la mijoteuse, sauf le sel et le poivre. Bien mélanger. À couvert, laisser cuire à faible intensité de 4½ à 6 heures ou jusqu'à ce que les grains soient ouverts et tendres, mais pas en bouillie. Ne pas enlever le couvercle avant que le riz n'ait cuit au moins 4 heures.

3. Saler et poivrer. Servir immédiatement.

Accompagnements préparés sans l'aide de la mijoteuse

Pendant que la mijoteuse bouillonne à la maison durant la journée, tout ce qui reste à faire au cuisinier est de songer à une salade, ou à un légume, et à un plat d'accompagnement féculent, à base de céréales, qu'il servira avec le repas. Dans les pages qui suivent, vous trouverez quelques-unes de nos recettes favorites pour préparer des accompagnements féculents, en passant des pommes de terre et du riz au couscous, aux crêpes de nouilles et aux petites pâtes. Toutes ces recettes utilisent les méthodes de cuisson conventionnelles ; elles sont habituellement préparées au four ou sur les plaques de la cuisinière. Nous avons aussi inclus des beignets et des crêpes afin de donner une petite touche additionnelle à vos délicieux, chaleureux et traditionnels plats uniques cuits dans le pot de la mijoteuse. Finalement, pour nettoyer le palais, nous présentons une salade verte panachée.

Riz cuit au four

oici une solution de rechange simple et pratique pour préparer le riz sans se servir des ronds de la cuisinière. ● **6 à 8 portions**

900 ml (3¾ tasses) d'eau, ou de bouillon de légumes, de bœuf ou de poulet
15 ml (1 c. à table) d'huile d'olive, de sésame ou de noix
480 ml (2 tasses) de riz blanc à grains longs
2 à 3 ml (½ à ¾ c. à thé) de sel, selon que le bouillon utilisé est plus ou
   moins salé

1. Préchauffer le four à 180 °C (350 °F). Recouvrir d'huile d'olive un plat de 2,5 l (10 tasses) allant au four ou le vaporiser d'un enduit de cuisson antiadhésif. Couper un morceau de papier parchemin de la taille du plat, le graisser et le réserver.

2. Mélanger l'eau, l'huile, le riz et le sel dans le plat de cuisson. Mettre le papier parchemin sur le riz, côté huilé vers le bas. Fermer hermétiquement à l'aide d'un couvercle ou d'une feuille de papier d'aluminium. Faire cuire environ 40 minutes ou jusqu'à ce que toute l'eau soit absorbée et que les grains de riz soient séparés. Gonfler à la fourchette. Servir.

Riz au citron

L e riz au citron, une recette de la mère de Beth, est l'accompagnement idéal pour tous les plats de volaille ou de légumes. C'est un mets parfait pour les réceptions.

○ **6 portions**

720 ml (3 tasses) d'eau ou de bouillon de poulet

360 ml (1½ tasse) de riz à grains longs blanc ou basmati, rincé jusqu'à ce que l'eau s'écoule claire

1 pincée de sel

90 ml (6 c. à table ou ¾ bâtonnet) de beurre non salé

1 gousse d'ail, pelée

Le jus et le zeste râpé de 1 citron

30 ml (2 c. à table) de persil plat frais, finement haché

1. Dans une grande casserole à fond épais, porter l'eau au point d'ébullition. Ajouter le riz, le sel et 15 ml (1 c. à table) de beurre. Déposer la gousse d'ail sur le dessus. Réduire le feu à la plus faible intensité possible. Couvrir hermétiquement et laisser mijoter de 20 à 25 minutes, le temps que tout le liquide soit absorbé.

2. Retirer la préparation du feu et, à couvert, laisser reposer 10 minutes. Incorporer les derniers 75 ml (5 c. à table) de beurre, le jus et le zeste de citron, et le persil. Servir immédiatement.

Riz pilaf

B ien fait, le pilaf est un des plats de riz les plus appétissants à servir en accompagnement. Voici la meilleure recette de riz pilaf. Servez ce dernier avec n'importe quel ragoût ou rôti braisé. ○ **8 portions**

60 ml (¼ tasse ou ½ bâtonnet) de beurre non salé

2 échalotes françaises de grosseur moyenne, hachées

480 ml (2 tasses) de riz blanc à grains longs

1 l (4 tasses) d'eau bouillante ou de bouillon de poulet bouillant

1 pincée de sel

1. Dans une grande casserole à fond épais, faire fondre le beurre à feu moyen. Ajouter les échalotes et le riz. Tout en brassant, faire cuire le mélange jusqu'à ce que les échalotes soient translucides et que le riz soit enrobé de façon uniforme. Ajouter le liquide bouillant et le sel. Réduire le feu à la plus faible intensité possible. Couvrir hermétiquement et laisser mijoter de 20 à 30 minutes, le temps que tout le liquide soit absorbé.

2. Retirer le pilaf du feu. Laisser reposer 10 minutes à couvert. Servir.

Riz à la mexicaine

e riz à la mexicaine se marie avec tout, du rôti au chili. Vous pouvez même le servir seul, garni de fromage. ◉ **6 portions**

30 ml (2 c. à table) d'huile d'olive

2 oignons blancs, finement hachés

1 gousse d'ail, finement hachée

480 ml (2 tasses) de riz blanc à grains longs

900 ml (3¾ tasses) d'eau bouillante ou de bouillon de poulet bouillant

1 pincée de sel

1 tomate mûre de grosseur moyenne, pelée, épépinée et hachée

80 ml (⅓ tasse) de chilis verts rôtis en conserve, hachés, ou de pois
    surgelés

1. Dans une grande casserole à fond épais, faire chauffer l'huile d'olive à feu moyen. Ajouter l'oignon, l'ail et le riz. Tout en brassant, faire cuire le mélange de 5 à 8 minutes, le temps que les oignons soient translucides et que le riz soit enrobé de manière uniforme. Ajouter le liquide bouillant, le sel, la tomate et les chilis. Réduire le feu à la plus faible intensité possible. Couvrir hermétiquement et laisser frémir de 25 à 30 minutes ou jusqu'à ce que tout le liquide soit absorbé.

2. Retirer le riz du feu. Laisser reposer 10 minutes à couvert. Servir.

Pilaf à l'orge

Cette recette conviendra parfaitement pour les jours où vous souhaitez servir autre chose que du riz ou des pâtes en accompagnement. Pour donner à ce pilaf un petit côté croquant, incorporez 60 ml (¼ tasse) de noix grillées hachées avant de servir et versez un filet d'huile de noix. ● **6 portions**

30 ml (2 c. à table) de beurre non salé
1 grosse échalote française, finement hachée
180 ml (¾ tasse) d'orge perlé
420 ml (1¾ tasse) de bouillon de légumes ou de poulet
1 pincée de sel

1. Dans une casserole moyenne à fond épais, faire fondre le beurre à feu moyen. Ajouter l'échalote et l'orge et, tout en brassant, faire cuire environ 5 minutes, le temps que l'échalote soit translucide et que l'orge soit enrobé de manière uniforme. Ajouter le bouillon et le sel, puis porter au point d'ébullition.

2. Réduire le feu à la plus faible intensité possible. Couvrir hermétiquement et laisser mijoter de 35 à 40 minutes, le temps que tout le liquide soit absorbé et que l'orge soit tendre, mais légèrement caoutchouteux (pas en bouillie). Servir immédiatement.

Couscous aux pois chiches et au persil

 Dans cette recette, le couscous de base est rehaussé de pois chiches pour en faire un plat de céréales des plus nourrissants. C'est l'un de nos favoris. ● **4 portions**

360 ml (1½ tasse) d'eau, ou de bouillon de légumes ou de poulet
30 ml (2 c. à table) de beurre non salé
1 ml (¼ c. à thé) de sel
2 ml (½ c. à thé) de sauce épicée, comme le Tabasco
360 ml (1½ tasse) de couscous
1 boîte de 426 ml (15 oz) de pois chiches (*garbanzos*), rincés et égouttés
30 ml (2 c. à table) de persil plat frais, haché

1. Dans une casserole moyenne, verser l'eau. Ajouter le beurre, le sel et la sauce épicée. Amener le tout à forte ébullition. Incorporer le couscous et les pois chiches.

2. Retirer le mélange du feu. Couvrir et laisser reposer de 10 à 15 minutes ou jusqu'à ce que tout le liquide soit absorbé. Ajouter le persil. Gonfler le couscous à la fourchette. Servir immédiatement.

Petites pâtes aux fines herbes

 ervez ces petites pâtes en accompagnement ; faites-en un lit dans l'assiette pour recevoir toutes sortes de ragoûts de viande et de légumes, voire le chili. ◉ **6 portions**

1 pincée de sel

625 g (1¼ lb) de petites pâtes en forme de coquille ou de boucle

45 ml (3 c. à table) d'huile d'olive

30 ml (2 c. à table) de beurre non salé

Sel, et poivre noir du moulin, au goût

30 à 45 ml (2 à 3 c. à table) d'herbes fraîches ciselées, tels la ciboulette, le persil, le basilic ou la marjolaine, au choix

1. Porter une grande marmite d'eau au point d'ébullition. Ajouter le sel, puis les pâtes. Faire cuire les pâtes jusqu'à ce qu'elles soient tendres (al dente). Égoutter dans une passoire.

2. Déposer les pâtes dans un bol de taille moyenne. Verser l'huile en filet, ajouter le beurre et bien remuer pour enrober les pâtes. Saler et poivrer. Incorporer les herbes. Servir immédiatement.

Pâtes aux graines de pavot

evons notre chapeau à la merveilleuse cuisine hongroise : les pâtes aux graines de pavot sont un régal avec du poulet ou d'autres plats de volaille. Gardez vos graines de pavot au congélateur pour en préserver la fraîcheur. ◉ **4 à 6 portions**

340 g (12 oz) de fettuccinis

120 ml (½ tasse ou 1 bâtonnet) de beurre non salé

15 à 45 ml (1 à 3 c. à table) de graines de pavot, au goût

1. Amener une grande marmite d'eau salée au point d'ébullition et y faire cuire les fettuccinis en suivant le mode d'emploi indiqué sur le paquet jusqu'à ce qu'ils soient tout juste tendres. Bien égoutter les pâtes dans une passoire.

2. Dans la marmite qui a servi à faire cuire les pâtes, laisser fondre le beurre à feu moyen. Ensuite, tout en brassant, y faire griller les graines de pavot pendant 1 minute, le temps qu'elles soient chaudes de part en part. Retourner les pâtes chaudes égouttées dans la marmite, puis les remuer doucement afin de distribuer uniformément les graines de pavot. Servir immédiatement.

Pommes de terre rôties au four

De savoureuses recettes de pommes de terre préparées à la mijoteuse se trouvent ailleurs dans ce livre. Cependant, si vous mitonnez un délicieux ragoût ou un rôti dans votre mijoteuse et que vous souhaitez les accompagner de pommes de terre, vous pouvez préparer rapidement ces dernières dans le four. ● **6 portions**

750 g (1½ lb) de petites pommes de terre, rouges ou blanches, coupées en
    deux ou en quatre
60 ml (¼ tasse) d'huile d'olive
5 ml (1 c. à thé) de sel
Poivre noir du moulin, au goût
15 à 30 ml (1 à 2 c. à table) d'herbes fraîches ciselées, tels le thym, la
    sarriette, la marjolaine ou le romarin, au choix

1. Préchauffer le four à 230 °C (450 °F). Sur une plaque ou dans un plat à gratin peu profond, remuer les pommes de terre avec l'huile, le sel, le poivre et les herbes. Tout en les retournant à une ou deux reprises durant la cuisson à l'aide d'une spatule en métal, les faire rôtir jusqu'à l'obtention d'une coloration dorée, soit environ 30 minutes. Servir chaud.

Casserole de purée de pommes de terre

Cette casserole, qui peut être faite à l'avance, est incroyablement délicieuse avec toutes sortes de ragoûts et de rôtis de viande, par exemple une dinde, et même des bouts de côtes. Généreuse, cette recette peut nourrir une armée. ● **8 portions**

2,25 kg (5 lb) de pommes de terre à cuire, comme la Russet ou l'Idaho, pelées et coupées en quatre

1 paquet de 227 g (8 oz) de fromage à la crème, coupé en gros morceaux et ramolli

60 ml (¼ tasse ou ½ bâtonnet) de beurre non salé, coupé en morceaux

240 ml (1 tasse) de crème sure (à faible teneur en gras, si désiré)

120 ml (½ tasse) de lait entier chaud

5 ml (1 c. à thé) de sel

1 ml (¼ c. à thé) de poivre blanc

1. Préchauffer le four à 190 °C (375 °F). Beurrer un plat de cuisson de 23 x 33 cm (9 x 13 po) ou une cocotte en céramique peu profonde.

2. Dans une grande casserole, recouvrir les pommes de terre de 2,5 cm (1 po) d'eau froide salée, puis amener au point d'ébullition. Régler le feu à intensité moyenne et laisser mijoter environ 20 minutes, le temps que les pommes de terre soient tendres, puis les égoutter. Remettre les pommes de terre dans la casserole. Ajouter le fromage à la crème et le beurre pendant qu'elles sont encore chaudes. Battre le tout à l'aide d'un mixeur électrique à main réglé à basse vitesse ; ne pas trop battre. Incorporer la crème sure, le lait, le sel et le poivre.

3. Verser les pommes de terre dans le plat préparé et les faire cuire de 30 à 40 minutes ou jusqu'à ce que la surface de la préparation soit dorée. Servir chaud.

NOTE : Cette casserole peut être préparée jusqu'à 24 heures à l'avance ; la couvrir d'une pellicule de plastique et la ranger au réfrigérateur. Dans ce cas, il faut ajouter environ 20 minutes au temps de cuisson recommandé.

Crêpes de pommes de terre

ous avons toujours eu une prédilection pour les crêpes de pommes de terre crous-
tillantes maison, ou latkes, le nec plus ultra de la cuisine ethnique sophistiquée et aussi un plat traditionnel pour la fête juive de Hanoukka. La teneur élevée en amidon de la Russet permet d'obtenir des crêpes croquantes qui ne tombent pas en morceaux lorsque vous les retournez. La levure chimique allège quelque peu les crêpes. Servez ces dernières avec de la poitrine de bœuf ou un rôti braisé pour obtenir un repas nourrissant. ● **2 à 3 douzaines de crêpes ; 8 à 10 portions**

4 grosses pommes de terre Russet pour un total de 1,5 à 1,7 kg (3 à 3½ lb)
1 oignon jaune de grosseur moyenne
3 gros œufs, légèrement battus
2 ml (½ c. à thé) de levure chimique (facultatif)
80 ml (⅓ tasse) de farine tout usage ou de farine à pain azyme
Sel, et poivre noir du moulin, au goût
60 ml (¼ tasse) d'huile d'olive ou de canola, ou plus si nécessaire

1. Peler les pommes de terre et l'oignon, puis les râper grossièrement à la main ou au robot culinaire. Mettre les morceaux sur un linge à vaisselle et les assécher. Les dépo-ser dans un grand bol. Ajouter les œufs, la farine et, si utilisée, la levure chimique. Saler et poivrer. Bien mélanger jusqu'à l'obtention d'une consistance homogène.

2. Dans une grande poêle à fond épais, faire chauffer l'huile à feu moyen-vif. À l'aide d'une grande cuillère, y verser la pâte et l'aplatir légèrement avec le dos de la cuillère. Faire dorer les crêpes de 3 à 5 minutes au total ; les tourner à mi-cuisson. Les éponger sur des essuie-tout. Servir immédiatement.

Beignets de maïs

es beignets de maïs accompagnent bien les pains de viande, le porc, le poulet, ou la saucisse. Ils ont un goût de maïs prononcé et une texture agréable en raison de la grande quantité de légumes frais présents dans la pâte. Servez ces beignets avec une cuillérée de crème sure et un peu de gelée de piment piquant ou de jus de cuisson. ● **16 à 20 beignets ; 6 à 8 portions**

300 ml (1¼ tasse) de farine tout usage

60 ml (¼ tasse) de semoule de maïs jaune, à mouture moyenne, de préférence moulue à la pierre

10 ml (2 c. à thé) de levure chimique

2 ml (½ c. à thé) de sel

1 pincée de poivre blanc

160 ml (⅔ tasse) de lait entier

2 gros œufs

45 ml (3 c. à table) de beurre non salé, fondu

30 ml (2 c. à table) de poivron, rouge ou vert, finement haché

5 épis de maïs frais, jaune ou blanc, égrenés ; ou 600 ml (2½ tasses) de grains de maïs surgelés, dégelés

60 à 120 ml (¼ à ½ tasse) d'huile d'olive, ou plus si nécessaire

1. Dans un grand bol, mélanger la farine, la semoule de maïs, la levure chimique, le sel et le poivre. Faire un trou au centre de la préparation et y ajouter le lait, les œufs et le beurre fondu. Mélanger juste assez pour mouiller les ingrédients secs. À l'aide d'une spatule en caoutchouc, incorporer le poivron et le maïs. Ne pas trop mélanger ; la pâte contiendra de petits grumeaux.

2. À feu moyen, faire chauffer 30 ml (2 c. à table) d'huile sur une plaque de cuisson ou dans une poêle à fond épais. À l'aide d'une mesure de 60 ml (¼ tasse) ou d'une grande cuillère, verser la pâte pour chaque beignet sur la plaque de cuisson. Faire dorer les beignets environ 2 minutes ou jusqu'à ce qu'ils soient croustillants ; les bords seront foncés et secs et le fond sera doré. Tourner les beignets pour faire dorer l'autre côté pendant environ 1 minute. Éponger sur une double couche d'essuie-tout. Poursuivre la friture en utilisant 30 ml (2 c. à table) d'huile pour chaque nouveau lot de beignets. Servir immédiatement ou garder au chaud au four à 120 °C (250 °F) jusqu'au moment de servir.

Crêpes savoureuses au riz sauvage

Il est difficile de résister au parfum et à la texture appétissante des crêpes au riz sauvage. Ces dernières accompagnent à merveille les plats de poulet et les rôtis braisés. Cette recette compte parmi les plus savoureuses que l'on puisse préparer avec du riz sauvage ; vous devez absolument l'essayer ! Par la suite, faites ces crêpes aussi souvent que possible. La recette est tirée du livre de Beth, *The Best Quick Breads* (Harvard Commun Press, 2000). ● **16 à 20 crêpes; 4 à 6 portions**

    60 ml (¼ tasse ou ½ bâtonnet) de beurre non salé
    1 échalote française de grosseur moyenne, hachée
    240 ml (1 tasse) de farine tout usage
    15 ml (1 c. à table) de levure chimique
    2 ml (½ c. à thé) de sel
    3 gros œufs
    240 ml (1 tasse) de lait entier
    360 ml (1½ tasse) de riz sauvage, cuit et tiédi

1. Dans une poêle de taille moyenne, faire fondre le beurre à feu moyen. Y ajouter l'échalote et, en brassant, la faire cuire jusqu'à tendreté. Réserver.

2. À l'aide d'un fouet ou d'un robot culinaire, combiner la farine, la levure chimique et le sel dans un bol de taille moyenne. Incorporer les échalotes, les œufs et le lait. Battre jusqu'à l'obtention d'une consistance lisse. La pâte sera mince, mais plus épaisse qu'une pâte à crêpes. Ajouter le riz sauvage au mélange.

3. À feu moyen, faire chauffer une plaque de cuisson ou une poêle à fond épais jusqu'à ce qu'une goutte d'eau pétille à la surface. Enduire légèrement de beurre ou d'huile. Verser 30 ml (⅛ tasse) de pâte sur la plaque pour chaque crêpe. Faire cuire environ 2 minutes ou jusqu'à ce que se forment des bulles à la surface de la pâte; les bords de la crêpe seront secs et son fond sera doré. Tourner la crêpe une fois pour la faire dorer de l'autre côté, soit environ 1 minute de plus. Servir immédiatement ou garder au chaud dans un four préchauffé à 120 °C (250 °F) jusqu'au moment de servir.

Crêpes de nouilles

Utilisez un reste de nouilles aux œufs ou faites-en cuire des fraîches pour préparer ces merveilleuses crêpes; ces dernières sont excellentes avec la poitrine de bœuf ou les rôtis braisés. ● **Environ 18 crêpes; 4 portions**

    227 g (8 oz) de nouilles aux œufs de qualité
    30 ml (2 c. à table) de beurre non salé
    1 petit oignon blanc, finement haché
    2 gros œufs, légèrement battus

Sel, et poivre noir du moulin, au goût

60 ml (¼ tasse) d'huile de canola ou d'olive

1. Faire cuire les nouilles selon le mode d'emploi inscrit sur l'emballage jusqu'à ce qu'elles soient al dente ou résistantes sous la dent. Bien égoutter.

2. Dans une petite poêle, faire fondre le beurre à feu moyen. Tout en brassant, y faire revenir l'oignon jusqu'à ce qu'il soit transparent. Dans un bol de taille moyenne, combiner les nouilles égouttées et l'oignon. Ajouter les œufs. Saler et poivrer. Remuer le tout pour bien mélanger.

3. Dans une grande poêle à fond épais, faire chauffer l'huile à feu moyen. Verser une grande cuillérée du mélange de nouilles dans la poêle. Aplanir légèrement avec le dos de la cuillère pour obtenir une crêpe mince. Faire frire jusqu'à l'obtention d'une coloration dorée et d'une texture croustillante, puis tourner la crêpe pour la faire cuire de l'autre côté, 3 à 5 minutes au total. Éponger les crêpes sur des essuie-tout. Servir immédiatement.

Salade verte panachée à la Vincent Schiavelli

Vincent Schiavelli a écrit le livre d'initiation à la cuisine le plus merveilleux qui soit, *Papa Andrea's Sicilian Table* (Citadel Press, 1993). Il y a consigné les recettes de son grand-père, en donnant également des instructions sur la façon de réussir une salade verte à la fois simple et grandiose. Il mentionne «qu'une salade relève davantage de l'art que de la science, et que ce n'est pas trop sorcier à maîtriser». Cette salade représente un merveilleux accompagnement pour un braisé ou un ragoût, ou se déguste seule pour couronner le repas. Si vous utilisez un mélange de laitues amères qu'on trouve maintenant dans plusieurs supermarchés et chez certains producteurs maraîchers, ajoutez-y au moins autant de feuilles de laitue verte régulière pour équilibrer la douceur et l'amertume, ce qui donnera une salade des plus agréables. Pour servir 4 convives, 454 g (1 lb) de laitue devraient suffire; il y aura 480 ml (2 tasses combles) et un peu plus de salade pour chacun. Cette recette est une adaptation de l'*insalata mista* de Vincent, une salade verte panachée.

N'importe quel mélange de saison de légumes verts, doux et amers, tels laitues Boston, romaine, à feuilles rouges ou iceberg, radicchio, cresson, fenouil, endives, pousses d'épinards, mâche ou roquette, lavés, bien séchés et cassés à la main (non coupés; la coupe décolore les feuilles)

Sel de mer de qualité, au goût

Vinaigre de vin blanc ou rouge, comme un vinaigre de zinfandel, un vinaigre de cabernet, un vinaigre de champagne, un vinaigre de figue noire ou un bon vinaigre de cidre biologique

Huile d'olive, extravierge, vierge ou légère, selon son palais et sa bourse

Oignon rouge émincé, betteraves râpées ou tranchées, haricots verts blanchis, carotte râpée, tranches de tomate, avocat trempé dans le jus de citron, pétales de fleurs comestibles (comme des capucines), tranches de jeunes courgettes, champignons tranchés, germes, olives et concombre (facultatif), au choix

Poivre noir ou blanc du moulin, au goût

1. Mettre les laitues dans un grand bol. Saupoudrer légèrement de sel pour préparer la laitue à recevoir le vinaigre; il suffit de quelques pincées, même pour une grosse salade. Mélanger avec les mains ou à l'aide d'une pince à salade. Asperger de vinaigre jusqu'à ce que l'arôme s'exhale un peu du bol. Mélanger de nouveau. Asperger d'huile d'olive; il en faut environ trois fois plus que de vinaigre. Mélanger de nouveau. Ne pas exagérer, il est toujours possible d'ajouter un peu plus d'huile. Incorporer tous les autres ingrédients, par exemple des champignons et des concombres, ou les disposer sur le dessus de la préparation. Saler et poivrer. Servir. Ne jamais ajouter trop de quoi que ce soit, car «vous ne voulez pas une salade huileuse ou détrempée par le vinaigre; vous voulez seulement que les ingrédients soient rehaussés par la sauce», rappelle Vincent. Si du jus de citron est utilisé en remplacement du vinaigre, faire des parts égales de jus et d'huile.

Le charme des légumes verts

Nous donnons des suggestions de garnitures et d'accompagnements avec plusieurs de nos recettes. La plupart du temps, puisqu'il s'agit d'un plat unique, tout ce qui manque est un peu de pain ou une bonne salade verte. Évidemment, il est facile de tomber dans la routine et de faire toujours la même salade et la même sauce ou vinaigrette.

Trouver de nouvelles sauces ou vinaigrettes pour salade n'est pas toujours une tâche facile dans l'univers culinaire; vous devez en découvrir une dans un magazine culinaire ou en goûter une qui vous plaît lorsque vous êtes invité. Nous vous proposons un petit extra : quelques excellentes salades et une liste de nos sauces et vinaigrettes préférées et infaillibles pour salade qu'il ne vous restera qu'à verser sur des légumes verts. À l'origine, Beth avait compilé cette liste pour l'offrir en cadeau aux clients qui aimaient toutes les vinaigrettes et sauces pour salade qu'elle servait dans la restauration. Dans un contenant fermé, ces préparations se conservent de 5 à 7 jours au réfrigérateur.

Les vinaigrettes sont un mélange d'huile et de vinaigre. Pour faire une vinaigrette, versez le vinaigre et les autres ingrédients aromatiques dans un petit bol. Versez l'huile en filet, tout en fouettant pour bien mélanger. Utilisez immédiatement, laissez reposer jusqu'à 2 heures ou réfrigérez jusqu'à une semaine. Vous pouvez également préparer les vinaigrettes à l'aide d'un mélangeur à main, d'un robot culinaire, ou simplement en agitant un bol à couvercle dévissable. Tandis que les vinaigrettes laissent la vedette aux légumes verts dans la salade, les sauces, incluant les quatre présentées ici, attirent davantage l'attention. Elles sont à leur meilleur avec les légumes verts simples — n'importe quelle variété de laitue ou d'épinards. Vous pouvez monter une sauce pour salade en 1 ou 2 minutes ; la plupart sont simplement fouettées dans un bol.

Vinaigrette à la moutarde de tous les jours

Cette vinaigrette est excellente avec toutes les variétés de laitues et d'épinards, ainsi qu'avec les asperges et le brocoli cuits à l'étuvée. ◉ 120 ml (½ tasse)

30 ml (2 c. à table) de vinaigre de vin blanc ou rouge, ou de vinaigre de cidre
2 à 5 ml (½ à 1 c. à thé) de moutarde de Dijon ou à l'ancienne, au goût
80 ml (⅓ tasse) d'huile d'olive
Sel, et poivre noir ou blanc du moul in, au goût

Vinaigrette à la framboise

Cette vinaigrette rehausse une salade avec des fruits, par exemple composée d'oranges et d'oignon rouge, de petits fruits et d'un avocat. ◉ 180 ml (¾ tasse)

60 ml (¼ tasse) de vinaigre de framboise
5 ml (1 c. à thé) de moutarde de Dijon
120 ml (½ tasse) d'huile de noix d'Europe ou d'une autre noix
Sel, et poivre noir ou blanc du moulin, au goût

Vinaigrette au sésame et au soja

Une excellente vinaigrette pour les légumes verts de saison. ◉ 120 ml (½ tasse)

45 ml (3 c. à table) de vinaigre de riz
7 ml (1½ c. à thé) de miel
10 ml (2 c. à thé) de sauce soja
30 ml (2 c. à table) d'huile de sésame grillé
60 ml (¼ tasse) d'huile végétale ou d'huile de sésame pressée à froid
Sel, et poivre noir du moulin, au goût
10 ml (2 c. à thé) de graines de sésame, grillées dans une poêle sèche à
    feu moyen jusqu'à ce qu'elles exhalent leur parfum

Mettre tous les ingrédients dans un bol, puis fouetter pour bien mélanger.

Vinaigrette au xérès

Cette vinaigrette est excellente avec tous les légumes verts de saison. ◦ 240 ml (1 tasse)

60 ml (¼ tasse) de vinaigre de xérès âgé

180 ml (¾ tasse) d'huile d'olive

Sel, et poivre noir ou blanc du moulin, au goût

1 petite pincée de fils de safran, émiettés (facultatif)

Mettre tous les ingrédients dans un bol, puis fouetter pour bien mélanger.

Sauce de la déesse verte

Cette sauce convient à merveille aux laitues froides croquantes, comme la romaine. ◦ Environ 480 ml (2 tasses)

240 ml (1 tasse) de crème sure (peut être à faible teneur en gras)

240 ml (1 tasse) de mayonnaise (on peut utiliser un substitut de mayonnaise ou un produit à faible teneur en gras)

15 ml (1 c. à table) de jus de citron frais

15 ml (1 c. à table) de vinaigre de vin blanc ou de vinaigre balsamique blanc

15 ml (1 c. à table) de pâte d'anchois (en tube)

15 ml (1 c. à table) de persil plat frais, finement haché

1 échalote française, hachée

Poivre noir du moulin

Mettre tous les ingrédients dans un bol, puis fouetter pour bien mélanger, ou réduire dans un petit robot culinaire.

Sauce au Roquefort

Une sauce crémeuse, riche, délicieuse et… indémodable. ◦ Environ 480 ml (2 tasses)

360 ml (1½ tasse) de mayonnaise (on peut utiliser un substitut de mayonnaise ou un produit à faible teneur en gras)

80 ml (⅓ tasse) de babeurre

80 ml (⅓ tasse) de crème sure (ou à faible teneur en gras)

30 ml (2 c. à table) de jus de citron frais

2 ml (½ c. à thé) de sauce Worcestershire

1 pincée de sel, ou au goût

Poivre noir du moulin

142 g (5 oz) de Roquefort, grossièrement émietté (240 ml ou 1 tasse)

Mettre tous les ingrédients, sauf le fromage, dans un bol, puis fouetter pour bien mélanger. Ajouter le fromage.

Sauce César légère

Cette sauce est parfaite avec de la laitue romaine froide, des croûtons et du parmesan râpé. ◉ Environ 240 ml (1 tasse)

160 ml (⅔ tasse) de crème sure légère

3 à 5 filets d'anchois, épongés avec des essuie-tout

30 ml (2 c. à table) de jus de citron frais

15 ml (1 c. à table) d'échalote française, finement hachée

1 à 2 gousses d'ail, pressées

5 ml (1 c. à thé) de sauce Worcestershire

2 ml (½ c. à thé) de poivre noir fraîchement moulu

Mettre tous les ingrédients dans un robot culinaire ou un mélangeur muni d'un couvercle et les réduire jusqu'à l'obtention d'une consistance lisse.

Vinaigrette au miel

Cette vinaigrette rehausse les salades de haricots, les haricots verts froids et les légumes verts de saison mélangés. ◉ 300 ml (1¼ tasse)

75 ml (5 c. à table) de vinaigre de vin rouge

30 ml (2 c. à table) de pâte de tomates

30 ml (2 c. à table) de miel

1 gousse d'ail, pressée

1 trait de sauce épicée, comme le Tabasco

180 ml (¾ tasse) d'huile d'olive

Sel, et poivre noir du moulin, au goût

Mettre tous les ingrédients dans un bol et fouetter pour bien mélanger.

Vinaigrette balsamique

Si vous utilisez un vinaigre balsamique blanc, associez-y un vinaigre de vin blanc ou un vinaigre de Champagne. ◉ 240 ml (1 tasse)

30 ml (2 c. à table) de vinaigre balsamique

30 ml (2 c. à table) de vinaigre de vin rouge

1 échalote française, hachée

160 ml (⅔ tasse) d'huile d'olive

Sel, et poivre noir du moulin, au goût

Haricots
nouvelle vague

Quand nous pensons à nos recettes préférées pour la mijoteuse, ce qui nous vient à l'esprit ressemble beaucoup à une montagne de haricots et de légumineuses. La mijoteuse, dont l'invention a été inspirée par la cocotte à haricots électrique, est la façon la plus efficace de faire cuire des haricots secs et des légumineuses, peu en importe la variété — tachetés, noirs, rouges ou blancs. Pendant la cuisson, l'évaporation est minimale, tout comme dans la bonne vieille cocotte en argile de couleur *terra cotta* qu'on plaçait au four ou qu'on enterrait dans la braise.

Le terme « haricot » renvoie non seulement aux haricots ordinaires, mais aussi aux légumineuses et aux pois, parfois nommés légumes secs. Une légumineuse est techniquement une graine comestible qu'on trouve à l'intérieur d'une cosse. Il en existe plusieurs variétés, chacune avec sa taille, sa texture et son aspect particuliers. On fait habituellement cuire les haricots sous leur forme séchée, mais, pendant les mois d'été, on peut en trouver des frais encore dans leur cosse, particulièrement au marché public. Les haricots frais cuisent toujours plus rapidement que les secs et ne nécessitent aucun trempage. On ne doit jamais manger les haricots et les légumineuses crus lorsqu'ils ont atteint leur pleine maturité, car ils sont complètement indigestes.

Lorsque vous plongerez dans l'univers des haricots, vous serez stupéfait par les variétés offertes — des favoris de toujours comme les haricots pinto, les doliques à œil noir et les légumes oubliés maintenant de retour sur le marché, par exemple les haricots canneberges, les haricots de Lima de Noël, au goût de marron, et les haricots à œil jaune. Dans ce chapitre, nous avons essayé de vous fournir un large éventail de recettes afin que vous puissiez tenter diverses expériences.

Les haricots ont la réputation d'être difficiles à faire cuire. Nous démystifions cette croyance et donnons des indications simples pour obtenir les meilleurs haricots qui soient à la mijoteuse. Le temps de cuisson dépend de la taille et de l'âge des haricots ainsi que de la durée du prétrempage. (Plus les haricots sont vieux, plus ils ont besoin d'eau et de temps pour se réhydrater ; s'ils sont *vraiment* vieux, c'est-à-dire s'ils ont plus de deux ans, remplacez-les.) Comme l'un de nos « testeurs » l'a écrit, « Faites cuire à intensité élevée jusqu'à tendreté, soit de 4 à 8 heures, selon votre mijoteuse et la phase de la Lune. Si vous prévoyez quitter la maison, réglez la mijoteuse à faible intensité et assurez-vous d'avoir 5 cm (2 po) de liquide en surplus. Faites cuire de 8 à 10 heures ; réglez de nouveau à intensité élevée à votre retour à la maison. »

Nous avons inclus des conseils pour la cuisson et le trempage des haricots, ainsi qu'un tableau de référence pour les temps de cuisson. Vous devrez surveiller attentivement la mijoteuse pleine de haricots pour vérifier la cuisson de ces derniers ; le tableau proposé vous donnera cependant de bonnes indications à ce sujet. Le principe de base est d'utiliser trois parts d'eau pour une part de haricots, ce qui recouvrira les haricots de 5 à 7,5 cm (2 à 3 po) d'eau. Vous pouvez toujours utiliser plus d'eau pour la cuisson — 3 l (9 tasses) pour 454 g (1 lb) de haricots n'est pas inhabituel — et égoutter les haricots par la suite. Vers la fin de la cuisson, nous aimons ajouter des ingrédients acides — comme des tomates, du vinaigre ou du jus de citron — afin d'éviter que les haricots ne durcissent. Ne salez les haricots que lorsqu'ils sont presque prêts; si vous les salez en début de cuisson, ils ne deviendront jamais tendres. Votre mantra «haricot» devrait être le suivant : «tremper, mijoter, puis assaisonner».

Entreposez les haricots cuits dans leur jus. Conservez-les jusqu'à trois jours au réfrigérateur, prêts à être rincés et à être utilisés dans des salades, ou congelez-les en portions individuelles afin de les ajouter aux salades, à un plat d'accompagnement ou encore, au moment indiqué dans la recette, de les incorporer dans les soupes et ragoûts préparés à la mijoteuse. Les haricots congelés en portion de 240 ml (1 tasse) peuvent être décongelés rapidement au micro-ondes ou au four, ou ajoutés, encore gelés, dans une casserole de soupe bouillonnante.

Même si ce chapitre est consacré aux plats faits principalement de haricots, on trouve des recettes contenant des haricots un peu partout dans ce livre (ne ratez pas notre chapitre sur le chili ou les ragoûts de haricots dans le chapitre sur les légumes). Bien qu'on trouve plusieurs recettes de haricots frais dans ce chapitre, nous proposons aussi, pour une question de commodité, des recettes utilisant des haricots en conserve. Les haricots tout juste sortis de la mijoteuse, dont l'arôme délectable a rempli la cuisine après de longues heures

Combien faut-il de haricots secs pour obtenir l'équivalent d'une conserve de 426 ml (15 oz)?

Les haricots sont fabuleusement économiques : 240 ml (1 tasse) de haricots secs cuits avec 750 ml à 1 l (3 à 4 tasses) d'eau, selon la variété, donneront environ 750 ml (3 tasses) de haricots à la fin de la cuisson. Donc, pour une quantité équivalente à une boîte de conserve de 426 ml ou de 455 ml (15 ou 16 oz), qui contient environ 420 ml (1¾ tasse) de haricots, faites cuire 180 ml (¾ tasse) de haricots secs. Une quantité de 454 g (1 lb) de haricots secs, soit environ 560 ml (2⅓ tasses), donnera de 1,5 à 1,7 l (6 à 7 tasses) de haricots cuits.

de cuisson, constituent en eux-mêmes un repas vraiment nourrissant. Notre façon préférée de manger les haricots de tous types, fraîchement cuits, est d'en remplir un plein bol à soupe et de simplement les arroser d'un filet d'huile d'olive fruitée, d'huile de noix ou de sésame, d'un jet de jus de citron frais, et de les saupoudrer de sel de mer et de poivre noir du moulin; nous accompagnons cette «soupe» de gros morceaux de pain frais ou de tortillas fraîches à tremper dans la sauce épaisse présente au fond du bol. Où est la cuillère?

Conseils pour faire cuire les haricots secs à la mijoteuse

Pendant que nous préparions cette section, nous avons cuisiné des douzaines de plats de haricots. Nous les avons essayés avec et sans prétrempage. Nous les avons cuits à faible et à haute intensité. Et nous avons testé différentes tailles et formes de mijoteuses. Voici, à notre avis, les meilleurs trucs pour faire cuire les haricots à la mijoteuse :

1. Faites *absolument* tremper les haricots secs avant de les faire cuire à la mijoteuse. (Les seules exceptions sont les lentilles et les pois cassés, comme c'est d'ailleurs le cas pour la cuisson sur la cuisinière.) Même s'il est possible de faire cuire les haricots sans les faire tremper au préalable, nous considérons que le temps de cuisson est plus facile à prévoir s'ils ont été prétrempés. Faites tremper les haricots dans de l'eau froide pendant 6 heures ou toute la nuit, ou utilisez la méthode de trempage rapide. Dans ce cas, dans une grande casserole pleine d'eau posée sur la cuisinière, amenez les haricots à ébullition et laissez-les bouillir 2 minutes. Couvrez la casserole, retirez du feu et laissez reposer pendant 1 heure. Égouttez les haricots et faites-les cuire selon les indications de la recette ou selon celles qui apparaissent au tableau présenté un peu plus loin.

2. Faites cuire les haricots à intensité élevée. Nous avons constaté qu'ils cuisent plus uniformément lorsque la mijoteuse est ainsi réglée.

3. Utilisez une mijoteuse de grand format ou de taille moyenne, et assurez-vous qu'elle est assez grande pour que les haricots puissent bouillonner sans

• • Temps de cuisson des haricots à la mijoteuse • •

Les temps de cuisson suggérés ci-après sont conçus pour 240 à 480 ml (1 ou 2 tasses) de haricots ou de légumineuses recouverts d'au moins 7,5 cm (3 po) d'eau. Les haricots peuvent aussi être cuits dans du bouillon de viande ou de légumes, ce qui est particulièrement savoureux pour les haricots servis en accompagnement. Ils devraient être complètement recouverts de liquide pendant toute la durée de la cuisson. Ils sont prêts quand ils sont tendres et que presque tout le liquide de cuisson a été absorbé, bien que, si vous préparez un plat à manger à la cuillère, comme des haricots toscans, ils peuvent demeurer aqueux. Vers la fin de la cuisson, vérifiez toujours que les haricots ne sont pas trop secs et ajoutez de l'eau bouillante si nécessaire. Si vous voulez les utiliser dans un autre plat, comme un chili, un potage ou un ragoût de légumes, faites-les cuire al dente plutôt qu'à complète tendreté.

Le tableau suivant indique approximativement le temps de cuisson à la mijoteuse, à intensité élevée, de diverses variétés de haricots secs. Une quantité de 240 ml (1 tasse) de haricots secs donnera environ 720 ml (3 tasses) après que les haricots auront été cuits. Ces indications ne constituent que des repères car différentes variables peuvent affecter la durée de la cuisson, comme la dureté de l'eau, la composition minérale du sol où les haricots ont été cultivés et l'âge des haricots. Une eau dure allongera le temps de cuisson. Rappelez-vous que les haricots et les légumineuses prennent toujours légèrement plus de temps à cuire à des altitudes élevées. Tous les haricots, sauf les pois cassés et les diverses variétés de lentilles, devraient être prétrempés (voir la page 192 pour plus de détails); cette opération les réhydrate, leur permet de cuire plus uniformément et filtre certains des composés qui les rendraient difficiles à digérer (notez l'eau écumeuse qui se forme à la surface du liquide de cuisson).

créer de débordements. La plupart des petites mijoteuses ne permettent pas la cuisson à intensité élevée, aussi ne les recommandons-nous pas pour les haricots. De plus, elles sont trop petites pour faire cuire plus de 120 ml (½ tasse) de haricots secs. Selon nous, la forme de la mijoteuse importe peu : que votre appareil soit de forme ronde et ovale, vous obtiendrez d'aussi bons résultats.

4. Pour 240 ml (1 tasse) de haricots prétrempés, utilisez 1 l (4 tasses) d'eau ou de bouillon. Pour 480 ml (2 tasses) de haricots prétrempés, utilisez 1,5 l (6 tasses) d'eau ou de bouillon. Le temps de cuisson variera plus ou moins selon le degré d'humidité et la quantité des haricots. Alors, vérifiez de 30 minutes à 1 heure avant la fin de la cuisson pour savoir si vous ne devriez pas ajouter un peu d'eau bouillante. Le niveau du liquide de cuisson ne devrait jamais descendre sous celui des haricots ; pour plus de sûreté, gardez le niveau du liquide de cuisson à au moins 1,3 cm (½ po) au-dessus de celui des haricots. Le véritable test pour s'assurer que les haricots sont prêts, c'est de mordre dans l'un de ceux-ci !

5. N'ajoutez jamais de sel *avant* que les haricots soient cuits ; le fait de saler en début de cuisson fait durcir les haricots, et ces derniers n'absorberont pas l'eau correctement durant la cuisson.

6. Vous pouvez entreposer vos haricots cuits dans leur jus (l'eau de cuisson parfumée) et les servir comme une

Haricots prétempés	Temps de cuisson à intensité élevée
Doliques à œil noir	3½ heures
Fèves de soja	4 heures
Flageolets	3½ à 4 heures
Gourganes	2½ heures
Great Northern	2½ heures
Haricots blancs, petits	3 heures
Haricots de Lima	2½ heures pour les nains ou les petits, 2 heures pour les gros
Haricots noirs (Black turtle)	3 heures
Haricots pinto	3 heures
Haricots roses (pinquitos), petits	3½ heures
Haricots rouges	3 heures
Haricots rouges, petits	2½ heures
Lentilles brunes	1½ heure (al dente) pour salade, 2 heures (complètement tendres) pour potage
Lentilles rouges	1½ heure
Lentilles vertes (du Puy)	2 heures
Petits haricots blancs	2½ à 3 heures
Pois cassés, verts ou jaunes	2½ heures
Pois chiches (garbanzos)	3½ à 4 heures

soupe, ou les égoutter dans une passoire ou encore les servir avec une cuillère à égoutter. Si vous trouvez la mijoteuse trop lourde pour les égoutter au-dessus d'une passoire, la cuillère à égoutter conviendra parfaitement.

Haricots à la mijoteuse

Les haricots sont bons à manger et excellents pour la santé; c'est pourtant le genre d'aliment qui n'obtient pas beaucoup de publicité, car il est plutôt terne. Pourtant, les haricots secs représentent une des meilleures affaires au supermarché, autant sur les plans financier que nutritif. Si vous avez déjà nerveusement tenté de planifier le temps de cuisson des haricots dans une cocotte-minute ou que vous avez laborieusement gratté des haricots brûlés dans le fond d'un plat devenu trop chaud, nous avons un petit secret à vous révéler : la mijoteuse est la meilleure façon de préparer les haricots. Vous n'avez pas besoin d'établir à la minute près le temps de cuisson requis, comme c'est le cas avec une cocotte-minute. En suivant nos instructions, qui se veulent des plus simples, vous n'avez presque aucun risque de brûler les haricots, ce qui est le cas sur la cuisinière. Référez-vous à notre tableau des temps de cuisson aux pages 192 et 193 afin de ne pas trop faire cuire les haricots, ce qui pourrait les rendre pâteux. Les pois cassés et les pois chiches constituent les exceptions ; ils restent tendres et ne se défont pas, et ce, peu importe le temps de cuisson. ● **6 à 8 portions**

MIJOTEUSE : Grande, ronde ou ovale

INTENSITÉ ET TEMPS DE CUISSON : ÉLEVÉE, voir le tableau aux pages 192 et 193 pour établir le temps de cuisson nécessaire

1 paquet de 454 g (1 lb) de haricots secs, au choix
2,5 l (10 tasses) d'eau
1 bouquet garni : 4 brins de persil plat frais, 1 feuille de laurier, 1 ou 2 brins de thym frais, 1 brin d'estragon frais, 10 grains de poivre noir et 1 gousse d'ail pelée, le tout enveloppé dans un coton à fromage fermé avec de la ficelle de cuisine (facultatif)
Sel de mer fin, au goût

1. Mettre les haricots dans une passoire et les rincer sous l'eau froide ; retirer les haricots endommagés et les petites pierres. Déposer dans la mijoteuse (elle doit être

assez grande pour que les haricots puissent bouillonner sans déborder) et recouvrir de 7,5 cm (3 po) d'eau froide. Laisser tremper de 6 à 12 heures, puis égoutter.

2. Ajouter 2,5 l (10 tasses) d'eau et, si utilisé, le bouquet garni aux haricots dans la mijoteuse. À couvert, laisser cuire à intensité élevée. Les haricots doivent être constamment recouverts de liquide pour cuire correctement. Ils transformeront l'eau en un liquide, appelé *jus de haricots*, de la même couleur qu'eux. Quand ils seront prêts, ils seront tendres et garderont leur forme, sans se défaire. Laisser les haricots entiers ou en écraser délicatement une partie dans la mijoteuse, de façon à épaissir le jus de cuisson.

• • Conversion des temps de cuisson des • • recettes traditionnelles de haricots en temps de cuisson pour la mijoteuse

Bien que beaucoup de recettes provenant d'autres sources prescrivent un temps de cuisson à faible intensité pour les haricots nature, nous avons découvert que presque tous les haricots que nous avons essayés étaient meilleurs lorsqu'ils étaient cuits à intensité élevée. Nos recettes fournissent des indications pour la température qui donne les meilleurs résultats possibles, mais vous avez un peu de flexibilité. Vous pouvez faire cuire les haricots à intensité élevée quand vous êtes à la maison, puis régler la mijoteuse à faible intensité si vous devez partir et laisser ces derniers sans surveillance. Quand vous faites une recette de haricots au lard, nous vous recommandons de faire cuire d'abord les haricots secs à intensité élevée puis, après avoir ajouté les autres ingrédients, de régler la mijoteuse à faible intensité pour le temps de cuisson restant. Nous ne précipitons jamais la cuisson des Haricots style Boston (page 204) ; c'est le long temps de cuisson qui rend ce plat si spécial. Nous vous présentons le tableau suivant pour votre commodité, puisque nous nous en sommes beaucoup servi en créant les recettes de haricots de cet ouvrage.

Si une recette dit :	Temps de cuisson à la mijoteuse à faible intensité	Temps de cuisson à la mijoteuse à intensité élevée
15 minutes	2 à 2½ heures	1 à 1½ heure
30 minutes	3 à 4 heures	2 à 2½ heures
45 minutes	5 à 6 heures	3 à 3½ heures
1 heure	6 à 8 heures	4 à 4½ heures
1½ heure	9 à 10 heures	5 à 5½ heures
2 heures	10 à 12 heures	6 à 6½ heures
3 heures	14 à 18 heures	7 à 7½ heures

3. Servir immédiatement dans des bols à soupe. Si désiré, saupoudrer de sel de mer et de fromage râpé. Ou laisser reposer dans la mijoteuse pendant 1 heure, à découvert. Puis transférer les haricots et leur jus dans un contenant couvert avant de les réfrigérer ou de les congeler. Ou encore égoutter les haricots et les utiliser dans une autre recette.

PORTION INDIVIDUELLE DE HARICOTS À LA MIJOTEUSE : Mettez une poignée de haricots à tremper avant d'aller au lit puis, tôt le matin, préparez un repas que vous mangerez plus tard. Dans une mijoteuse petite ou moyenne, combinez 120 ml (½ tasse) de haricots prétrempés et 720 ml (3 tasses) d'eau, ou 240 ml (1 tasse) de haricots et 1,1 l (4½ tasses) d'eau. Référez-vous au tableau des temps de cuisson aux pages 192 et 193 pour déterminer, selon le type de haricots cuisinés, le temps de cuisson requis. Fermez le couvercle de la mijoteuse et faites cuire à intensité élevée comme indiqué précédemment. Les directives sont les mêmes pour un petit plat de haricots que pour un grand.

Savoureux haricots (recette de base)

C ette recette donne un plat de haricots légèrement plus parfumé que celui obtenu avec les Haricots à la mijoteuse. Pour réussir ce plat, nous recommandons les haricots rouges, les petits haricots blancs, les haricots blancs fins, les haricots canneberges, les petits haricots rouges, les haricots pinto, les Jacob's cattle, les haricots Raquel, les haricots roses, les doliques à œil noir et les haricots à œil jaune. Nous utilisons aussi des mélanges de haricots pour potage du commerce. ● **6 à 8 portions**

MIJOTEUSE : Grande, ronde ou ovale
INTENSITÉ ET TEMPS DE CUISSON : ÉLEVÉE, voir le tableau aux pages 192 et
    193 pour établir le temps de cuisson nécessaire

1 paquet de 454 g (1 lb) de haricots secs, au choix
1 oignon jaune moyen, haché
1 gousse d'ail, hachée ou entière
½ feuille de laurier
5 ml (1 c. à thé) d'origan, de marjolaine ou de sarriette, séchés
1 pincée de cumin moulu
1 pincée de coriandre moulue
750 ml à 1 l (3 à 4 tasses) d'eau, ou au besoin

750 ml à 1 l (3 à 4 tasses) de bouillon de poulet, ou au besoin
Sel de mer fin et poivre noir du moulin, au goût

1. Mettre les haricots dans une passoire et les rincer sous l'eau froide ; retirer les haricots endommagés et les petites pierres. Déposer dans la mijoteuse (elle doit être assez grande pour que les haricots puissent bouillonner sans déborder) et recouvrir de 7,5 cm (3 po) d'eau froide. Laisser tremper de 6 à 12 heures, puis égoutter.

2. Ajouter l'oignon, l'ail, les herbes et les épices aux haricots dans la mijoteuse et assez d'eau et de bouillon pour les recouvrir de 7,5 cm (3 po). À couvert, faire cuire à intensité élevée. Les haricots doivent être constamment recouverts de liquide pour cuire correctement. Ils transformeront l'eau en un liquide, appelé *jus de haricots*, de la même couleur qu'eux. Quand ils seront prêts, ils seront tendres et garderont leur forme, sans se défaire. Laisser les haricots entiers ou en écraser délicatement une partie dans la mijoteuse, de façon à épaissir le jus de cuisson.

3. Servir immédiatement en laisser reposer dans la mijoteuse pendant 1 heure, à découvert. Puis transférer les haricots et leur jus dans un contenant couvert avant de les réfrigérer ou de les congeler. Vous pouvez aussi les égoutter et les utiliser dans une autre recette.

Haricots pinto

U n plat de haricots mijotant lentement sur la cuisinière fait partie intégrante de la cuisine espagnole, mexicaine et du Sud-Ouest. Il s'agit d'un mets réconfortant et tous nos amis d'Amérique latine parlent avec lyrisme des haricots de leur mère, qui sont toujours prêts et souvent mangés en famille. Traditionnellement, ils sont cuisinés dans un pot en terre cuite, appelé *olla,* dont la mijoteuse partage les qualités pour la cuisson lente. Vous pouvez utiliser des haricots roses, des haricots noirs ou des haricots anasazi au lieu des haricots pinto. Ce plat est une adaptation d'une recette tirée du livre de cuisine californienne de Jacquie Higuera McMahan. Nous faisons tremper les haricots, mais les cuisiniers chevronnés jurent que c'est inutile. À vous d'en juger ! ● **6 portions**

MIJOTEUSE : Grande, ronde
INTENSITÉ ET TEMPS DE CUISSON : ÉLEVÉE, de 3 à 4½ heures

1 paquet de 454 g (1 lb) de haricots pinto, secs
2,2 l (9 tasses) d'eau

2 piments du Nouveau-Mexique, de la Californie, ou ancho, séchés

3 gousses d'ail, pelées

1 petit oignon, jaune ou blanc, haché

10 à 15 ml (2 à 3 c. à thé) de sel de mer fin, au goût

1. Mettre les haricots dans une passoire et les rincer sous l'eau froide ; retirer les haricots endommagés et les petites pierres. Déposer dans la mijoteuse (elle doit être assez grande pour que les haricots puissent bouillonner sans déborder) et recouvrir de 7,5 cm (3 po) d'eau froide. Laisser tremper de 6 à 12 heures, puis égoutter.

2. Ajouter les 2,2 l (9 tasses) d'eau, les piments, l'ail et l'oignon. À couvert, laisser cuire de 3 à 4½ heures à intensité élevée. Vers la fin de la cuisson, saler et retirer les piments. Les haricots doivent être constamment recouverts de liquide pour cuire correctement ; ajouter de l'eau bouillante si le niveau du liquide de cuisson est trop bas. Lorsque les haricots seront prêts, ils seront tendres et conserveront leur forme, sans se défaire. Laisser les haricots entiers ou en écraser délicatement une partie dans la mijoteuse, de façon à épaissir le jus de cuisson.

3. Utiliser les haricots pour préparer des frijoles, ou les servir dans des bols à soupe ou comme accompagnement et, si désiré, saupoudrer de cheddar ou de monterey jack râpés. Pour entreposer les haricots, les laisser reposer dans la mijoteuse pendant 1 heure, à découvert. Puis, les transférer avec leur jus dans un contenant fermé afin de les réfrigérer ou de les congeler.

Frijoles

Mangez ces haricots écrasés frais comme tels, ou faites-les sauter le jour suivant pour obtenir des *refritos*, ou haricots frits. Vous aurez besoin d'une poêle de fonte de 25 à 30 cm (10 à 12 po) de diamètre ou d'une autre bonne poêle lourde et d'un peu de saindoux de panne. Faisant partie de la catégorie la plus élevée, ce saindoux est fait du gras qui se trouve autour des reins du porc et recèle moins de cholestérol que le beurre. ◉ **6 portions**

15 à 45 ml (2 à 3 c. à table) d'huile de canola, d'huile d'olive ou de saindoux
    de panne

1 recette de Haricots pinto (page 197), tiédis

Monterey jack finement râpé, *coteja* (semblable à la feta) émietté ou
    parmesan fraîchement râpé pour le service des haricots frits

1. Faire chauffer de 15 à 30 ml (1 à 2 c. à table) d'huile dans une grande poêle. À l'aide d'une louche, y verser 240 ml (1 tasse) de haricots et 60 mL (¼ tasse) de leur jus. À feu moyen ou moyen-vif, tout en écrasant les haricots avec le dos d'une grande cuillère de métal, faire mijoter jusqu'à ce que le liquide se soit évaporé. Lorsque le mélange est vraiment consistant, ajouter 240 ml (1 tasse) de haricots et davantage de liquide. Faire mijoter les haricots à nouveau et les écraser. Poursuivre l'opération jusqu'à ce que tous les haricots soient pilés ; conserver au moins la moitié du jus de cuisson (réserver le surplus pour l'ajouter si les haricots sont trop épais).

2. Régler le feu à faible intensité et faire mijoter les haricots jusqu'à ce qu'ils soient consistants, mais pas autant que des haricots frits, soit environ 20 minutes. Servir immédiatement ou, pour des haricots frits, laisser refroidir à la température ambiante et réfrigérer dans un contenant couvert. Les haricots épaissiront en refroidissant.

3. Pour préparer des haricots frits, faire chauffer 15 ml (1 c. à table) d'huile dans une lourde poêle propre et ajouter 480 ml (2 tasses) de haricots pinto froids. Les faire cuire jusqu'à ce qu'ils grésillent sur les bords. Parsemer de fromage. Servir.

Frijoles charros

À l'origine, le terme *charros* désignait les élégants cavaliers du Mexique, mais il s'est plus tard appliqué aux cow-boys mexicains qui se sont installés au Texas pour y travailler. Les *frijoles charros* sont les haricots des cow-boys du Sud-Ouest américain. Ces derniers les faisaient mijoter toute la journée dans un pot en terre cuite (*olla*) sur la cuisinière ou sur un feu de camp dans une clairière en préparation du dîner. Selon l'âge des haricots utilisés, vous devrez peut-être ajouter un peu plus d'eau bouillante au cours de la cuisson. Servez ce plat accompagné de riz blanc et de pain de maïs. ● **6 portions**

MIJOTEUSE : Grande, ronde
INTENSITÉ ET TEMPS DE CUISSON : ÉLEVÉE, de 3½ à 5 heures ; le sel, l'origan, le cumin et la coriandre sont ajoutés avant la dernière heure de cuisson

1 paquet de 454 g (1 lb) de haricots pinto, secs
2,75 l (11 tasses) d'eau
2 jalapenos, tiges enlevées
170 à 227 g (6 à 8 oz) de chorizo (saucisse mexicaine) cuit, haché
4 tranches de bacon, hachées

5 gousses d'ail, hachées

1 petit oignon, jaune ou blanc, haché

10 à 15 ml (2 à 3 c. à thé) de sel, au goût

2 ml (½ c. à thé) d'origan séché

2 ml (½ c. à thé) de cumin moulu

60 ml (¼ tasse) de feuilles de coriandre fraîche, ciselées

POUR LE SERVICE :

Cheddar, par exemple du longhorn, fraîchement râpé

Salsa fraîche à la tomate et à l'oignon

1. Mettre les haricots dans une passoire et les rincer sous l'eau froide ; retirer les haricots endommagés et les petites pierres. Déposer dans la mijoteuse (elle doit être assez grande pour que les haricots puissent bouillonner sans déborder) et recouvrir de 7,5 cm (3 po) d'eau froide. Laisser tremper de 6 à 12 heures, puis égoutter.

2. Ajouter les 2,7 l (11 tasses) d'eau, les jalapenos, le chorizo, le bacon, l'ail et l'oignon. À couvert, laisser cuire de 3½ à 5 heures à intensité élevée. Les haricots doivent être constamment recouverts de liquide pour cuire correctement. Lorsqu'ils seront prêts, ils seront tendres et conserveront leur forme, sans se défaire.

3. Une heure avant la fin de la cuisson, enlever les jalapenos. Ajouter le sel, l'origan, le cumin et les feuilles de coriandre. À découvert, laisser mijoter les haricots 1 heure de plus afin qu'ils épaississent doucement.

4. Servir les haricots immédiatement dans des bols à soupe. Parsemer de cheddar râpé et de salsa fraîche à la tomate et à l'oignon. Ou laisser les haricots tiédir dans la mijoteuse, à découvert, pendant 1 heure, puis les transférer avec leur jus dans un contenant fermé afin de les réfrigérer ou de les congeler.

Haricots frits trompeurs

'accord, nous parlons ici d'un plat de dépannage, mais ces haricots sont excellents avec des saucisses ou en accompagnement d'enchiladas. ⊙ **4 à 6 portions**

MIJOTEUSE : Petite, ronde
INTENSITÉ ET TEMPS DE CUISSON : FAIBLE, de 2 à 4 heures

1 boîte de 455 ml (16 oz) de haricots pinto ou de haricots noirs, frits
300 ml (1¼ tasse) de haricots pinto ou de haricots noirs entiers en conserve
    ou cuits à la mijoteuse, rincés et égouttés
30 à 45 ml (2 à 3 c. à table) de beurre non salé, d'huile d'olive ou de canola,
    de gras de poulet ou de bacon

1. Mettre les haricots frits, les haricots entiers et le beurre dans la mijoteuse ; à l'aide d'une cuillère en bois, brasser légèrement pour mélanger quelque peu les ingrédients.

2. À couvert, laisser cuire à faible intensité de 2 à 4 heures, le temps que la préparation soit chaude. Mélanger et servir immédiatement sous des œufs pochés ; parsemer de *queso fresco* (fromage frais) ou de fromage de chèvre doux. Ou servir en accompagnement d'un enchilada et de riz.

Haricots blancs italiens à la pancetta

C e type de recette incarne l'ingéniosité et la simplicité de la cuisine rurale. Les haricots sont cuits avec un peu de bacon, des légumes, un brin d'herbe et du bouillon. Puis, ils sont servis parsemés de fromage de chèvre et d'olives, ce qui donne un délicieux plat principal ou d'accompagnement. ⊙ **4 portions**

MIJOTEUSE : Moyenne, ronde
INTENSITÉ ET TEMPS DE CUISSON : ÉLEVÉE, de 3½ à 4½ heures

240 ml et un peu plus (1 tasse comble) de cannellinis (haricots noirs) secs
Quelques tranches de pancetta ou de prosciutto, hachées
60 ml (¼ tasse) d'huile d'olive

3 échalotes françaises, coupées en deux

1 carotte moyenne, coupée en quatre

2 branches de céleri, coupées en deux

1 feuille de laurier

1 brin de thym frais ou de sarriette

1 boîte de 426 ml (15 oz) de bouillon de poulet

Sel de mer fin et poivre noir du moulin, au goût

113 g (4 oz) de fromage de chèvre frais, comme du chabis ou du montrachet, émietté

120 ml (½ tasse) de tranches d'olives noires dénoyautées, ou au choix, égouttées

1. Mettre les haricots dans une passoire et les rincer sous l'eau froide ; retirer les haricots endommagés et les petites pierres. Déposer dans la mijoteuse (elle doit être assez grande pour que les haricots puissent bouillonner sans déborder) et recouvrir de 7,5 cm (3 po) d'eau froide. Laisser tremper de 6 à 12 heures, puis égoutter. Remettre dans la mijoteuse.

2. Dans une poêle de taille moyenne, tout en brassant, faire cuire la pancetta dans l'huile d'olive à feu moyen-vif pendant 8 minutes. Ajouter les échalotes, la carotte et le céleri. En brassant fréquemment, faire cuire les légumes jusqu'à ce qu'ils soient tout juste ramollis. Incorporer ce mélange, le brin d'herbe et la feuille de laurier aux haricots déjà dans la mijoteuse. Ajouter le bouillon et assez d'eau pour recouvrir les haricots de 5 cm (2 po). À couvert, laisser cuire de 3½ à 4½ heures à intensité élevée. Les haricots doivent être constamment recouverts de liquide pour cuire correctement. Vers la fin de cuisson, saler et poivrer. Quand les haricots seront prêts, ils seront tendres et conserveront leur forme, sans se défaire. Retirer la feuille de laurier et le brin d'herbe et les jeter.

3. Servir les haricots dans des bols à soupe. Parsemer de fromage de chèvre émietté et de tranches d'olives.

Haricots toscans aux herbes

La traditionnelle cocotte en terre cuite, appelée *fagioliera*, fait mijoter les haricots de façon qu'ils conservent leur belle forme même quand ils sont complètement tendres. Les haricots tuscans font un excellent accompagnement pour les poissons et les viandes lorsqu'ils sont servis avec un filet d'huile d'olive extravierge ou, quelques jours plus tard, lorsqu'ils sont ajoutés aux potages et ragoûts. Ce plat est une adaptation d'une recette de Faith Willinger, une auteure inspirée de livres de cuisine italienne. ◦ **6 portions**

MIJOTEUSE : Grande, ronde
INTENSITÉ ET TEMPS DE CUISSON : ÉLEVÉE, de 2½ à 3½ heures

600 ml (2½ tasses) de haricots blancs secs, comme des Great Northern ou
    des petits haricots blancs
2 brins de sauge fraîche
1 feuille de laurier
1 tête d'ail entière, non pelée
2,5 l (10 tasses) d'eau
15 ml (1 c. à table) de gros sel de mer, ou au goût
Poivre noir du moulin
Huile d'olive extravierge pour le service

1. Mettre les haricots dans une passoire et les rincer sous l'eau froide ; retirer les haricots endommagés et les petites pierres. Déposer dans la mijoteuse (elle doit être assez grande pour que les haricots puissent bouillonner sans déborder) et recouvrir de 7,5 cm (3 po) d'eau froide. Laisser tremper de 6 à 12 heures, puis égoutter.

2. Ajouter la sauge, la feuille de laurier, l'ail et 2,5 l (10 tasses) d'eau. À couvert, laisser cuire de 2½ à 3½ heures à intensité élevée. Les haricots doivent être constamment recouverts de liquide pour cuire correctement. Quand ils seront prêts, ils seront tendres et conserveront leur forme, sans se défaire. Vers la fin de la cuisson, ajouter le sel de mer et enlever la feuille de laurier et la tête d'ail (si désiré, on peut presser l'ail cuit et l'ajouter aux haricots ou le retirer complètement).

3. À découvert, laisser les haricots tiédir dans la mijoteuse pendant 1 heure, puis les égoutter en conservant 120 ml (½ tasse) du liquide de cuisson. Servir assaisonné d'un peu de sel et de beaucoup de poivre noir moulu. Verser un filet d'huile d'olive. Sinon, déposer les haricots et leur jus dans un contenant fermé et les réfrigérer pour une période n'excédant pas 7 jours.

Haricots style Boston

Directement de Beantown (la «ville du haricot», surnom de Boston), voici la recette authentique : il n'y a pas de tomates ou d'ail en vue. La mélasse et le lard salé sont essentiels à la saveur de ce plat. Cette recette comporte exactement les mêmes ingrédients que ceux consignés par Abigaïl Adams du Massachusetts, la femme d'un président et la mère d'un autre, dans son livre de cuisine personnel à la fin des années 1700. À cette époque, on ne travaillait pas le dimanche ; le rituel hebdomadaire des haricots cuisant dans le four extérieur traditionnel commençait dans la nuit du vendredi au samedi. Samedi soir, il y avait des haricots au lard et du pain brun pour dîner ; le dimanche, au petit-déjeuner, le menu se composait des restants de haricots avec des fricadelles de morue et de la relish de tomates vertes. Dans ce cas, les haricots cuiront de 10 à 12 heures ; vous pouvez donc choisir de les laisser cuire toute la nuit. Le trait de bicarbonate de soude aide à réduire au minimum les propriétés flatulentes des haricots. Une fois refroidis, ces haricots peuvent être écrasés et tartinés sur du pain de blé entier. ◉ **6 à 8 portions**

MIJOTEUSE : Moyenne ou grande, ronde

INTENSITÉ ET TEMPS DE CUISSON : ÉLEVÉE, pour 1½ heure pour précuire les haricots ; puis, ÉLEVÉE pour porter à ébullition, et FAIBLE de 10 à 12 heures

454 g (1 lb) de petits haricots blancs secs
2 ml (½ c. à thé) de bicarbonate de soude
1 morceau de 227 g (8 oz) de lard salé
120 ml (½ tasse) de mélasse foncée
120 ml (½ tasse) de cassonade, blonde ou brune, bien tassée
7 ml (1½ c. à thé) de moutarde sèche
7 ml (1½ c. à thé) de sel
1 ml (¼ c. à thé) de poivre noir fraîchement moulu
1 oignon blanc moyen entier, pelé, incisé en croix à la base
1,5 l (6 tasses) d'eau bouillante

1. Mettre les haricots dans une passoire et les rincer sous l'eau froide ; retirer les haricots endommagés et les petites pierres. Déposer dans la mijoteuse (elle doit être assez grande pour que les haricots puissent bouillonner sans déborder) et recouvrir de 5 cm (2 po) d'eau froide. Laisser tremper toute la nuit, puis égoutter.

2. Recouvrir les haricots de 7,5 cm (3 po) d'eau fraîche. Ajouter le bicarbonate de soude. À couvert, laisser cuire 1½ heure à intensité élevée ; les haricots doivent être al dente. Égoutter.

3.   Pendant ce temps, faire frémir le lard salé dans l'eau bouillante pendant 10 minutes pour en enlever l'excès de sel ; égoutter et rincer sous l'eau froide. Éponger et couper en dés.

4.   Combiner les haricots égouttés, le lard salé, la mélasse, la cassonade, la moutarde, le sel et le poivre dans la mijoteuse. Remuer pour bien mélanger. Enfoncer l'oignon dans le centre des haricots et ajouter de l'eau bouillante jusqu'à recouvrir le tout de 1,3 cm (½ po) d'eau. Mettre le couvercle et, à intensité élevée, amener le mélange au point d'ébullition. Régler ensuite le feu à faible intensité et faire cuire de 10 à 12 heures, le temps que les haricots soient tendres, consistants et bouillonnants. Ne pas brasser durant la cuisson mais, au besoin, ajouter plus d'eau bouillante pour que les haricots restent humides. Traditionnellement, les haricots sont cuits à découvert pendant les 30 dernières minutes afin de permettre au mélange d'épaissir et de donner la consistance souhaitée.

Porc à l'érable et haricots

Au Vermont, on a une version quelque peu différente des Haricots style Boston ; on ne fait pas cuire les haricots avec de la mélasse, mais plutôt avec du succulent sirop d'érable. Ce plat est une adaptation d'une recette tirée d'un petit livre de cuisine connu, *Cooking from a Country Farmhouse,* de Susan Wyler (HarperPerennial, 1993). Si vous pouvez vous en procurer, utilisez du sirop de catégorie B dont la saveur d'érable est un peu plus intense ; cependant, n'importe quel vrai sirop d'érable conviendra. Servez ce plat avec un de nos Pains bruns cuits à la vapeur (pages 471 à 476). ● **6 à 8 portions**

MIJOTEUSE : Moyenne ou grande, ronde
INTENSITÉ ET TEMPS DE CUISSON : FAIBLE, de 10 à 12 heures ; la couenne de
   lard salé doit être enlevée après 4 à 6 heures de cuisson

454 g (1 lb) de petits haricots blancs secs
1 morceau de 340 g (12 oz) de lard salé bien viandeux
2 oignons blancs moyens, hachés
180 ml (¾ tasse) de ketchup
120 ml (½ tasse) de sirop d'érable pur, catégorie B de préférence
80 ml (⅓ tasse) de cassonade brune, bien tassée
15 ml (1 c. à table) de moutarde de Dijon
1 ml (¼ c. à thé) de piment de Cayenne

3 clous de girofle

480 ml (2 tasses) d'eau bouillante, ou plus pour couvrir les ingrédients

1. Mettre les haricots dans une passoire et les rincer sous l'eau froide; retirer les haricots endommagés et les petites pierres. Déposer dans la mijoteuse et recouvrir de 5 cm (2 po) d'eau froide. Laisser tremper de 6 à 12 heures, puis égoutter.

2. À l'aide d'un couteau, retirer la couenne du lard salé en un morceau en laissant environ 1,3 cm (½ po) de gras attaché à la viande; réserver. Tailler le lard salé en lanières de 3,7 cm (1½ po) de longueur et de 1,3 cm (½ po) de largeur et d'épaisseur. Faire mijoter les lanières de lard salé dans l'eau bouillante pendant 5 minutes pour en enlever l'excès de sel; égoutter et rincer sous l'eau froide.

3. Ajouter le lard salé, les oignons, le ketchup, le sirop d'érable, la cassonade, la moutarde, le piment de Cayenne et les clous de girofle aux haricots déjà dans la mijoteuse. Bien mélanger. Recouvrir d'eau bouillante. Déposer le morceau réservé de couenne de lard sur le dessus du mélange. À couvert, laisser cuire de 4 à 6 heures à faible intensité.

4. Retirer la couenne de lard. Mettre le couvercle et, à faible intensité, poursuivre la cuisson des haricots, le temps qu'ils soient tendres, consistants et bouillonnants, soit durant environ 6 heures.

Haricots végétariens

P uisque les haricots au lard sont si merveilleux lorsqu'ils sont cuits à la mijoteuse, nous proposons cette version des Haricots style Boston, une excellente recette probablement issue des communautés shakers. Les haricots cuiront de 10 à 12 heures; donc, planifiez en conséquence. Essayez ce plat, même s'il n'y a pas de végétariens à l'horizon. ◉ **6 à 8 portions**

MIJOTEUSE : Moyenne ou grande, ronde

INTENSITÉ ET TEMPS DE CUISSON : ÉLEVÉE, pour 1½ heure pour précuire les haricots, et quelques minutes de plus pour porter les ingrédients à ébullition; puis, FAIBLE de 10 à 12 heures

454 g (1 lb) de petits haricots blancs secs

60 ml (¼ tasse) de ketchup

60 ml (¼ tasse) de sirop d'érable pur, catégorie B de préférence

60 ml (¼ tasse) de mélasse

6 ml (1¼ c. à thé) de sarriette séchée des jardins ou des montagnes, ou
    12 ml (2½ c. à thé) de sarriette fraîche, ciselée

5 ml (1 c. à thé) de bicarbonate de soude

5 ml (1 c. à thé) de sel

1 ml (¼ c. à thé) de poivre noir fraîchement moulu

1 oignon blanc moyen entier, pelé, incisé en croix à la base, piqué de
    4 clous de girofle

Eau bouillante pour couvrir

120 ml (½ tasse ou 1 bâtonnet) de beurre ou de margarine, coupé en
    morceaux

1. Mettre les haricots dans une passoire et les rincer sous l'eau froide ; retirer les haricots endommagés et les petites pierres. Déposer dans la mijoteuse et recouvrir de 5 cm (2 po) d'eau froide. Laisser tremper toute la nuit, puis égoutter.

2. Recouvrir les haricots de 7,5 cm (3 po) d'eau fraîche. À couvert, laisser cuire 1½ heure à intensité élevée ; les haricots doivent être al dente. Égoutter.

3. Remettre les haricots dans la mijoteuse et ajouter le ketchup, le sirop d'érable, la mélasse, la sarriette, le bicarbonate de soude, le sel et le poivre. Remuer pour bien mélanger. Enfoncer l'oignon entier au centre du plat. Verser assez d'eau bouillante pour recouvrir les haricots de 1,25 cm (½ po) ; brasser délicatement. Mettre le couvercle et, à intensité élevée, amener le mélange au point d'ébullition. Régler ensuite le feu à faible intensité et faire cuire de 10 à 12 heures, le temps que les haricots soient tendres, consistants et bouillonnants.

4. Retirer l'oignon, incorporer le beurre et brasser jusqu'à ce qu'il soit fondu. Goûter et rectifier l'assaisonnement. Servir chaud.

Frijoles negros végétariens

Les haricots noirs, aussi appelés « Black turtle », sont la pierre angulaire de l'alimentation dans les milieux populaires des Amériques centrale et du Sud, comme le sont les haricots Pinto dans la cuisine mexicaine. Autrefois, il était difficile de se procurer ce type de haricots ; de nos jours, ils sont disponibles dans la plupart des supermarchés. Ils ont une saveur irrésistible et sont des plus faciles à digérer. Si vous aimez que vos haricots noirs aient une touche piquante, ajoutez un ou deux jalapenos en conserve. Nous aimons verser quelques cuillérées à soupe d'huile d'olive sur les haricots au moment de servir. Vous pouvez utiliser ces haricots frits ou en purée comme trempette ; ils sont bons et consistants. ◉ **4 portions**

MIJOTEUSE : Grande, ronde
INTENSITÉ ET TEMPS DE CUISSON : ÉLEVÉE, de 4 à 6 heures

1 paquet de 454 g (1 lb) de haricots noirs (Black turtle)
1 oignon jaune de grosseur moyenne, haché menu
1 poivron de grosseur moyenne, vert ou rouge, haché menu
1 ou 2 jalapenos, épépinés et finement hachés
2 ml (½ c. à thé) de cumin moulu
1 feuille de laurier
120 ml (½ tasse) de sauce tomate ou de salsa en conserve
2 l (8 tasses) d'eau
15 ml (1 c. à table) de vinaigre de vin rouge
Sel, au goût
Fromage de chèvre émietté pour le service (facultatif)

1. Mettre les haricots dans une passoire et les rincer sous l'eau froide ; retirer les haricots endommagés et les petites pierres. Déposer dans la mijoteuse et recouvrir de 7,5 cm (3 po) d'eau froide. Laisser tremper de 6 à 12 heures, puis égoutter.

2. Ajouter l'oignon, le poivron, le jalapeno, le cumin, la feuille de laurier, la sauce tomate et les 2 l (8 tasses) d'eau. À couvert, laisser cuire de 4 à 6 heures à intensité élevée. Vérifier la cuisson après 3 heures. Les haricots doivent constamment être recouverts de liquide pour cuire correctement. Quand ils seront prêts, ils seront tendres et conserveront leur forme, sans se défaire. À la fin de la cuisson, il restera beaucoup de liquide dans la mijoteuse. Retirer la feuille de laurier, ajouter le vinaigre et saler. Servir chaud et, si désiré, parsemer de fromage de chèvre.

Haricots noirs braisés

S i vous voulez obtenir une consistance moyenne, utilisez beaucoup d'eau pour faire cuire les haricots noirs. Autrement, ils auront tendance à épaissir comme pour former un potage (ce qui est également bon). Servez-les avec beaucoup de yaourt nature et de salsa sur le dessus. ◦ **4 à 6 portions**

MIJOTEUSE : Grande, ronde
INTENSITÉ ET TEMPS DE CUISSON : ÉLEVÉE, de 4 à 6 heures

1 paquet de 454 g (1 lb) de haricots noirs (Black turtle)
1 oignon de grosseur moyenne, jaune ou blanc, haché menu
1 carotte de grosseur moyenne, grossièrement râpée
2 gousses d'ail, hachées ou entières
2 ml (½ c. à thé) de cumin moulu ou de poudre de piment du Nouveau-Mexique
½ feuille de laurier ou 1 brin de sarriette fraîche des jardins ou des montagnes
1 pincée de marjolaine séchée
1 à 1,5 l (4 à 6 tasses) d'eau, selon la consistance désirée
1 à 1,5 l (4 à 6 tasses) de bouillon de poulet ou de légumes, selon la consistance désirée
30 ml (2 c. à table) de miso blanc
Sel, et poivre noir du moulin, au goût
Sauce épicée, comme le Tabasco, au goût

1. Mettre les haricots dans une passoire et les rincer sous l'eau froide ; retirer les haricots endommagés et les petites pierres. Déposer dans la mijoteuse et recouvrir de 7,5 cm (3 po) d'eau froide. Laisser tremper de 6 à 12 heures, puis égoutter.

2. Ajouter l'oignon, la carotte, l'ail, le cumin, la feuille de laurier, la marjolaine et autant d'eau que de bouillon. À couvert, laisser cuire de 4 à 6 heures à intensité élevée. Les haricots doivent être constamment recouverts de liquide pour cuire correctement. Quand ils seront prêts, ils seront tendres et garderont leur forme, sans se défaire. À la fin de la cuisson, il restera beaucoup de liquide dans la mijoteuse.

3. Retirer le brin de sarriette ou la feuille de laurier. Ajouter le miso et brasser jusqu'à dissolution. Saler et poivrer. Ajouter la sauce épicée et servir.

Haricots noirs au porc à la mexicaine

Ce ragoût est composé de haricots noirs en conserve et de porc, ce qui vous permet de sauter l'étape du trempage. Servi avec de la salade et une *focaccia* ou avec de grandes tortillas et du beurre, il constitue un repas simple mais excellent. ● **4 à 6 portions**

MIJOTEUSE : Moyenne ou grande, ronde
INTENSITÉ ET TEMPS DE CUISSON : FAIBLE, de 8 à 9 heures

454 g (1 lb) de longe de porc désossée, le gras enlevé, coupée en cubes de
  2,5 cm (1 po)
5 ml (1 c. à thé) d'assaisonnement au chile
5 ml (1 c. à thé) de coriandre moulue
Sel, au goût
1 oignon jaune moyen, haché
1 gousse d'ail, finement hachée
2 boîtes de 426 ml (15 oz) de haricots noirs, rincés et égouttés
1 boîte de 455 ml (16 oz) de tomates à l'étuvée, grossièrement hachées, et
  leur jus
480 ml (2 tasses) d'eau
Poivre noir du moulin, au goût

POUR LE SERVICE :
Riz blanc cuit et chaud
60 ml (¼ tasse) de coriandre fraîche, ciselée

1. Mélanger le porc avec l'assaisonnement au chile, la coriandre et le sel jusqu'à ce qu'il soit bien enrobé. Faire chauffer une grande poêle non huilée à feu moyen-vif. Tout en brassant, y faire dorer légèrement le porc avec l'oignon et l'ail.

2. Verser le mélange de porc dans la mijoteuse. Incorporer les haricots, les tomates et leur jus, puis l'eau. Saler et poivrer. À couvert, laisser cuire de 8 à 9 heures à faible intensité.

3. Servir les haricots au porc sur du riz blanc cuit à la vapeur. Garnir de coriandre.

Haricots noirs à l'orange et au cumin

oici une fabuleuse recette vaguement inspirée d'un de nos livres de cuisine préférés, *The Stanford University Healthy Heart Cookbook* (Chronicle Books, 1997). Les haricots noirs en conserve sont incroyablement polyvalents et, puisqu'ils sont également des plus faciles à digérer, ils devraient se retrouver régulièrement au menu de tous les amateurs de haricots. ◉ **2 à 4 portions**

MIJOTEUSE : Moyenne, ronde
INTENSITÉ ET TEMPS DE CUISSON : ÉLEVÉE, pour environ 1½ heure

2 boîtes de 426 ml (15 oz) de haricots noirs, rincés et égouttés
30 ml (2 c. à table) de cassonade, blonde ou brune, bien tassée
1 échalote française de grosseur moyenne, hachée
1 branche de céleri, hachée
120 ml (½ tasse) de jus d'orange
120 ml (½ tasse) de bouillon de poulet
2 ml (½ c. à thé) de cumin moulu
1 pincée de cannelle ou de cardamome, moulues
Sel, et poivre noir du moulin, au goût

POUR LE SERVICE :
Riz blanc cuit et chaud
60 ml (¼ tasse) de coriandre fraîche, ciselée
120 ml (½ tasse) de tomates fraîches, hachées

1. Combiner les haricots, la cassonade, l'échalote, le céleri, le jus d'orange, le bouillon, le cumin et la cannelle dans la mijoteuse. À couvert, laisser cuire environ 1½ heure à intensité élevée.

2. Saler et poivrer. Servir chaud sur du riz. Garnir de coriandre et de tomates.

Pois chiches

Les pois chiches, aussi appelés «garbanzos», figurent dans les cuisines de la Méditerranée à l'Inde. Ce sont des haricots très durs. Le prétrempage devient donc une étape importante. De plus, les pois chiches doivent être cuits à intensité élevée à la mijoteuse. Ils constituent l'ingrédient essentiel de l'hoummos, une purée fort courante au Moyen-Orient. Les pois chiches fraîchement cuisinés sont fabuleux dans les salades vertes avec des carottes râpées et des quartiers de tomate ou ajoutés aux potages. Ils sont aussi merveilleux dans un ragoût d'agneau ou de poulet. ◉ **6 portions**

MIJOTEUSE : Grande, ronde

INTENSITÉ ET TEMPS DE CUISSON : ÉLEVÉE, de 3½ à 6 heures

1 paquet de 454 g (1 lb) de pois chiches secs
2,2 l (9 tasses) d'eau
10 ml (2 c. à thé) de sel de mer fin, ou au goût

• • Salade de pois chiches marinés • •

Cette salade, faite avec des pois chiches fraîchement cuits, est simplement merveilleuse. Si vous le désirez, vous pouvez ajouter d'autres ingrédients — un restant de haricots verts, des carottes râpées, des olives noires tranchées, des tomates —, mais elle est vraiment bonne telle quelle. Elle est très rapide à préparer et très nourrissante. ◉ 4 portions

45 ml (3 c. à table) de vinaigre de vin rouge, de vinaigre de cidre ou de jus
    de citron frais
60 ml (¼ tasse) d'huile d'olive
480 ml et un peu plus (2 tasses combles) de Pois chiches cuits à la
    mijoteuse (page 212), égouttés si nécessaire
1 échalote française de grosseur moyenne, finement hachée, ou ½ petit
    oignon rouge, haché menu
45 ml (3 c. à table) de persil plat frais, haché
Sel, et poivre noir fraîchement moulu

Dans un bol de taille moyenne, à l'aide d'un fouet, combiner le vinaigre et l'huile. Ajouter les pois chiches, l'échalote et le persil ; bien mélanger. Saler et poivrer. Faire mariner à la température ambiante pendant 30 minutes avant de servir, ou réfrigérer pour une période n'excédant pas 24 heures. Servir froid ou à la température ambiante.

1. Mettre les haricots dans une passoire et les rincer sous l'eau froide; retirer les haricots endommagés et les petites pierres. Déposer dans la mijoteuse et recouvrir de 7,5 cm (3 po) d'eau froide. Laisser tremper de 6 à 12 heures, puis égoutter.

2. Ajouter les 2,2 l (9 tasses) d'eau. À couvert, laisser cuire de 3½ à 6 heures à intensité élevée. Vérifier la cuisson après 3½ heures. Saler vers la fin de la cuisson. Les pois chiches doivent être constamment recouverts de liquide pour cuire correctement. Quand ils seront prêts, ils seront tendres et conserveront leur forme, sans se défaire. En couper un en deux à l'aide d'un couteau pour vérifier la cuisson.

3. À découvert, laisser les pois chiches reposer dans la mijoteuse pendant 1 heure. Les transférer ensuite avec le jus de cuisson dans un contenant fermé pour les réfrigérer ou les congeler, ou les égoutter et les utiliser dans une autre recette.

Pois chiches et bettes à carde

Il existe un livre intitulé *Wake Up and Cook,* de Tricycle Press (Riverhead Books, 1997), qui rassemble des écrits et des poèmes de bouddhistes zen, lesquels considèrent qu'une bonne alimentation fait partie de leur cheminement spirituel au même titre que la pratique contemplative. Dans ce livre, on trouve une section rédigée par le compositeur John Cage, qui observe une diète simple faite de riz complet et de toutes les variétés de haricots secs. Il fait cuire les haricots et, à la fin du temps de cuisson, y ajoute un agent aromatisant et un élément salé, par exemple de la sauce soja. Dans le même ordre d'idées, voici une recette de Darra Goldstein, une autorité culinaire et la rédactrice en chef du journal *Gastronomica*. Darra nous propose une fabuleuse façon de transformer les pois chiches et une montagne de légumes verts en un simple et nourrissant plat principal. ● **2 à 3 portions**

MIJOTEUSE : Moyenne, ronde
INTENSITÉ ET TEMPS DE CUISSON : ÉLEVÉE, de 4½ à 5 heures; les oignons
    sautés, les bettes à carde, la pâte de tomates et les assaisonnements
    sont ajoutés après 3 à 3½ heures de cuisson

120 ml (½ tasse) de pois chiches secs
1 botte de bettes à carde de 750 g (1½ lb), rincées, tiges enlevées, les
    feuilles grossièrement hachées; ou 750 g (1½ lb) d'épinards rincés, tiges
    dures enlevées et grandes feuille hachées
480 ml (2 tasses) d'eau

60 ml (¼ tasse) d'huile d'olive

2 petits oignons blancs, hachés menu

30 ml (2 c. à table) de pâte de tomates

2 ml (½ c. à thé) de sel de mer fin, au goût

1 pincée de piment de Cayenne ou de poudre de piment du Nouveau-
   Mexique

Poivre noir du moulin

1. Mettre les pois chiches dans une passoire et rincer sous l'eau froide ; retirer les pois endommagés et les petites pierres. Verser dans la mijoteuse (elle doit être assez grande pour que les pois chiches puissent bouillonner sans déborder). Recouvrir de 7,5 cm (3 po) d'eau froide et laisser tremper de 6 à 12 heures.

2. Si les bettes à carde sont utilisées, blanchir les feuilles hachées dans l'eau bouillante durant 3 minutes.

3. Égoutter les pois chiches et ajouter les 480 ml (2 tasses) d'eau. À couvert, laisser cuire de 3 à 3½ heures à intensité élevée jusqu'à tendreté. Les pois chiches doivent être constamment recouverts de liquide pour cuire correctement.

4. Dans une petite poêle, faire chauffer l'huile d'olive à feu moyen-vif. Tout en brassant, y faire cuire les oignons environ 8 minutes, le temps qu'ils soient presque dorés et bruns sur les bords.

5. Quand les pois chiches sont tendres, ajouter les oignons et l'huile, les bettes blanchies (avec leur eau) ou les épinards crus, la pâte de tomates, le sel, le piment de Cayenne et le poivre noir. À couvert, poursuivre la cuisson pendant 1½ heure à intensité élevée. Servir chaud.

Soja à la mijoteuse

Avec toute la publicité que les aliments à base de soja ont reçue ces derniers temps, on pourrait s'attendre à trouver des fèves de soja sur toutes les tables. Or, quoique le lait de soja, les noix de soja grillées, le tofu et le soja végétal frais, aussi appelés edamames, apparaissent régulièrement dans les cuisines des gens soucieux de leur santé, ce n'est pas le cas des fèves de soja dans leur forme la plus simple. À notre avis, c'est parce que les gens ne savent pas comment les faire cuire, et nous pensons que c'est une honte, parce que les fèves de soja sont vraiment des haricots à connaître ! Il s'agit de mignons petits haricots jaunes, de forme ovale, qui ont une douce saveur de noisettes. Même quand elles sont cuites jusqu'à tendreté, ces fèves conservent leur forme mieux que la plupart des autres haricots. Et, comme tous les haricots, elles absorbent magnifiquement les saveurs des ingrédients qu'on y ajoute. Dans cette recette, l'huile de sésame grillé leur donne un léger arôme fumé sans trop ajouter à la teneur en gras.

◎ **4 à 5 portions**

MIJOTEUSE : Moyenne ou grande, ronde
INTENSITÉ ET TEMPS DE CUISSON : ÉLEVÉE, pour 4 heures ; puis, FAIBLE de 5 à 6 heures

240 ml (1 tasse) de haricots de soja secs
1 l (4 tasses) d'eau, ou au besoin pour recouvrir les ingrédients
½ oignon jaune de grosseur moyenne, tranché en demi-lunes
60 ml (¼ tasse) de cassonade, blonde ou brune, bien tassée
60 ml (¼ tasse) de mélasse
5 ml (1 c. à thé) de sel
2 ml (½ c. à thé) de moutarde sèche
30 ml (2 c. à table) d'huile de sésame grillé ou d'huile noire

1. Mettre les haricots dans une passoire et les rincer sous l'eau froide ; retirer les haricots endommagés et les petites pierres. Déposer dans la mijoteuse et recouvrir de 5 cm (2 po) d'eau froide. Laisser tremper de 6 à 12 heures, puis égoutter.

2. Recouvrir de 1 litre (4 tasses) d'eau. À couvert, laisser cuire environ 4 heures à intensité élevée ou jusqu'à ce que les haricots soient tendres. Les haricots doivent être constamment recouverts de liquide pour cuire correctement.

3. Égoutter les haricots cuits et les remettre dans la mijoteuse. Ajouter l'oignon, la cassonade, la mélasse, le sel, la moutarde et l'huile de sésame ; bien mélanger. À couvert, poursuivre la cuisson de 5 à 6 heures à faible intensité, le temps que les haricots de soja soient pleins de saveur mais encore humides et que l'oignon soit tendre. Mélanger délicatement en veillant à ne pas écraser les haricots. Servir chaud.

Haricots du Sud-Ouest

ette recette requiert l'utilisation des traditionnels haricots de Lima de Noël, une variété exotique maintenant cultivée dans le sud-ouest des États-Unis, mais elle sera tout aussi délicieuse avec n'importe quel autre type de haricots, particulièrement les doliques à œil noir. Beth aime y incorporer l'os de jambon récupéré d'un festin où elle a servi du jambon au miel. Servez ce plat sur une montagne de tendre polenta avec des bettes à carde sautées. Les haricots de Lima de Noël sont de très beaux haricots tachetés de rouge et de blanc.

◎ 8 portions

MIJOTEUSE : Moyenne ou grande, ronde

INTENSITÉ ET TEMPS DE CUISSON : ÉLEVÉE, de 5 à 6 heures ; la salsa est ajoutée après 3 heures de cuisson

1 paquet de 454 g (1 lb) de haricots de Lima de Noël, canneberges, pinto ou anasazi, secs

1,7 l (7 tasses) d'eau

1 gros oignon jaune, haché

1 jambonneau de 340 g (12 oz) ou 1 os de jambon viandeux (les restes d'un autre repas)

1 boîte ou 1 pot de 227 ml (8 oz) de salsa aux chiles verts, de sauce tomate ou de tomates à l'étuvée

5 ml (1 c. à thé) de sel, ou au goût

1. Mettre les haricots dans une passoire et les rincer sous l'eau froide ; retirer les haricots endommagés et les petites pierres. Déposer dans la mijoteuse et recouvrir de 7,5 cm (3 po) d'eau froide. Laisser tremper de 6 à 12 heures, puis égoutter.

2. Ajouter le 1,7 l (7 tasses) d'eau, l'oignon et le jambonneau. À couvert, laisser cuire pendant 3½ heures à intensité élevée, puis incorporer la salsa.

3. Mettre le couvercle et poursuivre la cuisson de 1½ à 2½ heures à intensité élevée. Les haricots doivent être constamment recouverts de liquide pour cuire correctement, mais le mélange devrait être consistant. Une fois cuits, les haricots seront tendres et conserveront leur forme, sans se défaire. Enlever le jambonneau ou l'os pour en retirer la viande. Remettre la viande dans la mijoteuse. Bien mélanger. Saler et servir.

Lentilles

Cette recette demande des lentilles brunes, aussi connues sous le nom de lentilles euro-péennes. Parfois, ces dernières sont légèrement teintées de vert, mais d'habitude elles sont terreuses. Nous aimons aussi les lentilles vertes françaises du Puy, qui sont légèrement plus petites que les lentilles brunes régulières et qui sont excellentes dans les salades en raison de leur capacité à conserver leur forme malgré la cuisson. N'utilisez pas cette recette pour faire cuire des lentilles rouges (aussi appelées lentilles égyptiennes); ces dernières sont meilleures pour les potages et les dal, car elles se défont rapidement pour former une purée lisse. Dans cette recette, nous voulions des lentilles fermes qui garderaient leur forme lorsque ajoutées aux potages, aux ragoûts ou aux salades avec vinaigrette. Pour un plat d'accompagnement rapide, rincez les lentilles, versez-les dans une poêle chaude et faites-les chauffer avec un peu d'huile, de gras de bacon ou de beurre. Ou écrasez-les et servez-les avec un filet d'huile d'olive ou un carré de beurre. ● **10 à 12 portions**

MIJOTEUSE : Moyenne, ronde
INTENSITÉ ET TEMPS DE CUISSON : ÉLEVÉE, de 2 à 3 heures

454 g (1 lb) de lentilles brunes ou de lentilles vertes françaises du Puy,
    sèches
1,7 l (7 tasses) d'eau, ou au besoin
Sel, au goût (facultatif)

1. Mettre les lentilles dans une passoire et rincer sous l'eau froide; retirer les lentilles endommagées et les petites pierres. Verser dans la mijoteuse. Ajouter assez d'eau pour recouvrir de 7,5 cm (3 po). À couvert, laisser cuire les lentilles à intensité élevée jusqu'à tendreté. Pour l'obtention de lentilles encore fermes à être ajoutées aux potages, faire cuire environ 2 heures; pour l'obtention de lentilles tendres à être incorporées à une salade, faire cuire pendant environ 3 heures. Si la cuisson est trop longue, les lentilles commenceront à se défaire et à former une sorte de bouillie, comme dans un potage. Pour la congélation, il est préférable que les lentilles soient plus fermes.

2. Saler, si désiré. Retirer les lentilles de la mijoteuse et les laisser tiédir à la tempéra-ture ambiante. S'il y a beaucoup de liquide, en enlever un peu. Utiliser immédiatement dans une recette ou réfrigérer, à couvert, de 3 à 4 jours. Ou égoutter complètement les lentilles, les rincer, et les congeler ensuite en portions de 240 ml (1 tasse) dans des sacs à congélation (les placer à plat) pour une période n'excédant pas 2 mois. Les lentilles congelées sont parfaites pour les potages et les ragoûts.

Lentilles au jambon et au romarin

Cette recette provient d'un article sur les mijoteuses du magazine *Cooking Light* publié il y a quelques années et qu'on trouve maintenant sur Internet. Cette savoureuse combinaison de jambon et de lentilles a été cotée quatre étoiles par les utilisateurs, ce qui a vraiment attiré notre attention. Utilisez n'importe quel type de jambon : le restant d'un jambon au miel préparé pour un pique-nique ou un repas de fête, un steak de jambon de 454 g (1 lb) du comptoir des viandes de votre supermarché ou d'épaisses tranches de jambon Forêt noire d'une épicerie fine. ☉ **8 portions**

MIJOTEUSE : Moyenne ou grande, ronde
INTENSITÉ ET TEMPS DE CUISSON : ÉLEVÉE, de 2½ à 3 heures

2 oignons jaunes moyens, hachés
480 ml (2 tasses) de jambon cuit, coupé en dés (voir précédemment)
240 ml (1 tasse) de carottes ou de panais, coupés en dés
240 ml (1 tasse) de céleri, haché
2 gousses d'ail, hachées
3 ml (¾ c. à thé) de romarin séché, émietté
3 ml (¾ c. à thé) de sauge, émiettée
1 ml (¼ c. à thé) de poivre noir fraîchement moulu
1 feuille de laurier
454 g (1 lb) de lentilles brunes sèches, triées et rincées
1 boîte de 411 ml (14,5 oz) de bouillon de bœuf
1,2 l (5 tasses) d'eau, ou au besoin pour recouvrir les ingrédients de 7,5 cm
     (3 po)
Persil plat frais pour le service, ciselé (facultatif)

1. Combiner tous les ingrédients dans la mijoteuse, sauf le persil. À couvert, laisser cuire de 2½ à 3 heures à intensité élevée ou jusqu'à ce que les lentilles soient tendres. Pour l'obtention de lentilles ayant davantage la consistance d'une soupe, ajouter de l'eau bouillante.

2. Retirer la feuille de laurier. Si désiré, garnir de persil. Servir.

Plat unique à l'ancienne

L a recette originale de ce plat, qui garnit encore de nombreuses tables américaines, figurait dans un des premiers livres de recette de Rival, le fabricant de mijoteuses, et accompagnait les premiers modèles mis sur le marché. Cette casserole est très riche ; donc, elle nécessite très peu d'accompagnements. Nous l'aimons avec une salade de chou, du pain à l'ail et une salade verte. Voici le commentaire le plus fréquent à propos de ce plat : « Un grand succès... particulièrement avec les hommes. » ● **10 portions**

MIJOTEUSE : Grande, ronde ou ovale
INTENSITÉ ET TEMPS DE CUISSON : FAIBLE, de 6 à 9 heures

227 à 454 g (8 oz à 1 lb) de bœuf haché maigre
227 g (½ lb) de tranches de bacon ou de bacon de dinde, coupées en
    morceaux de 5 cm (2 po)
1 oignon jaune moyen, haché menu
2 boîtes de 881 ml (31 oz) de porc et haricots
1 boîte de 455 ml (16 oz) de haricots rouges, rincés et égouttés
1 boîte de 441 ml (15,5 oz) de haricots beurre de Lima, égouttés
360 ml (1½ tasse) de ketchup
60 ml (¼ tasse) de cassonade, blonde ou brune, bien tassée
15 ml (1 c. à table) d'assaisonnement liquide à saveur de fumée (facultatif)
45 ml (3 c. à table) de vinaigre de cidre

1. Dans une poêle de taille moyenne, faire dorer le bœuf haché à feu moyen-vif. Dégraisser et transférer la viande dans la mijoteuse. Dans la même poêle, tout en brassant, faire cuire le bacon et l'oignon à feu moyen de 6 à 8 minutes, le temps que ce dernier soit ramolli. Le bacon devrait être presque cuit ; le dégraisser. Transférer le mélange dans la mijoteuse. Ajouter le reste des ingrédients. Bien mélanger.

2. À couvert, laisser cuire de 6 à 9 heures à faible intensité ou jusqu'à ce que le plat soit chaud et bouillonnant.

Cholent végétarien

L e cholent est un ragoût classique et chaleureux d'origine juive-européenne ; il est habituellement préparé avec de la poitrine de bœuf. Le mot *cholent* vient du vieux français *chald,* qui signifie « chaud ». Puisque les règles religieuses interdisaient d'allumer un feu le jour du sabbat, ce plat était traditionnellement cuit la nuit à la chaleur déclinante du four au bois du boulanger local, pour être servi à midi le jour suivant. Ce plat à mijoter comportant des haricots de Lima secs et de l'orge est toujours préparé dans les familles pratiquantes (KitchenAid produit même un four avec une fonction « cuisson extralente » pour le jour du sabbat) et traditionnellement mangé au retour de la synagogue le samedi. Cette recette, qui nous a été inspirée d'un de nos livres préférés, *Out of Our Kitchen Closets,* publié par la congrégation Sha'ar Zahav de San Francisco (1987), convient parfaitement à la mijoteuse. Elle peut facilement nourrir un grand groupe. Servez ce plat avec du challah, des haricots verts vapeur, des légumes verts et une salade arrosée de vinaigrette. ◉ **16 portions**

MIJOTEUSE : Grande, ronde ou ovale
INTENSITÉ ET TEMPS DE CUISSON : ÉLEVÉE, pour 1 heure ; puis, FAIBLE de
    12 à 16 heures

240 ml (1 tasse) de haricots de Lima, secs
240 ml (1 tasse) de haricots rouges, secs
240 ml (1 tasse) de haricots pinto, secs
240 ml (1 tasse) de lentilles brunes, sèches
180 ml (¾ tasse) d'huile d'olive
1 gros oignon blanc, coupé en tranches de 1,5 cm (½ po)
240 ml (1 tasse) d'orge perlé
1 sachet de mélange à soupe aux haricots de Lima et à l'orge Manischewitz
30 ml (2 c. à table) de graines de sésame
6 ml (1¼ c. à thé) de graines de cumin
5 ml (1 c. à thé) de paprika
4 branches de céleri, hachées
2 gousses d'ail, finement hachées
4 cubes de bouillon de légumes, écrasés
16 petites pommes de terre nouvelles, blanches ou rouges, bien nettoyées
    (si elles sont de grosseur moyenne, diminuer la quantité de moitié, les
    peler et les couper en quartiers)
Eau froide ou bouillon de légumes (dans ce dernier cas, omettre les cubes
    de bouillon de légumes)

15 ml (1 c. à table) de sel de mer fin, au goût

Poivre noir du moulin, au goût

1. Mettre les haricots de Lima, les haricots rouges et les haricots pinto dans une passoire. Les rincer sous l'eau froide ; retirer les haricots endommagés et les petites pierres. Mettre le tout dans la mijoteuse. Recouvrir de 7,5 cm (3 po) d'eau froide, laisser tremper de 6 à 12 heures, puis égoutter. Enlever les lentilles endommagées et rincer.

2. À feu moyen, faire chauffer 45 ml (3 c. à table) d'huile dans une poêle de taille moyenne et, tout en brassant, y attendrir l'oignon environ 5 minutes.

3. Ajouter les lentilles, l'oignon sauté, les 135 ml (9 c. à table) restants d'huile, l'orge perlé, le sachet de soupe, les graines de sésame, les graines de cumin, le paprika, le céleri, l'ail et les cubes de bouillon écrasés aux haricots déjà dans la mijoteuse ; bien mélanger. Incorporer les pommes de terre en les plongeant dans les haricots. Recouvrir complètement d'eau froide ou de bouillon, en laissant environ 2,5 cm (1 po) de libre au-dessus de la préparation. À couvert, faire cuire pendant 1 heure à intensité élevée.

4. Régler la mijoteuse à faible intensité et poursuivre la cuisson de 12 à 16 heures de plus.

5. Saler et poivrer. Servir dans des bols à soupe peu profonds.

Haricots et saucisses

Pour profiter de toutes les merveilleuses variétés de saucisses maigres et épicées qui nous sont offertes de nos jours, il nous faut beaucoup de bonnes recettes. Les saucisses ont été la pierre angulaire des plats uniques durant des siècles (il est dur d'imaginer des gombos ou un cassoulet sans saucisses) parce qu'elles constituent une façon commode de préserver la viande. En plus des saucisses de bœuf et de porc, on en trouve maintenant au veau, à la dinde et au poulet. Vous pouvez utiliser des saucisses fraîches (qui doivent être complètement cuites avant d'être ajoutées dans la mijoteuse), fumées ou déjà cuites. Employez n'importe quels haricots en conserve que vous aimez, ou une combinaison de deux types. Les haricots Great Northern, qu'on trouve facilement en conserve, sont doux et se marient bien avec des variétés qui ont plus de personnalité. Servez ce plat avec du pain frais et du beurre, et accompagnez-le d'une petite salade verte. ◉ **4 à 6 portions**

MIJOTEUSE : Moyenne ou grande, ronde

INTENSITÉ ET TEMPS DE CUISSON : ÉLEVÉE de 3 à 4 heures ou FAIBLE de 6 à
8 heures

454 g (1 lb) de saucisses fraîches, comme la saucisse italienne à la dinde ;
ou 454 g (1 lb) de saucisses fumées ou précuites, comme la bratwurst,
la pomme et poulet, ou la kielbassa

60 ml (¼ tasse) d'eau (si on utilise de la saucisse fraîche)

30 ml (2 c. à table) d'huile d'olive

2 petits poivrons, de n'importe quelle couleur, épépinés et coupés en
lanières

1 oignon jaune moyen, haché

1 gousse d'ail, finement hachée

1 boîte de 426 ml (15 oz) de haricots blancs, comme des Great Northern,
des haricots beurre ou des cannellinis, rincés et égouttés

1 boîte de 426 ml (15 oz) de haricots rouges, petits ou ordinaires, rincés et
égouttés

1 boîte de 411 ml (14,5 oz) de tomates en dés, et leur jus

60 ml (¼ tasse) de vin rouge sec

Sel, et poivre noir du moulin, au goût

1. Dans une poêle non huilée, faire dorer la saucisse à feu moyen. Si elle est fumée ou précuite, la trancher et la réserver. Si elle est fraîche, ajouter l'eau, couvrir la poêle et la laisser cuire complètement, soit de 8 à 10 minutes. Découvrir et faire cuire pendant quelques minutes de plus. Laisser refroidir et trancher.

2. Bien essuyer la poêle, puis y faire chauffer l'huile à feu moyen. Ajouter les poivrons, l'oignon, le poivre et l'ail et, tout en brassant, faire cuire jusqu'à tendreté. Déposer le mélange dans la mijoteuse avec la saucisse, les haricots, les tomates et leur jus, et le vin. À couvert, laisser cuire de 3 à 4 heures à intensité élevée ou de 6 à 8 heures à faible intensité. Vers la fin de la cuisson, vérifier la consistance et, si désiré, faire cuire à découvert pour laisser épaissir la préparation. Saler et poivrer. Servir.

Le merveilleux
monde du chili

Cela peut sembler surprenant, mais le ragoût de viande consistant et épicé nommé *chili con carne,* ou « bœuf au chile », est aussi américain que la tarte aux pommes. C'est un plat familial et traditionnel qui illustre la créativité et l'originalité de cuisiniers nés et élevés dans le désert limitrophe aux États-Unis et au Mexique du Nord. Le chili regorge des qualités truculentes, torrides, nutritives, festives et inoubliables qui caractérisant la cuisine de ses voisins mexicains, mais ce n'est pas un plat mexicain.

Le « chili », orthographié avec un « i » à la fin (pour le distinguer du piment s'écrivant chile, chili ou chilli), est un plat très populaire en Amérique du Nord. C'est aussi une des premières raisons qui motivent les gens à se procurer une mijoteuse ; le premier plat que la plupart des cuisiniers essaient dans leur nouvel appareil est souvent un chili. C'est une nourriture parfaite pour les jours de fête, ainsi que pour un dîner simple ou le déjeuner des enfants.

Le chili est une véritable obsession pour les membres de la Chili Appreciation Society et de l'International Chili Society. Ces gens sont des puristes passionnés et ce sont eux qui établissent les règles lorsque vient le temps de déterminer les critères qui permettent de définir ce qu'est un authentique chili. Le chili doit-il déborder de haricots et de quelle variété doit-on se servir ? Quelle coupe de viande doit-on privilégier, la poitrine ou l'épaule ? Doit-on utiliser de la viande hachée ou en cubes ? Doit-on relever le chili avec un assaisonnement au chile ou de la poudre de piment pur, ou un mélange des deux ? Doit-on se servir d'huile d'olive, de saindoux ou de gras de bacon ? Doit-on préparer le chili avec ou sans tomates ? Est-on mieux d'employer de la *masa harina* ou de la semoule de maïs, ou aucune des deux ? Enfin, est-il préférable d'utiliser de la bière, de l'eau ou de la tequila ?

Le chili se caractérise par le mélange des couleurs et des saveurs de l'ardente poudre de chile rouge et des herbes du Sud-Ouest, tels l'origan et le cumin, un mélange parfois accentué par une note de cannelle ou de clou de girofle. Même si le chili a la réputation de provoquer une sudation abondante, de brûler les lèvres, de faire couler le nez et les larmes, vous pouvez certainement préparer un chili doux qui vous permettra de distinguer chacune des subtiles saveurs qui le composent.

Les ragoûts au chile sont faits avec ou sans haricots. De nos jours, de nombreuses variétés de haricots sont employées dans les chilis, mais l'ingrédient traditionnel est le haricot pinto, aussi nommé *frijol* ou haricot rouge mexicain. Ce dernier, un haricot rouge-brun et rose légèrement strié, est cultivé dans le sud-ouest des États-Unis. Le haricot pinto (un mot espagnol signifiant « peint ») est une variété de l'espèce *Phaseolus vulgaris,* qui comprend les haricots rouges, roses et les petits haricots blancs, qui sont également utilisés pour la préparation du chili. Aujourd'hui, les personnes qui cuisinent des chilis n'imposent aucune limite à leur créativité : il existe des chilis faits avec des haricots Black turtle

• • Poudre de piment rouge • •

Plusieurs recettes de chili requièrent l'utilisation d'un «assaisonnement au chile»; nous demandons de plus de recourir à la poudre de piment rouge, la poudre provenant d'une seule variété de piment séché moulu. La poudre de piment rouge est un ingrédient indispensable dans les cuisines des haciendas et des vieux pionniers du Sud-Ouest. Elle sert à assaisonner n'importe quoi : les soupes, les sauces et les frijoles, les chorizo, les tamales et les sauces au jus. Les piments chiles sont cultivés en Californie et au Nouveau-Mexique. Habituellement, le paquet de piment en poudre indique l'endroit où le produit a été cultivé, par exemple Hatch, Chimayo, San Juan Pueblo.

Notre experte culinaire du Sud-Ouest, Jacquie Higuera McMahan, nous a fait découvrir la poudre de piment Dixon, que l'on nomme la Rolls Royce des piments moulus pour son incomparable saveur. Utilisez la poudre de piment, aussi appelée le «sel du Sud-Ouest», pour garnir les pommes de terre, pour relever le goût d'un pain de viande, d'un ragoût, d'une marinade, d'une sauce chili rouge, d'un riz et, bien sûr, d'un chili maison.

Nous apprécions particulièrement la poudre de piment ancho, le piment séché le plus apprécié au Mexique en raison de sa belle douceur. Il est souvent utilisé en combinaison avec d'autres piments séchés pour en atténuer le mordant. Le piment ancho se trouve facilement au rayon des produits hispaniques des supermarchés.

La poudre de chipotle, qui est récemment apparue sur le marché, s'avère un compagnon opportun et commode pour le chili. C'est une façon simple d'ajouter à de nombreux plats la touche épicée et le goût de fumée si caractéristiques au piment chipotle. Cette poudre doit cependant être utilisée avec modération, car elle a vraiment du punch. Le poivre ou piment de Cayenne est également une poudre de piment; il s'agit d'un produit que beaucoup de cuisiniers ont déjà dans leur armoire à épices. Cependant, il est si brûlant qu'on ne l'utilise habituellement qu'en très petites quantités pour épicer les ragoûts au chili, non pour les parfumer.

La meilleure façon d'obtenir les poudres de piment de Californie ou du Nouveau-Mexique est par correspondance. Vous pouvez commander du piment Dixon ou Chimayo en poudre chez Chile Shop, 109 E. Water Street, Santa Fe, NM 87501, (505) 983-6080. Vous pouvez aussi vous rendre sur le site Web suivant : www.thechileshop.com. Nous conservons nos poudres de piment dans des bocaux de verre avec un couvercle à ressort et nous les plaçons directement sur le comptoir pour plus de commodité. Si vous ne prévoyez pas utiliser les vôtres avant un certain temps, vous pouvez les réfrigérer.

(une variété extrêmement populaire pour les chilis végétariens), des Great Northern (populaires pour les chilis blancs), des doliques à œil noir, des haricots anasazi, des cannellinis (en forme de rognon), des appaloosas (tachetés de noir et de blanc) et des Jacob's cattle (tachetés de brun et de crème). Dans toutes nos recettes, afin de varier la saveur de votre chili, vous pouvez substituer n'importe laquelle de ces variétés exotiques cultivées en Amérique aux haricots qui vous sont proposés. Il est également très répandu de mélanger deux ou trois variétés de haricots pour faire ce plat, notamment en ce qui concerne les chilis végétariens.

Dans la plupart de nos recettes, nous utilisons habituellement le bœuf et le porc, ou une combinaison des deux. Cependant, nous employons parfois différents types de saucisse, de chair à saucisse ou de porc salé. Le poulet et la dinde, les ingrédients de base du chili blanc, sont de nos jours vraiment appréciés des fins palais. Certaines recettes, provenant d'aussi loin que le Maroc, utilisent simplement de l'agneau, de l'eau, des chiles et des épices. Les Navajos mangent leur chili avec de l'agneau, des chiles rouges et du maïs lessivé.

Pour épaissir votre chili, utilisez de la *masa harina* séchée, la farine de maïs dont on se sert pour faire des tortillas (gardez-en au réfrigérateur). C'est la façon traditionnelle de faire et cette farine ajoute une saveur extraordinaire aux chilis. Commencez par 30 ml (2 c. à table) mélangés à 60 ml (¼ tasse) d'eau froide et faites-en une bouillie. Celle-ci sera relativement claire ; assurez-vous qu'il n'y reste pas de grumeaux. Versez la bouillie dans le chili chaud et remuez. Faites cuire à faible intensité pendant environ 20 minutes ou

à intensité élevée environ 10 minutes. Le chili épaissira légèrement. Si vous désirez l'épaissir davantage, répétez l'opération. Si votre chili est trop épais, ajoutez simplement plus de liquide et faites cuire un peu plus longtemps pour réchauffer le ragoût. Et si votre chili a la texture d'une sauce, vous pouvez le servir sur du spaghetti, à la manière de Cincinnati.

Nous avons rassemblé un large éventail de chilis pouvant convenir à tous les cuisiniers et à tous les genres de repas. Certains sont faits avec du poulet ou de la dinde, d'autres avec du bifteck et du bœuf haché.

• • Différentes variétés de piments • •

Julie ayant été élevée au Nouveau-Mexique, elle possède un « sixième sens » pour les piments. Beth, quant à elle, a été élevée au New Jersey et, par conséquent, consulte constamment des listes pour trouver quel piment convient à tel plat et quelle est sa force.

Voici quelques notions importantes. Les piments frais ont tendance à être plus doux, les piments séchés plus forts. Le goût des piments frais est plus prononcé que celui des piments en conserve. Réhydratez les piments séchés pour en développer la saveur ; ils ne se réhydrateront pas correctement dans de l'eau salée ou du bouillon. Chaque piment possède une force particulière et une saveur légèrement différente. De façon générale, plus le piment est petit, plus il est piquant ; plus il est effilé, plus il est piquant. Les gros piments ne sont pas dangereux, alors que les petits le sont pour les non-initiés. La substance piquante se cache surtout dans les membranes et les graines, non dans la chair. Vous pouvez adoucir n'importe quel piment en l'épépinant et en le faisant tremper dans une solution d'eau salée ou vinaigrée, soit 15 ml (1 c. à table) de sel ou de vinaigre dans 250 ml (1 tasse) d'eau. Ne vous frottez pas les yeux en travaillant avec les piments et portez ces merveilleux gants en plastique qu'utilisent les employés des restaurants rapides (demandez-en quelques paires et gardez-les dans le tiroir des serviettes dans ce but précis). Voici une brève vue d'ensemble des piments (chiles) que nous utilisons dans ce livre.

Anaheim : Disponibles frais, ces piments sont aussi commercialisés sous l'étiquette de piments verts de Californie et de *chiles verdes.* Ce sont les piments que l'on trouve dans les boîtes étiquetées « chiles verts rôtis ». Ils vont de doux à piquants sur l'échelle de force des piments.

Banane : De couleur jaune à rouge, ces piments plutôt doux sont aussi appelés « piments hongrois » ; ils vont de doux à moyennement piquants sur l'échelle de force des piments.

Chile de árbol : Ces petits piments rouges effilés, seulement disponibles sous la forme séchée, se trouvent dans des sacs de cellophane au rayon des produits hispaniques des supermarchés. Ils sont du genre piment de Cayenne et sont torrides !

Chipotle : Ces jalapenos mûrs séchés et fumés sont vendus en conserve dans la sauce adobo, ainsi que séchés et réduits en poudre. Ils ont une saveur de fumée complexe et unique. Ils sont plutôt forts ; ajoutez-les avec parcimonie à vos plats.

Jalapeno : Ces piments mesurent 5 cm (2 po) de long. D'un vert foncé brillant et modérément piquant, ils sont maintenant largement utilisés, particulièrement dans les salsas. Les jalapenos frais sont vendus en conserve et *en escabeche* (marinés) ; ils ont alors un goût plus doux que les frais. S'il vous reste beaucoup de jalapenos frais, blanchissez-les pendant 5 minutes dans l'eau bouillante, égouttez-les sur des essuie-tout, laissez-les tiédir et congelez-les entiers dans des sacs de congélation en plastique.

Piment du Nouveau-Mexique : Ces piments, lorsqu'ils sont frais, sont de couleur verte et sont vendus sous des noms tels que Big Jim, Sandia et 6. Ils ressemblent au piment Anaheim, mais avec un peu plus de force et de saveur. Lorsqu'ils sont vendus séchés (habituellement seulement dans le Sud-Ouest), que ce soit entiers (généralement présentés sous forme de bouquet ou de guirlande) ou en poudre, ils sont rouges et utilisés pour obtenir des chilis rouge foncé.

Poblano : Ces piments, lorsqu'ils sont frais, ont une taille plus petite et une forme (en cœur) plus arrondie que le piment Anaheim. Ils ont une peau dure. Farcissez-les comme des poivrons (bien qu'ils ne soient pas aussi fermes) et utilisez-les pour faire des rajas (bandes de piments). Le poblano est souvent confondu avec le pasilla, qui a une chair vraiment mince et qui devient noir en séchant. Il est alors appelé *ancho.*

Serrano et habanero : Ces deux piments, plus petits et beaucoup plus explosifs que le jalapeno, sont vendus frais et sont destinés aux connaisseurs ; ne les utilisez donc pas, à moins de bien connaître vos convives. Le serrano ressemble à un petit jalapeno et le habanero a l'apparence d'une petite lanterne jaune, quoiqu'il puisse aussi être vert.

Nous avons également inclus quelques chilis végétariens, qui sont aussi bons que leurs homologues remplis de viande. Tous les chilis peuvent être faits 1 ou 2 journées à l'avance ; ils prendront du goût durant ce temps.

La plupart des chilis sont accompagnés de tortillas fraîches au maïs ou à la farine, mais on peut les servir avec des biscuits, des sopapillas (petits triangle de pain frit) et, bien sûr, avec tous les genres de pains de maïs, de pains de maïs en bâtonnets et de muffins au maïs. Les chilis et les aliments à base de farine de maïs se complètent naturellement (vous pouvez considérer la tarte tamale comme un épais chili recouvert d'une bouillie de semoule de maïs). Un morceau de pain de blé entier, de pain croûté ou de pain du berger accompagnera à merveille le chili.

Chili classique et salsa cruda

Il s'agit d'un chili gringo très doux, le classique chili con carne avec des haricots. Nous aimons le garnir de salsa fraîche. Certains amateurs de chili incorporent 240 ml (1 tasse) d'olives hachées à la fin de la cuisson. Vous pouvez servir ce doux chili aux enfants après y voir mélangé des macaronis cuits. Accompagnez-le de muffins au maïs ou de pains de maïs en bâtonnets. ● **8 à 10 portions**

MIJOTEUSE : Moyenne, ronde ou ovale

INTENSITÉ ET TEMPS DE CUISSON : FAIBLE, de 8 à 9 heures ; le sel est ajouté avant la dernière heure de cuisson

1 kg (2 lb) de surlonge, hachée

2 oignons jaunes de grosseur moyenne, hachés

1 poivron vert, jaune ou rouge de grosseur moyenne, épépiné et haché

3 gousses d'ail, finement hachées

2 boîtes de 426 ml (15 oz) de haricots rouges, rincés et égouttés

2 boîtes de 419 ml (14,75 oz) de tomates en dés, et leur jus

1 boîte de 227 ml (8 oz) de sauce tomate

360 ml (1½ tasse) de bouillon de bœuf, de poulet ou d'eau

30 ml (2 c. à table) d'assaisonnement au chile ou de poudre de piment doux, comme le piment de Californie ou l'ancho, ou au goût

2 ml (½ c. à thé) d'origan séché

2 ml (½ c. à thé) de cumin moulu

Sel, au goût

SALSA CRUDA :

3 à 4 grosses tomates mûres, coupées en petits dés

1 petit oignon rouge, coupé en petits dés

1 jalapeno, épépiné et haché

80 ml (⅓ tasse) de coriandre fraîche, ciselée

Jus de 1 lime

Poudre d'ail, au goût

Sel, au goût

POUR LE SERVICE :

Cheddar fort râpé

Tranches d'avocat

1. Dans une très grande poêle, à feu moyen-vif, faire cuire la surlonge hachée, l'oignon, le poivron et l'ail jusqu'à ce que la viande ait perdu sa coloration rosée ; au besoin, briser les gros morceaux de viande. Éliminer l'excès de gras. Mettre le mélange dans la mijoteuse. Ajouter les haricots, les tomates, la sauce tomate, le bouillon, l'assaisonnement au chile, l'origan et le cumin. Bien mélanger. Mettre le couvercle et, tout en brassant de temps à autre si possible, laisser cuire de 8 à 9 heures à faible intensité. Saler avant la dernière heure de cuisson. Plus longtemps le chili mijotera, meilleur il sera — jusqu'à un certain point, bien sûr.

2. Pour faire la salsa cruda, mélanger tous les ingrédients dans un bol et réfrigérer jusqu'au moment de servir. Si la salsa doit être préparée la veille, ajouter la coriandre et le jus de lime à la dernière minute.

3. Servir le chili dans des bols. Garnir de salsa, de fromage et de tranches d'avocat.

Chili 1-2-3-4 au bœuf et aux haricots

C e chili est un mélange de bœuf et de haricots pinto auquel on intègre de la bière et des chiles verts. La *crema mexicana* est plus liquide que la crème sure américaine et a une saveur plus douce. Servez ce plat avec du pain de maïs ou des tortillas de blé entier. ☉ **6 à 8 portions**

MIJOTEUSE : Moyenne, ronde ou ovale

INTENSITÉ ET TEMPS DE CUISSON : FAIBLE de 8 à 9 heures ou ÉLEVÉE de 4 à 5 heures ; le sel est ajouté avant la dernière heure de cuisson

750 g (1½ lb) de haut-côté ou de surlonge, maigre et haché

1 gros oignon jaune, haché

2 gousses d'ail, finement hachées

1 boîte de 426 ml (15 oz) de haricots pinto, rincés et égouttés

2 boîtes de 411 ml (14,5 oz) de tomates en dés avec chiles verts, comme
celles que propose la marque Rotel, et leur jus

1 boîte de 170 ml (6 oz) de pâte de tomates

1 boîte de 199 ml (7 oz) de chiles verts rôtis, en dés

180 ml (¾ tasse) de bière mexicaine (pas la brune)

10 ml (2 c. à thé) d'assaisonnement au chile

7 ml (1½ c. à thé) de poudre de piment ancho

5 ml (1 c. à thé) de cumin moulu

5 ml (1 c. à thé) d'origan, de sarriette ou de marjolaine, séchés

Sel, au goût

POUR LE SERVICE :

Cheddar fort râpé

Crème sure ou *crema mexicana*

Tomates fraîches, hachées

Oignons verts, hachés

Coriandre fraîche, ciselée

Tortillas de blé entier ou pain de maïs chauds

1. Dans une très grande poêle, à feu moyen-vif, faire cuire la viande hachée, l'oignon et l'ail jusqu'à ce que la viande ait perdu sa coloration rosée ; au besoin, briser les gros morceaux de viande. Éliminer l'excès de gras. Mettre le mélange dans la mijoteuse. Ajouter les haricots pinto, les tomates, la pâte de tomates, les chiles, la bière, l'assaisonnement au chile, la poudre de piment ancho, le cumin et l'origan. Bien mélanger. Mettre le couvercle et, tout en brassant de temps à autre si possible, laisser cuire de 8 à 9 heures à faible intensité ou de 4 à 5 heures à intensité élevée. Saler durant la dernière heure de cuisson. Plus longtemps le chili mijotera, meilleur il sera — jusqu'à un certain point, bien sûr.

2. Réchauffer le pain de maïs ou les tortillas de blé entier. Servir le chili dans des bols avec plusieurs garnitures.

Chili de l'Arizona du sénateur Barry Goldwater

L'idée que l'on prépare du chili au Sénat des États-Unis est rassurante. Cela prouve une fois de plus que les gens qui font les lois du pays sont bien nourris et qu'ils comprennent l'engouement général pour le chili. Le sénateur a déclaré le chili comme étant le plat officiel des États-Unis parce que, selon lui, il incarne «l'indomptable et vigoureux esprit américain». Ce chili est très simple par rapport aux autres chilis que nous présentons dans cet ouvrage; il s'agit d'un chili de base en quelque sorte. Servez-le avec du pain de maïs accompagné de miel et de beurre. ● **4 à 6 portions**

MIJOTEUSE : Moyenne, ronde ou ovale

INTENSITÉ ET TEMPS DE CUISSON : ÉLEVÉE de 2 à 2½ heures, puis FAIBLE de 8 à 9 heures; le sel est ajouté avant la dernière heure de cuisson

454 g (1 lb) de haricots pinto secs, triés, ayant trempé toute une nuit dans suffisamment d'eau froide pour être recouverts, puis égouttés

3 gousses d'ail, pelées

454 (1 lb) de bœuf haché maigre

2 oignons jaunes de grosseur moyenne, hachés

1 boîte de 170 ml (6 oz) de pâte de tomates

45 ml (3 c. à table) d'assaisonnement au chile

15 ml (1 c. à table) de cumin moulu

10 ml (2 c. à thé) de sel, ou au goût

POUR LE SERVICE :

Cheddar fort râpé

Tomates fraîches, hachées

Oignons verts, hachés

Pain de maïs chaud ou craquelins salés

1. Mettre les haricots égouttés et les gousses d'ail entières dans la mijoteuse, puis recouvrir le tout de 7,5 cm (3 po) d'eau. À couvert, laisser cuire de 2 à 2½ heures à intensité élevée, le temps que les haricots soient tendres, mais pas en bouillie. Égoutter, et jeter l'ail. Les haricots peuvent être préparés jusqu'à ce stade avant d'être réfrigérés toute la nuit.

2. Dans une très grande poêle, à feu moyen-vif, faire cuire le bœuf haché et l'oignon jusqu'à ce que la viande ait perdu sa coloration rosée; au besoin, briser les gros

morceaux de viande. Éliminer l'excès de gras. Mettre le mélange dans la mijoteuse. Ajouter les haricots pinto partiellement cuits, la pâte de tomates, l'assaisonnement au chile et le cumin. Couvrir les ingrédients d'eau. Bien mélanger. Mettre le couvercle et, tout en brassant de temps à autre si possible, laisser cuire de 8 à 9 heures à faible intensité. Saler avant la dernière heure de cuisson.

3. Servir le chili dans des bols avec plusieurs garnitures et du pain de maïs chaud.

Chili à la salsa et crème de coriandre

Lorsque vous utilisez de la salsa en pot, c'est comme si vous ajoutiez une sauce tomate épaisse et épicée. De nos jours, il existe de nombreux types de salsa, y compris des variétés contenant du maïs et des haricots noirs. Au goût, vous pourrez choisir une salsa douce ou légèrement relevée, ou encore une salsa épicée. Cette recette donne une petite quantité de chili épais ; vous pouvez donc la faire cuire sans problème dans une petite mijoteuse, comme le modèle de 2,5 l (10 tasses). Vous pouvez également doubler ou tripler la recette et utiliser une plus grande mijoteuse. Il n'y a pas de cuisson préalable des ingrédients mais, si vous le désirez, vous pouvez d'abord faire dorer la viande. ◉ **4 portions**

MIJOTEUSE : Petite ou moyenne, ronde ou ovale
INTENSITÉ ET TEMPS DE CUISSON : FAIBLE, de 7 à 8 heures ; le poivron et les haricots pinto sont ajoutés après 5 ou 6 heures de cuisson

454 g (1 lb) de haut-côté de bœuf désossé (triangles coupés dans le bas de surlonge) ou de bifteck de ronde, paré du surplus de gras et coupé en bouchées
1 gros oignon jaune, haché
2 gousses d'ail, hachées menu
15 ml (1 c. à table) d'assaisonnement au chile
10 ml (2 c. à thé) de cumin moulu
2 pots de 455 ml (16 oz) de salsa épaisse, avec de gros morceaux de piment, douce ou épicée
1 boîte de 411 ml (14,5 oz) de tomates en dés, et leur jus
1 poivron de grosseur moyenne, rouge ou vert, épépiné et haché
1 boîte de 426 ml (15 oz) de haricots pinto, rincés et égouttés
Sel, au goût

CRÈME DE CORIANDRE :

160 ml (⅔ tasse) de crème sure

60 ml (¼ tasse) de coriandre fraîche, finement hachée

30 ml (2 c. à table) de jus de lime frais

Pain de maïs chaud pour le service

1. Mettre la viande, l'oignon, l'ail, l'assaisonnement au chile, le cumin, la salsa et les tomates dans la mijoteuse. Bien mélanger. À couvert, laisser cuire de 5 à 6 heures à faible intensité.

2. Ajouter le poivron et les haricots pinto. Saler. Poursuivre la cuisson à faible intensité pendant 2 heures. Plus la préparation mijotera, meilleur sera le plat (il faut bien sûr demeurer dans les limites raisonnables).

3. Pour faire la crème de coriandre, mélanger tous les ingrédients dans un petit bol jusqu'à l'obtention d'une consistance homogène. Couvrir et réfrigérer. Le moment venu, servir le chili dans des bols ; ajouter une cuillérée de crème de coriandre et accompagner le tout de pain de maïs.

Chili californien

Voici un chili sans haricots qui prend l'allure d'un ragoût de viande. Vous préparez d'abord votre propre sauce tomate, puis vous y ajoutez les viandes grillées. Servez ce chili californien accompagné du Pain de maïs à la poêle de Julie (page 247) ◦ **8 à 10 portions**

MIJOTEUSE : Grande, ronde ou ovale

INTENSITÉ ET TEMPS DE CUISSON : ÉLEVÉE au départ ; puis, FAIBLE de 8 à
10 heures

2 oignons jaunes de grosseur moyenne, hachés menu

2 branches de céleri, hachées

2 gousses d'ail, finement hachées

2 ml (½ c. à thé) de sel

1 boîte de 411 ml (14,5 oz) de tomates en dés, et leur jus ; ou 4 tomates
mûres de grosseur moyenne, pelées, épépinées et hachées

45 ml (3 c. à table) de pâte de tomates

45 ml (3 c. à table) d'huile d'olive, de saindoux ou de gras de bacon

1 poivron de grosseur moyenne, rouge ou vert, épépiné et haché

1 kg (2 lb) de bifteck de ronde de bœuf, paré du surplus de gras et coupé en cubes de 1,5 cm (½ po)

454 g (1 lb) d'épaule de porc, parée du surplus de gras et coupée en cubes de 1,5 cm (½ po)

15 ml (1 c. à table) de farine tout usage ou de farine à pâtisserie de blé entier

60 ml (¼ tasse) d'assaisonnement au chile

15 ml (1 c. à table) de cassonade, blonde ou brune

15 ml (1 c. à table) de vinaigre de cidre ou de vin rouge

10 ml (2 c. à thé) de piment du Nouveau-Mexique ou de Californie, en poudre

10 ml (2 c. à thé) d'origan séché

1 feuille de laurier

1 jalapeno (facultatif)

240 ml (1 tasse) d'eau

240 ml (1 tasse) d'olives noires de la Californie, mûres, dénoyautées, égouttées et hachées

240 ml (1 tasse) de monterey jack, râpé

POUR LE SERVICE :

Oignons rouges, hachés

Coriandre fraîche, ciselée

1. Mélanger la moitié des oignons, le céleri, l'ail, le sel, les tomates et la pâte de tomates dans la mijoteuse. À couvert, laisser cuire à intensité élevée pendant la préparation du reste des ingrédients.

2. Dans une grande poêle, à feu moyen-vif, faire chauffer 30 ml (2 c. à table) d'huile et, en brassant, y attendrir le reste des oignons et le poivron, de 6 à 8 minutes. Retirer du feu.

3. Si désiré, à l'aide d'un mélangeur à main, réduire partiellement la sauce tomate en purée directement dans la mijoteuse. Ajouter les légumes sautés et poursuivre la cuisson à intensité élevée.

4. Dans la poêle déjà utilisée, faire dorer les cubes de bœuf et de porc dans 15 ml (1 c. à table) d'huile sur toutes leurs faces après les avoir saupoudrés de farine. (Il faudra peut-être procéder en plusieurs étapes.) Mettre les cubes de viande dans la mijoteuse. Ajouter l'assaisonnement au chile, la cassonade, le vinaigre, la poudre de piment, l'origan, la feuille de laurier, l'eau et, si utilisé, le jalapeno entier. Bien mélanger. À couvert, laisser cuire de 8 à 10 heures à faible intensité.

5. Jeter la feuille de laurier et le jalapeno entier. Goûter et rectifier l'assaisonnement. Incorporer les olives et le fromage. Servir le chili dans des bols à l'aide d'une cuillère à table. Parsemer d'oignons et de coriandre.

Chili blanc

Conçu pour les palais plus délicats des années 1990, le chili blanc comprend du poulet, des chiles verts et des haricots blancs ; ces ingrédients remplacent les haricots rouges, qui ont un goût plus robuste, les tomates, l'assaisonnement au chile rouge et le bœuf. Une fois la cuisson terminée, ne laissez pas le chili mijoter pendant des heures, sinon le poulet se desséchera. ● **6 à 8 portions**

MIJOTEUSE : Moyenne ou grande, ronde ou ovale
INTENSITÉ ET TEMPS DE CUISSON : ÉLEVÉE de 2 à 2½ heures, puis FAIBLE de
6 à 6½ heures ; la courgette, les grains de maïs et le sel sont ajoutés avant
la dernière heure de cuisson

454 g (1 lb) de haricots Great Northern séchés, triés, ayant trempé toute la
nuit dans suffisamment d'eau froide pour être recouverts, puis égouttés
2 l (8 tasses) de bouillon de poulet
2 gousses d'ail, finement hachées
2 oignons jaunes de grosseur moyenne, hachés
45 ml (3 c. à table) d'huile d'olive
3 filets de poulet, le gras enlevé, coupés en deux
1 jalapeno de grosseur moyenne, épépiné et finement haché
2 boîtes de 114 ml (4 oz) de chiles verts rôtis, hachés
7 ml (1½ c. à thé) d'origan séché
7 ml (1½ c. à thé) de cumin moulu
1 ml (¼ c. à thé) de clous de girofle moulus
1 à 2 ml (¼ à ½ c. à thé) de poudre de piment de Cayenne ou du Nouveau-
Mexique, au goût
2 courgettes de grosseur moyenne (facultatif), coupées en minces rondelles
240 ml (1 tasse) de grains de maïs en conserve, frais ou surgelés (facultatif)
7 ml (1½ c. à thé) de sel, ou au goût

POUR LE SERVICE :
720 ml (3 tasses) de monterey jack, râpé
120 ml (½ tasse) de coriandre fraîche, finement hachée

1. Mettre les haricots égouttés, 1,5 l (6 tasses) de bouillon, l'ail et la moitié des oignons dans la mijoteuse. À couvert, laisser cuire de 2 à 2½ heures à intensité élevée ou jusqu'à ce que les haricots soient tendres, non en bouillie. Ajouter autant d'eau bouillante que nécessaire pour les recouvrir ; le bouillon sera sirupeux. Les haricots peuvent être préparés jusqu'à ce stade de la recette et être réfrigérés toute la nuit.

2. Dans une grande poêle, à feu moyen-vif, faire chauffer 30 ml (2 c. à table) d'huile d'olive et y attendrir le reste de l'oignon. Ajouter le poulet, le jalapeno et 15 ml (1 c. à table) d'huile. Faire cuire de 5 à 6 minutes, le temps que le poulet perde sa coloration rosée à l'extérieur. Mettre le mélange dans la mijoteuse. Incorporer les chiles rôtis, l'origan, le cumin, le clou de girofle, le piment de Cayenne et les derniers 480 ml (2 tasses) de bouillon. Bien mélanger. Mettre le couvercle et, tout en brassant de temps à autre si possible, laisser cuire de 6 à 6½ heures à faible intensité. Avant la dernière heure de cuisson, ajouter les courgettes, les grains de maïs et le sel.

3. Retirer le poulet de la mijoteuse et le déchiqueter à l'aide d'une fourchette, puis le retourner dans la mijoteuse. Pour épaissir le chili, écraser une certaine quantité de haricots sur le bord du pot avec le dos d'une grande cuillère. Servir le chili dans des bols. Garnir de fromage et de coriandre.

Chili aux cuisses de dinde et au maïs lessivé

Cette recette, élaborée par le magazine Sunset, est adaptée et tirée du recueil *Best of Sunset* de 2001. Nous pensons qu'il n'y aura jamais trop de recettes permettant d'utiliser la délicieuse viande brune des cuisses de dinde. Employez des tomates jaunes en boîte si vous en trouvez ; elles sont délicieuses et donnent une tout autre apparence au chili que les tomates rouges.

◉ 6 portions

MIJOTEUSE : Moyenne ou grande, ronde ou ovale
INTENSITÉ ET TEMPS DE CUISSON : FAIBLE, de 6 à 8 heures

1 oignon jaune de grosseur moyenne, haché
1 poivron rouge de grosseur moyenne, épépiné et haché
1 jalapeno épépiné et finement haché
2 branches de céleri, hachées
3 gousses d'ail, finement hachées
240 ml (1 tasse) de bouillon de poulet
15 ml (1 c. à table) d'assaisonnement au chile
7 ml (1½ c. à thé) de cumin moulu
2 ml (½ c. à thé) de poudre de piment ancho
7 ml (1½ c. à thé) d'origan séché

1,5 kg (3 lb) de cuisses de dinde (environ 3), la peau et le surplus de gras
  enlevés, rincées
1 boîte de 426 ml (15 oz) de maïs lessivé, jaune ou blanc, rincé et égoutté
2 boîtes de 426 ml (15 oz) de tomates jaunes égouttées ; ou 1 boîte de
  796 ml (28 oz) de tomates italiennes hachées, égouttées
Sel, au goût

POUR LE SERVICE :
Monterey jack, râpé
Olives noires de la Californie, mûres, tranchées
Oignon rouge, finement haché
Coriandre fraîche, ciselée

1. Mélanger l'oignon, le poivron, le jalapeno, le céleri, l'ail, le bouillon, l'assaisonnement au chile, le cumin, la poudre de piment ancho et l'origan dans la mijoteuse. Mettre les cuisses de dinde sur le dessus du mélange et ajouter le maïs lessivé et les tomates. À couvert, laisser cuire de 6 à 8 heures à faible intensité ou jusqu'à ce que la viande se détache facilement des os des cuisses.

2. Retirer la dinde de la mijoteuse. Déchiqueter la viande et jeter les os. Retourner la viande dans le chili. Saler. Servir le chili dans des bols peu profonds et ajouter la garniture.

Chili végétarien

Ce merveilleux chili sans viande est rapide à préparer. Toute la saveur provient des haricots et de l'assaisonnement moyennement relevé. Cette recette fétiche de Marian Burros a été adaptée pour la mijoteuse par l'ajout d'un peu de boulghour pour épaissir la sauce. Nous utilisons des haricots en boîte, ce qui vous permettra de préparer ce chili en un rien de temps, tôt le matin, pour obtenir un excellent déjeuner. La garniture au tofu donne une plus grande valeur nutritive. Nous aimons mélanger les variétés, comme les haricots noirs et les pinto, les doliques à œil noir et les pinto, ou les haricots rouges, les pinto et les noirs. Servez ce chili sur du riz cargo chaud et accompagné de pain de maïs chaud et d'une grosse salade verte. Des craquelins salés feraient également un bon accompagnement. ● **4 portions**

MIJOTEUSE : Moyenne ou grande, ronde ou ovale

INTENSITÉ ET TEMPS DE CUISSON : ÉLEVÉE pour 1 heure, puis FAIBLE de 4 à
6 heures ; le sel est ajouté avant la dernière heure de cuisson

120 ml (½ tasse) de boulghour
160 ml (⅔ tasse) d'eau bouillante (on peut remplacer un peu d'eau avec le
jus des tomates)
30 ml (2 c. à table) d'huile d'olive
2 oignons jaunes de grosseur moyenne, hachés
1 poivron vert, jaune ou rouge, épépiné et haché
2 à 3 gousses d'ail, finement hachées
1 boîte de 796 ml (28 oz) de tomates en dés, égouttées
1 boîte de 426 ml (15 oz) de purée de tomates
2 boîtes de 426 ml (15 oz) de haricots rouges ou pinto, rincés et égouttés
30 ml (2 c. à table) de jalapeno en conserve, haché
30 ml (2 c. à table) d'assaisonnement au chile ou de poudre de piment du
Nouveau-Mexique, ou au goût
25 ml (1½ c. à table) de cumin moulu
30 ml (2 c. à table) de cassonade, blonde ou brune
10 ml (2 c. à thé) de marjolaine ou d'origan, séchés
2 ml (½ c. à thé) de coriandre moulue
1 ml (¼ c. à thé) de clous de girofle moulus
1 pincée de piment de la Jamaïque moulu
Sel, au goût

POUR LE SERVICE :
Monterey jack, râpé
Olives noires de la Californie, mûres, tranchées

Tranches d'avocat

Tofu extraferme, rincé, épongé et coupé en cubes

Coriandre fraîche, ciselée

1. Mettre le boulghour dans la mijoteuse et ajouter l'eau bouillante ; laisser reposer 15 minutes.

2. Dans une grande poêle, à feu moyen-vif et en brassant, faire chauffer l'huile d'olive et y attendrir les oignons, le poivron et l'ail de 5 à 10 minutes. Mettre le mélange dans la mijoteuse. Ajouter les tomates égouttées, la purée de tomates, les haricots, le jalapeno, l'assaisonnement au chile, le cumin, la cassonade, l'origan, la coriandre, le clou de girofle et le piment de la Jamaïque. Bien mélanger. À couvert, laisser cuire 1 heure à intensité élevée.

3. Régler la mijoteuse à faible intensité et laisser cuire de 4 à 6 heures de plus. Saler avant la dernière heure de cuisson.

4. Servir le chili dans des bols. Garnir de fromage, d'olives, de tranches d'avocat, de tofu et de beaucoup de coriandre.

Chili végétarien aux haricots noirs

L e chili végétarien aux haricots noirs, un plat riche, foncé et succulent, est facile à préparer. C'est vraiment un plaisir de le dévorer ! Nous avons découvert cette version dans les années 1980 au restaurant Green's, à Fort Mason, sur les quais de San Francisco. On pouvait y acheter un plat de chili et l'emporter à la boulangerie (Tassajara Bakery) où on se procurait un plat de pain de blé entier frais afin de déguster notre repas au bout du quai en contemplant la baie. C'est un plat qui est encore offert quotidiennement dans ce restaurant, et il s'agit sûrement de l'un des meilleurs chilis jamais concoctés. ● **4 portions**

MIJOTEUSE : Grande, ronde ou ovale

INTENSITÉ ET TEMPS DE CUISSON : ÉLEVÉE de 2½ à 3 heures, puis FAIBLE de 8 à 9 heures ; les tomates et le sel sont ajoutés avant les 1 à 2 dernières heures de cuisson

454 g (1 lb) de haricots Black turtle, triés, et ayant trempé toute la nuit dans suffisamment d'eau froide pour être recouverts

1 feuille de laurier

25 ml (1½ c. à table) d'assaisonnement au chile ou d'un mélange en poudre
de piment du Nouveau-Mexique et de piment ancho

15 ml (1 c. à table) de graines de cumin

10 ml (2 c. à thé) de paprika

2 ml (½ c. à thé) de piment de Cayenne

5 ml (1 c. à thé) de marjolaine ou d'origan, séchés

45 ml (3 c. à table) d'huile d'olive

1 oignon jaune de grosseur moyenne, haché menu

1 poivron vert de grosseur moyenne, épépiné, émincé

4 gousses d'ail, hachées

15 ml (1 c. à table) de piments chipotle en conserve dans la sauce adobo,
hachés

1 boîte de 398 ml (14 oz) de tomates hachées, et leur jus, ou 4 grosses
tomates mûres, pelées, épépinées et hachées

5 ml (1 c. à thé) de sel, ou au goût

120 ml (½ tasse) de coriandre fraîche, hachée

POUR LE SERVICE :

Fromage muenster, râpé

Crème sure

6 brins de coriandre fraîche (facultatif)

1. Égoutter les haricots et les déposer dans la mijoteuse. Ajouter la feuille de laurier et l'assaisonnement au chile. Recouvrir les ingrédients de 7,5 cm (3 po) d'eau. À couvert, laisser cuire de 2½ à 3 heures à intensité élevée ou jusqu'à ce que les haricots soient tendres, non en bouillie. Les haricots peuvent être préparés jusqu'à ce stade de la recette et être réfrigérés toute la nuit.

2. Faire chauffer une grande poêle en fonte, ou d'un autre type de métal, à fond épais. Ajouter les graines de cumin, le paprika, le piment de Cayenne et la marjolaine. Faire griller environ 2 minutes, en agitant la poêle, jusqu'à ce que les épices aient un ton légèrement plus foncé. Déposer dans un mortier et, à l'aide du pilon, réduire en une poudre grossière.

3. Faire chauffer l'huile dans la poêle et, tout en brassant, y attendrir l'oignon, le poivron et l'ail, soit environ 5 minutes. Mettre le mélange dans la mijoteuse, puis ajouter les chipotles. Bien mélanger. À couvert, laisser cuire de 8 à 9 heures à faible intensité.

4. De 1 à 2 heures avant la fin de la cuisson, incorporer les tomates et le sel. Poursuivre la cuisson à couvert.

5. Ajouter la coriandre et servir dans des bols. Mettre une couche de fromage au fond de chaque bol, y déposer les haricots, garnir de crème sure et, si désiré, d'un brin de coriandre.

Chili aux haricots noirs et au riz cargo

Il y a des années, lorsque Julie écrivait la rubrique de cuisine pour enfants du *San Jose Mercury News,* elle a créé la première version de ce chili. Il n'y a pas d'oignons à hacher et rien à faire sauter ; c'est vraiment un jeu d'enfant de préparer ce chili. La grande surprise de ce plat, c'est la complexité des saveurs qui s'en dégagent et qui proviennent en grande partie des chipotles en conserve. Ces piments sont fumés, séchés et vendus en conserve dans la sauce adobo. Ils sont bien épicés. Les chipotles en conserve se gardent pendant une longue période au réfrigérateur ou au congélateur ; n'hésitez pas à en acheter une boîte pour cette recette.

Ce chili est maintenant un favori des enfants, et même des adultes. L'anecdote associée à cette recette peut servir d'avertissement : un jour, une amie a préparé une quadruple recette pour une grande tablée (assurez-vous d'utiliser une grande mijoteuse si vous multipliez les ingrédients). Cependant, elle avait fait une lecture erronée de la quantité de chipotles à utiliser, ajoutant la moitié d'une *boîte* de piments pour chaque recette, plutôt que la moitié d'*un* piment ! Plus tard, nous avons sauvé les restants de la réception… en les mélangeant avec une nouvelle recette de chili, cette fois préparée sans aucun piment. En plus de ses autres vertus, ce chili se congèle bien. ◉ **4 portions**

MIJOTEUSE : Moyenne, ronde
INTENSITÉ ET TEMPS DE CUISSON : FAIBLE, de 6 à 8 heures

2 boîtes de 426 g (15 oz) de haricots noirs
1 boîte de 411 à 455 ml (14,5 à 16 oz) de tomates broyées ou hachées et leur
  jus
120 ml (½ tasse) de riz cargo (brun)
5 ml (1 c. à thé) d'oignon en poudre
0,5 ml (⅛ c. à thé) de poudre d'ail
1 ml (¼ c. à thé) de cumin moulu
2 ml (½ c. à thé) d'origan séché
½ à 1 chipotle entier en conserve, au goût, coupé en petits morceaux
Yaourt nature ou tortillas de blé chaudes pour le service

1. Mettre les haricots et leur liquide, ainsi que les tomates et leur jus dans la mijoteuse. Ajouter le riz cargo, l'oignon en poudre, la poudre d'ail, le cumin, l'origan et le chipotle ; bien mélanger. À couvert, laisser cuire de 6 à 8 heures à faible intensité.

2. Servir le chili dans des bols et garnir d'une cuillérée de yaourt, ou en envelopper une certaine quantité dans une tortilla chaude.

Chili porte-bonheur

La restauratrice et directrice d'un service de traiteur, Nancyjo Riekse, d'Auburn en Californie, sert toujours à ses amis un pot de haricots épicés, d'un genre ou d'un autre, la première semaine du Nouvel An. Elle espère qu'il leur apportera chance et prospérité. Cette recette, faite avec du café, est l'une des plus populaires. La cuisson lente à la mijoteuse rend ce chili très riche. Nancyjo sert le Chili porte-bonheur avec des tortillas de blé maison aux herbes. Servez-le avec la garniture proposée ou sur du riz. ● **6 à 8 portions**

MIJOTEUSE : Grande, ronde ou ovale

INTENSITÉ ET TEMPS DE CUISSON : FAIBLE, de 8 à 12 heures ; la coriandre et
le sel sont ajoutés avant la dernière heure de cuisson

480 ml (2 tasses) de café fraîchement moulu
480 ml (2 tasses) de bouillon de légumes
2 boîtes de 796 ml (28 oz) de tomates broyées, et leur jus
1 oignon jaune de grosseur moyenne, coupé en dés
4 gousses d'ail, hachées
4 boîtes de 426 ml (15 oz) de haricots noirs, rincés et égouttés ; ou 1,5 à 2 l
(6 à 8 tasses) de haricots noirs cuits, selon la consistance désirée
60 ml (¼ tasse) de cassonade, blonde ou brune, bien tassée
30 ml (2 c. à table) d'assaisonnement au chile, ou au goût
15 ml (1 c. à table) de cumin moulu
3 à 4 clous de girofle, au goût
80 ml (⅓ tasse) de coriandre fraîche, ciselée
Sel, au goût

POUR LE SERVICE :
Salsa aux morceaux de tomates ou de mangues
Avocat coupé en cubes
Crème sure
Monterey jack ou cheddar, râpé

1. Mettre tous les ingrédients dans la mijoteuse, sauf la coriandre et le sel. Mettre le couvercle et, en brassant de temps à autre si possible, laisser cuire de 8 à 12 heures à faible intensité. Avant la dernière heure de cuisson, incorporer la coriandre et saler. Plus longtemps le chili mijotera, meilleur il sera (dans les limites du raisonnable, bien sûr).

2. Servir le chili dans des bols avec la garniture.

Chili aux lentilles

D ans ce chili épicé qui contient une généreuse quantité de légumes, les lentilles remplacent les haricots. Ce plat est préparé sans tomates, ce qui lui donne un goût vraiment différent. ● **4 à 6 portions**

MIJOTEUSE : Moyenne, ronde ou ovale

INTENSITÉ ET TEMPS DE CUISSON : FAIBLE, de 6 à 8 heures ; l'huile d'olive et
le sel sont ajoutés avant la dernière heure de cuisson

1 oignon jaune de grosseur moyenne, coupé en dés
1 poivron rouge de grosseur moyenne, épépiné et haché
1 jalapeno, épépiné et haché menu
2 branches de céleri, hachées
1 carotte de grosseur moyenne, hachée
3 gousses d'ail, finement hachées
30 ml (2 c. à table) de cassonade, blonde ou brune
30 ml (2 c. à table) d'assaisonnement au chile
15 ml (1 c. à table) de cumin moulu
2 ml (½ c. à thé) de piment de Cayenne ou 5 ml (1 c. à thé) de poudre de
    piment du Nouveau-Mexique
10 ml (2 c. à thé) d'origan séché
5 ml (1 c. à thé) de thym séché
5 ml (1 c. à thé) de moutarde sèche
600 ml (2½ tasses) de lentilles brunes sèches, rincées et triées
2 l (8 tasses) de bouillon de poulet
45 ml (3 c. à table) d'huile d'olive
Sel, au goût

POUR LE SERVICE :
Crème sure ou *crema mexicana*
Tomates fraîches, hachées
Oignons verts hachés (partie blanche et un peu de vert)
Coriandre fraîche, hachée

1. Mettre tous les ingrédients dans la mijoteuse, sauf l'huile d'olive et le sel. Mettre le couvercle et, en brassant de temps à autre si possible, laisser cuire de 6 à 8 heures à faible intensité, le temps que les lentilles soient tendres. Avant la dernière heure de cuisson, ajouter l'huile d'olive et saler.

2. Servir le chili dans des bols avec la garniture. (Vous pouvez aussi l'étaler sur du riz cargo.)

Chili de l'Inde du Nord

Ce plat contient les mêmes ingrédients de base que le chili du Sud-Ouest américain, mais nous y ajoutons des tomates, le relevons d'épices indiennes et l'adoucissons avec un peu de lait concentré vers la fin de la cuisson. Les *Rajmah*, ou haricots rouges, sont très populaires dans l'État occidental du Panjab et particulièrement à Delhi, la capitale de l'Inde. Si vous le désirez, vous pouvez utiliser des graines de cumin et de coriandre entières et les broyer à la main avec un mortier et un pilon. Servez ce mets sur du riz basmati cuit à la vapeur. ● **4 à 6 portions**

MIJOTEUSE : Moyenne, ronde ou ovale
INTENSITÉ ET TEMPS DE CUISSON : FAIBLE, de 5½ à 6½ heures ; le lait
      concentré non sucré est ajouté avant les 30 dernières minutes de cuisson

30 ml (2 c. à table) d'huile d'olive
2 oignons rouges de grosseur moyenne, hachés
3 gousses d'ail, finement hachées
30 ml (2 c. à table) de gingembre frais, râpé
1 à 2 jalapenos *en escabeche* en conserve, hachés
10 ml (2 c. à thé) de coriandre moulue
6 ml (1¼ c. à thé) de cumin moulu
2 ml (½ c. à thé) de piment de Cayenne
1 ml (¼ c. à thé) de curcuma
1 boîte de 411 ml (14,5 oz) de tomates en dés, et leur jus
45 ml (3 c. à table) de pâte de tomates
240 ml (1 tasse) d'eau
3 boîtes de 426 ml (15 oz) de haricots rouges, rincés et égouttés
2 ml (½ c. à thé) de sel, ou au goût
120 ml (½ tasse) de lait concentré non sucré ou de crème 35 % M.G.

POUR LE SERVICE :
Oignon rouge, haché
Coriandre fraîche, ciselée
Yaourt nature
Chapatis chauds

1. Dans une grande poêle, à feu moyen-vif et en brassant, faire chauffer l'huile d'olive et y attendrir les oignons environ 5 minutes. Ajouter l'ail, le gingembre, les jalapenos et les épices. Tout en brassant, poursuivre la cuisson jusqu'à ce que les oignons soient

dorés. Mettre le mélange dans la mijoteuse. Incorporer les tomates et leur jus, la pâte de tomates, l'eau et les haricots rouges. Bien mélanger. À couvert, laisser cuire de 5 à 6 heures à faible intensité.

2. Ajouter le sel et le lait concentré non sucré. À couvert, poursuivre la cuisson pendant 30 minutes à faible intensité.

3. Servir le chili dans des bols avec la garniture et, si disponibles, des chapatis chauds.

Casserole de chili aux olives et au fromage

L'amie de Beth, Gina DeLeone-Dodd, a dit de ce chili : «C'est la meilleure casserole de chili que j'aie jamais goûtée!» La casserole de Gina prend un véritable raccourci car elle comprend du chili en conserve, un scandale pour les vrais amateurs de chili. Vous ouvrez les boîtes, en versez les contenus dans le pot de grès, vous remuez quelque peu et fermez le couvercle. En cuisant, le mélange se transforme en un genre de soufflé dense, que l'on surnomme «chili gluant» au jardin d'enfants. Gina ajoute : «Si j'en ai le courage, je sers ce plat avec de la crème sure, des oignons hachés et du fromage râpé, mais il est très bon nature.» Les enfants adoreront ce mets. Préparez ce plat après le petit-déjeuner pour le servir chaud au déjeuner. Nous ajoutons 1 ou 2 jalapenos *en escabeche* en conserve, hachés, dans la version réservée aux adultes. ☉ **4 à 6 portions**

MIJOTEUSE : Grande, ronde
INTENSITÉ ET TEMPS DE CUISSON : FAIBLE, de 4 à 5 heures

2 boîtes de 1,14 l (40 oz) de chili (végétarien, sans matières grasses, régulier au bœuf, ou un mélange), ou 4 à 6 boîtes de 426 ml (15 oz)
1 boîte de 426 ml (15 oz) d'olives noires de Californie, mûres et dénoyautées, égouttées et tranchées
1 boîte de 341 à 426 ml (12 à 15 oz) de sauce enchilada rouge, régulière ou épicée
480 ml (2 tasses) de cheddar, moyen ou fort, râpé
½ sac de 397 g (14 oz) de croustilles de tortillas, grossièrement émiettées
Quelques traits de sauce épicée, comme le Tabasco, ou d'une autre sauce épicée

1. Mettre le chili, les olives, la sauce enchilada, le fromage et la moitié des croustilles de tortillas dans la mijoteuse. Bien mélanger. À couvert, laisser cuire de 4 à 5 heures à faible intensité, le temps que le contenu bouillonne et que le fromage soit fondu.

2. À la fin de la cuisson, incorporer le reste des croustilles de tortillas et assaisonner de sauce épicée.

• • Pain de maïs maison à servir avec • • les chilis et les plats de haricots

Le chili (ou les haricots) et le pain de maïs sont des compagnons traditionnels, tirant probablement leurs liens des cuisines des conquérants de l'Ouest et des ranchs mexicains, des cuisines populaires de la Californie au Texas. Il existe de nombreuses variétés de pains de maïs à la poêle, de pains de maïs en bâtonnets et de muffins. Vous n'avez que l'embarras du choix. Le pain de maïs se destine vraiment à la cuisine maison et, puisqu'il s'agit d'un pain rapide, il se prépare en un éclair pendant que le chili ou les haricots mijotent. Lorsque Beth travaillait au St. Michael's Alley à Palo Alto, en Californie, les jours où le chef préparait son chili épicé, les clients demandaient toujours des muffins au maïs fraîchement faits avec des piments et du fromage. Dans les pages qui suivent, vous trouverez quelques recettes pour les pains de maïs, muffins et pains de maïs en bâtonnets à servir avec une myriade de chilis. Si vous êtes pressé, préparez-les à partir d'un mélange, comme ceux que proposent Dromedary ou Jiffy. Notre amie Jacquie McMahan nous a confié que pour 1 paquet de 241 g (8,5 oz) de mélange pour pain de maïs, il faut utiliser 120 ml (½ tasse) de lait concentré non sucré (il agit comme de la crème dans le mélange), 1 gros œuf et 15 ml (1 c. à table) de beurre fondu au lieu des ingrédients suggérés dans le mode d'emploi du paquet! Tous les pains de maïs se congèlent bien, mais ils sont vraiment meilleurs lorsqu'ils sortent tout chauds du four.

Pain de maïs au babeurre à l'ancienne

Ce pain de maïs n'est pas sucré, mais il est moelleux et savoureux. Il en existe de nombreuses variantes, aussi savoureuses les unes que les autres, bien que chacune ait un goût très différent. Le pain de maïs nature est tout aussi délicieux. Beth adore la variante proposant d'ajouter du maïs lessivé entier en conserve ☻ 12 portions ; 1 pain de 23 x 33 cm (9 x 13 po).

480 ml (2 tasses) de semoule de maïs jaune, de préférence moulue à la pierre

480 ml (2 tasses) de farine tout usage non blanchie ou de farine à pâtisserie de blé entier

80 ml (⅓ tasse) de cassonade blonde, bien tassée

30 ml (2 c. à table) de levure chimique

6 ml (1¼ c. à thé) de sel

4 gros œufs

540 ml (2¼ tasses) de babeurre

120 ml (½ tasse ou 1 bâtonnet) de beurre non salé, fondu

1. Préchauffer le four à 200 °C (400 °F) ; réduire la température à 190 °C (375 °F) si un plat de pyrex est utilisé. Graisser un plat de cuisson de 23 x 33 cm (9 x 13 po).

2. Dans un grand bol, fouetter ou tamiser la semoule de maïs, la farine, la cassonade, la levure chimique et le sel.

3. Dans un petit bol, battre les œufs et le babeurre. Ajouter le mélange aux ingrédients secs et verser le beurre fondu sur la pâte. Brasser jusqu'à ce que les ingrédients soient humectés et qu'ils aient une consistance homogène, mais en évitant de trop mélanger. Ajouter n'importe quel ingrédient supplémentaire, comme du bacon ou des pacanes (voir les variantes ci-après).

4. Verser la pâte dans le moule préparé à cet effet. La faire cuire de 35 à 40 minutes ou jusqu'à ce que les bords soient dorés et qu'un ustensile de contrôle inséré au centre en ressorte propre. Laisser reposer 10 minutes avant de couper en carrés épais.

Pain de maïs au babeurre à l'ancienne avec bacon : Dans une poêle moyenne, à feu moyen-vif, faire cuire 240 ml (1 tasse) de bacon fumé coupé en dés jusqu'à l'obtention d'une consistance croustillante. Égoutter sur des essuie-tout et incorporer à la pâte. Faire cuire selon les instructions données précédemment.

Pain de maïs au babeurre à l'ancienne avec maïs lessivé : Ajouter à la pâte 360 ml (1½ tasse) de maïs lessivé en conserve, égoutté. Faire cuire selon les instructions données précédemment.

Pain de maïs au babeurre à l'ancienne avec noix : Dans un four préchauffé à 180 °C (350 °F), faire griller sur une plaque de cuisson 240 ml (1 tasse) de pacanes, ou de noisettes, de 8 à 10 minutes ; laisser tiédir. Hacher grossièrement. Ajouter à la pâte et faire cuire selon les instructions données précédemment.

Pain de maïs au babeurre à l'ancienne avec olives noires : Ajouter à la pâte 240 ml (1 tasse) d'olives noires de Californie, dénoyautées et hachées (égouttées au préalable sur une couche d'essuie-tout). Faire cuire selon les instructions données précédemment.

Pain de maïs au babeurre à l'ancienne avec pommes et saucisse : Incorporer à la pâte 360 ml (1½ tasse) de pommes à tarte (environ 2 entières) et 1 saucisse aux pommes et au poulet fumée (bien cuite et coupée en dés). Faire cuire selon les instructions données précédemment.

Pain de maïs à la poêle de Julie

Il y a quelque chose de particulier lorsqu'on fait cuire le pain de maïs dans une poêle en fonte. En effet, non seulement la surface noire et chaude donne-t-elle une croûte extracroustillante et extradorée, mais aussi y a-t-il le plaisir de voir le pain de maïs blotti dans la poêle rustique. Les convives poussent toujours des oh! et des ah! lorsqu'on sort la poêle du four. D'une bagatelle à préparer, cette recette simple et délicieuse convient parfaitement pour une poêle de fonte de 30 cm (12 po). Vous pouvez servir ce pain une demi-heure seulement après avoir pensé : « Mmmmm, que ce serait bon… un pain de maïs ! » ● 8 portions

360 ml (1½ tasse) de semoule de maïs, jaune ou blanche, mouture fine,
    moulue à la pierre de préférence

360 (1½ tasse) de farine tout usage non blanchie

80 ml (⅓ tasse) de sucre

25 ml (1½ c. à table) de levure chimique

3 ml (¾ c. à thé) de sel

120 ml (½ tasse) d'huile végétale douce ou de canola

2 gros œufs

360 ml (1½ tasse) de lait

1. Préchauffer le four à 200 °C (400 °F). Vaporiser un enduit de cuisson antiadhésif dans une poêle en fonte de 30 cm (12 po).

2. Tamiser la semoule de maïs, la farine, le sucre, la levure chimique et le sel.

3. Dans un petit bol, battre l'huile, les œufs et le lait. Tout en remuant, incorporer le mélange aux ingrédients secs ; ne pas trop brasser. La pâte sera légèrement grumeleuse.

4. Verser la pâte dans la poêle préparée à cet effet et la faire cuire de 25 à 30 minutes où jusqu'à ce que le pain soit doré et qu'il rebondisse lorsqu'on le touche légèrement au centre. Laisser tiédir 5 minutes. Couper en pointes et servir.

Note : Pour une poêle de 25 cm (10 po), utiliser 240 ml (1 tasse) de semoule de maïs, 240 ml (1 tasse) de farine, 60 ml (¼ tasse) de sucre, 15 ml (1 c. à table) de levure chimique, 2 ml (¼ c. à thé) de sel, 80 ml (⅓ tasse) d'huile, 1 gros œuf et 240 ml (1 tasse) de lait. Cette recette donnera 6 portions.

Muffins aux piments, aux grains de maïs et au fromage

Cette fantastique recette de muffins provient du chef Kip McClerin, qui en faisait la préparation au restaurant La Casa Sena, à Santa Fe, dans les années 1990. Ces muffins sont riches et moelleux, et nous les aimons tellement que nous les faisons aussi souvent que possible. ◉ 12 muffins

240 ml (1 tasse) de grains de maïs blanc surgelés, dégelés

240 ml (1 tasse) de cheddar doux, grossièrement râpé

240 ml (1 tasse) de monterey jack, grossièrement râpé

240 ml (1 tasse) de farine tout usage non blanchie, ou plus si nécessaire

300 ml (1¼ tasse) de semoule de maïs jaune, mouture fine à moyenne,
    moulue à la pierre de préférence

10 ml (2 c. à thé) de levure chimique

2 ml (½ c. à thé) de sel

120 ml (½ tasse ou 1 bâtonnet) de beurre non salé ou de margarine,
    ramollis

180 ml (¾ tasse) de sucre

4 gros œufs

120 ml (½ tasse) de lait

1 boîte de 114 ml (4 oz) de piments verts rôtis, coupés en dés, égouttés

1. Préchauffer le four à 190 °C (375 °F). Graisser les 12 moules d'une plaque à muffins standard.

2. Dans un bol de taille moyenne, mélanger les grains de maïs, les fromages, la farine, la semoule de maïs, la levure chimique et le sel.

3. À l'aide d'un mixeur électrique, battre le beurre et le sucre en crème dans grand bol jusqu'à l'obtention d'une consistance duveteuse. Tout en continuant à battre, incorporer les œufs, le lait et les piments, et mélanger jusqu'à l'obtention d'une consistance homogène. Ajouter le mélange de semoule de maïs au contenu du bol. Continuer à battre jusqu'à l'obtention d'une pâte épaisse et crémeuse, qui tombe de la cuillère en mottes. Si la pâte est trop molle, ajouter de 30 à 60 ml (2 à 4 c. à table) de farine.

4. Verser la pâte à la cuillère dans les moules à muffins préparés à cet effet, remplissant chaque moule à ras bord. Faire cuire de 20 à 25 minutes, le temps que les dessus des muffins soient dorés, secs, et qu'ils rebondissent au toucher. Un ustensile de contrôle inséré au centre d'un muffin devrait en ressortir propre. Laisser reposer 5 minutes. Démouler les muffins et les laisser tiédir sur une grille. Servir chaud. Réfrigérer les muffins restants.

Frais bâtonnets aux deux maïs

Ces bâtonnets au maïs seront un enchantement à n'importe quel repas. Dégustez-les avec un plat d'œufs au petit-déjeuner, un potage ou une salade au déjeuner, ou un dîner de poulet. Ils fondent littéralement dans la bouche. Si vous n'avez pas de moule avec des formes de bâtonnet, versez la pâte dans des moules à muffins. ◉ 18 bâtonnets ou muffins

240 ml (1 tasse) de farine tout usage non blanchie

240 ml (1 tasse) de semoule de maïs jaune, mouture fine à moyenne,
　　　moulue à la pierre de préférence

45 ml (3 c. à table) de sucre

12 ml (2½ c. à thé) de levure chimique

5 ml (1 c. à thé) de piment rouge en flocons

1 ml (¼ c. à thé) de sel

160 ml (⅔ tasse) de babeurre

160 ml (⅔ tasse) de crème 35 % M.G.

90 ml (6 c. à table ou ¾ bâtonnet) de beurre non salé, fondu

2 gros œufs, séparés

360 ml (1½ tasse) de grains de maïs frais, jaune ou blanc, ou d'épis
　　　miniatures surgelés, dégelés

1. Préchauffer le four à 220 °C (425 °F). Enduire de shortening un moule avec des formes de bâtonnet. Puisque la recette donne 18 bâtonnets, il faudra utiliser un autre moule ou procéder en deux étapes.

2. Dans un grand bol, à l'aide d'un fouet, mélanger la farine, la semoule de maïs, le sucre, la levure chimique, les flocons de piment rouge et le sel.

3. Dans un grande tasse à mesurer de 1 l (4 tasses), mélanger le babeurre, la crème, le beurre fondu et les jaunes d'œuf. Tout en remuant à l'aide d'une grande spatule en caoutchouc, verser le mélange sur les ingrédients secs ; ne pas trop brasser. Incorporer les grains de maïs.

4. Dans un bol de taille moyenne, à l'aide d'un mixeur électrique, battre les blancs d'œuf jusqu'à ce qu'ils forment des pics fermes. Avec la spatule, incorporer les blancs dans la pâte jusqu'à ce qu'il n'y ait plus de striures.

5. Verser la pâte dans le moule préparé à cet effet en remplissant les formes à ras bord. Faire cuire de 12 à 18 minutes ou jusqu'à ce que les bords soient dorés, que les bâtonnets soient fermes sous le doigt et qu'un ustensile de contrôle inséré au centre en ressorte propre. Démouler immédiatement et servir chaud. Les bâtonnets peuvent être congelés jusqu'à 1 mois dans des sacs de congélation en plastique, puis réchauffés avant le service.

Sauces, pizzas et casseroles de pâtes délicieuses

Les sauces sont la pierre angulaire de nombreuses cuisines du monde et peuvent transformer un plat ordinaire en un pur délice. Elles rehaussent en quelque sorte les saveurs et sont souvent le centre d'attraction d'un plat, particulièrement lorsqu'on les combine aux pâtes. Le cuisinier moderne est capable de concocter des plats aux accents internationaux en ne connaissant que les recettes de quelques bonnes sauces.

Nous avons constaté que les sauces se réussissent très bien dans la mijoteuse, car elles ne nécessitent aucun agent liant ou de réduction, ni l'intensité variable des ronds de la cuisinière. Les sauces aux accents mexicain et italien donnent d'excellents résultats, car elles doivent mijoter long-temps. Vous pouvez faire une réduction dans la mijoteuse en utilisant l'intensité élevée et en ôtant le couvercle, mais il fau-dra plus de temps que sur la cuisinière. Les ragoûts et les braisés produisent leur propre sauce à la mijoteuse. Consultez la page 20 pour trouver des conseils sur la façon d'épaissir ces sauces.

D'autres sauces classiques, comme la béchamel, ou sauces délicates, comme la hollandaise ou la béarnaise, profiteront à leur façon de la mijoteuse. Après les avoir préparées sur la cuisinière, vous pouvez les garder au chaud, en mode d'attente, jusqu'à 2 heures avant le service, ce qui vous évitera d'avoir à sortir le bain-marie. Cependant, il ne faut pas régler la mijo-teuse à faible intensité, puisque la chaleur alors dégagée ferait figer les œufs.

La sauce pour pizza est vraiment facile à réaliser; les pizzas qui sortiront de votre four auront un goût extraordinaire. Qui plus est, nous vous apprendrons à préparer la pâte. En ce qui concerne les pâtes ali-mentaires, vous ne pouvez réussir toutes les sortes à la mijoteuse. Les recettes doivent être soigneusement élaborées afin que les pâtes soient cuites, non transformées en bouillie. Nous avons trouvé des casseroles de pâtes qui se réussissent magnifiquement à la mijoteuse et qui sont idéales pour les buffets lors de soirées fraîches.

P.S. : Vous trouverez les sauces barbe-cue dans le chapitre sur les Bout de côtes de bœuf, côtes levées et ailes de poulet, aux pages 405 à 420.

Salsa mexicaine

L a *salsa fresca*, ou salsa crue, est délicieuse ; cependant, nous préférons parfois servir une salsa ayant la texture de celles du commerce afin d'y tremper des croustilles ou de s'en servir pour garnir des œufs pochés, des légumes et des casseroles. Quand vous réduisez la sauce en purée, vous pouvez laisser de gros morceaux. Les restaurants de la péninsule du Yucatan au Mexique, où Beth a voyagé, servaient des bols de salsa cuite, encore chaude, au début du déjeuner. ◉ **Environ 720 ml (3 tasses)**

MIJOTEUSE : Moyenne, ronde
INTENSITÉ ET TEMPS DE CUISSON : FAIBLE, de 5 à 6 heures

45 ml (3 c. à table) d'huile d'olive
1 gros piment banane jaune ou 2 piments serrano rôtis (voir la note à la
     page 123), pelés, épépinés et hachés
2 petits oignons blancs, hachés
2 gousses d'ail, hachées
1 boîte de 796 ml (28 oz) de tomates en purée
30 ml (2 c. à table) de pâte de tomates
360 ml (1½ tasse) de bouillon de poulet
30 ml (2 c. à table) de coriandre fraîche, ciselée
15 ml (1 c. à table) d'assaisonnement au chile, ou plus au goût
2 ml (½ c. à thé) de cumin moulu
2 ml (½ c. à thé) d'origan mexicain ou de marjolaine, séchés
Sel, au goût

1. Dans une poêle moyenne, faire chauffer l'huile à feu moyen. Tout en brassant, y attendrir les piments, les oignons et l'ail environ 5 minutes. Transférer dans la mijoteuse. Ajouter la purée et la pâte de tomates, le bouillon, la coriandre, l'assaisonnement au chile, le cumin et l'origan. Bien mélanger. À couvert, laisser mijoter de 5 à 6 heures à faible intensité.

2. À l'aide d'un mélangeur à main, réduire partiellement la sauce en purée directement dans la mijoteuse ou la verser dans un mélangeur sur pied avant de procéder. Saler. La sauce se conservera de 5 à 7 jours au réfrigérateur ou jusqu'à 1 mois au congélateur.

Sauce marinara

La *marinara,* une sauce rouge rapide à préparer, appartient à la famille des sauces italiennes à base de tomates. Certains utilisent du beurre comme base de cette sauce, mais notre recette demande de l'huile d'olive (quoique vous puissiez opter pour un mélange moitié huile et moitié beurre). Cette sauce a un goût pur et net, et vous pouvez la préparer avec des tomates en conserve ou fraîches, selon la saison. Elle sera aussi délicieuse si elle est faite avec des tomates jaunes en conserve, si vous arrivez à en trouver au supermarché. Servez-la sur les pâtes suivantes : cheveux d'ange, gemellis (spirales «jumelles»), radiatores ou fusillis, à votre choix. Accompagnez le tout de pain croûté et d'une salade d'endives belges avec une vinaigrette à l'huile d'olive et au vinaigre balsamique blanc. ◉ **Environ 1,2 l (5 tasses) ; 6 à 8 portions**

MIJOTEUSE : Moyenne, ronde ou ovale
INTENSITÉ ET TEMPS DE CUISSON : FAIBLE, de 4 à 5 heures

80 ml (⅓ tasse) d'huile d'olive, ou moitié huile d'olive et moitié beurre non
     salé
1 oignon jaune de grosseur moyenne, haché menu
1 gousse d'ail, finement hachée
2 boîte de 796 ml (28 oz) de tomates italiennes entières, et leur jus, ou
     1,5 kg (3 lb) de tomates italiennes mûres, épépinées et coupées en gros
     morceaux
86 ml (3 oz), soit la moitié d'une boîte de 170 ml (6 oz) de pâte de tomates
1 pincée de sucre
Sel, et poivre noir du moulin, au goût

1. Dans une poêle moyenne, faire chauffer 45 ml (3 c. à table) d'huile à feu moyen et, en brassant, y attendrir l'oignon et l'ail environ 5 minutes.

2. Mettre le mélange dans la mijoteuse. Ajouter le reste de l'huile d'olive, les tomates, la pâte de tomates et le sucre. Bien mélanger. À couvert, laisser cuire de 4 à 5 heures à faible intensité.

3. Saler et poivrer. Si des tomates en conserve ont été utilisées, réduire la sauce en purée à l'aide d'un mélangeur à main directement dans la mijoteuse. Si des tomates fraîches ont été utilisées, passer au presse-purée avec le disque à petits trous pour enlever les peaux de tomate. Si la sauce n'est pas servie sur des pâtes chaudes immédiatement, la reverser dans la mijoteuse, où elle restera chaude à faible intensité pendant quelques heures. La sauce peut être réfrigérée jusqu'à 1 semaine ou congelée pendant 2 mois.

Sauce aux tomates fraîches

Voici une sauce remarquable, celle que vous préparez avec les récoltes abondantes provenant du jardin ou des marchés. Choisissez les tomates les plus parfumées et sucrées. N'importe quelle variété conviendra. Nous aimons mélanger des tomates rouges avec des jaunes ou des orange pour obtenir un ravissant effet multicolore. Si vos tomates sont vraiment bonnes, vous pourriez choisir d'omettre les herbes afin de goûter la pure saveur de la tomate. Cette recette donne assez de sauce pour napper 454 g (1 lb) des pâtes suivantes : rotinis (spirales bien tortillées), pennes (« plumes »), farfalles (« papillons » ou « nœuds papillon »), conchiglies (« coquilles »), raviolis et cheveux d'ange. Pour doubler ou tripler la recette, vous devrez utiliser une grande mijoteuse. ◉ **Environ 480 à 720 ml (2 à 3 tasses) ; 4 à 6 portions**

MIJOTEUSE : Moyenne, ronde ou ovale
INTENSITÉ ET TEMPS DE CUISSON : FAIBLE, de 2 à 3 heures

1 kg (2 lb) de tomates mûres, pelées, épépinées et étrognées
30 ml (2 c. à table) de beurre non salé
180 ml (¾ tasse) d'oignons hachés
1 gousse d'ail, finement hachée
5 ml (1 c. à thé) de sel, ou au goût
15 ml (1 c. à table) de basilic frais ou 10 ml (2 c. à thé) de persil plat frais,
     ciselés ; ou 25 ml (1½ c. à table) d'un mélange de fines herbes, hachées,
     par exemple basilic, thym, persil, marjolaine et origan, dans n'importe
     quelle proportion (facultatif)
1 grosse pincée de sucre (facultatif)

1. Hacher grossièrement les tomates. Procéder à la main ; un robot donnerait de trop petits morceaux. Les morceaux doivent avoir de 2 à 2,5 cm (¾ à 1 po) d'épaisseur. Verser les tomates dans la mijoteuse.

2. Dans une poêle moyenne, faire fondre le beurre à feu moyen. Y attendrir l'oignon et l'ail environ 5 minutes tout en remuant à quelques reprises ; éviter de les faire brunir. Transférer dans la mijoteuse, en grattant au besoin. Ajouter 5 ml (1 c. à thé) de sel et bien remuer. À couvert, laisser cuire de 2 à 3 heures à faible intensité.

3. À la fin du temps de cuisson, incorporer les herbes, si utilisées. Mettre le couvercle et poursuivre la cuisson de 5 à 10 minutes. Goûter et rectifier l'assaisonnement.

Pour peler les tomates, porter une casserole moyenne remplie d'eau à ébullition. Ajouter 1 ou 2 tomates, puis les retirer à l'aide d'une cuillère à égoutter après 20 à 30 secondes. Les déposer sur un plan de travail et poursuivre avec les tomates restantes. En partant du pédoncule, peler la peau avec les doigts au-dessus du lavabo. La peau devrait s'enlever très facilement. Si ce n'est pas le cas, remettre la tomate dans l'eau bouillante pendant quelques secondes. Pour épépiner, trancher chaque tomate horizontalement en deux parties. Tenant une moitié dans la main au-dessus du lavabo, mettre les doigts de l'autre main dans les «poches» de la tomate. En retirant les doigts, on enlève la plupart des graines. Il en restera quelques-unes, mais ce n'est pas grave. Pour étrogner, utiliser un petit couteau à éplucher, bien aiguisé, et couper le pourtour du trognon brun sur le dessus de chaque tomate; retirer une partie en forme de cône.

Sauce aux gros morceaux de tomate et au basilic

C ette sauce marinara relevée avec de gros morceaux de tomate est parfaitement délicieuse sur les pâtes. Si vous désirez, vous pouvez doubler la recette et en congeler une partie mais, dans ce cas, vous devrez utiliser une plus grande mijoteuse. Si vous n'aimez pas l'ail, vous pouvez l'omettre. Essayez cette sauce sur des fettuccinis ou des rotinis; accompagnez vos pâtes de pain croûté et d'une salade de roquette, de carottes râpées et de pois chiches.

○ **Environ 1,2 l (5 tasses) ; 4 à 6 portions**

MIJOTEUSE : Moyenne, ronde ou ovale

INTENSITÉ ET TEMPS DE CUISSON : ÉLEVÉE pour 2 à 2½ heures, puis FAIBLE
pour 30 minutes ; le sel, le poivre, le reste du basilic et le persil sont
ajoutés avant les 30 dernières minutes de cuisson

30 ml (2 c. à table) de beurre non salé

30 ml (2 c. à table) d'huile d'olive

1 oignon jaune de grosseur moyenne, haché menu

1 à 2 gousses d'ail, finement hachées

2 boîtes de 796 ml (28 oz) de tomates italiennes entières, égouttées (ne pas
les égoutter si elles sont conditionnées dans une purée)

30 ml (2 c. à table) de vin blanc ou rouge sec

1 pincée de sucre

60 ml (¼ tasse) de basilic frais, déchiqueté

1 pincée de thym ou d'origan, séchés

Sel, et poivre noir du moulin, au goût

30 ml (2 c. à table) de persil plat frais, ciselé

1. Dans une poêle moyenne, à feu moyen, faire fondre le beurre dans l'huile d'olive. Tout en remuant, y attendrir l'oignon pendant environ 5 minutes. Ajouter l'ail et, en continuant à remuer, poursuivre la cuisson durant 2 minutes.

2. Mettre le mélange dans la mijoteuse. Incorporer les tomates, le vin, le sucre, 30 ml (2 c. à table) du basilic et le thym. Bien mélanger. À couvert, laisser cuire de 2 à 2½ heures à intensité élevée.

3. Saler et poivrer. Ajouter les derniers 30 ml (2 c. à table) de basilic et le persil. À couvert, poursuivre la cuisson à faible intensité de 20 à 30 minutes de plus. Servir la sauce lorsqu'elle est chaude. Elle se conservera jusqu'à 1 semaine au réfrigérateur et durant 2 mois au congélateur.

SAUCE ROUGE AUX PALOURDES : En Italie, cette recette se nomme *linguine alle vongole*. Les mollusques crus cuisent dans la sauce tomate, lui donnant leur fumet. Substituer des champignons aux mollusques pour obtenir un plat végétarien. Ajouter 3 douzaines de petites palourdes dans leurs coquilles, nettoyées à la brosse, à la sauce tomate chaude de la mijoteuse, de préférence ovale. À couvert, laisser cuire de 5 à 10 minutes à intensité élevée. Vérifier si toutes les coquilles sont ouvertes ; sinon, poursuivre la cuisson, à couvert, durant quelques minutes. (Jeter les palourdes qui ne s'ouvrent pas.) Servir immédiatement sur des pâtes chaudes, de préférence des linguines. Garnir de persil plat frais, haché. Les pâtes aux fruits de mer sont traditionnellement servies sans fromage.

Sauce italienne aux champignons et à l'aubergine

Grâce à sa texture de viande, l'aubergine donne une merveilleuse sauce végétarienne qui se marie bien aux zitis. Vous pouvez utiliser indifféremment une aubergine régulière, blanche ou japonaise. ● **Environ 720 ml (3 tasses) ; 4 à 6 portions**

MIJOTEUSE : Moyenne, ronde ou ovale

INTENSITÉ ET TEMPS DE CUISSON : FAIBLE de 7 à 8 heures ou ÉLEVÉE de
3½ à 4 heures ; le persil, le sel et le poivre sont ajoutés avant la dernière
heure de cuisson

1 aubergine de grosseur moyenne, coupée en deux dans le sens de la
longueur, saupoudrée de sel, égouttée sur des essuie-tout pendant
30 minutes, puis rincée

3 gousses d'ail

60 ml (¼ tasse) d'huile d'olive

1 oignon jaune de grosseur moyenne, haché menu

1 boîte de 796 ml (28 oz) de tomates italiennes entières, et leur jus, broyées ;
ou 1 boîte de 796 ml (28 oz) de tomates broyées

1 boîte de 170 ml (6 oz) de pâte de tomates

340 g (12 oz) de champignons frais, tranchés

45 ml (3 c. à table) de vin rouge sec

7 ml (1½ c. à thé) d'origan ou de marjolaine, séchés ; ou 15 ml (1 c. à table)
de marjolaine ou d'origan frais, ciselés

45 ml (3 c. à table) de persil plat frais, finement haché

Sel, et poivre noir du moulin, au goût

1. Préchauffer le four à 200 °C (400 °F). Mettre l'aubergine et les gousses d'ail sur une plaque de cuisson huilée. Les frotter à l'huile d'olive et les faire cuire environ 20 minutes, le temps que l'aubergine soit tendre. Laisser tiédir. Enlever la peau de l'aubergine et trancher grossièrement la pulpe. Presser les gousses d'ail pour les peler.

2. Dans une poêle moyenne, faire chauffer l'huile à feu moyen. En remuant de temps à autre, y attendrir l'oignon environ 5 minutes.

3. Transférer l'oignon et le mélange aubergine rôtie et ail écrasé dans la mijoteuse. Incorporer les tomates, la pâte de tomates, les champignons, le vin et l'origan. Bien mélanger. À couvert, laisser cuire de 7 à 8 heures à faible intensité ou de 3½ à 4 heures à intensité élevée. Ajouter le persil. Saler et poivrer avant la dernière heure de cuisson.

La sauce peut rester au chaud à faible intensité pendant quelques heures. Elle se conservera de 3 à 5 jours au réfrigérateur.

Sauce italienne classique à la viande

Cette sauce très traditionnelle, qui ne contient ni herbes ni ail, accompagne merveilleusement les raviolis farcis au fromage ou vos pâtes préférées. Cette recette fournit assez de sauce pour 1,5 kg (3 lb) de raviolis ou 1 kg (2 lb) de pâtes comme les spaghettis. Si vous désirez une quantité moindre de sauce, vous pouvez couper la recette en deux. ◉ **Environ 2 à 2,2 l (8 à 9 tasses) ; 12 portions**

MIJOTEUSE : Moyenne, ronde ou ovale
INTENSITÉ ET TEMPS DE CUISSON : FAIBLE, de 6 à 8 heures

120 ml (½ tasse) d'huile d'olive
2 oignons jaunes de grosseur moyenne, hachés
2 carottes de grosseur moyenne, hachées menu
2 branches de céleri, hachées menu
454 g (1 lb) de bœuf haché
Sel, et poivre noir du moulin, au goût
360 ml (1½ tasse) de vin rouge sec, comme du chianti
2 boîtes de 796 ml (28 oz) de tomates italiennes entières, et leur jus ; ou 1 kg
    (2 lb) de tomates italiennes fraîches, pelées, épépinées et coupées en
    gros morceaux
1 boîte de 170 ml (6 oz) de pâte de tomates
120 ml (½ tasse) de bouillon de bœuf

1. À feu moyen, faire chauffer l'huile dans une grande poêle et, en brassant de temps à autre, y faire dorer les oignons, les carottes et le céleri de 10 à 15 minutes. Ajouter le bœuf et poursuivre la cuisson jusqu'à ce qu'il ait perdu toute coloration rosée. Saler et poivrer.

2. Transférer le mélange dans la mijoteuse. À feu élevé, déglacer la poêle avec le vin et laisser le volume de liquide réduire de moitié. Verser dans le pot de grès et ajouter les tomates, la pâte de tomates et le bouillon. À couvert, laisser cuire de 6 à 8 heures à faible intensité. Servir la sauce lorsqu'elle est chaude. Elle se conservera jusqu'à 4 jours au réfrigérateur et durant 1 mois au congélateur.

Boulettes de viande, sauce tomate et vin

Des boulettes de viande tendres et copieuses dans une sauce tomate robuste accompagneront parfaitement les pâtes. Il y aura toujours les spaghettis, mais nous aimons particulièrement servir cette recette sur des pennes (plumes) ou d'autres pâtes plus épaisses. Les restes de boulettes de viande feront de merveilleux sandwichs à manger à l'aide d'un couteau et d'une fourchette. Déposez-les sur un petit pain italien croûté que vous aurez réchauffé et ouvert en deux. Si vous aimez une sauce avec de gros morceaux de tomate, utilisez des tomates en dés ; pour une sauce plus lisse, employez des tomates en purée. Cette recette donne assez de sauce pour 454 g (1 lb) de pâtes. ● **6 portions**

MIJOTEUSE : Moyenne ou grande, ronde ou ovale

INTENSITÉ ET TEMPS DE CUISSON : ÉLEVÉE, au départ ; puis, FAIBLE de 5 à 6 heures

SAUCE :

30 ml (2 c. à table) d'huile d'olive

1 gros oignon jaune, haché menu

2 à 3 gousses d'ail, finement hachées

180 ml (¾ tasse) de vin rouge sec

1 boîte de 796 ml (28 oz) de tomates en dés, et leur jus ; ou 1 boîte de 796 ml (28 oz) de tomates en purée

1 boîte de 170 ml (6 oz) de pâte de tomates

5 ml (1 c. à thé) de sel

2 ml (½ c. à thé) de poivre noir fraîchement moulu

5 ml (1 c. à thé) de basilic séché ou 15 ml (1 c. à table) de basilic frais, finement haché

5 ml (1 c. à thé) d'origan séché ou 15 ml (1 c. à table) d'origan frais, finement haché

1 ml (¼ c. à thé) de piment de la Jamaïque moulu

1 feuille de laurier

30 ml (2 c. à table) de persil plat frais, finement haché, ou au goût

BOULETTES DE VIANDE :

750 g (1½ lb) de bœuf haché maigre

240 ml (1 tasse) de chapelure nature

2 gros œufs

45 ml (3 c. à table) de parmesan frais, râpé

5 ml (1 c. à thé) de sel

1 ml (¼ c. à thé) de poivre noir fraîchement moulu

1 ml (¼ c. à thé) de basilic séché ou 3 ml (¾ c. à thé) de basilic frais, finement haché

1 ml (¼ c. à thé) d'origan séché ou 3 ml (¾ c. à thé) d'origan frais, finement haché

60 ml (¼ tasse) de persil plat frais, finement haché

1 pincée de piment de la Jamaïque moulu

25 ml (1½ c. à table) d'huile d'olive

60 ml (¼ tasse) de vin rouge sec

1. Pour préparer la sauce, faire chauffer l'huile d'olive dans une grande poêle anti-adhésive à feu moyen-vif. En brassant à quelques reprises, y attendrir l'oignon et l'ail environ 5 minutes, sans les laisser brunir. Ajouter le vin. Porter au point d'ébullition de 1 à 2 minutes et déglacer.

2. Verser dans la mijoteuse. Ajouter les tomates, la pâte de tomates, le sel, le poivre, le basilic, l'origan, le persil, le piment de la Jamaïque et la feuille de laurier. Bien mélanger. À couvert, laisser cuire à intensité élevée pendant la préparation des boulettes de viande.

3. Pour préparer les boulettes de viande, mettre le bœuf haché dans un grand bol et le défaire quelque peu avec les doigts ou à l'aide d'une grosse fourchette. Ajouter la chapelure, les œufs, le parmesan, le sel, le poivre, le basilic, l'origan, le persil et le piment de la Jamaïque. À l'aide des mains ou d'une grosse fourchette, mélanger délicatement les ingrédients, mais non complètement. Il ne faut pas écraser la viande, ce qui donnerait des boulettes coriaces. Former délicatement 12 boulettes de viande, chacune un peu plus grosse qu'une balle de golf.

4. À feu moyen-vif, faire chauffer l'huile d'olive dans une grande poêle antiadhésive. En les tournant soigneusement de temps à autre, y faire dorer les boulettes sur tous les côtés, pour un total de 6 à 10 minutes. À l'aide d'une cuillère à égoutter, transférer les boulettes dans la sauce. Éliminer le gras de la poêle. Ajouter le vin. À feu vif, déglacer la poêle durant 2 à 3 minutes et faire réduire le volume de liquide. Verser sur les boulettes de viande. Si les boulettes ne sont pas recouvertes de sauce tomate, les napper délicatement à l'aide d'une cuillère. À couvert, laisser cuire de 5 à 6 heures à faible intensité. Jeter la feuille de laurier. Servir les boulettes de viande et la sauce sur des pâtes.

Sauce pour pizza à la mijoteuse

L a sauce pour pizza est différente de celles qui nappent les pâtes. Elle est plus lisse, d'un rouge brique intense et très épaisse, afin d'être facilement étendue sur la pâte à pizza. Le secret pour obtenir la texture désirée est d'ajouter la bonne quantité de pâte de tomates. Nous aimons aussi des herbes séchées dans cette sauce. Nous avons obtenu cette recette en ligne, à partir de la liste d'envoi culinaire de Rachael, à RKGRecipes@yahoo.com. La sauce devant cuire pendant au moins 10 heures, pensez à la préparer la veille en la laissant mijoter toute la nuit, ou préparez-la de bon matin pour une soirée de pizza. C'est une recette gagnante. Rachael fait remarquer qu'il s'agit d'une «sauce bon marché; vous en obtiendrez assez pour faire deux très grandes pizzas, et ce, pour une bouchée de pain!» Les restes de sauce peuvent être conservés jusqu'à 1 mois au congélateur. ● **Environ 1,5 l (6 tasses); assez pour couvrir 2 pizzas de 35 cm (14 po)**

MIJOTEUSE : Moyenne, ronde ou ovale
INTENSITÉ ET TEMPS DE CUISSON : FAIBLE, de 10 à 14 heures

2 boîtes de 341 ml (12 oz) de pâte de tomates
1 boîte de 455 ml (16 oz) de sauce tomate
45 ml (3 c. à table) d'huile d'olive
2 à 4 gousses d'ail, pressées
30 ml (2 c. à table) d'origan séché
15 ml (1 c. à table) de basilic séché
30 à 60 ml (2 à 4 c. à table) de persil plat frais, finement haché, au goût
15 à 30 ml (1 à 2 c. à table) de sucre, au goût
60 ml (¼ tasse) d'eau, ou plus si nécessaire
45 ml (3 c. à table) de parmesan, de romano ou d'asiago, fraîchement râpés
Sel, et poivre noir du moulin, au goût

1. Mettre la pâte de tomates, la sauce tomate, l'huile, l'ail, les herbes et 15 ml (1 c. à table) de sucre dans la mijoteuse. Ajouter juste assez d'eau pour lisser la sauce. Mettre le couvercle et, en brassant de temps à autre si possible, laisser cuire de 10 à 14 heures à faible intensité, le temps que la sauce épaississe.

2. Goûter et, si nécessaire, ajouter du sucre. Incorporer le fromage. Saler et poivrer. Laisser la sauce tiédir à la température ambiante avant de l'utiliser. Elle se conservera 4 jours au réfrigérateur.

La machine à pain est parfaite pour mélanger et faire lever la pâte à pizza maison. C'est facile, et la pâte est parfaite! Une fois que la pâte a gonflé, enlevez-la du moule à pain, formez-la à la main et garnissez-la comme vous le désirez. Faites-la ensuite cuire au four. Si vous comptez faire régulièrement de la pizza, investissez dans une céramique à pizza; cet accessoire aide à distribuer une chaleur forte et uniforme dans le four domestique. Un four très chaud est la clé pour l'obtention d'une croûte croustillante et moelleuse à l'intérieur. Si la température du four est trop faible, vous obtiendrez une croûte dure. Utilisez une plaque métallique conçue pour faire cuire la pizza, avec des trous semblables à ceux des fromages suisses; c'est la meilleure façon de faire cuire la pizza sur une pierre en céramique. Employez de la farine tout usage non blanchie. La pâte sera alors plus facile à abaisser parce que ce genre de farine contient moins de gluten que la farine à pain. Vous pouvez utiliser toute la pâte ou seulement une partie de cette dernière. Le reste peut être réfrigéré toute la nuit ou congelé jusqu'à 3 mois. Laissez la pâte réfrigérée reposer 20 minutes à la température ambiante avant de l'abaisser. Laissez la pâte congelée dégeler toute la nuit au réfrigérateur.

Ces recettes sont adaptées du livre de Beth, *The Bread Lover's Bread Machine Cookbook* (Harvard Commun Press, 2000). Elles donnent 750 g (1½ lb) de pâte, assez pour faire 2 pizzas minces de 30 à 35 cm (12 à 14 po), 1 croûte de 5 mm (¼ po) d'épaisseur, 4 croûtes de 20 cm (8 po), 6 petites croûtes individuelles, ou 1 croûte pour une plaque de cuisson de 28 x 43 cm (11 x 17 po).

Pâte à pizza (recette de base)

320 ml (1⅓ tasse) d'eau

60 ml (¼ tasse) d'huile d'olive extravierge

840 ml (3½ tasses) de farine tout usage non blanchie

15 ml (1 c. à table) de sucre

7 ml (1½ c. à thé) de sel

10 ml (2 c. à thé) de levure pour machine à pain ou instantanée

1. Mélanger tous les ingrédients dans le moule, en suivant les instructions du fabricant. Programmer la pâte sur le cycle «Pâte à pizza» et démarrer l'appareil. La pâte sera molle lorsqu'elle sera prête.

2. Passer à l'étape 4 des Directives pour préparer et faire cuire la pizza, à la page 264.

Pâte à pizza au fromage et à l'ail de Rachael

L'ajout de fromage et d'ail frais donne une pâte très savoureuse et parfumée. Nous avons ajouté un peu plus d'eau pour obtenir une pâte légèrement plus souple.

300 ml (1¼ tasse) d'eau chaude

45 à 60 ml (3 à 4 c. à table) d'huile d'olive extravierge

840 ml (3½ tasses) de farine tout usage non blanchie

60 ml (¼ tasse) de pecorino romano ou de parmesan, fraîchement râpé

1 à 2 gousses d'ail, finement hachées

3 ml (¾ c. à thé) de sel

10 ml (2 c. à thé) de levure pour machine à pain ou instantanée

Pâte à pizza à la semoule de Beth

Il faut trouver la semoule de petit calibre de blé dur (finot) utilisée pour faire des pâtes alimentaires, non une mouture grossière. La semoule, un ingrédient italien populaire, est une farine très riche en protéines provenant de la mouture du blé dur, qui donne une texture plus moelleuse à la pâte.

360 ml (1½ tasse) d'eau

45 ml (3 c. à table) d'huile d'olive extravierge

800 ml (3⅓ tasses) de farine tout usage non blanchie

160 ml (⅔ tasse) de semoule pour pâtes alimentaires (semoule de blé dur)

15 ml (1 c. à table) de sucre

10 ml (2 c. à thé) de sel

10 ml (2 c. à thé) de levure pour machine à pain ou instantanée

Pâte à pizza au blé entier

Le blé entier donne une texture plus granuleuse et une saveur de noisette à cette croûte.

320 ml (1⅓ tasse) d'eau

60 ml (¼ tasse) d'huile d'olive extravierge

660 ml (2¾ tasses) de farine tout usage non blanchie

180 ml (¾ tasse) de farine de blé entier

5 ml (1 c. à thé) de sel

10 ml (2 c. à thé) de levure pour machine à pain ou instantanée

Directives pour préparer et faire cuire la pizza

Voici les étapes à suivre pour faire une pizza maison :

1. Préparez la sauce pour pizza. Préparez la pâte de votre choix sur le cycle «Pâte à pizza» ou le cycle «Pâte» de la machine à pain. Toutes les recettes peuvent aussi être faites à la main ou à l'aide d'un solide mixeur muni d'un crochet à pâte ou d'un robot muni d'une lame à pâte.

2. Préparez le fromage et, s'il y a lieu, les autres ingrédients de la garniture. Vous pouvez faire cuire ou rôtir vos propres légumes, ou utiliser des conserves ou des légumes surgelés précuits, comme des cœurs d'artichaut, des olives et des tomates séchées au soleil. Utilisez seulement des viandes ou des fruits de mer précuits sur les pizzas, jamais crus. Réservez le fromage et les ingrédients de la garniture à la température ambiante ou réfrigérez-les s'ils doivent attendre plus de 15 minutes.

3. Préchauffez le four entre 230 à 260 °C (450 à 500 °F) pendant au moins 30 minutes; si vous possédez une pierre de cuisson ou une tuile à pizza, placez-la sur la grille centrale ou inférieure.

4. Au signal sonore annonçant que le cycle de levage de la pâte est terminé, enlevez immédiatement la pâte à pizza et déposez-la sur un plan de travail légèrement saupoudré de farine de maïs jaune, de semoule ou de farine de riz. Divisez la pâte en autant de portions que vous le désirez ou laissez-la entière. À l'aide d'un rouleau à pâtisserie ou en appuyant avec vos doigts et vos paumes, abaissez la pâte du centre vers les bords, en la faisant tourner pour obtenir un cercle uniforme. Soulevez la pâte et étirez-la jusqu'à l'obtention de la grandeur désirée. Déposez la pâte sur une plaque à pizza parsemée de semoule ou de farine de maïs, en formant un rebord de 1,5 cm (½ po) autour de la croûte. Pour une croûte mince, passez directement à l'étape suivante. Pour une croûte épaisse, avant de garnir la pâte et de la faire cuire, couvrez-la d'un linge à vaisselle propre et laissez-la lever à la température ambiante de 30 à 40 minutes, le temps que son volume ait doublé.

5. À l'aide d'une grande spatule en caoutchouc, garnissez la pâte de sauce presque jusqu'au rebord. Parsemez de fromage et disposez le reste de la garniture. Terminez avec un peu de fromage. Les fromages frais qui fondent bien conviennent davantage à la pizza, par exemple la mozzarella, le gorgonzola, le provolone, le monterey jack, la fontina, le brie, la feta et le fromage de chèvre frais. Saupoudrez d'une herbe, si utilisée, puis aspergez d'huile d'olive. N'hésitez pas à varier les proportions selon vos goûts, mais ne surchargez pas la pizza. Comme vous voulez un peu de chacune des saveurs dans chaque bouchée, vous devez distribuer uniformément les ingrédients.

6. Déposez immédiatement la pizza, montée dans sa plaque, directement sur la pierre dans le four et faites-la cuire jusqu'à ce que la croûte soit brune et croustillante, soit de 12 à 15 minutes (5 à 8 minutes de plus pour une croûte épaisse). Assurez-vous que le dessous de la croûte est bien brun en soulevant la croûte avec une spatule en métal. À l'aide de gants de cuisinier, mettez la pizza sur une planche à découper et retirez-la de la plaque. Coupez-la en pointes avec une roulette à pizza, des ciseaux de cuisine ou un couteau dentelé. Mangez-la alors qu'elle est encore chaude!

Pizza margherita • 1 pizza de 35 cm (14 po)

1 recette de pâte à pizza au choix (pages 263 et 264), abaissée
Environ 360 ml (1½ tasse) de Sauce pour pizza à la mijoteuse (page 262)
227 g (8 oz) de mozzarella, émincée

10 grandes feuilles de basilic frais, tranchées en fines lanières

Huile d'olive pour asperger

Étendre la sauce tomate sur la pâte, en laissant une bordure de 1,5 cm (½ po). Parsemer de mozzarella. Saupoudrer de basilic et asperger d'huile d'olive. Faire cuire en suivant les directives de la page 264.

Pizza aux olives noires ● 1 pizza de 35 cm (14 po)

1 recette de pâte à pizza au choix (pages 263 et 264), abaissée

Environ 360 ml (1½ tasse) de Sauce pour pizza à la mijoteuse (page 262)

170 g (6 oz) de mozzarella, émincée

360 ml (1½ tasse) de fontina, râpée

360 ml (1½ tasse) d'olives noires, hachées

Marjolaine ou origan, séchés

Huile d'olive pour asperger

Étendre la sauce tomate sur la pâte, en laissant une bordure de 1,5 cm (½ po). Parsemer de mozzarella, puis répartir la fontina uniformément. Garnir avec les olives. Saupoudrer d'origan et asperger d'huile d'olive. Faire cuire en suivant les directives de la page 264.

Pizza au pepperoni ● 1 pizza de 35 cm (14 po)

1 recette de pâte à pizza au choix (pages 263 et 264), abaissée

Environ 360 ml (1½ tasse) de Sauce pour pizza à la mijoteuse (page 262)

113 g (4 oz) de pepperoni, pelé et émincé

170 g (6 oz) de mozzarella, émincée

240 ml (1 tasse) de provolone, râpé

113 g (4 oz) de champignons frais, tranchés

1 poivron vert, épépiné et coupé transversalement en rondelles

Huile d'olive pour asperger

Étendre la sauce tomate sur la pâte, en laissant une bordure de 1,5 cm (½ po). Garnir avec les tranches de pepperoni. Parsemer de mozzarella, puis répartir le provolone uniformément. Garnir avec les tranches de champignons et les rondelles de poivron. Asperger d'huile d'olive. Faire cuire en suivant les directives de la page 264.

Pizza méditerranéenne à la feta et aux oignons rouges ● 1 pizza de 35 cm (14 po)

1 recette de pâte à pizza au choix (pages 263 et 264), abaissée

Environ 360 ml (1½ tasse) de Sauce pour pizza à la mijoteuse (page 262)

170 g (6 oz) de mozzarella, émincée

240 ml (1 tasse) de feta, émiettée

120 ml (½ tasse) d'olives noires dénoyautées, égouttées, et hachées ou
    tranchées

Quelques tranches d'oignon rouge, séparées en anneaux

Huile d'olive pour asperger

Étendre la sauce tomate sur la pâte, en laissant une bordure de 1,5 cm (½ po). Parsemer de mozzarella, puis répartir uniformément la feta. Étendre les olives et quelques anneaux d'oignon. Asperger d'huile d'olive. Faire cuire en suivant les directives de la page 264.

Pizza vegetariana ● 1 pizza de 35 cm (14 po)

1 recette de pâte à pizza au choix (pages 263 et 264), abaissée

Environ 360 ml (1½ tasse) de Sauce pour pizza à la mijoteuse (page 262)

113 g (4 oz) de mozzarella, émincée

2 courgettes de grosseur moyenne, émincées

1 ou 2 poivrons rouges, rôtis (voir la note à la page 123), pelés, épépinés
    et coupés en lanières; ou tranches d'aubergine rôties

1 paquet de 283 g (10 oz) de cœurs d'artichaut surgelés, décongelés

2 tomates italiennes, coupées en croissants

240 ml (1 tasse) de fleurettes de brocoli, cuites dans l'eau bouillante salée
    jusqu'à tendreté, puis égouttées

240 ml (1 tasse) de fleurettes de chou-fleur, cuites dans l'eau bouillante
    salée jusqu'à tendreté, puis égouttées

120 à 180 ml (½ à ¾ tasse) de parmesan ou d'asiago fraîchement râpés,
    au goût

Huile d'olive pour asperger

La garniture étant abondante, utiliser un plat à pizza avec un rebord de 2,5 cm (1 po). Étendre la sauce tomate sur la pâte, en laissant une bordure de 1,5 cm (½ po). Parsemer de mozzarella. Garnir de tranches de courgette, de poivron ou d'aubergine, de cœurs d'artichaut, de croissants de tomate, de brocoli et de chou-fleur. Saupoudrer de parmesan et asperger d'huile d'olive. Faire cuire en suivant les directives de la page 264.

Macaronis au fromage

O ubliez les versions en boîte ; celle-ci est tout aussi simple à préparer et nettement plus savoureuse. Cette recette, que nous avons adaptée, est tirée du cahier gastronomique du *San Diego Tribune*. Les pâtes étant difficiles à réussir à la mijoteuse, il faut assez de liquide pour bien les faire cuire, mais pas trop pour éviter qu'elles se transforment en bouillie. Nous aimons cette recette parce qu'elle nous donne les bons vieux macaronis au fromage, sans que nous ayons à préparer une sauce épaisse. Le mélange de lait concentré non sucré et d'œuf remplace la farine comme agent liant. De plus, le lait en conserve ne caille pas comme le fait parfois le lait frais dans les sauces. Les macaronis ont une forme que les enfants adorent ; ne les remplacez donc pas par une autre pâte alimentaire. Notez bien que les pâtes sont ajoutées crues dans la mijoteuse et que la recette peut être doublée dans un grand appareil. ◉ **4 portions**

MIJOTEUSE : Moyenne, ronde
INTENSITÉ ET TEMPS DE CUISSON : FAIBLE, de 3½ à 4 heures

360 ml (1½ tasse) de lait écrémé ou partiellement écrémé
1 boîte de 426 ml (15 oz) de lait concentré écrémé
1 gros œuf, battu
1 ml (¼ c. à thé) de sel
1 grosse pincée de poivre noir fraîchement moulu
360 ml (1½ tasse) de cheddar moyen ou fort, comme le tillamook de
    l'Oregon, le colby du Vermont ou le longhorn du Wisconsin
227 g (8 oz) de coudes (environ 480 ml ou 2 tasses)
30 ml (2 c. à table) de parmesan frais, râpé ou émietté

1. Vaporiser la mijoteuse d'un enduit végétal antiadhésif. À l'aide d'un fouet, y mélanger les laits concentré et partiellement écrémé, l'œuf, le sel et le poivre jusqu'à l'obtention d'une consistance lisse. Ajouter le fromage et les macaronis (en forme de coudes). Remuer doucement avec une spatule en caoutchouc pour enrober uniformément les pâtes du mélange de lait et de fromage. Saupoudrer de parmesan.

2. À couvert, laisser cuire de 3½ à 4 heures à faible intensité ou jusqu'à ce que le flan soit pris au centre et que les pâtes soient tendres. Ne pas faire cuire plus de 4 heures, puisque les côtés pourraient sécher et roussir.

MACARONIS AUX FROMAGES ITALIENS : Substituer au cheddar un mélange de 240 ml (1 tasse) de fontina râpée et de 120 ml (½ tasse) de mozzarella râpée ou coupée en cubes (57 g ou 2 oz).

MACARONIS AU FROMAGE SUISSE : Substituer au cheddar une quantité égale de gruyère ou d'emmenthal, râpés.

MACARONIS AU BLEU : Ajouter au cheddar et aux macaronis 120 ml (½ tasse) de gorgonzola (57 g ou 2 oz), de stilton, de roquefort ou de fromage bleu américain.

Casserole de raviolis, sauce au fromage

I l n'est certes pas compliqué de préparer des raviolis avec de la sauce en conserve sur la cuisinière. Cependant, il est parfois plus pratique de tout faire à l'avance et de servir des assiettes fumantes de pâtes farcies, nappées d'une sauce à base de tomates, sorties directement de la mijoteuse. Cette façon de faire est aussi commode lorsque vous devez servir un repas sur une longue période de temps — pensons à un buffet — ou quand les membres de la famille reviennent à la maison à des heures différentes après une journée épuisante. Il importe de choisir méticuleusement la sauce et les raviolis. Il faut que la marque et le genre de la sauce vous conviennent vraiment ; la sauce devra être très simple. Nous avons constaté que certaines sauces contenant beaucoup d'herbes, d'ail ou de poudre d'oignon ne cuisent pas bien à la mijoteuse. Les raviolis devront être de grosseur moyenne ; les supergrands ont tendance à s'effriter au moment du service. Si vous achetez des raviolis réfrigérés, congelez-les avant de les utiliser dans cette recette. ⊙ **8 à 10 portions**

MIJOTEUSE : Grande, ronde
INTENSITÉ ET TEMPS DE CUISSON : ÉLEVÉE de 2½ à 3½ heures ou FAIBLE de
5 à 6 heures

15 ml (1 c. à table) d'huile d'olive
1 oignon jaune de grosseur moyenne, haché
2 gousses d'ail, finement hachées
2 pots de 739 ml (26 oz) de sauce pour pâtes, à base de tomates, au choix
180 ml (¾ tasse) de vin rouge sec
1 boîte de 227 ml (8 oz) de sauce tomate
5 à 10 ml (1 à 2 c. à thé) d'un mélange d'herbes italiennes ou de basilic
    séchés ; ou de 15 à 30 ml (1 à 2 c. à table) de basilic frais, ciselé
    (facultatif)
2 paquets de 708 g (25 oz) de raviolis congelés (ne pas décongeler)

480 ml (2 tasses) de mozzarella, râpée

120 ml (½ tasse) de parmesan frais, râpé ou émietté

1. Vaporiser la mijoteuse d'un enduit végétal antiadhésif.

2. Dans une grande poêle profonde ou une marmite, faire chauffer l'huile à feu moyen-vif. En brassant à quelques reprises, y attendrir l'oignon environ 5 minutes. Ajouter l'ail et poursuivre la cuisson 1 minute de plus ; ne pas laisser roussir. Ajouter la sauce pour pâtes, le vin et la sauce tomate. Porter le mélange au point d'ébullition, puis réduire le feu et, en remuant de temps à autre, laisser mijoter de 3 à 5 minutes. Goûter la sauce et, si désiré, ajouter le basilic.

3. Verser 480 ml (2 tasses) de la sauce tomate dans la mijoteuse. Ajouter 1 paquet de raviolis congelés. Parsemer de la moitié de la mozzarella et de 30 ml (2 c. à table) de parmesan. Ajoutez 480 ml (2 tasses) de sauce, le dernier paquet de raviolis, le reste de la mozzarella et 30 ml (2 c. à table) de parmesan. Recouvrir du reste de la sauce tomate.

4. À couvert, laisser cuire de 2½ à 3½ heures à intensité élevée ou de 5 à 6 heures à faible intensité. La casserole est prête quand un ravioli pris au centre de la mijoteuse est chaud de part en part. Garnir avec les derniers 60 ml (¼ tasse) de parmesan. À couvert, poursuivre la cuisson durant 10 minutes.

Pennes crémeuses, sauce aux champignons et au thon

C ette casserole, un plat qui depuis toujours est très populaire, est grandement appréciée des enfants. Si vous préférez ne pas utiliser le fromage de chèvre frais, doublez la quantité de fromage à la crème. Cependant, le fromage de chèvre apporte une saveur particulière à ce plat, alors que le fromage à la crème est plus doux. Nous adorons la garniture aux flocons de maïs. ● **4 portions**

MIJOTEUSE : Moyenne, ronde

INTENSITÉ ET TEMPS DE CUISSON : ÉLEVÉE de 1½ à 2 heures ou FAIBLE pour 4 heures

30 ml (2 c. à table) de beurre non salé

2 échalotes françaises de grosseur moyenne, hachées

227 g (8 oz) de champignons frais, coupés en quartiers

30 ml (2 c. à table) de farine tout usage

240 ml (1 tasse) de bouillon de poulet

1 boîte de 370 ml (13 oz) de lait concentré, non sucré

1 paquet de 85 g (3 oz) de fromage à la crème, émietté

85 g (3 oz) de fromage de chèvre, émietté

1 boîte de 175 ml (6½ oz) de thon blanc entier, bien égoutté et émietté

240 ml et un peu plus (1 tasse comble) de petits pois surgelés

Sel, et poivre noir du moulin, au goût

227 g (8 oz) de plumes (pennes)

GARNITURE :

120 ml (½ tasse) de flocons de maïs (corn flakes), émiettés

25 ml (1½ c. à table) de beurre non salé, fondu

240 ml (1 tasse) de cheddar, râpé

1. Dans une poêle moyenne, faire fondre le beurre à feu moyen. Y attendrir les échalotes et les champignons pendant environ 5 minutes. Saupoudrer de farine et faire cuire pendant 30 secondes. Incorporer le bouillon et le lait. Porter le mélange à ébullition et, pour éviter la formation de grumeaux, brasser jusqu'à l'obtention d'une sauce blanche lisse. Ajouter les fromages et remuer jusqu'à ce qu'ils soient fondus. Incorporer le thon et les pois. Saler et poivrer légèrement.

2. Pendant ce temps, faire cuire les plumes dans l'eau bouillante jusqu'à ce qu'elles soient al dente. Éviter de trop faire cuire, car les pâtes doivent être croquantes sous la dent. Égoutter et incorporer à la sauce au thon. Remuer pour enrober les pâtes de façon uniforme.

3. Vaporiser la mijoteuse d'un enduit végétal antiadhésif. Transférer le mélange de pâtes dans la mijoteuse.

4. Pour faire la garniture, combiner les flocons de maïs et le beurre dans un petit bol ; travailler avec les doigts pour les couvrir uniformément. Incorporer le cheddar aux flocons, puis étendre la préparation sur les pâtes. À couvert, laisser cuire de 1½ à 2 heures à intensité élevée ou environ 4 heures à faible intensité, le temps que le contenu soit chaud et bouillonnant. Les pâtes seront tendres, non réduites en bouillie. Servir immédiatement.

Rigatonis et saucisse

Cette recette simple à préparer à été créée par Nancyjo Riekse, chef traiteur. Cette dernière fait remarquer que «dans la mijoteuse, les pâtes et la sauce donnent un plat plus solide que liquide; exactement comme les enfants l'aiment». ○ **6 portions**

MIJOTEUSE : Moyenne, ronde

INTENSITÉ ET TEMPS DE CUISSON : FAIBLE, de 3½ à 4 heures; le plat doit être brassé à mi-cuisson

454 g (1 lb) de saucisses italiennes douces à la dinde, la chair retirée du boyau et émiettée
1 pot de 739 à 796 ml (26 à 30 oz) de sauce pour pâtes, à base de tomates
454 g (1 lb) de rigatonis crus
Parmesan frais, râpé ou émietté, pour le service

1. Vaporiser la mijoteuse d'un enduit végétal antiadhésif.

2. Dans une poêle moyenne, faire dorer la saucisse à feu moyen-vif.

3. Pendant que la saucisse cuit, verser la sauce pour pâtes dans la mijoteuse. Remplir d'eau le contenant de sauce vide et verser dans la mijoteuse. Ajouter les rigatonis et la saucisse cuite. Remuer délicatement à l'aide d'une spatule en caoutchouc. Bien mélanger. À couvert, laisser cuire de 3½ à 4 heures à faible intensité ou jusqu'à ce que les pâtes soient tendres. Brasser une fois à mi-cuisson. Ne pas faire cuire plus de 4 heures, car le pourtour de la préparation se desséchera et brûlera. Saupoudrer de parmesan. Servir immédiatement.

Volaille, gibiers à plumes et lapins

La mijoteuse représente une façon formidable de faire cuire le poulet, la dinde, le poulet Cornish, le lapin et le canard, et ce, qu'il s'agisse de faire une simple casserole d'enchilada ou de préparer un repas somptueux, par exemple les poussins paprikash (au paprika). Nous admettons ne pas avoir toujours pensé de la sorte! En fait, nous avons commis toutes les erreurs classiques lorsque nous avons commencé à cuisiner la volaille à la mijoteuse. Nous l'avons fait cuire trop longtemps, ce qui a ruiné sa saveur et transformé sa chair en sciure de bois. Nous n'avons pas pris le temps de dorer les morceaux de poulet et avons obtenu une volaille pâle et peu appétissante. Nous avons utilisé trop de liquide et noyé nos ingrédients. Cependant, nous en avons tiré des leçons, et ces recettes sont les heureux résultats de nos tentatives.

Il existe des exceptions à toutes les règles, incluant celles que nous exposons dans les lignes qui suivent. De façon générale, et c'est ce nous avons découvert après avoir cuisiné des douzaines de plats de volaille, à moins de faire une soupe, un bouillon ou un plat poché, il faut utiliser très peu de liquide — beaucoup moins que sur les ronds de la cuisinière ou pour la cuisson au four. Dans la plupart des cas, de 120 à 180 ml d'eau (½ à ¾ tasse) suffisent.

Pour les soupes, les bouillons ou le poulet poché, vous recouvrirez la volaille avec le plus de liquide possible, tout comme sur la cuisinière. Si vous cuisinez des morceaux de poulet, il vaut habituellement le coup de les faire sauter d'abord sur la cuisinière afin d'en améliorer l'apparence et le goût. Le fait de cuire les morceaux de poulet avec la peau, et si désiré de l'enlever au moment du service, évite souvent au poulet de se dessécher. Si vous cuisinez des poulets ou des canards entiers, il est préférable d'utiliser une mijoteuse ovale qui accueillera facilement l'oiseau; cependant, vous obtiendrez des résultats tout aussi délicieux dans un modèle rond. Nous utilisons souvent les poitrines et les cuisses désossées, car elles cuisent en une courte période à intensité élevée et qu'elles constituent de bon repas sur semaine. Les ailes de poulet sont également des stars de la mijoteuse; jetez un coup d'œil à nos recettes du chapitre portant sur les Bout de côtes de bœuf, côtes levées et ailes de poulet (voir la page 405).

Le poulet se range dans différentes catégories selon sa grosseur, sa qualité et son âge; il s'agit de renseignements qui nous apprennent comment faire cuire la volaille. Les jeunes spécimens, qu'ils soient entiers ou en morceaux, sont les plus tendres et conviennent à toutes sortes de plats préparés à la mijoteuse. Les jeunes poulets comprennent les poulets *à griller* (âgés de 7 à 9 semaines), *à frire* (âgés de 9 à 12 semaines), *à rôtir* (âgés de 10 à 20 semaines), les *poussins* (âgés de moins de 6 semaines) et les *chapons* (mâles castrés, âgés de 16 à 20 semaines). Les poussins *game hens* (âgés de 4 à 5 semaines) sont un croisement entre une poule Plymouth Rock et un poulet Cornish. Ils font de bons amuse-gueule. Les spécimens plus âgés sont étiquetés *poules à bouillir, poules* ou *poules adultes;* ils ont plus de 10 mois. Ces oiseaux plus âgés donnent de bons ragoûts et mijotés; ils ont beaucoup de tissu conjonctif et la chaleur humide de la mijoteuse l'attendrira. Ils sont aussi très économiques. Vous devez prévoir 227 g (8 oz) de viande avec les os, par personne, ou 113 à 170 g (4 à 6 oz) de viande désossée, ou moins si vous servez d'autres viandes.

Les dindes sont disponibles en morceaux, comme les pilons, les ailes et les cuisses, en viande hachée et en poitrines à rôtir, désossées ou non. Toutes ces parties conviennent bien à la mijoteuse. La seule exception est la dinde entière; elle est trop grosse pour l'appareil et convient davantage aux méthodes de cuisson conventionnelles. Prévoyez 454 g (1 lb) de viande, avec les os, par personne, ou 113 à 170 g (4 à 6 oz) de viande désossée, ou moins si vous servez d'autres viandes.

Le gibier à plumes, d'élevage ou non, se trouve maintenant à longueur d'année dans les supermarchés et les boucheries, et non seulement dans les champs et les forêts durant la saison de la chasse, ce qui ouvre des horizons pour les cuisiniers. Les canards, pigeonneaux et cailles sont habituellement vendus congelés. Le faisan est vendu frais de septembre à février, mais il est aussi disponible congelé à longueur d'année. Les boucheries sont le meilleur endroit pour se procurer le gibier, habituellement vendu entier à l'exception du canard. Vous devrez demander à votre boucher de couper votre gibier en morceaux pour certaines recettes si vous ne voulez pas le faire vous-même. Tandis que la saveur du gibier à plumes d'élevage est plus robuste que celle du poulet ou de la dinde, elle est plus fine et plus maigre que celle du gibier sauvage. On fait parfois vieillir la viande quelque peu afin de l'attendrir (toutefois pas comme autrefois, alors qu'on suspendait les oiseaux dans une grange jusqu'à ce que la viande soit faisandée). Puisque la viande du gibier à plumes d'élevage demeure très maigre, il faut habituellement un peu de gras pour la cuisson; cependant, la chaleur humide de la mijoteuse évite d'avoir à barder et à arroser les oiseaux.

Le lapin possède une viande maigre, virtuellement sans gras; il est élevé sans stéroïdes ni hormones, ce qui en fait une saine solution de rechange au poulet. Le lapin possède une viande blanche à la saveur douce et peut, à toute fin pratique, être manipulé comme le poulet. Il donne d'excellents résultats à la mijoteuse. Les lapins plus âgés doivent être braisés ou cuits en ragoût, sinon ils seront trop coriaces. Les petits lapins à frire pèsent environ 1,5 kg (3 lb) ; les lapins à rôtir, 1,8 kg (4 lb) et plus. Nous demandons habituellement au boucher de couper le lapin en 6 à 8 morceaux afin qu'il rentre facilement dans la mijoteuse (la longe, les cuisses, les côtes, et le dos ou la selle). Notez que la cuisson des lièvres est légèrement différente de celle des lapins domestiqués : portez des gants de caoutchouc pendant la manipulation pour éviter d'entrer en contact avec les bactéries nocives qui seront détruites pendant la cuisson. Les lapins domestiques sont si savoureux et pratiques que, à moins d'avoir une tradition familiale de chasse, il n'est

---

•• Conseils pour la cuisson •• de la volaille à la mijoteuse

Il est important de travailler avec une volaille qui a été manutentionnée et stockée correctement. La volaille fraîche doit être conservée au réfrigérateur jusqu'au moment de sa préparation et cuisinée dans un délai de 1 à 2 jours après l'achat, ou bien congelée pour réduire au minimum la prolifération bactérienne. Avant de cuire la volaille, rincez-la à fond à l'eau froide et épongez-la. Sans attendre, mettez-la crue dans la mijoteuse, ou faites-la précuire selon les indications de la recette et déposez-la immédiatement dans la mijoteuse après l'avoir fait dorer. Puisqu'il faut un peu de temps avant que l'appareil atteigne une température apte à tuer les bactéries, la volaille doit aller directement du réfrigérateur à la mijoteuse et cette dernière doit être allumée rapidement, sauf s'il y a une étape de cuisson préalable. Notez que la zone dangereuse pour la prolifération bactérienne dans la volaille se situe entre 5 et 60 °C (40 et 140 °F). À faible intensité, la mijoteuse prend de 3 à 4 heures pour amener son contenu à une température sûre de 60 à 75 °C (140 à 165 °F) ; cette dernière dépassera les 100 °C (200 °F) après 6 heures. Il faudra la moitié du temps pour atteindre les mêmes températures à intensité élevée. Nous recommandons de ne pas soulever le couvercle de l'appareil pendant les 3 à 4 premières heures, et ce, afin de permettre au contenu d'atteindre la température de cuisson appropriée le plus rapidement possible.

N'utilisez jamais la volaille à la température ambiante ; elle atteindra la température correcte pendant que la mijoteuse chauffera. À moins qu'une recette ne le précise, ne mettez jamais de volaille congelée directement dans la mijoteuse puisqu'il faudra plus de temps pour atteindre la température de cuisson adéquate.

Les petits morceaux de volaille cuisent plus rapidement que les grandes pièces ou un oiseau entier. Des pièces sans os, comme les poitrines et les cuisses, cuisent plus rapidement que celles avec des os. Si vous substituez de la volaille avec les os à une pièce désossée, ajoutez de 1 à 2 heures de cuisson au temps indiqué dans la recette.

pas utile de s'encombrer de leurs cousins sauvages.

En Amérique, tous les canards élevés pour le commerce descendent du canard malard d'Amérique du Nord et du canard musqué d'Amérique du Sud. De nos jours, les canards domestiques possèdent une belle couche de gras, une grosse poitrine et une chair savoureuse, dont le goût est plus subtil que celui du canard sauvage. Les canards domestiques sont résistants aux maladies et sont élevés sans prise d'antibiotiques. Nous avons limité nos recettes aux poitrines de canard désossées, qui permettent de cuisiner rapidement un plat délicieux à la mijoteuse. Une demi-poitrine désossée pèse de 113 à 142 g (4 à 5 oz).

La plus grosse poitrine dans le monde du gibier à plumes est celle du faisan. À une certaine époque, l'oiseau au plumage majestueux se servait plus fréquemment que le poulet en Amérique. Le faisan à collier, une des douzaines de sous-espèces de l'oiseau, est le plus courant; il est élevé en Californie et en Pennsylvanie. La viande de cet oiseau est maigre, délicate et d'un rose pâle. Les hormones de croissance et les stéroïdes ne sont pas utilisés pour son élevage. Un faisan pèse de 1 à 1,5 kg (2 à 3 lb) et peut nourrir 2 personnes.

La volaille doit être cuite de part en part, mais demeurer juteuse et son jus clair. Lorsque la volaille est correctement cuite, aucune trace de rose n'est apparente quand on perce la viande dans la partie la plus épaisse à l'aide d'une fourchette. La volaille est cuite lorsque la température interne se situe à environ 85 °C (180 °F) sur un thermomètre à lecture rapide, un outil précieux pour la cuisson des viandes à la mijoteuse.

Faites dégeler la volaille congelée au réfrigérateur dans son emballage original; placez-la dans un plat pour recueillir l'eau qui dégouttera. Il est important que l'oiseau reste froid en dégelant. Compter 24 heures de décongélation au réfrigérateur par 2,25 kg (5 lb) de viande; quant à eux, les morceaux dégèleront en une demi-journée. Réfrigérez la volaille cuite dans les 2 heures qui suivent la fin de la cuisson; ne la laissez jamais venir à la température ambiante avant de la réfrigérer. L'oiseau doit être vendu dans les 7 jours suivant sa transformation; s'il est réfrigéré, il sera encore bon. Si vous avez un doute, demandez au boucher quel est le degré de fraîcheur de l'oiseau et combien de jours vous avez pour le faire cuire. N'achetez jamais une volaille congelée s'il y a du liquide gelé dans le paquet : cela indique qu'on a tardé avant de la congeler ou qu'elle a été congelée une seconde fois. La volaille congelée se conserve un maximum de 9 à 10 mois.

Puisque la volaille crue peut contenir des organismes nuisibles ou des bactéries, il faut faire attention en la manipulant. Lavez-la à fond et épongez-la avant de la cuisiner. Lavez vos mains, les surfaces de travail et les ustensiles à l'eau savonneuse chaude, avant et après la manipulation. La volaille se mange toujours bien cuite, jamais saignante comme le bœuf et l'agneau, puisque les organismes peuvent pénétrer la chair. Dans le cas de la viande rouge, les organismes se trouvent seulement à la surface. La mijoteuse est un excellent moyen pour cuire complètement les volailles de tout genre.

Si vous voulez une sauce épaisse, à la saveur prononcée, pour servir avec vos plats de volaille, vous devrez réduire le jus de cuisson sur la cuisinière ou peut-être l'épaissir avant le service. Cette opération ne demande que quelques minutes mais en vaut la peine.

Poitrines de poulet pochées (recette de base)

Cette recette tire profit des grands sacs de poitrines de poulet sans peau et désossées qu'on trouve dans les congélateurs des supermarchés ou des grandes surfaces. Laissez le poulet dans le sac et faites-le décongeler toute la nuit au réfrigérateur avant de le mettre dans la mijoteuse. Aucune recette ne pourrait être aussi simple et pratique pour votre cuisine de tous les jours. ● **3,2 kg (7 lb) de poitrines cuites**

MIJOTEUSE : Grande, ronde ou ovale
INTENSITÉ ET TEMPS DE CUISSON : FAIBLE, de 6 à 8 heures

Environ 3,2 kg (7 lb) de poitrines de poulet sans la peau, désossées, rincées
    à l'eau froide
1 boîte de 411 ml (14,5 oz) de bouillon de poulet

1. Mettre le poulet dans la mijoteuse avec le bouillon. À couvert, laisser cuire à faible intensité de 6 à 8 heures.

2. Effilocher immédiatement la viande de quelques poitrines pour en faire des burritos ou des fajitas. Si désiré, laisser tiédir la viande, l'effilocher et la congeler en portions individuelles dans des sacs de congélation en plastique pour l'utiliser dans des casseroles, un pâté au poulet, des pâtes, des sautés, de la pizza ou une salade de poulet. Congelé, le poulet se conservera pendant trois mois.

Casserole d'enchilada au poulet et à la crème sure

Il y a plusieurs années, Julie, qui allait rendre visite à un Californien expatrié à Londres, lui a demandé ce qu'elle pourrait lui apporter des États-Unis. «Du monterey jack pour les enchiladas, s'il te plaît» fut sa réponse! Et c'est vrai : le blanc, doux et crémeux monterey jack fond magnifiquement et tempère le goût épicé de la sauce chile, ce qui donne de délicieux enchiladas et de merveilleuses casseroles d'enchilada! En ce qui concerne le poulet, utilisez notre recette de base de Poitrines de poulet pochées (voir recette précédente) ou, pour simplifier, faites griller 454 g (1 lb) de poulet désossé sans peau pendant environ 15 minutes, le temps qu'il soit légèrement doré et complètement cuit (coupez dans la partie la plus épaisse d'un morceau pour vérifier la cuisson). Si le temps vous manque, achetez un poulet rôti au comptoir d'une épicerie. Il n'est pas nécessaire d'assaisonner le poulet avant de l'ajouter à la casserole. Si vous ne trouvez pas la sauce à enchilada au chile vert en conserve (nous aimons la marque Las Palmas), achetez tout simplement la salsa au chile vert. ○ **8 portions**

MIJOTEUSE : Moyenne ou grande, ronde ou ovale
INTENSITÉ ET TEMPS DE CUISSON : ÉLEVÉE pour 2 heures ou FAIBLE pour
    4 heures

15 ml (1 c. à table) d'huile végétale
1 gros oignon jaune, haché
1 boîte de 682 à 910 ml (24 à 32 oz) de sauce à enchilada au chile vert
1 douzaine de tortillas de maïs souples, chacune coupée en 4 lanières
600 à 720 ml (2½ à 3 tasses) de poulet désossé, la peau enlevée, cuit et
    coupé en morceaux de 2 cm (¾ po)
1 l (4 tasses) de monterey jack, finement râpé
480 ml (2 tasses) de crème sure (à faible teneur en matière grasse, si désiré)

1. Dans une grande poêle, faire chauffer l'huile à feu moyen-vif. Tout en brassant, y ajouter l'oignon et l'attendrir pendant environ 5 minutes. Réserver.

2. Verser environ 120 ml (½ tasse) de sauce à enchilada dans la mijoteuse ; incliner cette dernière pour étendre la sauce. Dans cet ordre, ajouter ¼ des lanières de tortillas, ¼ de la sauce restante, ⅓ de l'oignon sauté, ⅓ du poulet et ¼ du fromage. Répéter l'opération deux autre fois, en terminant avec le fromage. Compléter la casserole avec le reste de tortillas, de sauce et de fromage.

3. À l'aide d'une cuillère, déposer la crème sure sur le dessus de la casserole. Utiliser une spatule ou le dos d'une grande cuillère pour l'étendre doucement sans défaire le montage. À couvert, laisser cuire à intensité élevée pendant 2 heures ou à faible intensité de 4 à 5 heures.

4. Pour servir, utiliser une grande cuillère qui atteindra le fond du plat, de façon que chaque portion contienne les ingrédients de chacune des couches. Passer la crème sure à chacun des convives.

Poulet teriyaki « rapide »

De toute évidence, le titre de cette recette est un jeu de mots. Si vous voulez un poulet teriyaki vraiment rapide, préparez-le sur la cuisinière. Si vous désirez faire cette version à la mijoteuse, utilisez des morceaux de poulet désossé et sans la peau. (Pour un poulet teriyaki cuit encore plus lentement, utilisez des cuisses de poulet avec l'os, des pilons ou des ailes ; voir page 287.) Julie nous livre ici plusieurs trucs sur le teriyaki ; ces derniers lui viennent d'Atsuko Ishii, une amie californienne originaire de Tokyo. Atsuko aime utiliser le saké Hakusan, qui est produit en Californie, pour la cuisine. Le mirin est un vin de cuisson doux japonais. Atsuko vous recommande de bien lire les étiquettes pour vous assurer d'acheter le véritable mirin, et non sa pâle imitation. La différence de saveur est spectaculaire. La sauce soja faible en sodium est excellente dans cette recette. Assurez-vous d'acheter de la sauce soja brassée naturellement (parfois dite fermentée). Servez le poulet avec du riz vapeur à grains moyens. ◉ **4 portions**

MIJOTEUSE : Moyenne ou grande, ronde ou ovale
INTENSITÉ ET TEMPS DE CUISSON : ÉLEVÉE pendant 2 heures pour les poitrines ; 3 heures pour les cuisses

4 demi-poitrines de poulet désossées, la peau enlevée, ou 6 cuisses de poulet désossées, la peau enlevée
60 ml (¼ tasse) de saké
30 ml (2 c. à table) de mirin
20 ml (4 c. à thé) de sauce soja
5 ml (1 c. à thé) de cassonade blonde ou brune

1. Vaporiser une poêle de fonte ou une autre poêle lourde d'un enduit de cuisson végétal, puis vaporiser une seconde fois. (Pour cette recette, il est préférable d'éviter les poêles antiadhésives.) Faire chauffer la poêle à feu vif. Lorsqu'elle est très chaude, y ajouter le poulet sur une seule couche, le côté lisse (auparavant le côté peau) en dessous. Si nécessaire, faire cuire les morceaux de poulet en plusieurs étapes. Laisser cuire le poulet de 2 à 4 minutes, le temps qu'il soit brun doré. Le tourner et faire dorer l'autre côté. Transférer les morceaux dans la mijoteuse, côtés lisses vers le haut.

2. Remettre la poêle sur la cuisinière. Régler le feu à intensité moyenne et ajouter le saké, le mirin, la sauce soja et la cassonade. Faire cuire en grattant le fond de la poêle pour détacher toutes les particules de poulet. Verser le liquide sur le poulet. À couvert, laisser cuire à intensité élevée pendant 2 heures pour les poitrines, 3 heures pour les cuisses.

Pollo colorado
(poulet à la sauce au chile rouge)

Cette recette rapide à préparer, qui utilise du poulet, est une variante du *chile colorado*. Cette version utilise des poitrines de poulet désossées, la peau enlevée, congelées individuellement, un article congelé fort populaire. (Le *chile colorado* est simplement une sauce au chile rouge du Sud-Ouest; le mot *colorado* signifie *rouge* en espagnol.) Dans cette recette, le poulet va directement du congélateur à la mijoteuse, sans avoir a être doré au préalable. Vous pouvez savourer ce poulet comme tel ou sous la forme d'un ragoût, ou encore vous en servir pour faire de fabuleux enchiladas, burritos ou tacos. ◉ **4 à 5 portions**

MIJOTEUSE : Moyenne ou grande, ronde ou ovale
INTENSITÉ ET TEMPS DE CUISSON : FAIBLE, de 5 à 7 heures

2 oignons jaunes de grosseur moyenne, pelés
2 poivrons rouges de grosseur moyenne, épépinés
3 grandes ou 4 moyennes demi-poitrines de poulet désossées, la peau
     enlevée, congelées individuellement (ne pas décongeler)
1 boîte de 796 ml (28 oz) de sauce chile rouge Las Palmas (parfois appelée
     « sauce à enchilada »), épicée, moyenne ou douce, au goût; ou 720 ml à
     1 l (3 à 4 tasses) de sauce chile rouge (voir recette suivante)

1. Pour manger le *pollo colorado* en ragoût, hacher les oignons et les poivrons en morceaux de 2 cm (¾ po). Pour l'utiliser comme garniture dans un enchilada, un burrito ou un taco, tailler les oignons et les poivrons en tranches. Tout en remuant, mettre les légumes dans la mijoteuse. Bien mélanger. Disposer les demi-poitrines de poulet congelées sur les légumes. Verser la sauce chile sur la viande. À couvert, laisser cuire à faible intensité de 5 à 7 heures, le temps que le poulet soit tendre.

2. Transférer le poulet sur une planche à découper. Le couper en gros morceaux pour un ragoût; le trancher ou l'effilocher pour remplir des tortillas. Remettre le poulet dans la mijoteuse. Le remuer pour l'enrober de sauce et le mélanger aux légumes. La préparation se conservera environ 4 jours au réfrigérateur.

Sauce chili rouge

Voici la vraie sauce, celle qui ne contient aucune tomate (pour la Salsa mexicaine, la version avec tomates, voir la page 253). Il s'agit de la sauce rouge de base du

Nouveau-Mexique, où le chile est fièrement cultivé et consommé en grande quantité. Composante d'innombrables plats, cette sauce est utilisée à la cuillère comme condiment ou à la tasse dans des plats allant des *huevos rancheros* aux enchiladas. Elle se conserve bien au réfrigérateur. Assurez-vous d'acheter le chile rouge moulu pur, qu'on trouve habituellement en sachets dans la section des aliments mexicains, et non l'assaisonnement au chile vendu dans la section des épices. Si vous ne trouvez pas de chile moulu, cherchez les grandes cosses séchées de piment rouge du Nouveau-Mexique. Lavez-les, ouvrez-les, enlevez la tige, les graines et les veines (à moins que vous ne vouliez une sauce vraiment épicée). Laissez-les sécher complètement, puis réduisez-les en poudre très fine au mélangeur. ◉ **Environ 1 l (4 tasses)**

60 ml (¼ tasse) d'huile végétale
2 gousses d'ail, pressées ou finement hachées
60 ml (¼ tasse) de farine tout usage
240 ml (1 tasse) de poudre de chile pur, douce, moyenne ou épicée, au goût
1 l (4 tasses) d'eau
Sel au goût

1. Dans une grande poêle ou une marmite, faire chauffer l'huile à feu moyen-vif. Tout en brassant, y ajouter l'ail et le faire cuire de 1 à 2 minutes ; ne pas le laisser brunir. Incorporer la farine. Réduire le feu à intensité moyenne et, en remuant constamment pour éviter qu'elle ne brûle, ajouter la poudre de chile. Verser l'eau. Régler le feu à moyen-vif et porter la sauce presque au point d'ébullition. Saler. La sauce est prête à utiliser comme telle ; cependant, pour obtenir une sauce plus consistante, la laisser mijoter de 10 à 15 minutes de plus. Elle se conservera une semaine au réfrigérateur ou jusqu'à 3 mois au congélateur.

Poulet à l'orange et à la sauce hoisin

S i vous aimez la cuisine chinoise, la sauce hoisin vous est probablement familière, et ce, même si vous ignoriez son nom. Douce, savoureuse et consistante comme la mélasse, elle est souvent utilisée seule ou dans des marinades et des sauces barbecue. Dans cette recette, elle est une composante de la sauce dans laquelle vous faites cuire et servez ces poitrines de poulet maigres. Nous aimons servir ce mets avec une bonne quantité de riz brun car ce dernier absorbe la totalité de la sauce. Le fait d'utiliser du poulet encore congelé ralentit la cuisson quelque peu, mais la préparation de ce plat demeure relativement rapide. ◉ **4 à 6 portions**

MIJOTEUSE : Moyenne ou grande, ronde ou ovale

INTENSITÉ ET TEMPS DE CUISSON : FAIBLE, de 5 à 6 heures

30 ml (2 c. à table) de jus d'orange concentré congelé, dégelé

60 ml (¼ tasse) de miel

30 ml (2 c. à table) de sauce soja

30 ml (2 c. à table) de sauce hoisin

3 tranches de 0,5 cm (¼ po) d'épaisseur de gingembre frais, pelé

3 gousses d'ail, finement hachées ou pressées

15 ml (1 c. à table) d'huile de sésame

6 demi-poitrines de poulet désossées, la peau enlevée, congelées
    individuellement (ne pas décongeler)

10 ml (2 c. à thé) de fécule de maïs

10 ml (2 c. à thé) d'eau froide

15 ml (1 c. à table) de graines de sésame (facultatif), grillées à sec dans une
    poêle à feu moyen jusqu'à ce qu'elles soient odorantes

1.   Dans un sac en plastique à fermeture à glissière, combiner le jus d'orange concentré, le miel, la sauce soja, la sauce hoisin, le gingembre, l'ail et l'huile de sésame. Un à un, mettre les morceaux de poulet dans le sac, le fermer et l'agiter délicatement pour bien enduire le poulet de sauce. Transférer les morceaux de poulet dans la mijoteuse et les napper du restant de sauce. À couvert, laisser cuire à faible intensité de 5 à 6 heures, le temps que le poulet soit tendre et entièrement cuit.

2.   Transférer le poulet dans une assiette chaude. Verser la sauce dans une passoire à fines mèches placée au-dessus d'une petite casserole. Dans une tasse ou un petit bol, dissoudre la fécule de maïs dans l'eau froide. À feu vif, amener la sauce à ébullition. Ajouter le mélange de fécule et d'eau et, en brassant à quelques reprises, faire chauffer jusqu'à épaississement, soit pendant 1 à 2 minutes. Verser un peu de sauce sur le poulet, puis autour de ce dernier. Si désiré, saupoudrer de graines de sésame.

Poulet à la salsa

Cette recette fait appel aux aliments de base du garde-manger pour la préparation d'un repas rapide et étonnamment bon. De nos jours, on peut se procurer une grande variété de fabuleuses salsas en pot dans les supermarchés. Vous pouvez y dénicher une salsa régulière ou une salsa aux haricots noirs et au maïs. Au choix, servez ce plat accompagné de tortillas chaudes, de laitue râpée, de tranches d'avocat, de tomates hachées, de crème sure, de cheddar Longhorn fort râpé ou de quartiers de lime. Ou, plus simplement, servez-le sur du riz à grains longs cuit à la vapeur et mettez du fromage de chèvre émietté ou du cheddar râpé sur les morceaux de poulet. ◉ **6 à 8 portions**

MIJOTEUSE : Moyenne ou grande, ronde ou ovale
INTENSITÉ ET TEMPS DE CUISSON : ÉLEVÉE, de 3 à 3½ heures ; le cumin,
     la poudre de chili et le jus de lime sont ajoutés avant les 15 dernières
     minutes de cuisson

6 demi-poitrines de poulet désossées, la peau et le gras enlevés (environ
     900 g, 2 lb)
360 ml (1½ tasse) de salsa épaisse préparée au choix, moyenne ou épicée
5 ml (1 c. à thé) de cumin moulu
1 pincée de poudre de chili rouge pur
45 ml (3 c. à table) de jus de lime frais

1. Vaporiser un enduit de cuisson antiadhésif dans la mijoteuse et y déposer les morceaux de poulet. Les napper de salsa. À couvert, laisser cuire à intensité élevée de 3 à 3½ heures ou jusqu'à ce que le poulet soit tendre et bien cuit. Le poulet produira un peu de jus, ce qui éclaircira légèrement la salsa.

2. Incorporer le cumin, la poudre de chile et le jus de lime. À couvert, laisser cuire 15 autres minutes avant de servir.

Poulet à la bière

Ce plat soutenant a amorcé une soirée de dégustation organisée par Julie et Batia Rabec — une cuisinière émérite spécialiste de la mijoteuse qui aime bien amuser la galerie. Essayez-le avec de la purée de pommes de terre. Choisissez une de vos bières blondes préférées ; les bières noires ont un goût trop prononcé. Les herbes de Provence sont un mélange qui comprend habituellement de la lavande et d'autres herbes plus communes, par exemple le thym.

○ **4 portions**

MIJOTEUSE : Moyenne ou grande, ronde ou ovale
INTENSITÉ ET TEMPS DE CUISSON : ÉLEVÉE, de 3 à 4 heures ; puis, pendant 20 minutes au four pour terminer la cuisson

Environ 180 ml (¾ tasse) de farine tout usage
4 demi-poitrines de poulet désossées, avec la peau
30 ml (2 c. à table) de beurre, non salé
120 ml (½ tasse) de bière
5 ml (1 c. à thé) de sel
0,5 ml (⅛ c. à thé) de poivre noir, fraîchement moulu
1 ml (¼ c. à thé) d'herbes de Provence séchées
2 feuilles de laurier, coupées en deux

1. Mettre la farine dans un plat peu profond ou dans une assiette à tarte. Un morceau à la fois, enfariner le poulet sur toutes ses faces et le secouer pour enlever l'excédent de farine.

2. À feu moyen-vif, faire fondre le beurre dans une grande poêle. Quand il mousse, ajouter le poulet, côté peau vers le bas, et le faire cuire jusqu'à ce qu'il soit bien doré, soit de 5 à 7 minutes par côté. Transférer le poulet dans la mijoteuse. Verser la bière dans la poêle et, en grattant le fond de celle-ci pour détacher les particules collées, amener à ébullition. Verser la bière sur le poulet. Saler, poivrer et saupoudrer d'herbes de Provence. Insérer les feuilles de laurier entre les morceaux de poulet. À couvert, laisser cuire à intensité élevée de 3 à 4 heures.

3. Préchauffer le four à 200 °C (400 °F). À l'aide d'une cuillère à égoutter, transférer le poulet dans un plat peu profond allant au four. Retirer les feuilles de laurier. Verser le liquide restant sur le poulet dans la mijoteuse. À découvert, faire cuire environ 20 minutes ou jusqu'à ce que le tout soit légèrement doré. Servir immédiatement.

Charqui de poulet des Caraïbes

La sauce «jerk» utilisée dans cette recette est très épicée. À l'origine, elle se voulait une spécialité jamaïcaine. De nos jours, elle est servie dans nombre de restaurants américains. La première fois qu'on entend l'expression *sauce jerk,* il est difficile de lui attribuer une signification culinaire (le mot anglais *jerk* se traduisant en français par *imbécile*), mais cette sauce a une longue histoire qui est chère aux Jamaïcains. Elle était cuisinée par les esclaves jamaïcains qui ont trouvé leur liberté en s'évadant des plantations de canne à sucre de l'île. Un de leurs plats classiques était le porc qu'ils assaisonnaient en le frottant avec des épices locales et des chiles forts pour le faire cuire sur un feu de camp jusqu'à ce qu'il soit complètement desséché, ce qui préservait la viande. Ces épices peuvent être utilisées pour assaisonner le poulet ou le bœuf, aussi bien que le porc. Quand elle est cuite à la mijoteuse, la viande séchée est juteuse et succulente. Servez ce poulet avec du riz blanc à grains longs, de l'oignon vert haché et des tranches de papaye. ◦ **4 portions**

MIJOTEUSE : Moyenne ou grande, ronde ou ovale
INTENSITÉ ET TEMPS DE CUISSON : FAIBLE, de 5 à 6 heures

120 ml (½ tasse) d'oignons verts, hachés (la partie blanche et un peu du
    vert ; environ 12 oignons)
30 ml (2 c. à table) de gingembre frais, râpé
7 ml (1½ c. à thé) de piment de la Jamaïque, moulu
2 ml (½ c. à thé) de cannelle moulue
15 ml (1 c. à table) d'huile d'olive
3 jalapenos, épépinés et grossièrement hachés
5 ml (1 c. à thé) de poivre noir, fraîchement moulu
2 ml (½ c. à thé) de sel
1 pincée de flocons de piment rouge
1 à 2 gousses d'ail pressées, ou au goût
30 ml (2 c. à table) de cassonade brune, bien tassée
15 ml (1 c. à table) de vinaigre de cidre
15 ml (1 c. à table) de jus d'orange
10 ml (2 c. à thé) de sauce Worcestershire
4 cuisses de poulet, avec la peau et l'os, et 4 pilons

1. Mettre les oignons verts, le gingembre, le piment de la Jamaïque, la cannelle, l'huile, les jalapenos, le poivre noir, le sel, les flocons de piment rouge et l'ail dans un robot culinaire. Hacher le tout finement jusqu'à l'obtention d'une consistance presque

lisse. Incorporer la cassonade, le vinaigre, le jus d'orange et la sauce Worcestershire pour former une pâte. À l'aide d'un pinceau, badigeonner les morceaux de poulet de cette sauce de façon à bien les enduire ; utiliser toute la sauce.

2. Placer une grille en métal dans la mijoteuse. Y déposer le poulet. À couvert, laisser cuire à faible intensité de 5 à 6 heures, le temps que le poulet soit tendre et bien cuit. Servir immédiatement.

Cuisses de poulet teriyaki

L a sauce pour ce délicieux poulet de couleur acajou est inspirée d'une recette d'une amie de Julie, Atsuko Ishii, qui est originaire de Tokyo. Elle se compose de deux alcools de riz japonais, le saké et le mirin. Tandis que le saké est utilisé tant comme boisson que pour la cuisson, le mirin est exclusivement un vin de cuisson. Ce dernier est plus doux que le saké et présente la couleur chaude et dorée du miel. Assurez-vous d'acheter le véritable mirin ; l'imitation se présente dans une bouteille similaire mais le goût du produit est plutôt fade. Atsuko aime le saké Hakusan et le mirin Takhara, et les deux sont brassés en Californie. ● **6 portions**

MIJOTEUSE : Moyenne ou grande, ronde ou ovale
INTENSITÉ ET TEMPS DE CUISSON : ÉLEVÉE, de 5½ à 6 heures ; la dernière
heure de cuisson se fait à découvert

12 cuisses de poulet, avec l'os
15 ml (1 c. à table) d'huile végétale
120 ml (½ tasse) de saké
60 ml (¼ tasse) de mirin
30 ml (2 c. à table) de sauce soja
10 ml (2 c. à thé) de cassonade, blonde ou brune

1. Retirer la peau des cuisses. Tailler et enlever tous les gros morceaux de gras. À feu vif, faire chauffer l'huile dans une grande poêle à fond épais ; une poêle de fonte est idéale. Lorsque la poêle est chaude, ajouter les cuisses de poulet, côtés lisses (auparavant le côté peau) vers le bas, en une seule couche, sans les entasser. Au besoin, procéder en plusieurs étapes. Faire cuire les morceaux de poulet de 3 à 4 minutes par côté ou jusqu'à ce qu'ils soient bien dorés. Transférer les cuisses dans la mijoteuse. Dégraisser la poêle. Y ajouter le saké, le mirin, la sauce soja et la cassonade. Amener à ébullition et, en raclant le fond pour en détacher les particules collées, faire cuire.

Napper de cette sauce le poulet dans la mijoteuse. À couvert, laisser cuire à intensité élevée de 4½ à 5 heures, le temps que le poulet soit cuit de part en part et qu'il commence à dorer.

2.   À l'aide d'une cuillère ou d'une poire à jus, verser un peu du liquide de cuisson sur le poulet. À découvert, poursuivre la cuisson pendant 1 heure à intensité élevée ou jusqu'à ce que le poulet soit doré et que la sauce ait réduit de moitié.

3.   Disposer les morceaux de poulet dans un plat de service. Les napper du reste de la sauce. Servir.

Poulet cacciatore

L e mot italien *cacciatore* signifie *poulet chasseur*. Ce plat, probablement un des plus célèbres du monde occidental, était à l'origine préparé avec du lapin. D'ailleurs, cette recette peut très bien se faire avec des morceaux de cette viande. Elle nous a été offerte par la sœur de Beth, Amy, qui considère le cacciatore comme son plat préféré. Servez-le avec du riz blanc cuit à la vapeur ou avec des fettuccines chauds et une salade César. ● **4 portions**

MIJOTEUSE : Moyenne ou grande, ronde ou ovale
INTENSITÉ ET TEMPS DE CUISSON : ÉLEVÉE de 2½ à 3 heures ou FAIBLE de
    6 à 7 heures

1 pot de 455 ml (16 oz) de sauce marinara italienne, comme de la tomate-
    basilic, ou environ 480 ml (2 tasses) de Sauce marinara maison
    (page 254)
1 oignon jaune de grosseur moyenne, coupé en deux et tranché en demi-
    lunes
1 à 3 gousses d'ail, finement hachées
1 poivron vert de grosseur moyenne, épépiné et coupé en gros morceaux
    de 4 cm (1½ po)
4 cuisses de poulet désossées et 4 pilons de poulet (sans la peau)
170 g (6 oz) de champignons frais, coupés en quatre
30 ml (2 c. à table) de farine tout usage ou de farine instantanée, comme de
    la Wondra (facultatif)
30 ml (2 c. à table) d'eau (facultatif)
30 ml (2 c. à table) de vin blanc sec (facultatif)

1. Étager la moitié de la sauce tomate, l'oignon, l'ail, le poivron et le poulet dans la mijoteuse. Étendre les champignons sur le poulet et napper du reste de sauce tomate. À couvert, laisser cuire à intensité élevée de 2½ à 3 heures ou à faible intensité de 6 à 7 heures, le temps que le poulet soit tendre et cuit de part en part. Le poulet ajoutera un peu de son jus au plat.

2. Transférer le poulet dans une assiette chaude. Pour obtenir une sauce plus épaisse, à l'aide d'un fouet, combiner la farine, l'eau et le vin dans un petit bol jusqu'à l'obtention d'une consistance lisse. Incorporer le mélange à la sauce de la mijoteuse et régler l'appareil à intensité élevée. À couvert, laisser cuire jusqu'à épaississement, soit de 10 à 15 minutes. Verser la sauce et les légumes sur le poulet. Servir.

Cuisses de poulet à la marocaine aux pois chiches et au cumin

C e plat est un tajine, autrement dit un ragoût à saveur marocaine. Par rapport à ses origines, cette recette n'est pas trop épicée ; cependant, vous pouvez toujours y ajouter 1 ml (¼ c. à thé) de piment de Cayenne. Servez ce plat avec une salade de tranches d'oranges fraîches et de radis. ● **4 portions**

MIJOTEUSE : Moyenne ou grande, ronde ou ovale
INTENSITÉ ET TEMPS DE CUISSON : FAIBLE, de 6 à 7 heures

2 boîtes de 455 ml (16 oz) de pois chiches (garbanzos), rincés et égouttés
1 boîte de 426 ml (15 oz) de tomates italiennes entières, égouttées et
     coupées en cubes de 2,5 cm (1 po)
1 gros poivron rouge, épépiné et coupé en carrés de 2,5 cm (1 po)
1 oignon rouge de grosseur moyenne, haché
60 ml (¼ tasse) de raisins dorés secs
30 ml (2 c. à table) de pâte de tomates
30 ml (2 c. à table) d'eau
7 ml (1½ c. à thé) de cumin moulu
1 pincée de paprika
4 cuisses de poulet désossées, la peau enlevée, coupées en cubes de
     2,5 cm (1 po)
30 ml (2 c. à table) de beurre d'arachide crémeux, de beurre d'amande ou
     de beurre de noix de cajou

POUR LE SERVICE :

Couscous cuit ou riz brun, chaud

45 ml (3 c. à table) de coriandre fraîche, ciselée

1. Mettre les pois chiches, les tomates, le poivron, l'oignon, les raisins secs, la pâte de tomates, l'eau, le cumin et le paprika dans la mijoteuse. Bien mélanger. Déposer le poulet sur les ingrédients. À couvert, laisser cuire à faible intensité de 6 à 7 heures ou jusqu'à ce que le poulet soit tendre et cuit de part en part.

2. Incorporer le beurre de noix au contenu de la mijoteuse. Servir chaud sur le couscous. Garnir de coriandre.

Poulet à l'oignon et au fromage

C e plat de poulet est riche et nourrissant; il est parfait après une journée de ski en hiver ou une randonnée pédestre à l'automne. Servez-le avec une salade verte croquante. La grande quantité d'oignons se réduit en une masse crémeuse dans la mijoteuse. Ce n'est pas un plat diététique mais, si vous voulez, vous pouvez éliminer un peu de gras en enlevant la peau du poulet avant d'ajouter le fromage. Nous remercions Batia Rabec pour nous avoir fourni cette recette. ◉ **4 à 6 portions**

MIJOTEUSE : Moyenne ou grande, ronde

INTENSITÉ ET TEMPS DE CUISSON : ÉLEVÉE, de 4½ à 5 heures ; à la fin de la cuisson, placer le plat sous le grilloir du four pendant quelques minutes afin de faire fondre le fromage

Environ 180 ml (¾ tasse) de farine tout usage

6 cuisses de poulet, avec la peau

30 ml (2 c. à table) de beurre non salé

480 ml (2 tasses) d'oignons jaunes, tranchés

5 ml (1 c. à thé) de sel, ou au goût

0,5 ml (⅛ c. à thé) de poivre noir fraîchement moulu, ou au goût

120 ml (½ tasse) de vin blanc sec

6 tranches de munster pesant de 142 à 170 g (5 à 6 oz) de 0,5 cm (¼ po) d'épaisseur, coupées approximativement selon la forme des morceaux de poulet

1. Mettre la farine dans un plat peu profond ou un moule à tarte. Un morceau à la fois, enfariner le poulet des deux côtés et le secouer pour enlever l'excédent de farine.

2. À feu moyen-vif, faire fondre le beurre dans une grande poêle. Lorsque le beurre a bruni, côté peau vers le bas, y faire cuire le poulet de 5 à 7 minutes par côté, le temps qu'il soit bien doré. Transférer le poulet dans une assiette. Dans la même poêle, tout en brassant, faire sauter les oignons jusqu'à ce qu'ils aient ramolli (sans être dorés) pendant environ 5 minutes.

3. À l'aide d'une cuillère à égoutter, faire un lit d'oignons dans la mijoteuse. Y déposer le poulet, côté peau vers le haut. Saler et poivrer. Verser le vin. À couvert, laisser cuire à intensité élevée de 4½ à 5 heures ou jusqu'à ce que le poulet soit tendre et cuit de part en part.

4. Entre-temps, préchauffer le grilloir du four. Transférer le poulet dans une assiette. À l'aide d'une cuillère à égoutter, transférer les oignons dans un plat de cuisson peu profond mais assez grand pour que le poulet y tienne en une seule couche. Étaler les oignons aussi également que possible. Rectifier l'assaisonnement de la sauce dans la mijoteuse. Disposer le poulet sur les oignons et le napper de sauce. Placer une tranche de fromage sur chaque morceau de poulet. Faire griller à environ 10 cm (4 po) de l'élément chauffant le temps que le fromage soit fondu. Servir chaud.

Poulet aux raisins secs dorés

oici un autre plat de Batia Rabec, un génie de la cuisson à la mijoteuse. Ce poulet démontre une chose que Batia avait comprise il y a fort longtemps : les fruits secs et la mijoteuse forment un couple parfait. La saveur concentrée des fruits résiste à une longue cuisson et, pendant le processus, les fruits se ramollissent et absorbent les arômes ainsi qu'un peu de liquide de la sauce. De leur côté, les fruits frais ont l'habitude de se défaire ; ils produisent de l'eau et donnent une sauce plus claire. Batia et Julie ont essayé de confectionner ce plat avec des raisins frais, et c'était loin d'être aussi bon qu'avec des raisins secs ! Ce plat est élégant, comme l'est le style de cuisine de Batia, mais c'est vraiment une recette facile qui se fait en une seule étape. ◉ **4 à 6 portions**

MIJOTEUSE : Moyenne ou grande, ronde

INTENSITÉ ET TEMPS DE CUISSON : FAIBLE pendant 4 heures ; puis, ÉLEVÉE pendant 1 heure

Environ 180 ml (¾ tasse) de farine tout usage

6 cuisses de poulet désossées ou non, avec la peau

30 ml (2 c. à table) de beurre non salé

120 ml (½ tasse) de vin rouge corsé, comme du cabernet sauvignon

5 ml (1 c. à thé) de sel, ou au goût

0,5 ml (⅛ c. à thé) de poivre noir fraîchement moulu, ou au goût

60 ml (¼ tasse) de crème 35 % M.G.

60 ml (¼ tasse) de raisins secs dorés

1. Mettre la farine dans un plat peu profond ou un moule à tarte. Un morceau à la fois, enfariner le poulet des deux côtés et le secouer pour enlever l'excédent de farine.

2. À feu moyen-vif, faire fondre le beurre dans une grande poêle. Lorsque le beurre a bruni, côté peau vers le bas, y faire cuire le poulet de 5 à 7 minutes par côté, le temps qu'il soit bien doré. Transférer le poulet dans la mijoteuse. Verser le vin dans la poêle. Tout en raclant le fond pour en détacher les particules collées, amener à ébullition. Verser sur le poulet. Saler et poivrer. À couvert, laisser cuire à faible intensité pendant 4 heures.

3. Incorporer la crème et les raisins secs. Mettre le couvercle et régler la mijoteuse à intensité élevée. Faire cuire pendant 1 heure ou jusqu'à ce que le poulet soit tendre et cuit de part en part.

4. Servir le poulet chaud, avec les raisins secs et la sauce.

Pilons de poulet à l'orange et au miel

Quand vous voulez grignoter quelque chose de plus gros qu'une aile de poulet, choisissez les pilons. Le tapioca sert d'agent liant pour la sauce. ◦ **4 à 6 portions**

MIJOTEUSE : Moyenne ou grande, ronde ou ovale
INTENSITÉ ET TEMPS DE CUISSON : ÉLEVÉE, de 2 à 2½ heures

12 pilons de poulet
1 boîte de 170 ml (6 oz) de jus d'orange concentré congelé, dégelé
60 ml (¼ tasse) de miel
30 ml (2 c. à table) de tapioca à cuisson rapide
1 boîte de 114 ml (4 oz) de chiles verts rôtis, hachés
1 ml (¼ c. à thé) de sel
1 échalote de grosseur moyenne, finement hachée

1. Placer le poulet dans la mijoteuse. Dans un bol de taille moyenne, combiner le reste des ingrédients à l'aide d'un fouet. Verser la mixture sur le poulet. À couvert, laisser cuire à intensité élevée de 2 à 2½ heures. Servir chaud.

•• Œufs pochés à la mijoteuse ••

Les œufs pochés sont si jolis sur des rôtis et si faciles à préparer à la mijoteuse! Pour un meilleur goût, assurez-vous d'avoir des œufs frais. La mijoteuse ovale est idéale car elle permet faire cuire un plus grand nombre d'œufs en même temps; si vous en avez une, n'hésitez pas à l'utiliser. Vous aurez besoin d'un pot en pyrex ou d'un ramequin allant au four pour chaque œuf. Préparez autant d'œufs que vous le voulez, en autant que les contenants entrent dans la mijoteuse sur une seule couche. On peut mettre les ramequins directement au fond de la mijoteuse car la chaleur vient des parois, non seulement du fond comme c'est le cas dans une casserole.

MIJOTEUSE : Moyenne ou grande, ovale

INTENSITÉ ET TEMPS DE CUISSON : ÉLEVÉE, de 30 à 45 minutes; les œufs
sont ajoutés avant les 12 à 15 dernières minutes de cuisson

1 à 2 œufs frais par personne

1. Verser environ 0,5 cm (½ po) d'eau du robinet, aussi chaude que possible, dans la mijoteuse. À couvert, faire chauffer à intensité élevée de 20 à 30 minutes.

2. Vaporiser chaque ramequin (un pour chaque œuf) d'un enduit de cuisson anti-adhésif. Casser 1 œuf dans chaque ramequin. Placer les ramequins dans la mijoteuse sur une seule couche. À couvert, laisser cuire à intensité élevée de 12 à 15 minutes pour obtenir des jaunes baveux. On peut vérifier la cuisson en appuyant doucement sur chaque jaune à l'aide d'une cuillère. Quand le blanc est ferme, et le jaune toujours baveux, les œufs sont prêts.

3. Pour garder les œufs chauds tandis que d'autres cuisent, les sortir des ramequins avec le bord d'une cuillère et les transférer dans un bol d'eau salée très chaude. Égoutter les œufs réservés sur un linge à vaisselle propre. Servir.

Œufs à la bénédictine • 6 portions

Les œufs à la bénédictine, riches, crémeux et sortant quelque peu de l'ordinaire, représentent la quintessence des plats servis lors d'un brunch.

3 muffins anglais, coupés à la fourchette pour en faire 6 moitiés, ou 6 gros
pains au lait (scones), coupés en deux horizontalement
6 tranches de bacon de dos, grillé ou sauté à la poêle quelques minutes,
ou de dinde fumée
6 œufs pochés à la mijoteuse
480 à 600 ml (2 à 2½ tasses) de sauce hollandaise (page 432)

1. Faire griller les muffins anglais ou faire réchauffer les pains au lait (scones) au four. En disposer un dans chaque assiette. Couvrir chacun d'une tranche de bacon de dos, puis d'un œuf poché. Recouvrir d'un peu de sauce hollandaise. Servir immédiatement.

Poulet entier poché (recette de base)

Être en mesure de faire cuire un poulet entier à la mijoteuse, sans surveillance, est très pratique et permet d'obtenir une viande juteuse et tendre pour préparer une variété de plats : casseroles réconfortantes, élégantes salades composées, burritos épicés et tacos. En prime, vous obtenez environ 250 ml (1 tasse) de jus de cuisson très concentré. Vous pouvez le réfrigérer, le dégraisser et l'ajouter à votre plat final pour en rehausser la saveur.

À la différence d'un poulet rôti au four, le poulet cuit à la mijoteuse n'aura pas une peau croustillante. Ne vous en faites pas : il suffit d'enlever la peau et de la jeter. Procédez à cette opération après la cuisson afin que la peau puisse protéger la chair du poulet et lui conserver son humidité pendant qu'il se trouve dans la mijoteuse. Le poulet cuit de cette façon est souvent dit rôti, mais à notre avis cela constitue une erreur. Nous préférons l'appeler poché, même si aucun liquide n'est ajouté dans la mijoteuse. ● **4 à 6 portions**

MIJOTEUSE : Moyenne ou grande, ovale
INTENSITÉ ET TEMPS DE CUISSON : FAIBLE, de 6 à 7 heures

1 poulet de 1,5 à 1,8 kg (3 à 4 lb)
3 à 5 ml (¾ à 1 c. à thé) de sel
2 ml (½ c. à thé) de poivre noir fraîchement moulu

1. Laver le poulet et bien l'éponger. Réserver les abats et le cou pour une autre utilisation. Retirer tous les gros morceaux de gras. Saler et poivrer l'intérieur et l'extérieur du poulet. Le placer dans la mijoteuse, côté poitrine vers le haut. À couvert, laisser cuire à faible intensité de 6 à 7 heures ou jusqu'à ce qu'un thermomètre à lecture instantanée inséré dans la partie la plus charnue de la cuisse indique 82 °C (180 °F).

2. Transférer le poulet dans une assiette. Verser le liquide de cuisson dans un contenant et réfrigérer ; une fois le liquide solidifié, le dégraisser. Si désiré, verser le liquide de cuisson dans un séparateur de sauce au jus, puis dans un contenant et réfrigérer pour un usage ultérieur. Quand le poulet est assez tiède pour être manipulé, enlever la peau et couper la viande ou l'effilocher. Réfrigérer la viande si elle n'est pas utilisée immédiatement.

Poulet entier à la lime et à la coriandre, à la manière mexicaine

L a lime et la coriandre donnent de l'éclat à un poulet nature. Dans cette recette, la cavité du poulet est farcie de demi-limes et l'oiseau entier est poché à la mijoteuse. Servez ce poulet avec du riz et des haricots, ou détachez la viande des os et préparez des tacos souples (voir l'encadré à la page 297). ● **4 à 6 portions**

MIJOTEUSE : Moyenne ou grande, ovale
INTENSITÉ ET TEMPS DE CUISSON : FAIBLE, de 6 à 7 heures

1 poulet de 1,5 à 1,8 kg (3 à 4 lb)
3 à 5 ml (¾ à 1 c. à thé) de sel
2 ml (½ c. à thé) de poivre noir fraîchement moulu
Jus de 1 petite ou de ½ grosse lime
120 ml (½ tasse) de brins de coriandre fraîche
2 gousses d'ail, pelées

1. Laver le poulet et bien l'éponger. Réserver les abats et le cou pour une autre utilisation. Retirer tous les gros morceaux de gras. Saler et poivrer l'intérieur et l'extérieur du poulet. Le placer dans la mijoteuse, côté poitrine vers le haut. Presser le jus des demi-limes au-dessus du poulet et mettre l'écorce, les brins de coriandre et l'ail dans la cavité. À couvert, laisser cuire à faible intensité de 6 à 7 heures ou jusqu'à ce qu'un thermomètre à lecture instantanée inséré dans la partie la plus charnue de la cuisse indique 82 °C (180 °F).

2. Transférer le poulet dans une assiette. Verser le liquide de cuisson dans un contenant et réfrigérer ; une fois le liquide solidifié, le dégraisser. Si désiré, verser le liquide de cuisson dans un séparateur de sauce au jus, puis dans un contenant et réfrigérer pour un usage ultérieur. Quand le poulet est assez tiède pour être manipulé, enlever la peau et couper la viande ou l'effilocher. Réfrigérer la viande si elle n'est pas utilisée immédiatement.

• • Tacos souples • •

Voici une façon facile de transformer votre oiseau poché à la mijoteuse en tacos souples qui seront amusants à manger. Laissez votre famille et vos amis personnaliser leurs tacos. ● 6 portions

15 ml (1 c. à table) d'huile, ou un enduit de cuisson antiadhésif en
    vaporisateur
1 gros oignon, coupé en deux et tranché en demi-lunes
2 ml (½ c. à thé) d'origan séché
60 ml (¼ tasse) de vin blanc sec
Viande effilochée et jus de cuisson dégraissé du Poulet entier à la lime et
    à la coriandre, à la manière mexicaine (page 296)
180 ml (¾ tasse) de salsa du commerce, douce ou épicée
Sel, et poivre noir du moulin, au goût

POUR LE SERVICE :
Tortillas chaudes
Monterey jack, finement râpé
Tomates fraîches, hachées
Laitue déchiquetée
Brins de coriandre fraîche
Quartiers de lime

1. À feu moyen-vif, faire chauffer l'huile dans une grande poêle ou y vaporiser un enduit de cuisson antiadhésif. Y ajouter l'oignon et, tout en brassant, l'attendrir pendant environ 5 minutes. Incorporer l'origan et continuer à remuer de 1 à 2 minutes. Verser le vin et brasser jusqu'à ce qu'il atteigne presque le point d'ébullition. Ajouter le poulet, en effilochant les gros morceaux à l'aide des doigts. Lorsque le poulet est chaud, incorporer environ un tiers du jus de cuisson dégraissé. Faire cuire jusqu'à grésillement, puis laisser réduire le liquide jusqu'à ce qu'il soit sirupeux. Ajouter environ la moitié du reste du jus de cuisson et laisser réduire de nouveau jusqu'à ce que le liquide soit sirupeux. Ajouter la salsa et le reste du jus de cuisson. Quand le liquide arrive presque à ébullition, couvrir et laisser mijoter pendant environ 10 minutes.

2. Saler et poivrer la préparation au poulet. Si elle est trop liquide au goût, augmenter l'intensité du feu et laisser cuire, à découvert, pendant quelques minutes.

3. Servir le poulet enveloppé dans la tortilla chaude, pliée dans le style taco souple ou roulée dans le style burrito, avec les garnitures de son choix : fromage râpé, laitue, tomate, coriandre et une giclée de jus de lime.

Poulet au citron, aux pommes de terre et aux champignons

ous avons conçu ce plat de poulet entier poché à la mijoteuse à partir d'une recette parue initialement dans le *Los Angeles Times.* La recette a ensuite été reprise dans la colonne «Plats maison» de Kim Boatman, dans la section «Vin et nourriture» de notre *San Jose Mercury News,* où nous l'avons découverte. Nous aimons servir ce poulet dans des assiettes creuses, comme une espèce de soupe-repas consistante. Si vous avez une grande mijoteuse, vous pourrez ajouter un plus grand nombre de pommes de terre. Placez-les par-dessus tout le reste; ainsi, elles cuiront à la vapeur jusqu'à tendreté. Si vous devez vous absenter durant toute la journée, faites cuire ce plat à faible intensité; cependant, nous le trouvons vraiment meilleur lorsqu'il est cuit à intensité élevée sur une plus courte période. ◉ **6 portions**

MIJOTEUSE : Moyenne, ovale; ou grande, ronde ou ovale
INTENSITÉ ET TEMPS DE CUISSON : ÉLEVÉE, de 3½ à 4½ heures

1 poulet de 1,5 à 1,8 kg (3 à 4 lb)
2 cubes de bouillon de poulet
½ gros citron ou 1 petit citron
1 ml (¼ c. à thé) de paprika
45 ml (3 c. à table) de persil plat frais, ciselé
1 gros ou 2 oignons de grosseur moyenne, coupés en quartiers
2 gousses d'ail, hachées
30 ml (2 c. à table) de sauce soja
1 ml (¼ c. à thé) de sel
0,5 ml (⅛ c. à thé) de poivre noir fraîchement moulu
6 à 12 petites pommes de terre Yellow Finn ou Yukon Gold, non épluchées
170 g (6 oz) de champignons frais, coupés en tranches de 1,25 cm (½ po)
   d'épaisseur

1. Rincer le poulet et bien l'éponger. Réserver les abats et le cou pour une autre utilisation. Retirer tous les gros morceaux de gras. Mettre un cube de bouillon à l'intérieur de la cavité du poulet. Presser le citron et en réserver le jus. Mettre les écorces de citron dans la cavité. Placer le poulet dans la mijoteuse, côté poitrine vers le haut, et le saupoudrer de paprika et de persil. Distribuer l'oignon et l'ail autour du poulet. Napper la volaille de sauce soja et de jus de citron. Saler et poivrer. Émietter l'autre cube de bouillon et en saupoudrer le poulet. Placer les pommes de terre sur le poulet. À couvert, laisser cuire à intensité élevée de 3½ à 4½ heures ou jusqu'à ce qu'un

thermomètre à lecture instantanée inséré dans la partie la plus charnue de la cuisse indique 82 °C (180 °F).

2. Au moment de servir, retirer les moitiés de citron et distribuer les pommes de terre, les champignons, les oignons et, après avoir enlevé la peau et les os, le poulet dans des bols ou des assiettes creuses. À l'aide d'une cuillère, verser un peu de jus de cuisson sur chacune des portions.

Poulet à la sauce rouge

La cuisson «rouge» est une méthode chinoise pour pocher ou braiser la viande, les œufs ou les légumes dans un mélange épicé de sauce soja, d'alcool de riz et d'eau. Le délicieux liquide est réservé, réfrigéré et réutilisé dans d'autres plats à la sauce rouge, gagnant en complexité et en saveur à chaque utilisation. Nous avons d'abord entendu parler de ce poulet à la sauce rouge par Sharon Noguchi, une collègue et amie de Julie, qui lui avait décrit avec enthousiasme la facilité de la méthode et les incroyables résultats obtenus. Nous avons rapidement adapté cette recette pour la mijoteuse et, disons-le, le mariage est parfait. Les recettes de sauce rouge varient énormément, tant pour la proportion de sauce soja et d'eau que pour celle des épices et autres assaisonnements. Vous pouvez ajuster les quantités de sauce soja et d'assaisonnements selon votre goût (voir la recette de Rôti de croupe à la sauce rouge à la page 338).

◉ 4 à 6 portions

MIJOTEUSE : Moyenne ou grande, ovale de préférence
INTENSITÉ ET TEMPS DE CUISSON : ÉLEVÉE pour environ 2 heures ; le poulet
    est tourné à mi-cuisson

1 poulet de 1,5 à 1,8 kg (3 à 4 lb)

SAUCE ROUGE :
360 ml (1½ tasse) d'eau
240 ml (1 tasse) de sauce soja
60 ml (¼ tasse) de saké ou de xérès sec
30 ml (2 c. à table) de sucre
2 oignons verts (parties blanche et verte), grossièrement hachés
2 tranches de gingembre de 1,25 cm (½ po), légèrement écrasées
1 anis étoilé, entier (voir la note)
1 bâton de cannelle

1 gousse d'ail, légèrement écrasée

1 lanière (environ 7,5 cm ou 3 po) de zeste d'orange, prélevée avec un
    couteau éplucheur

1. Laver le poulet et bien l'éponger. Enlever les abats et les jeter ou les réserver pour une autre utilisation. Retirer tous les gros morceaux de gras. Si on a le temps, placer le poulet dans un plat et le réfrigérer à découvert pendant environ 2 heures. Plus le poulet sera sec, plus il absorbera la couleur de la sauce.

2. Combiner les ingrédients de la sauce rouge dans la mijoteuse. Brasser pour dissoudre le sucre. Ajouter le poulet, poitrine vers le haut, et le tourner pour bien l'enrober. À couvert, laisser cuire à intensité élevée pendant 1 heure.

3. En insérant une cuillère en bois robuste dans la cavité du poulet et en utilisant une spatule en caoutchouc pour faire pivoter le poulet, tourner soigneusement la volaille, côté poitrine en dessous ; éviter les éclaboussures. À couvert, laisser cuire à intensité élevée pendant environ 1 heure ou jusqu'à ce qu'un thermomètre à lecture instantanée inséré dans la partie la plus charnue de la cuisse indique 82 °C (180 °F).

4. Retirer le poulet de la mijoteuse. Pour servir froid, réfrigérer le poulet à découvert avant de le couper. Pour le servir chaud, le déposer sur une planche à découper et le laisser tiédir quelque peu. Le tailler ensuite à l'occidentale ou, si on possède un couperet, le trancher en morceaux de 5 cm (2 po). Disposer le poulet dans un plat de service et le napper de quelques cuillérées de jus de cuisson.

5. Laisser le jus de cuisson tiédir un peu, puis le tamiser au-dessus d'un bol en verre épais. Jeter les solides. Réfrigérer, sans recouvrir le bol avant que la sauce soit complètement froide. Elle se conservera au réfrigérateur pour une période allant de 1 semaine à 10 jours. Pour la conserver plus longtemps, la faire congeler. La dégeler avant utilisation. Avant de se servir de la sauce rouge, en dégraisser la surface, puis la verser dans la mijoteuse, ajouter un poulet frais et procéder comme indiqué dans la recette. Après une troisième ou quatrième utilisation de sauce congelée, rafraîchir la sauce en ajoutant 120 ml (½ tasse) de sauce soja et la moitié des assaisonnements recommandés.

NOTE : Si on ne trouve pas d'anis étoilé entier dans la section des produits alimentaires asiatiques ou dans l'allée des épices de son supermarché, vérifier la section des produits alimentaires d'Amérique latine, où il peut être étiqueté *anis estrella*, ou chercher dans une épicerie asiatique ou encore latino-américaine.

Poulet poché chinois

Ce poulet est excellent pour préparer une salade chinoise ou un plat de légumes sautés. L'anis étoilé est vendu avec les ingrédients latino-américains ou asiatiques. Cherchez de l'*anis estrella*. ○ **4 à 6 portions**

MIJOTEUSE : Moyenne ou grande, ovale
INTENSITÉ ET TEMPS DE CUISSON : FAIBLE, de 6 à 7 heures

1 poulet entier de 1,5 à 1,8 kg (3 à 4 lb)
1 botte d'oignons verts (parties blanche et verte), ébarbés
2 gousses d'ail, écrasées
5 tranches de gingembre, de la taille d'une pièce de monnaie, pelé et écrasé
    avec le plat d'un grand couteau
120 ml (½ tasse) de brins de coriandre fraîche
1 anis étoilé, entier
60 ml (¼ tasse) de sauce soja, légère
45 ml (3 c. à table) de vermouth sec
60 ml (¼ tasse) d'eau

1. Laver le poulet et bien l'éponger. Réserver les abats et le cou pour une autre utilisation. Retirer tous les gros morceaux de gras. Mettre les oignons verts, l'ail, le gingembre, la coriandre et l'anis dans la cavité du poulet. Déposer le poulet dans la mijoteuse, côté poitrine vers le haut. Dans un petit bol, combiner la sauce soja, le vermouth et l'eau, et napper le poulet de la préparation. À couvert, laisser cuire à faible intensité de 6 à 7 heures ou jusqu'à ce qu'un thermomètre à lecture instantanée inséré dans la partie la plus charnue de la cuisse indique 82 °C (180 °F).

2. Transférer le poulet dans une assiette. Verser le liquide de cuisson dans un contenant et réfrigérer ; une fois le liquide solidifié, le dégraisser. Si désiré, verser le liquide de cuisson dans un séparateur de sauce au jus, puis dans un contenant et réfrigérer pour un usage ultérieur. Quand le poulet est assez tiède pour être manipulé, enlever la peau et couper la viande ou l'effilocher. Réfrigérer la viande si elle n'est pas utilisée immédiatement.

Poulet chinois aigre-doux
aux graines de sésame

 ervez ce délicieux plat, une courtoisie d'un emballeur de poulet de la marque Foster Farm, avec du riz blanc à grains longs cuit à la vapeur. ● **4 à 6 portions**

MIJOTEUSE : Moyenne ou grande, ovale
INTENSITÉ ET TEMPS DE CUISSON : ÉLEVÉE, de 3½ à 4½ heures

1 poulet entier de 1,5 à 1,8 kg (3 à 4 lb)
80 ml (⅓ tasse) de sauce soja
80 ml (⅓ tasse) de cassonade blonde, bien tassée
60 ml (¼ tasse) d'eau
60 ml (¼ tasse) de xérès sec ou de jus de pomme
15 ml (1 c. à table) de ketchup
2 ml (½ c. à thé) de flocons de piment rouge
2 oignons verts, ébarbés et coupés en deux
1 gousse d'ail pressée
30 ml (2 c. à table) de fécule de maïs
15 ml (1 c. à table) d'eau
30 ml (2 c. à table) de graines de sésame, légèrement grillées à sec dans
    une poêle à feu moyen jusqu'à ce qu'elles rendent leur parfum

1. Laver le poulet et bien l'éponger. Réserver les abats et le cou pour une autre utilisation. Retirer tous les gros morceaux de gras. Placer le poulet dans la mijoteuse, côté poitrine vers le haut. Dans un petit bol, combiner la sauce soja, la cassonade, l'eau, le xérès, le ketchup, les flocons de piment rouge, les oignons verts et l'ail. Napper le poulet de la préparation. À couvert, laisser cuire à intensité élevée de 3½ à 4½ heures ou jusqu'à ce qu'un thermomètre à lecture instantanée inséré dans la partie la plus charnue de la cuisse indique 82 °C (180 °F).

2. Transférer le poulet dans une assiette. Enlever et jeter les oignons verts. Combiner la fécule de maïs et l'eau et, tout en brassant, incorporer le mélange à la sauce. En brassant constamment, faire chauffer à intensité élevée jusqu'à épaississement. À l'aide d'une cuillère, napper le poulet de sauce et le saupoudrer de graines de sésame. Servir.

Cari de poulet

L'amour que nous avons pour la mijoteuse et les cuisines ethniques nous a inspiré ce fabuleux cari. Si vous le souhaitez, vous pouvez omettre l'étape où l'on fait dorer le poulet et le déposer cru dans la mijoteuse. Si vous aimez une sauce crémeuse, ajoutez 240 ml (1 tasse) de lait entier ou de yaourt à faible teneur en matière grasse (n'utilisez pas celui sans matière grasse) en même temps que les petits pois avant les 30 dernières minutes de cuisson. Servez ce poulet sur un lit de riz basmati cuit à la vapeur. ● **4 à 6 portions**

MIJOTEUSE : Moyenne ou grande, ronde ou ovale

INTENSITÉ ET TEMPS DE CUISSON : ÉLEVÉE pendant 1 heure, puis FAIBLE de 4 à 4½ heures ; les pois sont ajoutés avant les 30 dernières minutes de cuisson

1 à 1,5 kg (2 à 3 lb) de demi-poitrines et de cuisses de poulet désossées, chaque demi-poitrine coupée en deux

45 ml (3 c. à table) d'huile de sésame ou d'olive

3 oignons de grosseur moyenne, hachés

2 gousses d'ail, pressées ; ou 2 jalapenos, épépinés et hachés

7 ml (1½ c. à thé) de coriandre moulue

5 ml (1 c. à thé) de curcuma

5 ml (1 c. à thé) de cumin moulu

15 ml (1 c. à table) de gingembre frais, haché

10 ml (2 c. à thé) de paprika

2 ml (½ c. à thé) de flocons de piment rouge

2 ml (½ c. à thé) de graines de moutarde brune

1 boîte de 796 ml (28 oz) de tomates broyées

Jus de ½ citron

1 chou-fleur, cassé en petites fleurettes, sans les tiges

240 ml (1 tasse) de petits pois surgelés, dégelés ; ou 480 à 720 ml (2 à 3 tasses) de pousses d'épinard frais

Sel au goût

1. Couper les cuisses de poulet en gros ou en petits morceaux, en enlevant la peau (laisser la peau sur les morceaux de poitrine). Vaporiser un enduit de cuisson anti-adhésif dans la mijoteuse. Dans une grande poêle, à feu moyen-vif, faire chauffer l'huile et y faire dorer le poulet de tous les côtés. Transférer les pièces dans une assiette. Ajouter les oignons à la casserole et, en brassant à quelques reprises, les attendrir, pendant environ 5 minutes. Incorporer l'ail ou le jalapeno, la coriandre, le curcuma, le cumin, le gingembre, le paprika, les flocons de piment rouge et les graines de moutarde et, en brassant constamment, faire cuire le tout doucement pendant 2 minutes. Ajouter les tomates et le jus de citron. Bien mélanger. Réduire en purée la moitié du mélange d'oignons et de tomates dans un mélangeur, un robot culinaire ou directement dans la casserole à l'aide d'un mélangeur à main.

2. Dans l'ordre suivant, ajouter un tiers du poulet (la viande brune d'abord) dans la mijoteuse, un quart de la sauce et couvrir d'un tiers du chou-fleur. Répéter l'opération à deux autres reprises et terminer avec le reste de la sauce. À couvert, laisser cuire à intensité élevée pendant 1 heure.

3. Régler la mijoteuse à faible intensité et laisser cuire de 4 à 4½ heures.

4. Avant les 30 dernières minutes de cuisson, ajouter les petits pois ou les pousses d'épinard frais. Saler. Couvrir de nouveau et faire cuire jusqu'à tendreté. Pour accélérer la cuisson, régler la mijoteuse à intensité élevée.

Poulets Cornish avec salsa de tomates et de mangues

Le Cornish ressemble à un petit poulet dodu. Ici, nous utilisons une recette de base pour le rôtissage à la mijoteuse et servons les poulets avec une salsa rafraîchissante, parfaite pour les repas d'été. De grâce, servez ces poulets Cornish sans aucune sauce; ils sont délicieux parsemés de n'importe quel mélange d'herbes séchées. ● **3 à 5 portions**

MIJOTEUSE : Grande, ovale
INTENSITÉ ET TEMPS DE CUISSON : ÉLEVÉE, de 3 à 5 heures

45 ml (3 c. à table) d'huile d'olive
3 poulets Cornish, rincés et épongés
5 ml (1 c. à thé) de sel
2 ml (½ c. à thé) de poivre noir fraîchement moulu
2 ml (½ c. à thé) d'assaisonnement aux herbes sans sel, comme Mme Dash
    ou McCormick, ou un mélange d'herbes italiennes
3 gousses d'ail, coupées en deux
25 ml (1½ c. à table) de beurre non salé, froid et coupé en morceaux

SALSA FRAÎCHE À LA TOMATE ET À LA MANGUE :

4 tomates mûres de grosseur moyenne, hachées menu

1 ou 2 grosses mangues mûres, pelées, dénoyautées et hachées

3 oignons verts (la partie blanche et un peu de vert), hachés

60 ml (¼ tasse) de coriandre fraîche, grossièrement hachée

30 ml (2 c. à table) de persil plat frais, ciselé

10 à 15 ml (2 à 3 c. à thé) de jalapeno haché, épépiné et finement haché

Jus de 1 lime

1 ml (¼ c. à thé) de sel

1.   Enduire la mijoteuse d'un peu d'huile d'olive. Couper chaque poulet Cornish en deux parties. Pour ce faire, placer l'oiseau, côté poitrine vers le haut, sur une surface de coupe. Le tenir d'une main et de l'autre, à l'aide d'un couteau de cuisine, en commençant par le cou, couper la poitrine en deux. Retourner l'oiseau et couper de chaque côté de la colonne vertébrale, aussi près de l'os que possible, ce qui donnera deux moitiés ; jeter la colonne vertébrale ou l'utiliser pour faire un bouillon de soupe. Saler et poivrer les moitiés sur chacune des faces et les saupoudrer du mélange d'herbes. Insérer un morceau d'ail dans la cavité de chaque moitié de poulet. Verser un filet d'huile d'olive. Disposer les poulets côte à côte (ils peuvent se toucher), côtés coupés vers le bas, dans la mijoteuse. Déposer quelques morceaux de beurre sur le poulet. À couvert, laisser cuire à intensité élevée de 3 à 4 heures, le temps que la viande soit tendre quand elle est piquée avec la pointe d'un couteau, que le jus soit clair et qu'un thermomètre à lecture instantanée inséré dans la partie la plus charnue de la cuisse indique 82 °C (180 °F).

2.   Entre-temps, préparer la salsa : dans un petit bol, combiner tous les ingrédients et réfrigérer la préparation plusieurs heures afin que les saveurs se mélangent. Servir la salsa avec les poulets.

POULETS CORNISH AUX HERBES DE PROVENCE : Au lieu du mélange d'herbes, saupoudrer les poulets de 45 ml (3 c. à table) d'herbes de Provence séchées.

Poussins paprikash

L e poulet paprikash (au paprika) est un plat authentiquement hongrois. Ce plat national, servi dans tous les foyers et les restaurants, présente un poulet juteux qui trempe dans une intéressante sauce rosée. Chaque fois que Beth demande à sa parenté hongroise une recette familiale (aucune n'est écrite), elle doit supporter un énergique cours sur la meilleure façon de préparer tel ou tel plat traditionnel, et ce, bien qu'il existe une panoplie de recettes et que ces dernières varient d'un cuisinier à l'autre. Il est beaucoup plus facile de consulter le livre de cuisine hongroise préféré de Beth, écrit par Susan Derecskey (*The Hungarian Cookbook*, Harper and Row, 1972) pour obtenir des conseils et le mot de la fin. Ici, le paprikash est fait avec des poussins, les petits du poulet, mais vous pouvez y substituer sans problème des poitrines de poulet désossées. Assurez-vous d'utiliser du paprika hongrois. Il y en a beaucoup de variétés, les principaux étant le doux et le piquant ; dans la présente recette, il faut du doux. Quelques auteurs de livres de cuisine recommandent d'utiliser plusieurs cuillérées de paprika ; autrement, leur recette est similaire à la nôtre. À la mijoteuse, nous croyons qu'il est préférable de recourir à une quantité moindre de paprika, car ce type de cuisson concentre l'épice. Servez cette recette avec des Pâtes aux graines de pavot (page 178), des nouilles aux œufs au beurre, des boulettes de pâtes spätzle (le plat d'accompagnement traditionnel), ou du riz, si vous le devez. Le paprikash est aussi habituellement accompagné d'une simple salade de concombres tranchés dans une sauce vinaigrée, ce qui compense la richesse du plat. ● **2 à 4 portions**

MIJOTEUSE : Moyenne, ronde ou ovale
INTENSITÉ ET TEMPS DE CUISSON : ÉLEVÉE, de 2½ à 3 heures ; puis, FAIBLE pendant 10 minutes

45 ml (3 c. à table) de beurre non salé

2 poussins de 454 g (1 lb), coupés en deux (voir la note) ; ou 4 demi-poitrines de poulet désossées, avec la peau

2 échalotes, de taille moyenne ou grosse, hachées

10 à 15 ml (2 à 3 c. à thé) de paprika hongrois doux, au goût

120 ml (½ tasse) de bouillon de poulet

½ poivron vert de grosseur moyenne, épépiné et coupé en lanières de 0,5 cm (½ po) de large

1 tomate italienne entière en conserve, égouttée sur un essuie-tout et hachée menu

120 ml (½ tasse) de crème sure, à la température ambiante si possible

20 ml (4 c. à thé) de farine tout usage

Sel, et poivre noir du moulin, au goût

1. Dans une grande poêle, à feu moyen-vif, faire fondre le beurre. Lorsqu'il commence à mousser, ajouter les moitiés de poussin, côtés peau vers le bas, et les faire cuire environ 5 minutes par côté jusqu'à ce qu'ils soient tout juste colorés (pas dorés ou croustillants) ; la cuisson devra peut-être se faire en plusieurs lots. Transférer les poussins dans la mijoteuse. Mettre les échalotes dans la poêle et, en brassant, les attendrir pendant environ 5 minutes. Incorporer le paprika et, en continuant de brasser, faire cuire 1 minute de plus. Ajouter le bouillon et, en raclant le fond de la poêle pour en détacher toutes les particules, poursuivre la cuisson. Verser le bouillon sur les poussins ; il arrivera à la moitié de la hauteur de la mijoteuse. Étaler le poivron et les morceaux de tomate sur les poussins. À couvert, laisser cuire à intensité élevée de 2½ à 3 heures ou jusqu'à ce que les poussins soient tendres et cuits de part en part. Ils ajouteront un peu de leur jus au bouillon.

2. Dans un petit bol, à l'aide d'un fouet, combiner la crème sure et la farine. Avec une cuillère, prélever un peu de jus de cuisson et le mélanger délicatement à la crème sure.

3. Transférer les poussins dans un plat chaud. Laisser la mijoteuse à intensité élevée, ajouter la crème sure au jus de cuisson, et fouetter jusqu'à l'obtention d'une consistance lisse. Faire cuire quelques minutes, le temps que le tout soit chaud et consistant. Saler et poivrer. Remettre les poussins dans la sauce de la mijoteuse. Régler l'appareil à faible intensité et poursuivre la cuisson pendant environ 10 minutes. Servir directement.

4. Placer les demi-poussins et les nouilles (ou les boulettes de pâte) côte à côte dans une assiette. À l'aide d'une cuillère, les napper d'un peu de sauce. Offrir le reste de la sauce aux convives.

NOTE : Pour couper un poussin, placer l'oiseau, côté poitrine vers le haut, sur une surface de coupe. Le tenir d'une main et de l'autre, à l'aide d'un couteau de cuisine, en commençant par le cou, couper la poitrine en deux. Retourner l'oiseau et couper de chaque côté de la colonne vertébrale, aussi près de l'os que possible, ce qui donnera deux moitiés ; jeter la colonne vertébrale ou l'utiliser pour faire un bouillon de soupe.

Poitrine de dindonneau

Les amateurs de dinde se réjouiront de cet excellent dindonneau braisé, une jeune dinde cuite en daube. Pour citer Brillat-Savarin, le fameux chef français et chroniqueur de ses expériences gustatives, «la dinde est délectable à regarder, émoustillante à sentir et délicieuse au goût». Nous l'approuvons de tout cœur. ● **4 à 6 portions**

MIJOTEUSE : Moyenne ou grande, ronde ou ovale
INTENSITÉ ET TEMPS DE CUISSON : ÉLEVÉE, de 3 à 3½ heures

1 gros oignon jaune, coupé en deux et tranché en demi-lunes
1 demi-poitrine de dinde de 1,2 à 1,5 kg (2½ à 3 lb) avec l'os, rincée et épongée
60 ml (¼ tasse) d'eau
15 à 30 ml (1 à 2 c. à table) d'huile d'olive ou de beurre non salé, coupé en
    morceaux
15 à 30 ml (1 à 2 c. à table) d'herbes fraîches, hachées et mélangées,
    comme du basilic, de la marjolaine, du thym, de l'origan, du persil et un
    peu de romarin
1 paquet de 51 g (1,8 oz) d'une préparation de sauce pour la dinde
    (facultatif)
Petits pains, faits à la maison ou du boulanger, pour le service

1. Graisser la mijoteuse d'huile d'olive ou y vaporiser un enduit de cuisson antiadhésif à saveur de beurre. Étaler les tranches d'oignon dans la mijoteuse. Placer la poitrine de dinde, côté peau vers le haut, sur les oignons et verser l'eau. Les asperger d'un filet d'huile ou les parsemer de morceaux de beurre avant de les saupoudrer d'herbes. À couvert, laisser cuire à intensité élevée de 3 à 3½ heures. Ne pas ouvrir le couvercle de l'appareil avant que le minimum du temps soit écoulé. La dinde est prête quand un thermomètre à viande à lecture instantanée inséré dans la partie la plus charnue de la poitrine indique 77 à 82 °C (170 à 180 °F). La poitrine ne sera pas dorée, mais elle sera très juteuse!

2. Quand la dinde est prête, la transférer dans un plat. La couvrir avec une feuille d'aluminium et la laisser reposer 10 minutes avant de la couper. Il y aura beaucoup de jus de viande dans la mijoteuse.

3. Passer le jus de cuisson à travers une toile à fromage placée au-dessus d'un bol; presser les oignons pour en extraire le jus. Si désiré, verser le bouillon dans une petite casserole. Porter à ébullition et y incorporer la préparation de sauce pour la dinde. Ou servir le liquide comme tel. Servir les tranches de dinde avec de la sauce chaude ou le jus de cuisson et des petits pains.

Dinde glacée au miel et à l'abricot

Cette dinde à la saveur sucrée et piquante est un festin. En outre, elle a une plus faible teneur en gras que plusieurs plats à la viande brune de dinde parce que la peau est enlevée avant la cuisson. Retirer la peau d'une patte de dinde exige un peu de finesse et des mains sèches. Utilisez un petit couteau pointu pour détacher la peau de la partie charnue du pilon. Tirez la peau vers le bout noueux de l'os, en la retournant vraiment à l'envers, presque comme une chaussette. Coupez la peau au plus près du bout de l'os. Dans la présente recette, nous avons prévu une part de dinde par personne ; cependant, si les pattes ou les cuisses sont grosses, vous pouvez détacher la viande des os, ce qui vous donnera 6 portions.

⊙ **4 portions**

MIJOTEUSE : Moyenne ou grande, ovale de préférence
INTENSITÉ ET TEMPS DE CUISSON : ÉLEVÉE, de 3 à 3½ heures

4 pattes entières ou cuisses de dinde, la peau enlevée (voir Ici-haut)
5 ml (1 c. à thé) de paprika
5 ml (1 c. à thé) de sel
1 ml (¼ c. à thé) de poivre noir fraîchement moulu
2 ml (½ c. à thé) de romarin séché, émietté, ou 25 ml (1½ c. à table) de
       romarin frais, ciselé
2 ml (½ c. à thé) de thym séché, ou 25 ml (1½ c. à table) de thym frais, ciselé
60 ml (¼ tasse) de confiture d'abricots
30 ml (2 c. à table) de miel
15 ml (1 c. à table) de jus de citron frais
15 ml (1 c. à table) de sauce barbecue
15 ml (1 c. à table) de sauce soja
5 ml (1 c. à thé) de fécule de maïs
5 ml (1 c. à thé) d'eau froide

1. Laver la dinde et bien l'éponger. Dans un petit bol, mélanger le paprika, le sel, le poivre, le romarin et le thym. Frotter tous les morceaux de dinde avec ce mélange. Réserver pendant 15 minutes ou réfrigérer, à couvert, de 2 à 3 heures.

2. Vaporiser la mijoteuse d'un enduit de cuisson antiadhésif et y déposer les morceaux de dinde. Dans un petit bol, combiner la confiture, le miel, le jus de citron, la sauce barbecue et la sauce soja. Napper la dinde de ce mélange. Si nécessaire, remuer les morceaux de dinde afin de bien les enrober. À couvert, laisser cuire à intensité élevée de 3 à 3½ heures ou jusqu'à ce que la dinde soit tendre.

3. Préchauffer le four à 200 °C (375 °F). Transférer la dinde dans un plat allant au four. Recouvrir de papier d'aluminium en s'assurant qu'il ne touche pas à la préparation. Garder au chaud dans le four pendant la finition de la sauce.

4. Verser la sauce de la mijoteuse dans une petite casserole. Dans un petit bol, en brassant pour dissoudre les grumeaux, combiner la fécule de maïs et l'eau froide. Amener la sauce à ébullition et la laisser bouillir de 2 à 3 minutes pour qu'elle réduise et que les saveurs se concentrent. Ajouter le mélange de fécule et d'eau à la sauce de la casserole, et faire chauffer jusqu'à épaississement, soit 2 ou 3 minutes de plus.

5. Sortir la dinde du four. La napper de la sauce glacée. Servir.

Cuisses de dinde braisées aux fines herbes

L es cuisses de dinde profitent joliment de la chaleur douce de la mijoteuse, et elles deviennent tendres et savoureuses. Utilisez un mélange d'herbes fraîches, qu'il provienne de votre jardin ou du marché. Si vous ajoutez du romarin, n'ayez pas la main trop lourde car cette herbe risquerait de masquer les autres saveurs. ◉ **4 à 6 portions**

MIJOTEUSE : Moyenne ou grande, ovale de préférence
INTENSITÉ ET TEMPS DE CUISSON : ÉLEVÉE, de 2 à 3 heures

25 ml (1½ c. à table) d'huile d'olive
25 ml (1½ c. à table) de beurre non salé
4 cuisses de dinde
240 ml (1 tasse) d'oignon haché
120 ml (½ tasse) de tranches de carottes de 1,5 cm (½ po) d'épaisseur
80 ml (⅓ tasse) de tranches de céleri de 1,5 cm (½ po) d'épaisseur
2 gousses d'ail, hachées
120 ml (½ tasse) de vin blanc sec
45 à 60 ml (3 à 4 c. à table) d'herbes fraîches mélangées hachées, comme
    basilic, marjolaine, thym, origan, persil et un peu de romarin, et un peu
    plus (facultatif) pour garnir
3 ml (¾ c. à thé) de sel
1 ml (¼ c. à thé) de poivre noir fraîchement moulu
30 ml (2 c. à table) de crème 35 % M.G. ou 15 ml (1 c. à table) de beurre non
    salé (facultatif)
Riz, couscous ou purée de pommes de terre pour le service

1. Dans une grande poêle à fond épais, faire chauffer l'huile et le beurre à feu moyen-vif. Faire dorer les cuisses de dinde sur toutes les faces, soit de 4 à 6 minutes au total. Une fois dorées, déposer les cuisses de dinde dans la mijoteuse. Dans une poêle, tout en brassant, attendrir l'oignon, les carottes, le céleri et l'ail pendant environ 5 minutes. Verser le vin et, en raclant le fond de la poêle pour en détacher les particules, porter à ébullition, Lorsque le volume du vin se sera quelque peu réduit, soit après 2 ou 3 minutes, incorporer les herbes et faire cuire le tout pendant 30 secondes.

2. Verser le mélange dans la mijoteuse et, en raclant au besoin, le distribuer uniformément autour des cuisses de dinde. Saler et poivrer. À couvert, laisser cuire à intensité élevée de 2 à 3 heures ou jusqu'à ce que la dinde soit tendre.

3. Préchauffer le four à 190 °C (375 °F). Mettre la dinde dans un plat de cuisson, couvrir de papier d'aluminium et garder au chaud pendant la préparation de la sauce.

4. Verser la sauce dans une passoire à mailles fines placée au-dessus d'une petite casserole. Porter à ébullition et réduire la sauce pendant 4 à 5 minutes afin d'en concentrer les saveurs. Si désiré, incorporer la crème ou le beurre, le temps que la crème soit chaude ou que le beurre fonde à peine.

5. Servir la dinde, avec ou sans l'os, avec les légumes et la sauce aux herbes, sur du riz, du couscous gonflé ou de la purée de pommes de terre. Si désiré, saupoudrer de fines herbes.

Dinde à la mexicaine

Les cuisses de dinde cuisent merveilleusement bien à la mijoteuse. Leur viande est un peu plus coriace que celle du poulet, mais la chaleur humide de la mijoteuse leur donne une incomparable texture moelleuse. Effilochez la viande pour en garnir quelques tortillas et ainsi obtenir un délicieux goûter. ● **6 à 8 portions**

MIJOTEUSE : Moyenne ou grande, ronde ou ovale
INTENSITÉ ET TEMPS DE CUISSON : ÉLEVÉE, de 3 à 3½ heures

1 kg (2 lb) de cuisses de dinde, la peau enlevée
1 boîte de 227 ml (8 oz) de sauce tomate
1 boîte de 114 ml (4 oz) de chiles verts rôtis et hachés, dans leur jus
2 oignons de grosseur moyenne ou 3 petits oignons blancs, hachés
30 ml (2 c. à table) de sauce Worcestershire
30 ml (2 c. à table) d'assaisonnement au chile
1 pincée de cumin moulu
1 gousse d'ail, écrasée

POUR LE SERVICE :
8 grosses tortillas de blé, à la température ambiante
180 ml (¾ tasse) de cheddar râpé
160 ml (⅔ tasse) de crème sure
Tomates fraîches, coupées en dés
Laitue iceberg, déchiquetée

1. Mettre les cuisses de dinde dans la mijoteuse. Ajouter la sauce tomate, les chiles, les oignons, la sauce Worcestershire, l'assaisonnement au chile, le cumin et l'ail. Remuer pour bien enrober les cuisses du mélange. À couvert, laisser cuire à intensité élevée de 3 à 3½ heures ou jusqu'à ce que la dinde soit tendre.

2. Retirer la dinde de la mijoteuse, la laisser tiédir un peu et séparer la chair des os. Effilocher la viande et la remettre dans la mijoteuse. Remuer pour bien l'enrober de sauce. À la cuillère, déposer la viande au centre d'une tortilla et rouler. Garnir de fromage, de crème sure, de tomates et de laitue. Répéter l'opération avec le reste des tortillas et de la garniture. Servir immédiatement.

Salade taco et dinde de « M »

L'amie de Beth, « M », prépare souvent cette salade taco pour le déjeuner de ses collègues. En retour, les gens payent quelques dollars qui vont à l'œuvre caritative qu'ils ont choisie pour la semaine. La mijoteuse donne une viande à taco chaude et délicieuse. « M » utilise des tomates mûries en grappes, que ce soit des tomates italiennes ou à salade, et une salsa commerciale épaisse en pot, comme celle de marque Pace Picante. Elle aime employer une salsa moyennement piquante pour cuisiner, mais en utilise une douce en guise de garniture. Pour gagner du temps, vous pouvez faire cuire la sauce à la viande à intensité élevée pendant environ 1½ à 2 heures. Servez cette recette sur des tortillas de blé chaudes et beurrées. ● **6 portions**

MIJOTEUSE : Moyenne, ronde
INTENSITÉ ET TEMPS DE CUISSON : FAIBLE, de 4 à 6 heures

SAUCE À LA VIANDE :
750 g (1½ lb) de viande brune de dinde, hachée
1 pot de 455 ml (16 oz) de salsa aux tomates

SALADE :
1 avocat ferme et mûr, de grosseur moyenne
1,5 l (6 tasses) de laitue romaine ou iceberg, déchiquetée ou hachée
720 ml (3 tasses) de croustilles de maïs
1 boîte de 426 ml (15 oz) de haricots pinto, rincés et égouttés, et réchauffés
    dans une casserole ou au micro-ondes
360 ml (1½ tasse) de cheddar râpé
1 pot de 455 ml (16 oz) de salsa aux tomates
2 tomates mûres, de grosseur moyenne, grossièrement hachées
240 ml (1 tasse) de crème sure froide, remuée
1 boîte de 114 ml (4 oz) d'olives noires mûres de Californie, égouttées

1. Vaporiser la mijoteuse d'un enduit de cuisson antiadhésif. Pour préparer la sauce à la viande, mettre la dinde hachée et la salsa dans la mijoteuse. À couvert, laisser cuire à faible intensité de 4 à 6 heures, le temps que la viande soit cuite de part en part. Remuer la sauce.

2. Pour faire la salade, trancher l'avocat et déposer tous les ingrédients de la salade dans des contenants séparés. Dans chaque plat individuel, faire un lit de laitue, puis ajouter une poignée de croustilles de maïs, un peu de viande chaude, une cuillérée ou deux de haricots pinto chauds, du fromage râpé, un peu de salsa, des tomates en dés, de la crème sure, de l'avocat et des olives.

Pain de viande à la dinde et aux shiitakes

Voici un pain de viande faible en matière grasse qui ne goûte pas comme le produit traditionnel. Il est moelleux et savoureux. Oui, vous pouvez utiliser des shiitakes frais au lieu des déshydratés, mais nous préférons les derniers en raison de leur goût plus prononcé. Assurez-vous d'acheter de la dinde hachée qui ne contient pas de peau. Nous aimons utiliser un mélange moitié viande de poitrine et moitié viande de cuisse, parce que la viande blanche seule est trop sèche. Il vaut mieux préparer ce plat dans une mijoteuse ovale pour obtenir la forme traditionnelle du pain de viande. ● **6 à 8 portions**

> **MIJOTEUSE :** Moyenne ou grande, ovale de préférence
> **INTENSITÉ ET TEMPS DE CUISSON :** FAIBLE, de 7 à 9 heures ; la sauce tomate
> est ajoutée avant les 30 dernières minutes de cuisson

> 6 gros ou 12 petits champignons shiitakes déshydratés
> 750 g (1½ lb) de dinde hachée (un mélange de viandes blanche et brune est
> idéal)
> 3 tranches de pain à sandwich au blé entier
> 1 gros oignon jaune, coupé en quatre
> 2 gousses d'ail, pelées
> 30 ml (2 c. à table) de persil plat frais, ciselé
> 15 ml (1 c. à table) de basilic séché, ou 60 ml (¼ tasse) de basilic frais, ciselé
> 5 ml (1 c. à thé) d'origan séché ou 15 ml (1 c. à table) d'origan frais, ciselé
> 5 ml (1 c. à thé) de sel
> 1 ml (¼ c. à thé) de poivre noir fraîchement moulu
> 120 ml (½ tasse) de parmesan frais, râpé
> 1 boîte de 426 ml (15 oz) de sauce tomate

1. Réhydrater les champignons en les recouvrant d'eau bouillante et en les faisant tremper pendant 1 heure. Si désiré, utiliser le micro-ondes : couvrir le bol contenant les champignons d'une pellicule plastique et faire chauffer 5 minutes à intensité maximale. Laisser tiédir avant de continuer. Extirper le liquide des champignons et le réserver. Couper les tiges dures et trancher les chapeaux grossièrement. Verser lentement le liquide de trempage des champignons dans une tasse à mesurer, en prenant garde de laisser toute particule solide dans le bol.

2. Mettre la dinde hachée dans un grand bol.

3. Déchirer les tranches de pain en quatre ou en huit, les mettre dans le robot culinaire et les réduire en miettes par touches successives. Transférer les miettes dans

le bol contenant la dinde. (Sinon, déchirer le pain en morceaux de 2,5 cm (1 po) et mettre ces derniers dans un bol avant de les arroser de 60 ml (¼ tasse) du liquide de trempage des champignons. Ajouter à la dinde.)

4. Au robot culinaire, combiner l'oignon, l'ail, le persil et les shiitakes en menus morceaux, non en bouillie. Transférer le mélange dans le bol contenant la dinde, puis ajouter le basilic, l'origan, le sel, le poivre, le fromage et 240 ml (1 tasse) de sauce tomate. Incorporer 60 ml (¼ tasse) du liquide de trempage des champignons (s'il n'a pas déjà été utilisé pour arroser le pain) et jeter le reste du liquide. Avec les mains ou à l'aide d'une grande fourchette, mélanger délicatement les ingrédients, mais à fond, en évitant de comprimer la viande.

5. Avec du papier d'aluminium, préparer un «berceau» qui permettra d'enlever facilement le pain de viande de la mijoteuse quand il sera cuit. Utiliser une feuille d'environ 60 cm (24 po) de long. La placer sur le rebord du comptoir et la déchirer en deux dans le sens de la longueur. Plier chaque morceau en deux sur la longueur, puis à nouveau en deux. Mettre les bandes dans la mijoteuse en formant une croix et en prenant soin de bien les centrer. Les bandes dépasseront les bords de la mijoteuse. Déposer le mélange de viande sur les bandes en formant un pain rond ou ovale, selon la forme de la mijoteuse. Comprimer légèrement le dessus de la préparation et le lisser en épousant les contours de la mijoteuse. Plier les bandes de papier d'aluminium sur le pain de viande afin qu'elles n'empêchent pas le couvercle de fermer correctement. À couvert, laisser cuire à faible intensité de 7 à 9 heures ou jusqu'à ce qu'un thermomètre inséré au centre du pain indique au moins 85 °C (180 °F).

6. Environ 30 minutes avant la fin du temps de cuisson, déplier les bandes de papier d'aluminium et verser le reste de la sauce tomate sur le pain de viande. Mettre le couvercle et poursuivre la cuisson à faible intensité pendant 30 minutes.

7. Au moment de servir, à l'aide des «poignées» en aluminium, soulever le pain de viande et le poser sur une planche à découper ou un plat de service. Retirer les bandes et les jeter. Trancher le pain de viande et le servir chaud ou froid.

Rouleaux kubis

Les rouleaux (ou cigares) au chou farcis de nombreuses façons sont des classiques dans la cuisine slave; cependant, cette recette est quelque peu différente. Elle est faite avec du chou frisé. Il s'agit d'une recette que l'amie de Beth, Judy Milano, a héritée de sa grand-mère italienne; ce plat est l'un des favoris de la famille. Avec sa créativité et son flair culinaire, Judy a adapté cette recette pour la mijoteuse. Nous aimons le chou frisé, car il a une saveur relativement douce. Il faut choisir la variété de chou frisé à larges feuilles bouclées de couleur vert épinette, non la variété crème et mauve, plus ornementale, que l'on trouve habituellement dans les présentoirs. Une fois blanchi, le chou frisé conserve parfaitement sa couleur et se prête bien au braisage. Judy ne connaît pas l'origine du nom «kubis», ni quel en est l'orthographe correct, mais le mot polonais pour chou est *kapusta* et le mot latin pour chou frisé est *caulis*. Kubis est probablement une forme dérivée de l'un de ces mots. Servez ces rouleaux avec des pommes de terre bouillies ou en purée. ◉ **6 portions**

MIJOTEUSE : Moyenne ou grande, ronde
INTENSITÉ ET TEMPS DE CUISSON : FAIBLE, de 8 à 10 heures

2 à 4 bottes de chou frisé ou de bettes à carde vertes (il faut environ
    16 grandes feuilles)
750 g (1½ lb) de viande brune de dinde, hachée; ou une préparation pour
    pain de viande au bœuf, au porc et au veau ou tout au bœuf haché
240 ml (1 tasse) de riz blanc à longs grains nature ou de riz précuit
1 oignon, de grosseur moyenne, haché menu
45 ml (3 c. à table) de persil plat frais, finement haché
2 gousses d'ail, pressées
5 ml (1 c. à thé) de sel, ou au goût
5 ml (1 c. à thé) d'herbes italiennes, séchées
2 ml (½ c. à thé) de poivre au citron ou de poivre blanc moulu
1 boîte de 796 ml (28 oz) de sauce tomate (de préférence à l'italienne)
2 boîtes de 170 ml (6 oz) de pâte de tomates
240 ml (1 tasse) d'eau
4 tranches de bacon

1. Placer un grand bol d'eau froide sur le comptoir et, si désiré, y mettre quelques glaçons. Étendre un linge à vaisselle propre sur le comptoir. Porter une grande marmite d'eau à ébullition. Saler l'eau et y faire blanchir le chou frisé ou les feuilles de bettes pendant environ 1 minute ou jusqu'à ce que les feuilles ramollissent, mais pas

au point de se déchirer quand on les manipule. À l'aide de pinces, retirer les feuilles de l'eau par la tige et les plonger dans l'eau froide afin de les refroidir. Les déposer sur le linge propre. Les éponger délicatement avec des essuie-tout. En procédant par lots, poursuivre le blanchiment des feuilles. Enlever la tige dure et la veine centrale à l'aide d'un couteau à éplucher (certains se contentent de les taper avec un maillet pour les attendrir).

2. Mettre la viande hachée, le riz, l'oignon, le persil, l'ail et tous les assaisonnements dans un grand bol. À l'aide des mains ou d'une grande cuillère, mélanger délicatement, mais à fond, en évitant de comprimer la viande.

3. Pour farcir les rouleaux, déposer une feuille sur le comptoir, dans le sens où elle se roulera le plus facilement. Déposer au centre de la partie se trouvant près de la tige 15 ml et plus (1 c. table comble) de farce ou jusqu'à environ 45 ml (3 c. à table), selon la taille de la feuille. La farce devrait avoir une longue forme ovale. Rabattre la partie inférieure de la feuille sur la farce, puis les deux côtés. Continuer de rouler jusqu'à l'autre extrémité de la feuille. Il y aura quelques épaisseurs de chou frisé et un joli rouleau. Quelques cuisiniers lient chaque rouleau avec de la ficelle de cuisine mais si on le dépose, côté joint vers le bas, c'est tout aussi bien. Faire environ 16 rouleaux.

4. Vaporiser la mijoteuse d'un enduit de cuisson antiadhésif. Y déposer les rouleaux kubis côte à côte, puis en plusieurs couches ; selon la taille de la mijoteuse, il y aura 3 ou 4 couches.

5. À l'aide d'un fouet, combiner la sauce tomate, la pâte de tomates et l'eau jusqu'à l'obtention d'une consistance lisse. Verser le mélange sur les rouleaux kubis. Ajouter davantage d'eau afin de tout juste recouvrir les rouleaux, ou utiliser l'eau dans laquelle auront été blanchies les feuilles. Étendre le bacon sur la préparation. S'il reste des feuilles, les mettre sur le bacon ; cette étape est facultative, mais c'est une bonne façon d'utiliser les feuilles supplémentaires. À couvert, laisser cuire à faible intensité de 8 à 10 heures ou jusqu'à ce que les feuilles soient tendres et que la farce soit ferme et cuite de part en part (au besoin, tester un rouleau en le coupant en deux).

6. Servir 2 ou 3 rouleaux par personne. Ce plat est encore plus savoureux servi le lendemain. Laisser tiédir les rouleaux dans la mijoteuse posée sur le comptoir, puis couvrir et réfrigérer toute la nuit. Le lendemain, poser le pot de grès sur le comptoir pour qu'il vienne à la température ambiante, puis le mettre dans la mijoteuse et, à faible intensité, réchauffer les rouleaux.

Ragoût de saucisses à la dinde et de maïs lessivé, à la manière du Sud-Ouest

A vec l'apparition de plusieurs fabricants artisanaux de saucisses, nous sommes comblés par un assortiment de saucisses faites avec d'autres viandes que le porc, par exemple de la dinde ou du canard. Ce ragoût simple et délicieux est fait de maïs lessivé, de saucisses à la dinde, de beaucoup de poivrons, d'une touche d'assaisonnement au chile et d'un soupçon de tequila. Il deviendra vite l'un de vos plats favoris. ● **4 portions**

MIJOTEUSE : Moyenne, ronde ou ovale
INTENSITÉ ET TEMPS DE CUISSON : FAIBLE, de 5 à 7 heures

300 ml (1¼ tasse) de salsa préparée, moyenne ou épicée
240 ml (1 tasse) de poivron rouge, grossièrement haché en morceaux de
    2,5 cm (1 po)
240 ml (1 tasse) de poivron jaune, grossièrement haché en morceaux de
    2,5 cm (1 po)
1 boîte de 284 ml (10 oz) de grains de maïs, jaune ou blanc, surgelés et
    dégelés
15 ml (1 c. à table) d'assaisonnement au chile
1 boîte de 441 ml (15,5 oz) de maïs lessivé, blanc ou jaune, rincé et égoutté
1 paquet de 340 g (12 oz) de saucisses fumées à la dinde, coupées en
    rondelles de 1,5 cm (½ po)
30 ml (2 c. à table) de tequila

POUR LE SERVICE :
720 ml (3 tasses) de riz à grains longs, brun ou blanc, cuit et chaud
120 ml (½ tasse) de croustilles de tortilla, cuites au four ou régulières,
    émiettées
1 mangue mûre, moyenne ou grosse, de 283 à 397 g (10 à 14 oz), pelée,
    dénoyautée et tranchée
80 ml (⅓ tasse) de coriandre fraîche, ciselée
60 ml (¼ tasse) d'oignons verts (la partie blanche et un peu du vert), hachés
180 ml (¾ tasse) de crème sure (à faible teneur en matière grasse ou sans
    gras convient)

1. Dans la mijoteuse, mélanger la salsa, les poivrons, les grains de maïs, l'assaisonne-ment au chile, le maïs lessivé, les morceaux de saucisse et la tequila. À couvert, laisser cuire à faible intensité de 5 à 7 heures.

2. Au moment de servir, répartir le riz dans 4 bols. Garnir chaque portion de ragoût, de croustilles émiettées, de tranches de mangue, de coriandre, d'oignons verts et d'une grosse cuillérée de crème sure.

Poitrines de canard avec sauce au porto

Il est plus facile de préparer cette recette avec des poitrines de canard désossées qui sont congelées et emballées sous vide. Sinon, utilisez des cuisses de canard ou des morceaux d'un canard que vous aurez dépecé. Si flamber le canard au porto vous inquiète, vous pouvez oublier cette étape. Ajoutez simplement le porto dans la poêle avec le canard, portez à ébullition et faites réduire pendant une minute ou deux avant de transférer le canard dans la mijoteuse. Si vous faites flamber le porto, assurez-vous d'utiliser une poêle *sans* revêtement antiadhésif; la fonte ou l'acier inoxydable conviennent parfaitement. Cette recette est une autre perle de l'amie de Julie, Batia Rabec. ❍ **4 portions**

MIJOTEUSE : Moyenne, ovale ; ou grande, ronde ou ovale
INTENSITÉ ET TEMPS DE CUISSON : FAIBLE, de 6 à 7 heures

30 ml (2 c. à table) de beurre non salé
4 demi-poitrines de canard désossées, avec la peau, pour un total de 750 g
    (1½ lb)
80 ml (⅓ tasse) de porto
Zeste râpé de 1 orange
5 ml (1 c. à thé) de sel
0,5 ml (⅛ c. à thé) de poivre noir fraîchement moulu
30 ml (2 c. à table) de fécule de maïs
60 ml (¼ tasse) de lait (partiellement écrémé convient)

1. À feu moyen-vif, faire fondre le beurre dans une grande poêle. Lorsque le beurre écume, y ajouter le canard, côté peau vers le bas, et le faire dorer de 2 à 3 minutes par côté. Verser le porto et amener au point d'ébullition. En se méfiant des longues manches et des mèches de cheveux, approcher une longue allumette allumée du liquide de cuisson et fermer le rond. Le liquide s'enflammera et brûlera pendant environ 30 secondes, puis les flammes s'éteindront. À l'aide d'une cuillère à égoutter, transférer le canard dans la mijoteuse. Porter à nouveau le liquide dans la poêle à ébullition et, en raclant le fond pour en détacher les particules, le faire chauffer

brièvement. Verser le liquide sur le canard et parsemer du zeste d'orange. Saler et poivrer. À couvert, laisser cuire à faible intensité de 6 à 7 heures.

2. Préchauffer le four à 190 °C (375 °F). À l'aide d'une cuillère à égoutter, transférer le canard dans un plat de cuisson peu profond. Le couvrir de papier d'aluminium et le réserver au four chaud pendant la préparation de la sauce.

3. Éliminer autant de gras que possible du liquide de cuisson, puis le verser dans une petite casserole. Dans un petit bol, combiner la fécule de maïs au lait pour obtenir un mélange lisse. Porter la sauce de la poêle à ébullition, incorporer le mélange au maïs et faire chauffer de 3 à 4 minutes, le temps que la sauce épaississe. Rectifier l'assaisonnement. Servir le canard nappé de sauce.

Cailles braisées

Les cailles sont vraiment un régal de gourmets. Dans le film *Le festin de Babette*, enroulées d'une pâte feuilletée, elles constituaient le plat de résistance. On confond souvent la caille avec la perdrix (le nom qu'on lui donne dans le Sud), un autre très petit oiseau ; contrairement à la perdrix, les cailles aiment marcher en groupe, ou compagnie, plutôt que de voler. De nos jours, les cailles sont élevées dans des fermes et disponibles congelées. Leur poids varie de 128 à 256 g (4 à 8 oz) avec les os. Vous devez donc surveiller leur cuisson à la mijoteuse pour éviter de trop les cuire. La chair blanche est étonnamment ferme et succulente. Dans cette recette, nous faisons braiser les cailles entières et les servons sur du pain afin d'absorber le jus de cuisson. Si vous utilisez une baguette, il vous faudra 3 tranches par personne mais, si vous utilisez un plus gros pain, 1 ou 2 tranches suffiront. Vous pouvez également servir les cailles sur un lit de lentilles cuites, ou encore avec un excellent chili aux haricots noirs accompagné d'une salsa (les cailles se marient très bien aux haricots). Il est approprié de grignoter les cuisses avec les doigts, puisqu'elles sont trop petites pour utiliser un couteau. Si par un heureux hasard vous avez des restes, servez-les froids sur un lit de laitue que vous entourerez de tranches d'orange, d'avocat ou de tomate. Arrosez la salade d'une vinaigrette au xérès et accompagnez-la d'un bout de pain de maïs qui est frais sorti du four. ● **3 à 4 portions**

> **MIJOTEUSE :** Moyenne, ovale ; ou grande, ronde ou ovale
> **INTENSITÉ ET TEMPS DE CUISSON :** ÉLEVÉE, de 1¾ à 2¼ heures ; les
> champignons sont ajoutés après 1 heure de cuisson

1 oignon, de grosseur moyenne, coupé en deux et tranché en demi-lunes

6 à 8 cailles, rincées et épongées

Sel, et poivre blanc du moulin, au goût

90 ml (6 c. à table ou ¾ bâtonnet) de beurre non salé

30 ml (2 c. à table) de farine tout usage

240 ml (1 tasse) de vin blanc sec

300 ml (1¼ tasse) de bouillon de poulet

2 feuilles de laurier

170 g (6 oz) de champignons frais, émincés

CROÛTONS :

60 à 90 ml (4 à 6 c. à table ou ½ à ¾ bâtonnet) de beurre non salé

9 à 12 tranches de baguette

30 à 45 ml (2 à 3 c. à table) de ciboulette fraîche, finement hachée, pour la garniture

1. Disposer l'oignon dans la mijoteuse de façon à faire un genre de lit pour recevoir les oiseaux.

2. Saler et poivrer les cailles. À feu moyen-vif, faire fondre le beurre dans une grande poêle. Y faire dorer les cailles sur tous les côtés. Transférer les oiseaux dans la mijoteuse ; ils peuvent être disposés côte à côte ou empilés. Saupoudrer la farine dans la poêle. Bien l'incorporer au jus de cuisson et faire chauffer de 1 à 2 minutes. Tout en remuant, ajouter le vin et le bouillon et, en raclant le fond de la poêle pour en détacher les particules, amener à ébullition. Verser le jus de cuisson sur les cailles. Ajouter les feuilles de laurier. À couvert, laisser cuire à intensité élevée pendant 1 heure.

3. Ajouter les champignons et poursuivre la cuisson de 45 minutes à 1¼ heure ou jusqu'à ce que la viande soit tendre.

4. Jeter les feuilles de laurier et rectifier l'assaisonnement.

5. Pour préparer les croûtons, à feu moyen, faire fondre le beurre dans une grande poêle et y faire dorer les rondelles de pain des deux côtés.

6. Au moment de servir, déposer 3 morceaux de pain chaud dans chaque assiette chaude et y placer 2 cailles par personne. Garnir de champignons et arroser de jus de cuisson. Parsemer de ciboulette.

Faisan dans un pot de grès

Lorsque Beth travaillait dans la restauration, elle a servi beaucoup de faisans. Il y avait une grande ferme de faisans en haut de la colline de Los Gatos, en Californie, et en attendant que l'on prépare sa commande Beth observait les oiseaux à collier picorer le sol du bec pour y dénicher des insectes. Cette recette est adaptée d'une recette britannique appelée « faisan dans une brique ». Le faisan est cuit dans un pot de terre non verni qui ressemble à un tambour de métal miniature tourné sur le côté et muni d'un bec à l'une des extrémités. Cet appareil avait à l'origine été conçu pour la cuisson lente du poulet. L'oiseau, enroulé de bacon, d'herbes et d'ail, baigne dans le jus d'orange. C'est un plat délicieux et relativement simple à préparer. ● **2 portions**

MIJOTEUSE : Moyenne, ronde ou ovale
INTENSITÉ ET TEMPS DE CUISSON : ÉLEVÉE, de 3½ à 4½ heures

3 à 4 brins de thym frais
3 brins de persil frais
2 gousses d'ail, l'une écrasée, l'autre tranchée
1 faisan de 1 à 1,5 kg (2 à 3 lb), rincé et épongé
Sel, et poivre noir du moulin, au goût
1 grosse orange
4 tranches de bacon fumé ou de bacon au poivre
15 ml (1 c. à table) d'huile d'olive
60 ml (¼ tasse) de bouillon de poulet

1. Placer le thym, le persil et l'ail écrasé dans la cavité du faisan. Mettre les tranches d'ail entre les cuisses et le corps de la volaille. Saler et poivrer. Prélever le zeste de l'orange en longues bandes épaisses et bouclées, puis les répartir sur la poitrine. Envelopper la poitrine de bacon et déposer le faisan dans la mijoteuse. Couper l'orange en deux et presser le jus sur toute la surface de l'oiseau. Placer une des moitiés d'orange pressées dans la cavité de l'oiseau. Asperger le faisan d'huile d'olive et de bouillon. À couvert, laisser cuire à intensité élevée de 3½ à 4½ heures ou jusqu'à ce que la viande soit tendre et qu'un thermomètre inséré dans la cuisse indique 85 °C (180 °F).

2. Arroser le faisan de jus de cuisson. Servir dans un plat.

Lapin chasseur

Ce plat est un vieux classique européen. Coupez le lapin en 8 morceaux : les 2 cuisses avant ; la selle ou le dos coupé en deux ; les 2 cuisses arrière ; et les 2 côtes. Cette recette est adaptée de celle servie au restaurant allemand Kasteel Franssen, à Oak Harbor sur Whitbey Island dans Washington Sound. Servez ce plat sur un lit de riz ou avec des pommes de terre nouvelles cuites à la vapeur. ○ **2 à 3 portions**

MIJOTEUSE : Moyenne ou grande, ronde ou ovale
INTENSITÉ ET TEMPS DE CUISSON : ÉLEVÉE, de 3½ à 5 heures ; les
    champignons sont ajoutés après 2 heures de cuisson

1 lapin de 1,2 à 1,5 kg (2½ à 3 lb), coupé en 8 morceaux rincés et épongés
Sel, et poivre noir du moulin, au goût
4 tranches de bacon
4 échalotes françaises, hachées
3 gousses d'ail, finement hachées
30 ml (2 c. à table) de farine tout usage ou de farine à pâtisserie de blé
    entier
120 ml (½ tasse) de vin blanc sec
1 boîte de 227 ml (8 oz) de sauce tomate
120 ml (½ tasse) d'eau
5 ml (1 c. à thé) de thym frais, ciselé
5 ml (1 c. à thé) de basilic frais, finement haché
360 ml (1½ tasse) de champignons frais tranchés, par exemple des
    champignons de Paris ou des champignons sauvages, ou un mélange
60 ml (¼ tasse) de persil plat frais, ciselé

1. Saler et poivrer généreusement le lapin. Dans une grande poêle, à feu moyen-vif, faire cuire le bacon jusqu'à l'obtention d'une consistance croustillante. L'égoutter sur des essuie-tout, l'émietter et le réserver. Faire dorer les morceaux de lapin dans la graisse de bacon chaude et les transférer dans la mijoteuse. Déposer les échalotes et l'ail dans la poêle et, en brassant, les faire cuire pendant 2 minutes. Saupoudrer de farine. Verser le vin et, en raclant le fond de la poêle pour en détacher les particules, faire chauffer à feu vif. Ajouter la sauce tomate, l'eau, le thym et le basilic, puis amener à ébullition. Ajouter sur le lapin. À couvert, laisser cuire à intensité élevée pendant 2 heures.

2. Ajouter les champignons, couvrir de nouveau et poursuivre la cuisson à intensité élevée de 1½ à 3 heures ou jusqu'à ce que la viande soit très tendre et se détache facilement de l'os. Rectifier l'assaisonnement. Garnir de persil et de miettes de bacon.

Bœuf, veau et venaison

Le bœuf est incontestablement le roi de la mijoteuse : c'est une viande polyvalente et succulente. Pour d'autres méthodes de cuisson, la plupart des cuisiniers cherchent les coupes de viande les plus chères et les plus maigres car elles sont pratiques et ont une fabuleuse saveur. Ce qu'il faut pour la mijoteuse, ce sont les coupes les plus coriaces ; ces dernières sont parfaites, car l'appareil les transformera en bouchées qui fondront dans la bouche.

Les coupes les plus coriaces, celles qui ont la plus grande densité musculaire, sont parfaites pour faire des mijotés, des ragoûts et des rôtis braisés à la mijoteuse. Elles proviennent de la partie de l'animal qui fournit le plus important travail — le cou, les épaules (paleron, bloc), la partie de devant (pointe de poitrine), le postérieur (bifteck de ronde) et le dessous (flanchet et poitrine). Ces coupes plus coriaces — la pointe de poitrine, la palette et le bout de côtes — constituent habituellement les meilleures aubaines sur le marché de la viande. Plusieurs cuisiniers préfèrent couper eux-mêmes leur viande à ragoût à partir d'un gros rôti ; nous encourageons cette habitude. Non seulement est-elle économique, mais aussi vous donnera-t-elle la meilleure viande pour les ragoûts. Trop souvent, la viande à ragoût emballée est coupée dans une partie comme le haut de ronde, qui possède une belle apparence mais qui séchera et durcira à la cuisson.

Bien que les morceaux provenant des parties musclées d'un bouvillon sont plus coriaces au départ, la longue cuisson humide donnera des plats tendres, succulents et parfumés, car les muscles sont parsemés de tissu conjonctif qui se dissout pendant une très longue cuisson, ce qui donne une viande soyeuse se coupant à la fourchette.

Lorsque vous choisissez une coupe de viande, cherchez une viande légèrement humide, d'un léger rouge cerise à rouge brique, avec une odeur nette, un grain serré, marbrée de gras intramusculaire (il y aura des mouchetures de gras sur toute la viande) et avec un gras externe blanc. Regardez la date de péremption avant d'acheter de la viande emballée et conservez toujours le bœuf au réfrigérateur. Cherchez les viandes classées AAA ; elles sont les plus juteuses et les plus savoureuses. Cependant, les viandes classées AA et A, beaucoup plus maigres, conviennent parfaitement pour les ragoûts et les mijotés. Magasinez dans un supermarché de confiance ou encore dans une petite boucherie et n'hésitez pas à poser des questions ; les bons cuisiniers apprécient les conseils d'un boucher bien renseigné.

Voici les coupes traditionnelles à braiser. Ce sont les meilleures pour les rôtis braisés et pour faire des cubes à ragoût.

Le *bifteck de palette,* souvent vendu sous la forme d'un morceau plat, devient tendre et juteux à la cuisson ; il n'est jamais dur et filandreux. Prenez un morceau qui convient à la taille et à la forme de votre mijoteuse. C'est la coupe que vous choisirez pour couper vos cubes à ragoût. Une fois roulée et attachée, la *bavette de flanchet* est aussi excellente pour un rôti braisé. Sinon, vous pouvez prendre de la *joue* ou du *jarret* de bœuf.

La *pointe de poitrine* est toujours désossée. Elle peut être achetée entière, en pièces de 4,5 à 6,75 kg (10 à 15 lb), mais on la vend habituellement coupée. La moitié arrière est plus maigre, tandis que la partie avant est plus grasse, mais cette partie de viande est excellente braisée. La pointe de poitrine est marinée dans des épices pour faire le corned-beef.

L'extérieur de ronde, un gros et solide morceau de muscle, est aussi désossé. C'est la viande utilisée pour préparer le bifteck à la suisse et le sauerbrauten. Elle est marinée pour compenser le manque de gras. Bien que certaines personnes aiment un rôti braisé d'extérieur de ronde, la plupart préfèrent l'épaule. L'extérieur de ronde convient très bien comme viande à ragoût. Les *bracioles* sont de minces tranches coupées dans l'intérieur ou l'extérieur de ronde ; braisées, elles donnent les rouleaux de bœuf nommés paupiettes.

La *queue de bœuf* est une de nos viandes préférées dans la mijoteuse. Elle provient de la partie caudale du bétail, coupée en gros morceaux. Il s'agit d'une viande humble, peu servie de nos jours ; cependant, une fois que vous l'aurez goûtée, nous sommes certaines que vous l'aimerez. La queue de bœuf contient

Les meilleures coupes de bœuf pour la mijoteuse

Bifteck de palette

Palette désossée

Tranche d'épaule

Rond de palette

Morceau à braiser

Bifteck de haut de palette à mijoter

Pointe de poitrine ou corned-beef

Bifteck d'intérieur de ronde

Bifteck d'extérieur de ronde

Bout de côtes

Jarret, coupe du centre

Braciole

Queue de bœuf

Joue de bœuf

Les meilleures coupes de veau pour la mijoteuse

Palette avec os

Épaule

Rôti de palette d'épaule

Pointe de poitrine

Joue

Jarret

beaucoup de collagène, qui se transforme en gélatine en se dissolvant, apportant beaucoup de saveur et une texture soyeuse. Le *jarret de bœuf,* peu vendu, est formidable à braiser et pour couper de la viande à ragoût. Le jarret est aussi un excellent choix pour préparer des bouillons. Essayez d'en plonger une tranche dans un plat de haricots ou une soupe afin d'ajouter de la saveur.

La viande de veau provient de spécimens âgés de 4 mois. Certaines coupes contiennent beaucoup de collagène et donnent des mijotés tendres et extraordinaires. Même si le veau n'est pas très populaire aux

•• Conseils importants pour les plats braisés •• et les ragoûts

Braiser une viande, ou la faire cuire lentement dans du liquide, est la façon la plus facile de l'attendrir et de révéler sa pleine saveur. Nous faisons une distinction entre une viande braisée et un ragoût; un plat braisé demande un gros morceau de viande, tandis qu'un ragoût demande de la viande découpée en petits morceaux. La viande se braise dans une petite quantité de liquide, tandis qu'un ragoût baigne dans une grande quantité de liquide savoureux. Le jus de cuisson d'un plat braisé finit par donner une sauce. Voici nos recommandations pour les plats braisés et les ragoûts préparés à la mijoteuse.

Si vous faites un ragoût, mettez d'abord les légumes durs comme les pommes de terre et les carottes dans la mijoteuse. Dans une marmite ou une poêle à fond épais, faites ensuite dorer les morceaux de viande, taillés de grosseur uniforme, sans les entasser. Mettez la viande dans le pot de grès aussitôt qu'elle est saisie. Faites ensuite revenir les oignons et les autres légumes demandés dans la recette. Versez-les dans le pot de grès. Ajoutez ensuite le liquide de cuisson dans la poêle pour déglacer, ce qui signifie racler le fond pour en détacher les particules. Déglacer rehausse le goût des jus et liquides de cuisson, et leur donne une couleur profonde. Portez le liquide à ébullition, versez-le ensuite sur la viande, puis couvrez et allumez la mijoteuse. Puisque le récipient amovible de la mijoteuse est vernissé, vous n'avez pas à vous inquiéter d'une réaction avec les ingrédients acides, comme les tomates ou le vin.

De façon générale, si vous souhaitez que la saveur de la viande se transmette au liquide et que vous ne vous souciez pas de la texture (dans le cas de bouillon ou de potage, par exemple), commencez avec de l'eau froide et laissez cuire à faible intensité. Si vous voulez conserver un peu de saveur de la viande et une texture un plus peu ferme, commencez avec de l'eau froide, mais faites cuire pendant 1 heure à intensité élevée avant de régler l'appareil à faible intensité; cette façon de faire accélère le processus de cuisson. Si vous voulez obtenir une texture idéale et emprisonner toute la saveur possible dans la viande, épongez la viande sèche avec des essuie-tout et faites-la dorer dans une poêle à feu élevé, puis mettez-la dans la mijoteuse avec le liquide chaud. Saisir la viande, une étape importante dans les plats braisés traditionnels, caramélise la surface, ce qui ajoute considérablement de saveur. Les ragoûts de viande devraient toujours mijoter doucement, ne jamais bouillir, pour développer entièrement leur saveur et leur caractère distincts. C'est un processus que réalise parfaitement la mijoteuse. Le collagène, la substance dure et filandreuse contenue dans le tissu conjonctif, se transforme en gélatine. C'est pourquoi votre sauce devient brillante et votre viande tendre.

Comment savoir que le plat braisé ou le ragoût est à point? La viande se détachera facilement de l'os, s'il y en a un, et vous devriez être capable de percer ou de couper la viande à l'aide d'une fourchette. Vous trouverez des conseils pour dégraisser le liquide de cuisson à la page 18.

Les ragoûts et les braisés de bœuf seront succulents s'ils sont préparés 1 ou 2 jours à l'avance et réchauffés au moment de servir. Ils se conserveront jusqu'à 3 jours au réfrigérateur et jusqu'à 3 mois au congélateur.

États-Unis, les Européens l'apprécient et proposent de nombreuses recettes qui l'utilisent. Vous pouvez choisir entre le veau de lait, dont la chair est rose pâle, ou le veau de grain, provenant de bêtes qui peuvent gambader et paître; cette viande est plus rougeâtre et plus goûteuse. En raison de son goût délicat, le veau se marie avec de nombreux légumes, épices et bouillons parfumés. C'est la plus maigre des viandes. La *poitrine,* le *carré d'épaule,* la *joue* et la *palette* de veau sont des coupes idéales pour faire des cubes à ragoût, et ce sont les coupes les plus économiques. Un des ragoûts français classiques, et fantastiques, est la *blanquette de veau,* un ragoût de veau cuit dans une riche sauce à la crème.

Comme toujours, n'oubliez pas de garder propres les plans de préparation de la viande et d'éviter la contamination bactérienne en lavant vos mains, le comptoir, les planches à découper et les couteaux à l'eau chaude savonneuse. La bactérie *E. coli* est l'agent pathogène que l'on associe le plus souvent au bœuf. Elle vit à la surface de la viande, mais de bonnes habitudes de préparation préviennent la contamination croisée, et la chaleur de cuisson tuera toute bactérie présente. Ne mangez jamais de viande crue, et congelez la viande qui doit être conservée plus de 3 jours. Décongelez les viandes au réfrigérateur ou au micro-ondes, et non à la température ambiante.

Le meilleur pot-au-feu aux légumes-racines

Cet simple rôti braisé à l'ancienne est sublime : il offre une viande tendre et fondante et une sauce délectable. Prenez le temps de couper les légumes en petits dés de 0,5 à 1,5 cm (¼ à ½ po), de bien faire dorer la viande et de porter l'eau à vive ébullition avant de la déposer à l'intérieur du pot de la mijoteuse. Chacune de ces étapes joue un rôle important dans le résultat final. Cherchez un morceau à braiser qui soit épais. S'il est trop gros pour entrer à plat dans votre mijoteuse, coupez-le en deux et placez les morceaux l'un par-dessus l'autre. Si vous faites braiser le rôti pendant tout le temps de cuisson suggéré, il pourra être trop tendre pour être tranché. Servez-le simplement en gros morceaux succulents — ils se couperont à la fourchette — sur de grosses nouilles aux œufs, des macaronis en forme de « S » (*cavatappi* ou « tire-bouchon tubulaire ») ou une purée de pommes de terre pour absorber le jus. ● **4 à 6 portions**

MIJOTEUSE : Moyenne, ovale ; ou grande, ronde ou ovale
INTENSITÉ ET TEMPS DE CUISSON : FAIBLE, de 8 à 9 heures

30 ml (2 c. à table) d'huile d'olive, ou au besoin
120 ml (½ tasse) de carotte coupée en petits dés

120 ml (½ tasse) de céleri coupé en petits dés, et quelques feuilles

120 ml (½ tasse) de navet coupé en petits dés

120 ml (½ tasse) d'oignon coupé en petits dés

1 bifteck de palette désossé de 1,5 kg (3 lb), paré du gras et épongé

2 ml (½ c. à thé) de sel

1 ml (¼ c. à thé) de poivre noir fraîchement moulu

120 ml (½ tasse) de vin rouge sec

180 ml (¾ tasse) d'eau

1. Dans une grande poêle à fond épais, à feu moyen-vif, faire chauffer 15 ml (1 c. à table) d'huile. En brassant à quelques reprises, y attendrir la carotte, le céleri, le navet et l'oignon pendant environ 5 minutes. Transférer dans la mijoteuse.

2. À feu moyen-vif, faire chauffer les derniers 15 ml (1 c. à table) d'huile dans la poêle. Y faire brunir le premier côté du rôti, ce qui prendra 2 ou 3 minutes si la poêle est vraiment chaude. Si la viande est très maigre ou que la poêle n'a pas de revêtement antiadhésif, ajouter un peu plus d'huile avant de tourner la viande à l'aide de pinces et de la faire brunir de l'autre côté. Saler et poivrer. Transférer la viande avec les légumes dans la mijoteuse. Verser le vin dans la poêle et, en raclant le fond pour en détacher les particules, porter à ébullition. Quand le vin aura suffisamment réduit pour avoir la consistance d'un sirop, soit après 1 à 2 minutes, le verser sur la viande. Ajouter l'eau dans la poêle et porter à vive ébullition. Verser de nouveau sur la viande dans la mijoteuse. À couvert, laisser cuire à faible intensité de 8 à 9 heures.

3. Au moment de servir, transférer la viande sur une planche à découper, et remettre tout légume dans la mijoteuse. Verser les légumes et le liquide de cuisson dans une passoire posée sur un bol. Utiliser le dos d'une cuillère pour presser fermement les légumes afin d'en extraire le plus de jus possible ; jeter les légumes. Laisser reposer un peu ce liquide ou ce jus de viande jusqu'à ce que le gras monte à la surface. Retirer autant de gras que possible de la sauce au jus. Trancher le rôti braisé perpendiculairement à la fibre. Servir avec la sauce au jus.

Bœuf braisé facile

Ce plat se prépare sans effort, puisqu'on ne fait rien revenir et qu'on ne se complique pas la vie. Remplissez simplement la mijoteuse puis, plus tard dans la journée, épaississez le jus recueilli dans le pot de grès. Cette recette contient beaucoup plus de liquide que les autres, ce qui donnera la base de votre sauce au jus. La viande reste tendre et juteuse, exactement comme nous aimons notre rôti braisé. Ce plat est tout aussi délicieux le lendemain.

◉ **6 à 8 portions**

MIJOTEUSE : Moyenne, ovale ; ou grande, ronde ou ovale
INTENSITÉ ET TEMPS DE CUISSON : FAIBLE, de 6 à 8 heures

1 bifteck de palette désossé de 1,8 kg (4 lb), paré du gras et épongé
2 ml (½ c. à thé) de sel
1 ml (¼ c. à thé) de poivre noir fraîchement moulu
4 grosses carottes, coupées en tronçons de 7,5 cm (3 po)
4 grosses pommes de terre, pelées et coupées en quatre
1 gros oignon jaune, coupé en quartiers
2 feuilles de laurier
720 ml (3 tasses) d'eau
120 ml (½ tasse) de vinaigre de cidre
45 ml (3 c. à table) de beurre non salé, ramolli
45 ml (3 c. à table) de farine tout usage

1. Mettre le rôti dans la mijoteuse. Saler et poivrer. Ajouter les carottes, les pommes de terre, l'oignon et les feuilles de laurier. Verser l'eau et le vinaigre sur la viande et les légumes. À couvert, laisser cuire à faible intensité de 6 à 8 heures.

2. Mettre la viande et les légumes dans un plat chaud et les couvrir de papier d'aluminium. Régler la mijoteuse à intensité élevée. Il y aura environ 720 ml et un peu plus (3 pleines tasses) de liquide. Dans un petit bol, écraser le beurre et la farine pour faire un beurre manié (voir page 21). Incorporer ce dernier au liquide chaud dans la mijoteuse et, à l'aide d'un fouet, remuer jusqu'à ce qu'il fonde et que le liquide épaississe. Verser une certaine quantité de sauce sur la viande et les légumes. Verser le reste dans une saucière. Servir.

Pot-au-feu de Skye

S kye Stewart est notre directrice de la commercialisation et de la publicité à The Harvard Common Press. Voici sa version de rôti braisé avec d'appétissants morceaux de légumes, une adaptation d'une populaire recette tirée de *Mable Hoffman's Crockery Cookery* (HPBooks, 1995), avec quelques entorses personnelles de Skye, suppressions et ajouts (le panais). Quand Skye n'utilise pas de panais, elle double la quantité de carottes, mais nous aimons bien le mélange. Nous aimons aussi frotter la viande d'assaisonnement et nous ne la faisons pas revenir à la poêle. La viande demeure savoureuse avec un minimum de travail ; il suffit de remplir le pot de grès et de régler l'appareil. Skye fait ce pot-au-feu dans une grande mijoteuse (7 l ou 28 tasses). Les portions sont généreuses et il y aura de délicieux restes. ● **6 à 8 portions**

MIJOTEUSE : Moyenne, ovale ; ou grande, ronde
INTENSITÉ ET TEMPS DE CUISSON : FAIBLE, de 8 à 9 heures

5 ml (1 c. à thé) de sel

1 à 2 ml (¼ à ½ c. à thé) de poivre noir fraîchement moulu, au goût

1 ml (¼ c. à thé) de paprika

1,5 à 1,6 kg (3 à 3½ lb) de palette désossée, parée du gras et épongée

1 branche de céleri, grossièrement hachée

1 gros oignon, coupé en croissants

2 à 3 carottes, coupées en rondelles de 2,5 cm (1 po) d'épaisseur

2 à 3 panais, pelés et coupés en rondelles de 2,5 cm (1 po) d'épaisseur

4 pommes de terre riches en amidon, pelées ou non, chacune coupée en
   8 morceaux

240 ml (1 tasse) de bouillon de bœuf

1. Mélanger le sel, le poivre et le paprika. Frotter tous les côtés du rôti avec le mélange d'épices. Mettre les légumes dans la mijoteuse, en terminant par les pommes de terre. Déposer la viande sur les pommes de terre. Verser le bouillon sur les légumes et la viande.

2. À couvert, laisser cuire à faible intensité de 8 à 9 heures. Servir la viande et les légumes directement de la mijoteuse et arroser de jus de cuisson chaud.

Pointe de poitrine de bœuf braisée

Que nous fassions la file au bureau de poste ou que nous discutions entre cuisiniers, à la question «Quel est votre plat préféré à la mijoteuse?», la réponse est souvent un morceau de bœuf mélangé à un sachet de préparation pour soupe à l'oignon qui a cuit toute la journée. «Oh, c'est tellement réconfortant après une longue journée où l'on a conduit les jeunes du terrain de foot à une compétition de basket-ball», nous dit-on. Nous avons long-temps haussé les épaules avec snobisme sur cette recette pour en rassembler de nombreuses autres faites à partir de zéro. Mais cette humble recette a continué à faire surface. Eh bien, quand nous l'avons trouvée dans *The Complete Meat Cookbook* de Bruce Aidells et Denis Kelly (Houghton Mifflin, 1998), nous avons estimé avoir la permission des grands prêtres de l'in-clure ici. C'est la recette que toute maman a puisée dans l'édition *The Joy of Cooking* parue dans les années 1950, mais adaptée aux nouveaux produits alimentaires conçus pour gagner du temps. Utilisez de la pointe de poitrine de bœuf ou un bout de côtes ou encore un morceau à mijoter. Cette recette donne de délicieux restes. ⊙ **8 à 10 portions**

MIJOTEUSE : Moyenne, ovale ; ou grande, ronde ou ovale
INTENSITÉ ET TEMPS DE CUISSON : FAIBLE, de 6 à 9 heures

1 pointe de poitrine ou 1 bifteck de palette désossé de 1,8 à 2,25 kg (4 à
    5 lb), paré du gras et épongé
3 oignons jaunes, de grosseur moyenne, coupés en deux et émincés en
    demi-lunes
2 branches de céleri, hachées
240 ml (1 tasse) de sauce chili du commerce
1 bouteille de bière blonde de 341 ml (12 oz)
120 ml (½ tasse) d'eau
1 sachet de préparation pour soupe à l'oignon, déshydraté
5 ml (1 c. à thé) de sel
1 ml (¼ c. à thé) de poivre noir fraîchement moulu

1. Mettre le morceau de bœuf dans la mijoteuse. Si le morceau est trop grand pour entrer à plat dans la mijoteuse, le couper en deux et empiler les moitiés. Ajouter les tranches d'oignon et les morceaux de céleri.

2. Dans un bol de taille moyenne, mélanger le reste des ingrédients. Verser le mélange sur la viande et les légumes. À couvert, laisser cuire à faible intensité de 6 à 9 heures.

3. Dégraisser la sauce. Trancher la viande. Servir avec la sauce.

Pointe de poitrine de bœuf à la tomate piquante

La pointe de poitrine est une grosse pièce tendineuse du bœuf, coupée dans la région de la poitrine de l'animal. Elle est souvent transformée en corned-beef ou en bœuf barbecue à la manière du Texas, mais elle est aussi populaire en rôti braisé, particulièrement parmi les Juifs américains. Tous les livres de cuisine de synagogue publiés ou photocopiés contiennent au moins une recette de pointe de poitrine braisée. La saveur du liquide de cuisson varie de salée (bouillon, bière ou jus de tomate) à très sucrée (Coca-Cola!). Les oignons tranchés, habituellement en grande quantité, constituent une constante dans les recettes. Lorsque nous avons commencé à faire des expériences avec des pointes de poitrine dans la mijoteuse, nous avons rencontré un problème : il y avait trop de liquide. Notre solution a été de concocter une sorte de pâte de cuisson, basée sur la pâte de tomates, plutôt que d'utiliser un liquide de cuisson. Pendant que la viande relâche son jus, la pâte très goûteuse s'éclaircit pour donner une belle sauce, évoquant un peu la sauce barbecue. Si vous voulez une grande quantité de sauce (peut-être pour préparer des sandwichs à manger avec un couteau et une fourchette), doublez la quantité de pâte de cuisson ◉ **6 à 8 portions**

MIJOTEUSE : Moyenne, ovale; ou grande, ronde ou ovale
INTENSITÉ ET TEMPS DE CUISSON : FAIBLE, de 5 à 7 heures

85 ml (3 oz) de pâte de tomates (la moitié d'une boîte de 170 ml (6 oz)
60 ml (¼ tasse) de cassonade blonde, bien tassée
30 ml (2 c. à table) de vinaigre de cidre
2 ml (½ c. à thé) de sauce Worcestershire
0,5 ml (⅛ c. à thé) de moutarde sèche
2 à 3 grosses gousses d'ail, pressées
1 pointe de poitrine de 1,5 à 1,8 kg (3 à 4 lb), parée du gras et épongée
Sel, et poivre noir du moulin, au goût
Paprika, au goût
15 ml (1 c. à table) d'huile, au choix
2 gros ou 3 petits oignons jaunes, coupés en deux et émincés en demi-lunes

1. Dans un petit bol, mélanger la pâte de tomates, la cassonade, le vinaigre, la sauce Worcestershire, la moutarde et l'ail.

2. Si le morceau de viande est trop grand pour entrer à plat dans la mijoteuse, le couper en deux. Saler et poivrer généreusement la viande et la saupoudrer de paprika.

3. Dans une grande poêle à fond épais, antiadhésive de préférence, faire chauffer l'huile à feu vif. Lorsque la poêle est très chaude, bien saisir la viande, environ 3 minutes par côté. La transférer dans un plat. Ajouter les oignons dans la poêle et, en brassant à quelques reprises, les faire cuire de 5 à 7 minutes, le temps que les côtés soient bruns, voire un peu roussis.

4. Mettre la moitié des oignons dans la mijoteuse. (Si la pointe de poitrine a été coupée en 2 morceaux, n'y mettre qu'un tiers des oignons.) Badigeonner généreusement les deux côtés de la pointe de poitrine de bœuf avec le mélange de pâte de tomates et la déposer, le côté plus gras vers le haut, dans la mijoteuse. Garnir avec le reste des oignons. (Si la pointe de poitrine a été coupée en deux, mettre un tiers des oignons entre les deux morceaux de viande et le reste sur le second morceau.) Verser le jus accumulé dans la poêle sur le bœuf. À couvert, laisser cuire à faible intensité de 5 à 7 heures ou jusqu'à ce que la pointe de poitrine soit tendre lorsque piquée à l'aide d'une fourchette.

5. Mettre la viande sur une planche à découper et couper en diagonale, en travers de la fibre, en tranches fines. Verser la sauce dans un bol et laisser reposer pour éliminer le gras qui remontera à la surface. Servir la viande avec la sauce et les oignons tranchés.

SANDWICHS DE BŒUF ÉMIETTÉ : Poursuivre quelque peu la cuisson de la pointe de poitrine, de 7 à 8 heures en tout. La viande tombera pratiquement en morceaux si on essaie de la sortir de la sauce. Trancher les gros morceaux de bœuf, puis utiliser deux fourchettes pour déchiqueter la viande en petits morceaux. Mettre une portion de viande et de la sauce sur de petits pains chauds. Servir immédiatement.

Corned-beef au chou

Le jour de la Saint-Patrick, pendant un voyage en voiture, Beth s'est arrêtée dans une petite brasserie à Hopland, en Californie. À côté du vieux comptoir du bar où l'on servait de la Red Tail Ale se trouvait un petit restaurant. Tous les plats étaient préparés sur place dans une cuisine de la taille d'un grand placard à balais. Ce jour-là, on y offrait un corned-beef (épicé par le chef) au chou, servi avec des pommes de terre et des carottes vapeur, du pain maison et, pour dessert, une tarte à la sauterelle (tarte à la menthe) dans une croûte aux biscuits au chocolat. Le repas était mémorable, et Beth l'a recréé souvent depuis. Le corned-beef est un des plats les plus populaires à la mijoteuse. ● **8 portions**

MIJOTEUSE : Moyenne ou grande, ronde ou ovale
INTENSITÉ ET TEMPS DE CUISSON : FAIBLE, de 9 à 11 heures pour la viande ;
　　　　puis, ÉLEVÉE pendant environ 30 minutes pour le chou

6 pommes de terre rouges, de grosseur moyenne, coupées en quartiers
4 carottes, de grosseur moyenne, coupées en diagonale en tronçons de
　　5 cm (2 po)
1 oignon jaune, de grosseur moyenne, coupé en 6 croissants
1 corned-beef de 1,5 à 1,8 kg (3 à 4 lb), rincé, avec le sachet
　　d'assaisonnement
3 clous de girofle
2 ml (½ c. à thé) de grains de poivre noir
10 ml (2 c. à thé) de cassonade brune, bien tassée
1 canette de 341 ml (12 oz) de bière, forte ou douce
1 chou blanc, de grosseur moyenne, coupé en 8 pointes, chacune attachée
　　avec de la ficelle de cuisine pour ne pas se défaire dans la mijoteuse
120 ml (½ tasse) de moutarde de Dijon pour le service

1. Mettre les pommes de terre, les carottes et l'oignon dans la mijoteuse. Placer le corned-beef sur les légumes et le parsemer de son assaisonnement, des clous de girofle, des grains de poivre et de la cassonade. Si le morceau est trop grand pour entrer à plat dans la mijoteuse, le couper en deux et empiler les moitiés. Verser la bière et suffisamment d'eau pour à peine recouvrir le bœuf. À couvert, laisser cuire à faible intensité de 9 à 11 heures.

2. Enlever le corned-beef et le transférer dans un plat de service. Disposer les légumes autour du bœuf ; couvrir le plat de papier d'aluminium pour garder le tout au chaud.

3. Déposer le chou dans le jus de cuisson de la mijoteuse et régler l'appareil à intensité élevée. À couvert, laisser cuire de 20 à 30 minutes, le temps que le chou soit tendre, mais encore croquant.

4. Servir le bœuf, tranché en travers de la fibre, avec la moutarde, les légumes et le chou. Servir le jus de cuisson directement du récipient amovible en grès.

Corned-beef glacé au bourbon et à la mélasse

La mijoteuse convient parfaitement bien au corned-beef. Dans ce cas, en plus de l'assaisonnement habituel, vous ajoutez votre propre mélange d'épices et glacez la viande au four pendant 15 minutes pour obtenir une croûte sucrée et savoureuse. Servez ce corned-beef avec des pommes de terre et des carottes rôties, au lieu de l'habituel chou. ● **6 à 8 portions**

MIJOTEUSE : Moyenne, ovale ; ou grande, ronde ou ovale
INTENSITÉ ET TEMPS DE CUISSON : FAIBLE, de 9 à 11 heures ; puis, 15 minutes
    au four pour le glaçage

1 corned-beef de 1,5 à 1,8 kg (3 à 4 lb), rincé, avec le sachet
    d'assaisonnement
2 feuilles de laurier
8 grains de poivre noir
2 baies de poivre de la Jamaïque
1 petit bâton de cannelle
5 ml (1 c. à thé) de graines de moutarde jaune
2 chiles de árbol séchés

GLAÇAGE :
240 ml (1 tasse) de cassonade brune, bien tassée
15 ml (1 c. à table) de moutarde, sèche ou de Dijon
60 ml (¼ tasse) de mélasse pâle
80 ml (⅓ tasse) de bourbon

1. Mettre le corned-beef dans la mijoteuse. Si le morceau est trop grand pour entrer à plat dans la mijoteuse, le couper en deux et empiler les moitiés. Verser de l'eau pour

à peine recouvrir le bœuf. Ajouter les feuilles de laurier, les grains de poivre, les baies de poivre de la Jamaïque, la cannelle, les graines de moutarde et les chiles. À couvert, laisser cuire à faible intensité de 9 à 11 heures.

2. Pendant ce temps, dans un bol de taille moyenne, préparer le glaçage en mélangeant la cassonade, la moutarde, la mélasse et le bourbon. Réfrigérer, à couvert, jusqu'au moment d'utiliser le mélange.

3. Lorsque la viande est tendre, préchauffer le four à 190 °C (375 °F). Chemiser une grande plaque de cuisson de papier d'aluminium et l'enduire d'huile. Retirer le corned-beef du jus de cuisson et le déposer sur la plaque. À l'aide d'une cuillère, badigeonner le bœuf en entier du glaçage. Le faire cuire 15 minutes au four, en le nappant du reste de la préparation, afin de solidifier le glaçage.

Rôti de croupe à la sauce rouge

L e rôti de croupe cuit dans la sauce rouge s'est avéré une délicieuse surprise. Le liquide de cuisson rouge a parfumé subtilement tout le rôti, ajoutant une délicate note de sauce soja et d'épices. Malgré le long temps de cuisson, l'assaisonnement n'est pas trop dominant. Ce rôti est délicieux chaud ou à la température ambiante. De plus, il permet de préparer de merveilleux sandwichs froids le lendemain. Essayez la viande tranchée sur des petits pains français croûtés, avec un peu de mayonnaise et quelques rondelles d'oignon doux. Pour plus de détails sur la cuisson à la sauce rouge, voir la recette de Poulet à la sauce rouge à la page 299. Vous aurez besoin d'assez de liquide de cuisson pour recouvrir la viande au moins jusqu'aux deux tiers. ● **8 à 10 portions**

MIJOTEUSE : Moyenne ou grande, ovale de préférence
INTENSITÉ ET TEMPS DE CUISSON : ÉLEVÉE de 30 minutes à 1 heure, puis
 FAIBLE de 7 à 8 heures ; le rôti est tourné après 4 heures de cuisson à
 faible intensité

Environ 720 ml (3 tasses) de sauce rouge, fraîche (voir page 299) ou
 réservée d'utilisations précédentes
1 rôti de croupe de 1,5 kg (3 lb), épongé

1. Verser la sauce rouge dans la mijoteuse. À couvert, laisser cuire à intensité élevée de 30 minutes à 1 heure.

2. Mettre le rôti dans la mijoteuse et le retourner pour bien enrober les deux côtés de sauce. Ce n'est pas grave si le liquide recouvre le rôti complètement. Couvrir de nouveau, régler l'appareil à faible intensité et laisser cuire pendant 4 heures.

3. Retourner le rôti, couvrir de nouveau et poursuivre la cuisson à faible intensité de 3 à 4 heures.

4. Retirer le rôti du liquide de cuisson et le mettre sur une planche à découper. Le laisser tiédir quelque peu, puis le couper en minces tranches de 0,5 cm (¼ po) d'épaisseur. Servir arrosé de quelques cuillérées du jus de cuisson. Pour servir froid, réfrigérer le rôti le temps nécessaire, puis le couper en tranches.

5. Laisser le reste du jus de cuisson tiédir, puis le verser dans une passoire placée au-dessus d'un bocal en verre épais. Jeter tous les solides. Réfrigérer le liquide, à découvert, jusqu'à ce qu'il soit complètement refroidi, puis le couvrir. La sauce rouge se conservera de 7 à 10 jours au réfrigérateur et jusqu'à 3 mois au congélateur. La dégeler avant utilisation. Pour réutiliser la sauce rouge, enlever et jeter le gras solidifié en surface. Verser le liquide dans le récipient en grès de la mijoteuse et procéder comme indiqué dans la recette employant de la viande fraîche. Après la troisième ou la quatrième utilisation, raviver le liquide en ajoutant 120 ml (½ tasse) de sauce soja et la moitié des aromates.

Fajitas au bœuf à la mijoteuse

À notre avis, il n'y a jamais assez de recettes pour la bavette. C'est une des coupes de bœuf les plus savoureuses, même si sa préparation reste délicate, à faire cuire n'importe où, sauf sur un gril à l'extérieur. Ce plat est si simple à préparer et si bon que c'en est presque effrayant! Les fajitas sont préparés par chacun des convives et mangés comme des petits burritos ou des tacos souples. À la différence des autres recettes, vous n'avez pas besoin de faire d'abord mariner la viande; la cuisson lente s'en occupe. **○ 6 portions**

MIJOTEUSE : Moyenne, ronde ou ovale
INTENSITÉ ET TEMPS DE CUISSON : FAIBLE, de 6 à 8 heures

180 ml (¾ tasse) de salsa du commerce avec de gros morceaux, par
    exemple des tomates rôties au four à bois
15 ml (1 c. à table) de pâte de tomates
15 ml (1 c. à table) d'huile d'olive

1 gousse d'ail, finement hachée

45 ml (3 c. à table) de jus de lime frais

5 ml (1 c. à thé) de poivre noir fraîchement moulu

2 ml (½ c. à thé) de sel

1 bavette de flanchet de 750 g (1½ lb), parée de l'excès de gras et de la
membrane argentée

1 gros oignon blanc, coupé en deux et émincé en demi-lunes

3 poivrons rouges, épépinés et coupés en lanières de 0,5 cm (¼ po)
d'épaisseur

POUR LE SERVICE :
Tortillas de blé chaudes (les petites, non les grandes pour burritos)

240 ml (1 tasse) de guacamole

240 ml (1 tasse) de tomates italiennes, hachées

½ botte de coriandre fraîche, hachée

1.   Dans un bol, mélanger la salsa, la pâte de tomates, l'huile d'olive, l'ail, le jus de lime, le poivre et le sel. Déposer la bavette dans la mijoteuse et y verser le mélange en prenant soin de bien couvrir viande. Ajouter l'oignon et les poivrons. À couvert, laisser cuire à faible intensité de 6 à 8 heures ou jusqu'à ce que la viande soit tendre.

2.   Retirer la bavette et les légumes du jus de cuisson et les transférer dans un plat de service. Couvrir le plat de papier d'aluminium et laisser reposer 10 minutes. Couper la viande en travers de la fibre en tranches de 1,5 cm (½ po) d'épaisseur. Empiler la viande sur des tortillas chaudes. Répartir les poivrons et les oignons. Garnir de guacamole, de tomates hachées et de coriandre fraîche.

Bifteck à la suisse

C ontrairement à ce que l'on pourrait penser, ce mets ne tire pas ses origines de la Suisse. Il s'agit plutôt d'un plat populaire en Allemagne qui, depuis plus d'un siècle, est associé à la cuisine du cœur de l'Amérique. Le bifteck épais est attendri, une technique réservée pour les coupes de viande ferme. Ensuite, la viande est braisée avec des oignons, des tomates, des champignons et du céleri dans une marmite, habituellement à feu doux, sur la cuisinière ou dans le four. Cependant, la mijoteuse fait encore mieux le travail. La viande est coupée en bouchées et est accompagnée de purée de pommes de terre, de nouilles aux œufs nappées de beurre ou de chou rouge sauté. ◉ **6 portions**

MIJOTEUSE : Moyenne ou grande, ronde ou ovale

INTENSITÉ ET TEMPS DE CUISSON : FAIBLE, de 9 à 10 heures

1 bifteck d'intérieur de ronde de 1,5 kg (3 lb) et de 2,5 cm (1 po) d'épaisseur,
   les bords parés, coupé en carrés de 10 à 12,5 cm (4 à 5 po), épongés

1 gousse d'ail, pressée

30 à 45 ml (2 à 3 c. à table) de sauce Worcestershire, au goût

120 ml (½ tasse) de farine tout usage

5 ml (1 c. à thé) de thym séché

2 ml (½ c. à thé) de paprika

2 ml (½ c. à thé) de sel

2 ml (½ c. à thé) de poivre noir fraîchement moulu

30 à 60 ml (2 à 4 c. à table) d'huile d'olive légère

1 oignon jaune, de grosseur moyenne, haché

120 ml (½ tasse) de carotte hachée

120 ml (½ tasse) de céleri émincé

227 ml (8 oz) de champignons frais, tranchés

240 ml (1 tasse) de sauce chili du commerce

240 ml (1 tasse) de bouillon de légumes

1. Frotter chaque morceau de viande avec l'ail et l'enduire de sauce Worcestershire. Dans un sac en plastique à fermeture à glissière ou dans un bol, mélanger la farine, le thym, le paprika, le sel et le poivre noir y transférer la viande et bien l'enrober. À l'aide d'un maillet, attendrir le bifteck sur chacun de ses côtés jusqu'à ce que la farine assaisonnée sature le bifteck. (En étant prudent, on peut accomplir cette étape pendant que la viande se trouve dans le sac en plastique.)

2. Dans une grande poêle, à feu moyen vif, faire chauffer 15 ml (1 c. à table) d'huile jusqu'à ce qu'elle soit très chaude. Y ajouter la moitié de la viande et la faire dorer sur tous les côtés, soit de 4 à 5 minutes. Transférer dans la mijoteuse. Répéter l'opération avec le reste de la viande en ajoutant de l'huile au besoin. Ensuite, attendrir légèrement l'oignon dans la poêle, soit environ 3 minutes, en raclant le fond pour en détacher les particules. Transférer dans la mijoteuse. Mélanger les carottes et le céleri dans un petit bol, puis les ajouter au contenu de la mijoteuse. Ajouter les champignons, la sauce chili et le bouillon en s'assurant que la viande baigne dans la sauce. À couvert, laisser cuire à faible intensité de 9 à 10 heures ou jusqu'à ce que la viande soit assez tendre pour se couper à la fourchette.

3. À la fin de la cuisson, rectifier l'assaisonnement. Servir chaud avec le jus de cuisson.

Ragoût de bœuf de maman

La fantaisie, c'est bien, mais on désire parfois la simplicité. Voici le ragoût de bœuf le plus simple que vous puissiez imaginer : du bœuf, des carottes, des pommes de terre, des oignons, des champignons et des pois dans une sauce au jus avec un soupçon de tomate. C'est évidemment celui que nous faisons le plus souvent. Si vous cuisinez pour une grande tablée, vous pourrez doubler la recette. Dans ce cas, omettez les pommes de terre, qui prennent beaucoup de place dans la mijoteuse. Servez ensuite le ragoût sur du riz, des nouilles ou de la purée de pommes de terre que vous aurez fait cuire séparément. ● **6 à 8 portions**

MIJOTEUSE : Moyenne ou grande, ronde ou ovale

INTENSITÉ ET TEMPS DE CUISSON : FAIBLE de 8 à 9 heures, puis ÉLEVÉE pendant environ 15 minutes, ou ÉLEVÉE de 4¼ à 5¼ heures ; les pois sont ajoutés avant les 15 dernières minutes de cuisson

8 à 12 petites pommes de terre à bouillir goûteuses pesant au total de 500 à 750 g (1 à 1½ lb), comme des Yellow Finn, des Butterball ou des Yukon Gold (pour une grande mijoteuse, utiliser la plus grande quantité)

4 grosses carottes, coupées en tronçons de 2,5 à 4 cm (1 à 1½ po), les gros morceaux coupés en deux dans le sens de la longueur

120 ml (½ tasse) de farine tout usage

2 ml (½ c. à thé) de paprika

2 ml (½ c. à thé) de sel

0,5 ml (⅛ c. à thé) de poivre noir fraîchement moulu

1 à 1,3 kg (2 à 2½ lb) de palette désossée, parée de l'excès de gras, coupée en morceaux de 4 cm (1½ po), puis épongés

15 à 30 ml (1 à 2 c. à table) d'huile d'olive, ou au besoin

1 gros oignon, ou 2 petits, coupés en 6 ou 8 croissants

1 grosse branche de céleri, les fils externes enlevés avec un couteau ou un économe, coupée en tronçons de 1,5 cm (½ po)

6 à 8 champignons frais, de grosseur moyenne, coupés en deux

480 ml (2 tasses) de bouillon de bœuf

60 ml (¼ tasse) de pâte de tomates

15 ml (1 c. à table) de sauce soja

15 ml (1 c. à table) de vinaigre de vin rouge

2 ml (½ c. à thé) de sucre

1 pincée de clous de girofle moulus

Sel, et poivre noir du moulin (facultatif), au goût

1 petite feuille de laurier

2 brins de persil plat, frais

1 paquet de 283 g (10 oz) de pois surgelés, dégelés

1. Mettre les pommes de terre dans la mijoteuse. Les recouvrir des carottes.

2. Dans un sac en plastique à fermeture à glissière ou un bol, mélanger la farine, le paprika, le sel et le poivre. Déposer une partie des morceaux de bœuf dans le mélange. Les secouer pour enlever tout excédent et les transférer dans un plat. Répéter l'opération avec le reste de la viande.

3. Dans une grande poêle, à feu moyen-vif, faire chauffer 15 ml (1 c. à table) d'huile. Ajouter un peu de viande ; éviter de l'entasser dans la poêle. Bien faire dorer le premier côté des morceaux avant de remuer délicatement de façon à faire brunir les autres faces. Une fois cette étape terminée, utiliser une cuillère à égoutter pour transférer les morceaux de viande dans la mijoteuse. Répéter l'opération avec le reste de la viande en ajoutant au besoin de l'huile dans la poêle.

4. Cette étape terminée, ajouter l'oignon, le céleri et les champignons dans la mijoteuse. Remuer doucement pour distribuer les ingrédients avec la viande en essayant de ne pas déplacer les pommes de terre et les carottes au fond de la mijoteuse.

5. Dans un bol ou une tasse à mesurer en verre de 1 l (4 tasses), mélanger le bouillon, la pâte de tomates, la sauce soja, le vinaigre, le sucre et le clou de girofle. Verser le mélange dans la mijoteuse. Si le bouillon n'est pas assaisonné, saler et poivrer. Mettre la feuille de laurier et les brins de persil dans le ragoût. À couvert, laisser cuire à faible intensité de 8 à 9 heures ou à intensité élevée de 4 à 5 heures.

6. Jeter le persil et la feuille de laurier. Incorporer les pois, couvrir de nouveau et faire cuire à intensité élevée de 10 à 15 minutes ou jusqu'à ce que les pois soient chauds. Servir le ragoût chaud dans des assiettes ou des bols peu profonds.

Ragoût de bœuf

oici un autre merveilleux ragoût de bœuf. Utilisez un vin rouge ayant du caractère, comme un chianti ou un zinfandel. Pour donner plus de saveur à votre ragoût, assurez-vous de bien faire dorer la viande. Nous aimons servir ce plat avec des spätzle, un riz blanc cuit à la vapeur ou des nouilles aux œufs nappées de beurre. ○ **4 à 5 portions**

MIJOTEUSE : Moyenne ou grande, ronde ou ovale
INTENSITÉ ET TEMPS DE CUISSON : FAIBLE de 6 à 7 heures, puis ÉLEVÉE
pendant 45 minutes ; le sel, le poivre, les courgettes et les champignons
sont ajoutés avant les 45 dernières minutes de cuisson

30 ml (2 c. à table) d'huile d'olive
1,5 kg (2 lb) de bœuf à ragoût maigre ou de côte croisée, paré du gras,
coupé en morceaux de 4 cm (1½ po), puis épongés
2 oignons, de grosseur moyenne, grossièrement hachés
2 grosses tomates, pelées, épépinées et hachées ou 1 boîte de 411 ml
(14,5 oz) de tomates en dés avec leur jus
240 ml (1 tasse) de vin rouge sec
240 ml (1 tasse) de carottes miniatures
2 gousses d'ail, finement hachées
30 ml (2 c. à table) de tapioca à cuisson rapide
5 ml (1 c. à thé) d'herbes italiennes séchées
2 ml (½ c. à thé) de sel
1 ml (¼ c. à thé) de poivre noir fraîchement moulu
2 courgettes, de grosseur moyenne, extrémités parées, coupées en deux
dans le sens de la longueur, puis tranchées en diagonale en demi-lunes
de 0,5 cm (¼ po) d'épaisseur
227 g (8 oz) de champignons frais, grossièrement tranchés

1. Dans une grande poêle, à feu moyen-vif, faire chauffer 15 ml (1 c. à table) d'huile jusqu'à ce qu'elle soit très chaude. Ajouter la moitié du bœuf et faire dorer les morceaux sur toutes les faces, soit 3 à 4 minutes au total. Transférer dans la mijoteuse. Ajouter les derniers 15 ml (1 c. à table) d'huile dans la poêle et faire dorer le reste du bœuf. Transférer dans la mijoteuse.

2. Dans la poêle, à feu moyen-vif, attendrir les oignons. Ajouter les tomates et le vin et, en raclant le fond de la poêle pour en détacher les particules, porter à ébullition. Verser dans la mijoteuse. Ajouter les carottes, l'ail, le tapioca et les herbes italiennes au contenu de la mijoteuse. À couvert, laisser cuire à faible intensité de 6 à 7 heures.

3. Ajouter le sel, le poivre, les courgettes et les champignons. Couvrir de nouveau. Régler la mijoteuse à intensité élevée et laisser cuire pendant environ 45 minutes, le temps que la viande, les champignons et les courgettes soient tendres. Servir dans des bols peu profonds ou dans des assiettes avec un rebord.

Ragoût de bœuf hongrois au paprika et à la marjolaine

Les Hongrois sont les maîtres de ce ragoût de campagne, qui est traditionnellement préparé sur un feu ouvert dans des bogrács ou chaudrons. La mijoteuse est un récipient parfait pour réussir ce plat : un lourd pot et une cuisson lente à faible température. Ce ragoût traditionnel ne doit pas être préparé à la hâte ; sa saveur vous convaincra qu'il constitue un merveilleux plat unique. Sa sauce est plus claire que celle d'un ragoût régulier ; il est souvent épaissi avec des pommes de terre et servi avec des nouilles aux œufs incorporées à la fin de la cuisson, bien que ce soit facultatif pour les palais américains. Vous pouvez varier le plat en ajoutant du chou râpé ou un mélange de carottes, chou-rave et haricots verts, coupés en tronçons de 2,5 cm (1 po) qui seront ajoutés à mi-cuisson. Le paprika peut être doux ou piquant, en autant que vous utilisiez du paprika hongrois importé. Beth adore cette méthode pour cuire l'ail, qui est piqué sur un cure-dent et jeté après la cuisson. La goulache n'a besoin que d'un pain croûté et d'un bon vin blanc en accompagnement. Elle est traditionnellement servie à la table, directement du plat de cuisson. Ce plat est une adaptation d'une recette de Susan Derecskey, une des secrétaires de rédaction de Beth et l'auteure de *The Hungarian Cookbook* (Harper and Row, 1972), un des livres favoris de Beth. ● **4 portions**

MIJOTEUSE : Moyenne, ronde ou ovale
INTENSITÉ ET TEMPS DE CUISSON : FAIBLE, de 7 à 8 heures

45 ml (3 c. à table) d'huile d'olive, d'une autre huile de cuisson, ou de saindoux
750 g (1½ lb) de bœuf à ragoût maigre, paré du gras, coupé en gros
    morceaux de 4 cm (1½ po), puis épongés
1 oignon, de grosseur moyenne, grossièrement haché
1 poivron vert, de grosseur moyenne, épépiné et coupé en lanières de
    1,5 cm (½ po) de largeur
5 ml (1 c. à thé) de paprika

600 ml (2½ tasses) de bouillon de bœuf

360 ml (1½ tasse) d'eau

Une grosse pincée de marjolaine séchée

1 ml (¼ c. à thé) de graines de carvi, pilées dans un mortier, ou réduites
    dans un mini-robot

180 ml (¾ tasse) de purée de tomates

2 gousses d'ail, pelées et piquées sur des cure-dents

Sel, au goût

1. Dans une grande poêle, à feu moyen-vif, faire chauffer 25 ml (1½ c. à table) d'huile jusqu'à ce qu'elle soit très chaude. Y faire dorer le bœuf sur toutes les faces, soit de 3 à 4 minutes au total.

2. Transférer la viande dans la mijoteuse.

3. Dans la poêle, ajouter l'oignon, le poivron et le reste de l'huile. À feu moyen-vif, en brassant à quelques reprises, faire dorer légèrement pendant environ 5 minutes. Ajouter le paprika et remuer quelque peu. Verser le bouillon et l'eau et, en raclant le fond de la poêle pour en détacher les particules, amener au point d'ébullition. Transférer dans la mijoteuse. Ajouter la marjolaine, le carvi et la purée de tomates. Enfoncer l'ail dans le ragoût. La viande devrait être recouverte du liquide de cuisson. À couvert, laisser cuire à faible intensité de 7 à 8 heures ou jusqu'à ce que la viande soit tendre.

4. Enlever l'ail et le jeter. Rectifier l'assaisonnement. Servir.

Estofado

L'estofado (estouffade) est un ragoût de bœuf du Sud-Ouest. Beth le fait souvent avec n'importe quelle salsa qu'elle trouve dans son réfrigérateur, que cette dernière soit en pot ou fraîchement faite. Utilisez un bon vinaigre de vin rouge, par exemple le zinfandel ou le cabernet. Vous pourriez préparer une recette de Petits pains au fromage (page 348) pour accompagner ce plat. ◉ **4 portions**

MIJOTEUSE : Moyenne ou grande, ronde

INTENSITÉ ET TEMPS DE CUISSON : FAIBLE, de 6 à 8 heures

1 kg (2 lb) de bœuf à ragoût, comme un bloc d'épaule désossé, paré de l'excès
    de gras, coupé en gros morceaux de 2,5 à 4 cm (1 à 1½ po), puis épongés

Sel, et poivre noir du moulin, au goût

30 ml (2 c. à table) de farine tout usage ou à pâtisserie de blé entier

45 ml (3 c. à table) d'huile d'olive

1 gros oignon jaune, haché menu

240 ml (1 tasse) de Sauce aux tomates fraîches (page 255), lisse ou avec
   des morceaux

45 ml (3 c. à table) de vinaigre de vin rouge

1 pincée d'origan séché ou de marjolaine séchée

60 ml (¼ tasse) d'eau

80 ml (⅓ tasse) de vin rouge sec

30 ml (2 c. à table) de persil plat frais, haché

1. Dans un sac en plastique à fermeture à glissière ou un bol, remuer le bœuf, en procédant par lots, avec le sel, le poivre et la farine.

2. Dans une grande poêle, à feu moyen-vif, faire chauffer 25 ml (1½ c. à table) d'huile jusqu'à ce qu'elle soit très chaude. Tout en brassant, y attendrir l'oignon pendant environ 5 minutes. Transférer dans le pot de grès de la mijoteuse. Mettre la moitié des morceaux de bœuf dans la poêle et les faire dorer sur toutes les faces, soit de 3 à 4 minutes au total. Transférer dans la mijoteuse. Procéder de la même manière avec le reste du bœuf. Transférer dans la mijoteuse et ajouter la salsa, le vinaigre, l'origan et l'eau. Bien remuer pour distribuer les ingrédients de manière uniforme.

3. Verser le vin dans la poêle et régler le feu à intensité moyenne. Brasser constamment, en raclant le fond pour en détacher les particules ; le vin réduira quelque peu de volume. Verser dans la mijoteuse et remuer. À couvert, laisser cuire à faible intensité de 6 à 8 heures.

4. Saler et poivrer, puis incorporer le persil. Si l'estofado est trop liquide, utiliser un beurre manié (page 21) pour l'épaissir un peu. Servir avec du riz.

• • Petits pains maison • •

Les petits pains constituent un des meilleurs accompagnements aux ragoûts. Leur préparation est simple et ils cuisent en un clin d'œil. Souvenez-vous que le secret de la réussite des petits pains est de pétrir la pâte le moins possible et de la garder humide en ajoutant très peu de farine au moment de la tailler. ● Environ 1 douzaine de petits pains

480 ml (2 tasses) de farine tout usage non blanchie ou de farine à
   pâtisserie de blé entier, plus 30 ml (2 c. à table) pour saupoudrer
30 ml (2 c. à table) de semoule de maïs jaune pour saupoudrer
10 ml (2 c. à thé) de levure chimique
1 ml (¼ c. à thé) de bicarbonate de soude
1 ml (¼ c. à thé) de sel
90 ml (6 c. à table ou ¾ bâtonnet) de beurre non salé, de margarine, ou de
   shortening, froids, coupés en morceaux
1 gros œuf
180 ml (¾ tasse) de babeurre froid

1. Préchauffer le four à 220 °C (425 °F). Chemiser une plaque de cuisson de papier parchemin et la saupoudrer de 30 ml (2 c. à table) de farine, puis de la semoule de maïs.

2. Dans un grand bol, à l'aide d'un fouet, mélanger les 480 ml (2 tasses) de farine, la levure chimique, le bicarbonate de soude et le sel. Couper le beurre dans les ingrédients secs avec un couteau à pâtisserie, 2 couteaux ou le bout des doigts, ou encore réduire rapidement au robot. Le mélange devrait être en grosses miettes, sans morceaux de beurre trop imposants. Si le beurre devient très mou à cette étape, réfrigérer le mélange pendant 20 minutes. Ajouter l'œuf et le babeurre, en brassant pour humecter légèrement les ingrédients. La pâte sera humide et quelque peu gluante.

3. Sur une surface de travail légèrement enfarinée, abaisser la pâte pour obtenir un rectangle de 2 cm (¾ po) d'épaisseur. Éviter d'ajouter trop de farine à cette étape, sinon les petits pains seront durs. Couper avec un emporte-pièce ou un verre de 6,25 cm (2½ po) enfarinés, en traversant directement la pâte sans tourner. Enfariner l'emporte-pièce avant de couper chaque petit pain pour éviter qu'il ne colle. Couper les petits pains le plus près possible l'un de l'autre pour minimiser les pertes. Former une boule avec les restes de pâte, puis abaisser pour obtenir d'autres petits pains.

4. Mettre les petits pains sur la plaque de cuisson en les séparant de 1,5 cm (½ po). Les faire cuire immédiatement dans le four préchauffé jusqu'à ce qu'ils soient dorés, soit de 15 à 18 minutes. Servir chaud.

Petits pains au fromage ● Environ 1 douzaine de petits pains

Après une fête ou un dîner, il y a souvent des restes de fromage. Comment les utiliser? Pourquoi ne pas faire de merveilleux petits pains au brie ou au gouda!

480 ml (2 tasses) de farine tout usage non blanchie, plus 30 ml (2 c. à table) pour saupoudrer

15 ml (1 c. à table) de graines de sésame pour saupoudrer

15 ml (1 c. à table) de levure chimique

1 ml (¼ c. à thé) de sel

75 ml (5 c. à table) de beurre non salé, de margarine ou de shortening, froids, coupés en morceaux

180 ml (¾ tasse) de babeurre froid

113 g (4 oz) de brie (la majeure partie de la croûte enlevée), de gouda, de mozzarella fumée ou de monterey jack, coupé en cubes de 1,5 cm (½ po)

1. Préchauffer le four à 230 °C (450 °F). Chemiser une plaque de cuisson de papier parchemin et saupoudrer de 30 ml (2 c. à table) de farine, puis de graines de sésame.

2. Dans un bol de taille moyenne, mélanger au fouet les 480 ml (2 tasses) de farine, la levure chimique et le sel. Couper le beurre dans les ingrédients secs avec un couteau à pâtisserie, 2 couteaux ou le bout des doigts, ou encore réduire rapidement au robot. Le mélange devrait être en grosses miettes, sans morceaux de beurre trop imposants. Si le beurre devient très mou à cette étape, réfrigérer le mélange pendant 20 minutes. Ajouter le babeurre, en brassant pour humecter légèrement les ingrédients. Intégrer les cubes de brie. La pâte sera humide et quelque peu gluante.

3. Sur une surface de travail légèrement enfarinée, abaisser la pâte pour obtenir un rectangle de 2 cm (¾ po) d'épaisseur. Éviter d'ajouter trop de farine à cette étape, sinon les petits pains seront durs. Couper avec un emporte-pièce ou un verre de 6,25 cm (2½ po) enfarinés, en traversant directement la pâte sans tourner. Enfariner l'emporte-pièce avant de couper chaque petit pain pour éviter qu'il ne colle. Couper les petits pains le plus près possible l'un de l'autre pour minimiser les pertes. Former une boule avec les restes de pâte, puis abaisser pour obtenir d'autres petits pains.

4. Mettre les petits pains sur la plaque de cuisson en les séparant de 1,5 cm (½ po). Les faire cuire immédiatement dans le four préchauffé jusqu'à ce qu'ils soient dorés, soit de 10 à 14 minutes. Servir chaud.

Curry de bœuf et riz à la japonaise

Les ragoûts moyennement relevés au cari et servis sur du riz sont extrêmement populaires au Japon. La version classique est faite d'un mélange de bœuf, d'oignons, de pommes de terre et de carottes dans une sauce liée à la farine. Grâce aux caris préparés et aux mélanges de sauce au cari emballés, le riz au cari est un déjeuner ou un dîner rapides et parfaits pour les enfants dans d'innombrables demeures japonaises, ainsi que dans les cafétérias d'entreprise et d'école. Voici une version que vous pouvez faire à la maison. Si vous n'aimez pas servir votre ragoût de bœuf dans une sauce épaisse, sautez l'étape visant à l'épaissir, réduisez la quantité de poudre de cari à 10 ml (2 c. à thé) et omettez l'eau. Ajoutez la poudre de cari aux oignons quand vous les faites revenir. Pour une saveur authentique, cherchez une poudre de cari de marque japonaise à votre marché asiatique. Servez absolument votre cari de bœuf sur du riz de style japonais, un riz blanc à grains courts ou moyens. ● **4 portions**

MIJOTEUSE : Moyenne ou grande, ronde ou ovale

INTENSITÉ ET TEMPS DE CUISSON : FAIBLE de 6 à 7 heures, puis ÉLEVÉE pendant environ 30 minutes ; la farine, les pois et la poudre de cari sont ajoutés avant les 30 dernières minutes de cuisson

3 pommes de terre à cuire au four, de grosseur moyenne, pelées et coupées en gros morceaux de 2,5 cm (1 po)

3 à 4 carottes, de grosseur moyenne, coupées en tronçons ou en demi-lunes de 5 cm (2 po) d'épaisseur

60 ml (¼ tasse) d'huile végétale

454 g (1 lb) de bœuf à ragoût, comme un bloc d'épaule désossé, paré du gras, coupé en cubes de 2,5 cm (1 po), puis épongés

1 oignon, de grosseur moyenne, haché

1 gousse d'ail, finement hachée

5 ml (1 c. à thé) de sel

2 ml (½ c. à thé) de poivre noir fraîchement moulu

480 ml (2 tasses) de bouillon de bœuf

480 ml (2 tasses) d'eau

45 ml (3 c. à table) de farine tout usage

15 ml (1 c. à table) de poudre de cari

240 ml (1 tasse) de pois surgelés (facultatif), dégelés

Riz blanc à grains courts ou moyens, cuit et chaud, pour le service

1. Mettre les pommes de terre dans la mijoteuse. Étendre les carottes par-dessus.

2. Dans une grande poêle antiadhésive, à feu moyen, faire chauffer 15 ml (1 c. à table) d'huile. Y ajouter les morceaux de bœuf et les faire dorer sur toutes les faces. Procéder par lots. Transférer la viande dans la mijoteuse. Faire chauffer 15 autres ml (1 c. à table) d'huile dans la poêle et, en brassant à quelques reprises, y attendrir l'oignon et l'ail pendant environ 5 minutes. Saler et poivrer. Poursuivre la cuisson de 2 à 3 minutes. Transférer dans la mijoteuse. Verser le bouillon dans la poêle et, en raclant le fond pour en détacher les particules, amener au point d'ébullition. Transférer dans la mijoteuse et ajouter l'eau. À couvert, laisser cuire à faible intensité de 6 à 7 heures, le temps que la viande soit tendre et que les légumes soient cuits.

3. Dans une petite poêle ou une casserole, à feu moyen-vif, faire chauffer les derniers 30 ml (2 c. à table) d'huile. Ajouter la farine et, en brassant, la faire cuire jusqu'à ce qu'elle commence à dorer, soit environ 5 minutes. Incorporer la poudre de cari et, tout en remuant, poursuivre la cuisson pendant 1 minute. Retirer du feu. Régler la mijoteuse à intensité élevée. Prendre 120 ml (½ tasse) du liquide de cuisson et l'incorporer au mélange de farine. Remuer jusqu'à ce qu'il ne reste aucun grumeau. Verser graduellement le mélange de farine dans le ragoût, en évitant de briser les pommes de terre et les carottes. Si utilisés, incorporer les pois dégelés. À couvert, continuer la cuisson à intensité élevée de 20 à 30 minutes ou jusqu'à ce que la sauce soit épaisse et que les pois soient chauds. Mettre le riz dans des bols et répartir le curry de bœuf dans chacun. Servir.

Bœuf à la Guinness

L e bœuf à la Guinness est une bonne recette de style anglais provenant de notre amie britannique Susie Dymoke, qui adore sa vieille mijoteuse Rival de 4 l (16 tasses). Cuisinière autodidacte, Susie a eu l'honneur de travailler avec Michel Roux au Waterside Inn de Bray, qui a reçu trois étoiles Michelin, et de cuisiner pour les membres de la famille royale, avant de devenir directrice du programme culinaire de Sur La Table, à Los Gatos en Californie, au cours des deux premières années et demie de sa création.

La stout Guinness, une combinaison douce-amère de houblon et d'orge rôtie, contribue à la saveur de ce ragoût, un cousin simplifié de la carbonnade de bœuf flamande. N'y substituez pas une autre bière. La bière est un excellent liquide pour braiser quand la tendreté de la viande est douteuse. Vous chercherez une bière foncée plutôt qu'une bière américaine de type pilsner, qui est plus amère. Cette interprétation américaine utilise de la palette que vous aurez coupée en cubes vous-même, plutôt que de la viande à ragoût régulière. Certains cuisiniers britanniques cherchent plutôt du jarret de bœuf, qui contient beaucoup de tissu conjonctif et donne une texture veloutée au ragoût. Servez ce plat avec de la purée de pommes de terre ou des nouilles aux œufs nappées de beurre. ◉ **6 portions**

MIJOTEUSE : Moyenne ou grande, ronde ou ovale
INTENSITÉ ET TEMPS DE CUISSON : FAIBLE, de 8 à 9 heures

1 bifteck de palette de 1,2 kg (2½ lb), paré de l'excès de gras, coupé en gros
    morceaux de 4 cm (1½ po), puis épongés
45 à 60 ml (3 à 4 c. à table) de farine tout usage
5 ml (1 c. à thé) de sel
1 ml (¼ c. à thé) de poivre noir fraîchement moulu
60 ml (¼ tasse) d'huile d'olive
3 oignons jaunes, de grosseur moyenne, grossièrement hachés
1 bouteille ou 1 canette de 424 ml (14,9 oz) de stout Guinness
454 g (1 lb) de carottes miniatures
3 navets, de grosseur moyenne, pelés et coupés en dés
1 aubergine, de grosseur moyenne (454 g ou 1 lb), pelée ou pas, coupée en
    dés
227 g (8 oz) de champignons frais, tranchés
2 gousses d'ail, hachées menu
Zeste de ½ grosse orange, coupé en lanières
1 bouquet garni : 3 ou 4 brins de persil plat frais, 3 ou 4 brins de thym
    frais, ⅓ de feuille de laurier californien frais ou 1 entière de laurier turc
    séché, 1 tronçon de 5 cm (2 po) de céleri, le tout attaché dans un carré
    d'étamine

1. Dans un sac en plastique à fermeture à glissière ou un bol, en procédant par lots, remuer la viande dans la farine, le sel et le poivre. Secouer les morceaux pour enlever tout excédent du mélange. Dans une grande poêle, à feu moyen-vif, faire chauffer 30 ml (2 c. à table) d'huile jusqu'à ce qu'elle soit très chaude. Y mettre la moitié de la viande et la faire dorer sur toutes les faces, soit de 4 à 5 minutes au total. Transférer dans le pot de grès de la mijoteuse. Répéter l'opération avec le reste d'huile et de viande. Transférer dans la mijoteuse.

2. Dans la poêle, tout en raclant le fond pour en détacher les particules, attendrir les oignons pendant environ 3 minutes. Transférer dans la mijoteuse et verser la bière. Sur la viande, former des couches successives avec les carottes, les navets, l'aubergine, les champignons et terminer avec l'ail. Enfouir le zeste d'orange et le bouquet garni au centre de la viande et des légumes. À couvert, laisser cuire à faible intensité de 8 à 9 heures, le temps que la viande soit assez tendre pour être coupée à la fourchette.

3. Jeter le bouquet garni et rectifier l'assaisonnement. Servir.

Bœuf braisé au café expresso

L'idée d'ajouter du café à un ragoût de bœuf peut vous sembler nouvelle, mais il s'agit d'une des méthodes les plus vieilles pour rehausser une sauce. Vous pouvez utiliser du café fort fraîchement infusé ou une poudre de café expresso instantanée dissoute dans de l'eau bouillante. Essayez de garnir ce ragoût avec des Quenelles au babeurre (voir page 151), si vous aimez ces dernières. ● **6 portions**

MIJOTEUSE : Moyenne ou grande, ronde ou ovale
INTENSITÉ ET TEMPS DE CUISSON : FAIBLE, de 7 à 8 heures

1,5 kg (3 lb) de bœuf à ragoût, comme un bloc d'épaule désossé, paré du
    gras, coupé en morceaux de 4 cm (1½ po), puis épongés
30 ml (2 c. à table) de farine tout usage
1 pincée de sel
1 pincée de poivre noir fraîchement moulu
45 ml (3 c. à table) d'huile d'olive
2 oignons, de grosseur moyenne, hachés
3 carottes, coupées diagonalement en tronçons de 5 cm (2 po)
4 pommes de terre nouvelles, rouges ou blanches, coupées en dés
6 petits navets, pelés et coupés en quartiers
240 ml (1 tasse) de café fort
2 ml (½ c. à thé) de thym séché
120 ml (½ tasse) de vin rouge sec

1. Dans un sac en plastique à fermeture à glissière ou un bol, en procédant par lots, remuer la viande dans la farine, le sel et le poivre. Secouer les morceaux pour enlever tout excédent du mélange. Dans une grande poêle, à feu moyen-vif, faire chauffer 25 ml (1½ c. à table) d'huile jusqu'à ce qu'elle soit très chaude. Y mettre la moitié de la viande et la faire dorer sur toutes les faces, soit environ 5 minutes. Transférer dans le pot de grès de la mijoteuse. Répéter l'opération avec le reste d'huile et de viande. Transférer dans la mijoteuse.

2. Dans la poêle, tout en brassant, attendrir les oignons pendant environ 5 minutes. Transférer dans la mijoteuse et ajouter les carottes, les pommes de terre et les navets. Verser le café et incorporer le thym. À feu moyen, verser le vin dans la poêle et, tout en brassant constamment et en raclant le fond pour en détacher les particules, amener au point d'ébullition. Transférer dans la mijoteuse et remuer. À couvert, laisser cuire à faible intensité de 7 à 8 heures, le temps que la viande soit tendre. Rectifier l'assaisonnement. Servir.

Sloppy joe

Les sandwichs sloppy joe sont des indémodables et constituent un favori des Américains à l'heure du dîner, et pas seulement pour les enfants! Nous avons eu droit à des sloppy joe à la dinde ou au tofu, mais nous préférons les sandwichs faits avec la bonne vieille viande à hamburger. Pour une version plus juteuse, à manger avec un couteau et une fourchette, ajoutez 240 ml (1 tasse) de sauce tomate au mélange de bœuf avant la cuisson. Vous pouvez doubler cette recette en utilisant le même format de mijoteuse. **◦ 4 portions**

MIJOTEUSE : Moyenne, ronde ou ovale
INTENSITÉ ET TEMPS DE CUISSON : FAIBLE, de 6 à 7 heures

545 g (1 lb) de bœuf haché
1 oignon, de grosseur moyenne, haché menu
½ gros poivron rouge, épépiné et haché menu
1 grande branche de céleri, hachée menu
1 gousse d'ail, finement hachée
1 boîte de 170 ml (6 oz) de pâte de tomates
30 ml (2 c. à table) de vinaigre de cidre, ou au besoin
30 ml (2 c. à table) de cassonade, blonde ou brune, bien tassée, ou plus au
     besoin
5 ml (1 c. à thé) de paprika
2 ml (½ c. à thé) de moutarde sèche
3 ml (¾ c. à thé) de sel
2 ml (½ c. à thé) d'assaisonnement au chile, ou au goût
1 ml (¼ c. à thé) de poivre noir fraîchement moulu, ou au goût
5 ml (1 c. à thé) de sauce Worcestershire
1 trait de sauce épicée, par exemple le Tabasco
1 pincée de poivre de Cayenne
Pains à hamburger ou d'autres pains à sandwich moelleux pour le service

1. Dans une grande poêle antiadhésive, à feu moyen-vif, en brassant pour émietter la viande, faire cuire le bœuf avec l'oignon, le poivron, le céleri et l'ail. Lorsque la viande est cuite, transférer la préparation dans la mijoteuse et ajouter les autres ingrédients du mélange à sloppy joe. Bien remuer. À couvert, laisser cuire à faible intensité de 6 à 7 heures.

2. Goûter et, si désiré, ajouter plus de vinaigre ou de cassonade. Servir le mélange de viande à la louche sur les pains.

Pâté tamale californien
au maïs et aux olives noires

Le pâté tamale est une casserole qui mélange les ingrédients que l'on trouve dans les tamales traditionnels. Il demande une fraction du temps de préparation par rapport à la version traditionnelle et constitue un délicieux repas chaud. Utilisez du maïs frais en été et du maïs surgelé ou en conserve en hiver. Pour un déjeuner ou un dîner fabuleux, tout ce qui manque est une salade et des tranches de tomates fraîches, et de la tarte aux fruits ou de la glace pour le dessert. ● **4 portions**

MIJOTEUSE : Moyenne, ronde ou ovale
INTENSITÉ ET TEMPS DE CUISSON : ÉLEVÉE, de 3 à 4 heures ; le fromage et
l'huile sont ajoutés avant les 10 dernières minutes de cuisson

454 g (1 lb) de bœuf haché
2 petits oignons blancs, hachés
45 ml (3 c. à table) de poudre de chili pur, de douce à mi-piquante, comme
celle de piments ancho ou pasilla
180 ml (¾ tasse) de farine de maïs jaune, mouture moyenne
300 ml (1¼ tasse) de lait entier
2 gros œufs, battus
5 à 10 ml (1 à 2 c. à thé) de sel, au goût
1 pincée de cumin moulu
1 boîte de 455 ml (16 oz) de tomates étuvées, égouttées et hachées
3 ou 4 épis de maïs frais, égrenés ; ou 480 ml (2 tasses) de grains de maïs
surgelés, dégelés ; ou maïs à grains entiers en conserve, égoutté
1 boîte de 398 ml (14 oz) d'olives noires de Californie mûres, dénoyautées,
égouttées, et grossièrement hachées ou coupées en deux
360 ml (1½ tasse) de cheddar fort râpé, ou d'un mélange de cheddar et de
monterey jack
15 à 30 ml (1 à 2 c. à table) d'huile d'olive

1. Vaporiser la mijoteuse d'un enduit antiadhésif. Préchauffer une poêle antiadhésive de taille moyenne à feu moyen. Y mettre le bœuf et les oignons. Faire cuire jusqu'à ce que la viande ne soit plus rose et que l'oignon soit tendre ; utiliser une cuillère ou une spatule de bois pour émietter la viande. Égoutter le gras de la poêle. Saupoudrer la viande d'assaisonnement au chile. Poursuivre la cuisson pendant 1 minute. Transférer la préparation dans la mijoteuse.

2. Dans un grand bol, à l'aide d'un fouet, mélanger la farine de maïs, le lait, l'œuf, le sel et le cumin jusqu'à l'obtention d'une consistance lisse. Incorporer les tomates, le maïs et les olives. Transférer le mélange dans la mijoteuse. Bien mélanger tous les ingrédients. À couvert, laisser cuire à intensité élevée de 3 à 4 heures.

3. Répartir le fromage sur le dessus de la préparation et asperger d'huile. Couvrir de nouveau et poursuivre la cuisson à intensité élevée pendant 10 minutes pour faire fondre le fromage. Servir directement du pot de grès à l'aide d'une grande cuillère.

Enchiladas tex-mex

Voici notre version des enchiladas à la viande dans une sauce aux chiles rouges; ce mets est succulent et rapide à préparer. Cette recette est une courtoisie de notre merveilleuse amie culinaire, Jacquie Higuera McMahan. Vous devez faire la sauce d'abord, ce qui ne prend qu'environ 30 minutes. Si vous le désirez, vous pouvez la préparer 1 ou 2 jours à l'avance, puis la réchauffer le moment venu. ◉ **4 à 5 portions**

MIJOTEUSE : Moyenne, ronde ou ovale
INTENSITÉ ET TEMPS DE CUISSON : FAIBLE, de 6 à 7 heures

SAUCE ROUGE POUR ENCHILADAS :
15 ml (1 c. à table) d'huile d'olive
3 gousses d'ail, finement hachées
5 ml (1 c. à thé) d'origan séché
2 ml (½ c. à thé) de cumin moulu
1 boîte de 796 ml (28 oz) de purée de chiles rouges, de marque *Las Palmas* de préférence
30 ml (2 c. à table) de masa harina
160 ml (⅔ tasse) d'eau
15 à 30 ml (1 à 2 c. à table) de poudre de piments rouges pure du Nouveau-Mexique, au goût
15 ml (1 c. à table) de cassonade, blonde ou brune

750 g (1½ lb) de bœuf haché
1 oignon blanc, de grosseur moyenne, haché
2 ml (½ c. à thé) de sel
2 ml (½ c. à thé) de poivre noir fraîchement moulu

6 tortillas souples au maïs, jaune ou blanc

3 ou 4 épis de maïs frais, égrenés ; ou 600 ml (2½ tasses) de grains de maïs
surgelés, dégelés ; ou maïs à grains entiers en conserve égoutté

480 ml (2 tasses) de cheddar fort râpé ou d'un mélange de cheddar et de
monterey jack

2 boîtes de 71 ml (2,5 oz) d'olives de Californie mûres, tranchées, égouttées

POUR LE SERVICE :
Crème sure
Guacamole

1. Pour préparer la sauce, faire chauffer l'huile d'olive, à feu moyen, dans une poêle de taille moyenne. Tout en brassant, y faire cuire l'ail pendant 1 minute ; ne pas le faire roussir. Incorporer les herbes et la purée de chiles rouges. Porter à ébullition légère et faire cuire pendant 15 minutes. À l'aide d'un fouet, combiner la masa harina et l'eau puis, tout en fouettant, incorporer le mélange à la sauce. Laisser frémir la sauce pendant 10 minutes. Ajouter la poudre de piments rouges et la cassonade. Poursuivre la cuisson pendant 10 minutes.

2. Dans une poêle de taille moyenne, à feu vif, faire cuire le bœuf haché et l'oignon jusqu'à ce que la viande ne soit plus rose et que l'oignon soit tendre ; utiliser une cuillère ou une spatule de bois pour émietter la viande. Saler et poivrer.

3. Vaporiser la mijoteuse d'un enduit antiadhésif. Déposer 2 tortillas dans le fond de la mijoteuse. En alternant les couches, ajouter un tiers de la viande, du maïs, de la sauce, du fromage et des olives. Répéter les couches à 2 autres reprises, en commençant par les tortillas et en finissant avec les olives. À couvert, laisser cuire à faible intensité de 6 à 7 heures.

4. Servir directement de la mijoteuse. Accompagner de crème sure et de guacamole.

Pain de viande à l'ancienne

De nombreux cuisiniers assurent que le pain de viande fait à la mijoteuse est plus savoureux que celui fait au four. Prenez bien note de la technique que nous proposons pour sortir le pain de la mijoteuse sans le briser. Nous avons inclus cinq recettes de pain de viande dans ce chapitre pour vous donner plus de choix. La présente version est celle qui ressemble le plus au pain de viande de maman. ● **6 portions**

MIJOTEUSE : Moyenne ou grande, ronde ou ovale

INTENSITÉ ET TEMPS DE CUISSON : ÉLEVÉE pendant 1 heure, puis FAIBLE pendant 6 heures ; le ketchup et les rondelles de poivron sont ajoutés avant les 30 dernières minutes de cuisson

PAIN DE VIANDE :

750 g (1½ lb) de bloc d'épaule, haché

1 gros œuf, battu

1 ou 2 tranches de pain à sandwich de blé entier ou blanc

60 ml (¼ tasse) d'oignon, finement haché

60 ml (¼ tasse) de poivron vert, rouge ou jaune, finement haché

60 ml (¼ tasse) de céleri, finement haché

10 ml (2 c. à thé) de sel assaisonné ou d'un mélange d'herbes sans sel, comme Mrs. Dash ou McCormick

1 ml (¼ c. à thé) de thym séché

Poivre noir du moulin

120 ml (½ tasse) de jus de tomate ou de jus de légumes V8

GARNITURE :

180 ml (¾ tasse) de ketchup ou de sauce chili du commerce

4 rondelles de poivron de 1,5 cm (½ po) d'épaisseur

1. Dans un grand bol, mélanger le bœuf haché et l'œuf. Déchirer les tranches de pain en 4 ou en 8 morceaux puis, par touches successives, les réduire au robot culinaire jusqu'à l'obtention de 120 ml (½ tasse) de miettes. Transférer dans le bol. (Sinon, défaire le pain en morceaux de 2,5 cm (1 po) et mettre ces derniers dans un bol. Verser 60 ml (¼ tasse) de jus de tomate, puis ajouter la viande.) Ajouter l'oignon, le poivron finement haché, le céleri, le sel, le thym, le poivre et le jus de tomate. Avec les mains ou à l'aide d'une grande fourchette, mélanger doucement, mais complètement les ingrédients.

2. À l'aide d'un papier d'aluminium, préparer un « berceau » qui aidera à enlever facilement le pain de viande de la mijoteuse lorsqu'il sera cuit. Couper une feuille

d'environ 60 cm (24 po) de long. La placer sur le bord du comptoir et la déchirer en deux dans le sens de la longueur. Plier chaque morceau en deux sur la longueur, puis à nouveau en deux. Mettre les bandes dans la mijoteuse en formant une croix et en prenant soin de bien les centrer au fond du pot. Les bandes de papier dépasseront les bords de la mijoteuse. Déposer le mélange de viande sur les bandes en formant un pain rond ou ovale, selon la forme de la mijoteuse. Le presser délicatement en lissant le dessus et en épousant les contours de la mijoteuse. Plier les bandes de papier d'aluminium sur le pain de viande afin qu'elles n'empêchent pas le couvercle de fermer correctement. À couvert, laisser cuire à intensité élevée pendant 1 heure.

3. Régler la mijoteuse à faible intensité et poursuivre la cuisson environ 6 heures, le temps qu'un thermomètre à viande à lecture instantanée inséré au centre du pain de viande indique une température se situant entre 71 et 74 °C (160 et 165 °F).

4. Environ 30 minutes avant la fin du temps de cuisson, déplier les bandes de papier d'aluminium, verser le ketchup et disposer les rondelles de poivron de manière décorative sur le pain de viande. Mettre le couvercle et poursuivre la cuisson à faible intensité pendant 30 minutes.

5. Au moment de servir, à l'aide des « poignées » d'aluminium, soulever le pain de viande et le déposer sur une planche à découper ou un plat de service. Retirer et jeter les bandes de papier d'aluminium. Trancher le pain de viande. Servir le pain de viande chaud ou le réfrigérer et le servir froid le lendemain.

Pain de viande classique

Nous adorons ce pain de viande avec sa combinaison classique de bœuf, de porc et de veau. Les flocons d'avoine, qui remplacent la chapelure traditionnelle, sont l'ingrédient secret. Nous pensons que vous l'aimerez, vous aussi. Assurez-vous de le servir avec beaucoup de ketchup. ◉ **6 portions**

MIJOTEUSE : Moyenne ou grande, ronde ou ovale
INTENSITÉ ET TEMPS DE CUISSON : ÉLEVÉE pendant 1 heure, puis FAIBLE
    pendant 6 heures ; le ketchup est ajouté avant les 30 dernières minutes de
    cuisson

15 ml (1 c. à table) d'huile d'olive
120 ml (½ tasse) d'oignon, finement haché

625 g (1¼ lb) de surlonge hachée

250 g (½ lb) de porc haché

250 g (½ lb) de veau haché

1 gros œuf (facultatif), battu

180 ml (¾ tasse) de flocons d'avoine à cuisson rapide

240 ml (1 tasse) de ketchup

30 ml (2 c. à table) de sauce Worcestershire

5 ml (1 c. à thé) de sel

Poivre noir du moulin

1. Dans une petite poêle, à feu moyen, faire chauffer l'huile et, tout en brassant, y attendrir l'oignon pendant environ 5 minutes ; laisser tiédir.

2. Dans un grand bol, mettre les viandes hachées et, si utilisé, l'œuf. Ajouter l'oignon cuit, les flocons d'avoine, 120 ml (½ tasse) de ketchup, la sauce Worcestershire, le sel et le poivre. Avec les mains ou à l'aide d'une grande fourchette, mélanger doucement, mais complètement les ingrédients ; éviter de compacter la viande.

3. À l'aide d'un papier d'aluminium, préparer un « berceau » qui aidera à enlever facilement le pain de viande de la mijoteuse lorsqu'il sera cuit. Couper une feuille d'environ 60 cm (24 po) de long. La placer sur le bord du comptoir et la déchirer en deux dans le sens de la longueur. Plier chaque morceau en deux sur la longueur, puis à nouveau en deux. Mettre les bandes dans la mijoteuse en formant une croix et en prenant soin de bien les centrer au fond du pot. Les bandes de papier dépasseront les bords de la mijoteuse. Déposer le mélange de viande sur les bandes en formant un pain rond ou ovale, selon la forme de la mijoteuse. Le presser délicatement en lissant le dessus et en épousant les contours de la mijoteuse. Plier les bandes de papier d'aluminium sur le pain de viande afin qu'elles n'empêchent pas le couvercle de fermer correctement. À couvert, laisser cuire à intensité élevée pendant 1 heure.

4. Régler la mijoteuse à faible intensité et faire cuire environ 6 heures ou jusqu'à ce qu'un thermomètre à viande à lecture instantanée inséré au centre du pain de viande indique une température entre 71 et 74 °C (160 et 165 °F).

5. Environ 30 minutes avant la fin du temps de cuisson, déplier les bandes de papier d'aluminium. Étendre les derniers 120 ml (½ tasse) de ketchup sur le pain de viande. Mettre le couvercle et poursuivre la cuisson à faible intensité pendant 30 minutes.

6. Au moment de servir, à l'aide des « poignées » d'aluminium, soulever le pain de viande et le déposer sur une planche à découper ou un plat de service. Retirer et jeter les bandes de papier d'aluminium. Trancher le pain de viande. Servir le pain de viande chaud ou le réfrigérer et le servir froid le lendemain.

Pain de viande à la salsa

C'est le pain de viande classique de Beth. La salsa le garde moelleux et les flocons d'avoine lient les ingrédients. Il faut très peu de temps pour le préparer, ce qui en fait le plat idéal pour un dîner de semaine. ● **6 à 8 portions**

MIJOTEUSE : Moyenne ou grande, ronde ou ovale

INTENSITÉ ET TEMPS DE CUISSON : ÉLEVÉE pendant 1 heure, puis FAIBLE pendant 6 heures ; la garniture de salsa est ajoutée avant les 30 dernières minutes de cuisson

1 kg (2 lb) de surlonge hachée

1 gros œuf, battu

120 ml (½ tasse) de flocons d'avoine à cuisson rapide

360 ml (1½ tasse) de salsa épaisse aux tomate, douce ou moyenne

45 ml (3 c. à table) d'oignon rouge, finement haché

10 ml (2 c. à thé) de marjolaine ou d'origan séchés

5 ml (1 c. à thé) de cumin moulu

5 ml (1 c. à thé) de sel

Poivre noir du moulin

15 ml (1 c. à table) d'huile d'olive

1. Dans un grand bol, mélanger le bœuf haché, l'œuf, les flocons d'avoine et 240 ml (1 tasse) de salsa. Ajouter l'oignon, la marjolaine, le cumin, le sel et le poivre. Avec les mains ou à l'aide d'une grande fourchette, mélanger doucement, mais complètement ; éviter de compacter la viande.

2. À l'aide d'un papier d'aluminium, préparer un « berceau » qui aidera à enlever le pain de viande de la mijoteuse. Couper une feuille d'environ 60 cm (24 po) de long. La placer sur le bord du comptoir et la déchirer en deux dans le sens de la longueur. Plier chaque morceau en 4 sur la longueur Mettre les bandes dans la mijoteuse en formant une croix et en prenant soin de bien les centrer au fond du pot. Les bandes de papier dépasseront les bords de la mijoteuse. Déposer le mélange de viande sur les bandes en formant un pain rond ou ovale. Le presser délicatement en lissant le dessus et en épousant les contours de la mijoteuse. Plier les bandes de papier d'aluminium sur le pain de viande afin qu'elles n'empêchent pas le couvercle de fermer correctement. À couvert, laisser cuire à intensité élevée pendant 1 heure.

3. Régler la mijoteuse à faible intensité et faire cuire environ 6 heures ou jusqu'à ce qu'un thermomètre à viande à lecture instantanée inséré au centre du pain de viande indique une température entre 71 et 74 °C (160 et 165 °F).

4. Environ 30 minutes avant la fin du temps de cuisson, mélanger l'huile avec les derniers 120 ml (½ tasse) de salsa. Déplier les bandes de papier d'aluminium. Étendre le mélange de salsa sur le pain de viande. Mettre le couvercle et poursuivre la cuisson à faible intensité pendant 30 minutes.

5. Au moment de servir, à l'aide des «poignées» d'aluminium, soulever le pain de viande et le déposer sur une planche à découper ou un plat de service. Retirer et jeter les bandes de papier d'aluminium. Trancher le pain de viande. Servir le pain de viande chaud ou le réfrigérer et le servir froid le lendemain.

Pain de viande au chile frais et aux croustilles de maïs

L'ajout de croustilles de maïs émiettées donne à ce pain de viande un goût totalement différent. Facile à préparer, cette recette permet de passer les restes de croustilles de maïs d'une réception. ⊙ **4 à 6 portions**

MIJOTEUSE : Moyenne ou grande, ronde ou ovale
INTENSITÉ ET TEMPS DE CUISSON : ÉLEVÉE pendant 1 heure ; puis, FAIBLE de
    5 à 6 heures

750 g (1½ lb) de bloc d'épaule ou de surlonge, haché
240 ml (1 tasse) de croustilles de maïs, émiettées au robot culinaire
1 oignon perlé blanc, finement haché
1 jalapeno, épépiné et haché menu
45 ml (3 c. à table) de coriandre fraîche, hachée menu
5 ml (1 c. à thé) d'assaisonnement au chile
2 ml (½ c. à thé) de cumin moulu
1 ml (¼ c. à thé) de sel
1 gros œuf, légèrement battu
1 boîte de 227 ml (8 oz) de sauce tomate

1. Dans un grand bol, mélanger le bœuf haché, les miettes de croustilles au maïs, l'oignon, le jalapeno, la coriandre fraîche, l'assaisonnement au chile, le cumin, le sel, l'œuf et la moitié de la sauce tomate. Avec les mains ou à l'aide d'une grande fourchette, mélanger doucement, mais complètement ; éviter de compacter la viande.

2. À l'aide d'un papier d'aluminium, préparer un «berceau» qui aidera à enlever facilement le pain de viande de la mijoteuse lorsqu'il sera cuit. Couper une feuille d'environ 60 cm (24 po) de long. La placer sur le bord du comptoir et la déchirer en deux dans le sens de la longueur. Plier chaque morceau en deux sur la longueur, puis à nouveau en deux. Mettre les bandes dans la mijoteuse en formant une croix et en prenant soin de bien les centrer au fond du pot. Les bandes de papier dépasseront les bords de la mijoteuse. Déposer le mélange de viande sur les bandes en formant un pain rond ou ovale, selon la forme de la mijoteuse. Le presser délicatement en lissant le dessus et en épousant les contours de la mijoteuse. Plier les bandes de papier d'aluminium sur le pain de viande afin qu'elles n'empêchent pas le couvercle de fermer correctement. Verser l'autre moitié de la sauce tomate sur le pain de viande. À couvert, laisser cuire à intensité élevée pendant 1 heure.

3. Régler la mijoteuse à faible intensité et faire cuire de 5 à 6 heures ou jusqu'à ce qu'un thermomètre à viande à lecture instantanée inséré au centre du pain de viande indique une température entre 71 et 74 °C (160 et 165 °F).

4. Au moment de servir, à l'aide des «poignées» d'aluminium, soulever le pain de viande et le déposer sur une planche à découper ou un plat de service. Retirer et jeter les bandes de papier d'aluminium. Trancher le pain de viande. Servir le pain de viande chaud ou le réfrigérer et le servir froid le lendemain.

Pain de viande sur un lit de pommes de terre

S i vous êtes un amateur de pain de viande, vous aimerez cette variante. Le pain de viande est déposé sur un lit de pommes de terre tranchées, et le tout est cuit en même temps dans le pot de grès. ⦿ **6 à 8 portions**

MIJOTEUSE : Moyenne ou grande, ronde ou ovale
INTENSITÉ ET TEMPS DE CUISSON : ÉLEVÉE pendant 1 heure ; puis, FAIBLE de
    6 à 7 heures

PAIN DE VIANDE :
30 ml (2 c. à table) d'huile d'olive
3 grosses pommes de terre Russet, pelées et coupées en cubes de 2,5 à
    4 cm (1 à 1½ po)

1 kg (2 lb) de surlonge hachée

2 gros œufs, battus

180 ml (¾ tasse) de petits biscuits salés émiettés (une variété qui n'est pas saupoudrée de sel fera aussi l'affaire)

180 ml (¾ tasse) de ketchup

5 ml (1 c. à thé) de sel

Poivre noir du moulin

GARNITURE :

180 ml (¾ tasse) de ketchup

80 ml (⅓ tasse) de cassonade blonde, bien tassée

5 ml (1 c. à thé) de moutarde de Dijon

1. Enduire le fond du pot de la mijoteuse d'huile d'olive. Ajouter les pommes de terre. Remuer pour les enrober d'huile et en faire un lit.

2. Dans un grand bol, mélanger le bœuf haché, les œufs, les miettes de biscuits, le ketchup, le sel et le poivre. Avec les mains ou à l'aide d'une grande fourchette, mélanger doucement, mais complètement ; éviter de compacter la viande. Former un pain ovale ou rond avec le mélange, selon la forme de la mijoteuse. Déposer sur le lit de pommes de terre dans la mijoteuse.

3. Pour faire la garniture, mélanger les ingrédients dans un petit bol et étendre la préparation sur le pain de viande. À couvert, laisser cuire à intensité élevée pendant 1 heure.

4. Régler la mijoteuse à faible intensité et poursuivre la cuisson de 6 à 7 heures ou jusqu'à ce qu'un thermomètre à viande à lecture instantanée inséré au centre du pain de viande indique une température entre 71 et 74 °C (160 et 165 °F).

5. Au moment de servir, à l'aide d'une grande spatule, déposer le pain de viande sur une planche à découper ou un plat de service et l'entourer de pommes de terre. Trancher le pain de viande. Servir chaud.

Saucisses fumées à la mijoteuse

Nous convenons qu'il n'y a rien comme un hot-dog cuit sur le gril, mais parfois ce n'est tout simplement pas pratique. La mijoteuse est alors d'un réel secours, surtout si vous servez des saucisses fumées à une ribambelle d'enfants, si vous devez les garder au chaud pendant une longue période de temps, ou si vous pensez être occupé pendant une fête et voulez que les gens se servent eux-mêmes. Les saucisses fumées brunissent un peu et caramélisent à la mijoteuse, ce qui ajoute à leur saveur. Nous trouvons que cette méthode donne un produit plus savoureux que la méthode qui consiste à faire bouillir les saucisses. N'hésitez pas à multiplier cette recette en empilant autant de saucisses que votre mijoteuse peut en contenir. Essayez des saucisses fumées au porc, au poulet, à la dinde, au bœuf casher ou toute autre variété. **◉ 8 portions**

MIJOTEUSE : Moyenne, ronde ou ovale
INTENSITÉ ET TEMPS DE CUISSON : ÉLEVÉE, de 1½ à 2 heures

8 saucisses à hot-dog (environ 1 lb)

1. Mettre les saucisses fumées dans la mijoteuse. À couvert, laisser cuire à intensité élevée de 1½ à 2 heures ou jusqu'à ce que les saucisses soient chaudes et légèrement brunes sur les bords.

2. Retirer les saucisses à l'aide de pinces de métal. Les servir chaudes, dans des pains, en offrant les garnitures habituelles.

Ragoût de veau classique

Cette recette donne une petite quantité de ragoût de veau avec des légumes-racines. C'est le plat favori de Beth lorsque vient le temps d'utiliser des cubes de veau. Servez ce ragoût avec une salade verte et un pain frais. ⊙ **2 à 3 portions**

MIJOTEUSE : Moyenne, ronde ou ovale

INTENSITÉ ET TEMPS DE CUISSON : FAIBLE pendant 8 heures ; les pois sont ajoutés après 6½ heures de cuisson

454 g (1 lb) de veau à mijoter ou d'épaule de veau désossés, parés du gras, coupés en gros morceaux de 4 cm (1½ po), puis épongés

60 ml (¼ tasse) de farine tout usage

1 ml (¼ c. à thé) de sel

1 ml (¼ c. à thé) de poivre noir fraîchement moulu

45 ml (3 c. à table) d'huile d'olive

240 ml (1 tasse) de bouillon de poulet

1 oignon jaune, de grosseur moyenne, haché

2 gousses d'ail, pressées

5 ml (1 c. à thé) de thym séché ou 5 brins de thym frais

227 g (½ lb) de carottes miniatures ou 3 carottes de grosseur moyenne, tranchées

227 g (½ lb) de petites pommes de terre rouges, coupées en deux

120 ml (½ tasse) de petits pois surgelés, dégelés

1. Dans un sac en plastique à fermeture à glissière ou un bol, remuer le veau avec la farine, le sel et le poivre. Secouer les morceaux de veau pour enlever tout excédent. Dans une grande poêle, à feu moyen-vif, faire chauffer l'huile jusqu'à ce qu'elle soit très chaude. Y déposer les morceaux de veau et les faire dorer sur toutes les faces, de 4 à 5 minutes au total. Transférer dans la mijoteuse et incorporer le bouillon, l'oignon, l'ail, le thym, les carottes et les pommes de terre. À couvert, laisser cuire à faible intensité pendant 6½ heures.

2. Ajouter les pois. Couvrir de nouveau et poursuivre la cuisson à faible intensité pendant 1½ heure, le temps que le veau soit assez tendre pour être coupé à la fourchette.

3. Rectifier l'assaisonnement. Servir chaud.

Ragoût de veau aux tomates séchées et au romarin

C ette recette de ragoût de veau, qui provient de la chroniqueuse culinaire Peggy Fallon, donnera de meilleurs résultats si vous utilisez du romarin frais, une des fines herbes que l'on trouve dans tant de plats italiens. À cause de sa saveur si italienne, nous aimons servir ce ragoût audacieux sur une douce polenta ou des nouilles aux œufs nappées de beurre. ❂ **4 à 6 portions**

MIJOTEUSE : Moyenne ou grande, ronde ou ovale
INTENSITÉ ET TEMPS DE CUISSON : ÉLEVÉE, de 5½ à 6 heures

1 kg (2 lb) de veau à mijoter désossé, paré du gras, coupé en gros morceaux
    de 4 cm (1½ po), puis épongés
60 ml (¼ tasse) de farine tout usage
5 ml (1 c. à thé) de sel
1 ml (¼ c. à thé) de poivre noir fraîchement moulu
45 ml (3 c. à table) d'huile d'olive
120 ml (½ tasse) de vin blanc sec
1 boîte de 411 ml (14,5 oz) de bouillon de poulet à faible teneur en sodium
1 gros oignon jaune, coupé en deux et tranché en demi-lunes
227 g (8 oz) de champignons frais, tranchés
4 grosses gousses d'ail, émincées
80 ml (⅓ tasse) de tomates séchées conditionnées dans l'huile, égouttées et
    coupées en minces lanières
5 à 7 ml (1 à 1½ c. à thé) de romarin frais, finement haché, ou 10 ml (2 c. à
    thé) de romarin séché, émietté, ou au goût
5 ml (1 c. à thé) de vinaigre balsamique

1. Dans un sac en plastique à fermeture à glissière ou un bol, remuer le veau avec la farine, le sel et le poivre. Secouer les morceaux de veau pour enlever tout excédent. Dans une grande poêle, à feu moyen-vif, faire chauffer 25 ml (1½ c. à table) d'huile jusqu'à ce qu'elle soit très chaude. Y déposer la moitié des morceaux de veau et les faire dorer sur toutes les faces, soit de 4 à 5 minutes au total. Transférer dans la mijoteuse. Répéter l'opération avec le reste de l'huile et de veau.

2. Dans la poêle, ajouter le vin et, en grattant le fond pour en détacher les particules, amener au point d'ébullition et laisser bouillir de 1 à 2 minutes, le temps que le volume du vin se soit légèrement réduit. Transférer dans la mijoteuse et ajouter le

bouillon, l'oignon, les champignons et l'ail. Remuer pour distribuer les ingrédients de manière uniforme. À couvert, laisser cuire à intensité élevée de 5½ à 6 heures, le temps que le veau soit assez tendre pour être coupé à la fourchette.

3. Incorporer les tomates, le romarin et le vinaigre. Rectifier l'assaisonnement. Servir.

Ragoût de veau à la peperonata

 Étant donné la grande quantité de poivrons utilisée, ce ragoût de veau a un goût plus marqué que la plupart des autres versions. ◎ **4 portions**

MIJOTEUSE : Grande, ronde ou ovale

INTENSITÉ ET TEMPS DE CUISSON : FAIBLE, de 7½ à 8 heures ; les herbes sont
    ajoutées de 30 à 60 minutes avant la fin de la cuisson

1 kg (2 lb) de veau à mijoter ou d'épaule de veau désossés, parés du gras,
    coupés en gros morceaux de 5 cm (2 po), puis épongés
60 ml (¼ tasse) de farine tout usage
2 ml (½ c. à thé) de sel
2 ml (½ c. à thé) de poivre noir fraîchement moulu
45 ml (3 c. à table) d'huile d'olive, ou au besoin
1 oignon jaune, de grosseur moyenne, haché
454 g (1 lb) de poivrons, rouges, verts, jaunes, orange ou mélangés,
    épépinés et coupés en carrés de 4 cm (1½ po)
2 gousses d'ail, finement hachées
1 boîte de 411 ml (14,5 oz) de tomates italiennes entières importées,
    égouttées et hachées
240 ml (1 tasse) d'eau
30 ml (2 c. à table) de persil plat frais, haché
15 ml (1 c. à table) de basilic frais, haché

1. Dans un sac en plastique à fermeture à glissière ou un bol, remuer le veau avec la farine, le sel et le poivre. Secouer les morceaux de veau pour enlever tout excédent. Dans une grande poêle, à feu moyen-vif, faire chauffer 25 ml (1½ c. à table) d'huile jusqu'à ce qu'elle soit très chaude. Y déposer la moitié des morceaux de veau et les faire dorer sur toutes les faces, soit de 4 à 5 minutes au total. Transférer dans la mijoteuse.

Répéter l'opération avec le reste d'huile et de veau. Si nécessaire, ajouter un peu plus d'huile et, tout en brassant, attendrir l'oignon dans la poêle pendant environ 5 minutes. Transférer dans la mijoteuse. Ajouter les poivrons et l'ail à la poêle et, en remuant fréquemment, les faire cuire pendant 1 minute. Transférer dans la mijoteuse. Ajouter les tomates et l'eau dans le pot de grès. À couvert, laisser cuire à faible intensité pendant 7 heures.

2. Incorporer le persil et le basilic. Couvrir de nouveau et poursuivre la cuisson à faible intensité de 30 minutes à 1 heure, le temps que le veau soit assez tendre pour être coupé à la fourchette. Rectifier l'assaisonnement. Servir.

Ragoût de venaison au bacon et aux champignons

Voici un ragoût délicieux et haut en couleur. Beth a travaillé pendant des années pour un client qui allait à la chasse chaque automne et qui avait un congélateur plein de venaisons. Elle se devait de relever le défi et de trouver de nouvelles recettes de plats maison pour faire cuire la viande d'un gros gibier. Finalisez cette recette avec un vinaigre balsamique de qualité — il fera toute la différence — et servez ce mets avec de la purée de pommes de terre,

• • À propos des venaisons • •

La viande rouge vif appelée venaison, la reine des viandes de gibier et la nourriture des rois, a été un produit de base dans les régimes alimentaires européens et américains pendant des siècles. Si vous n'avez pas le privilège d'avoir un chasseur dans la famille, la venaison est maintenant disponible surgelée grâce aux éleveurs de gibiers ; c'est une viande maigre de qualité supérieure. Diverses races de cerf ont été importées au Texas et au Wisconsin d'endroits aussi exotiques que l'Inde et la Manchourie pour compléter les races indigènes de l'Amérique que sont le cerf de Virginie, le cerf-mulet et le cerf à queue noire. La Nouvelle-Zélande possède aussi des fermes d'élevage. Vous pouvez commander du gibier par correspondance au Lucky Star Ranch ; la viande arrivera sur de la neige carbonique. (Pour commander, faites le 607-836-4766.)

La venaison est une viande naturelle, sans hormones ni antibiotiques, ce qui a de l'importance aux yeux de certains cuisiniers. Cette viande, à faible teneur en matière grasse, représente une solution de rechange au bœuf, au porc, au poulet et à certains poissons. Chaque viande de cerf possède une texture et une saveur uniques, et ces dernières varieront en fonction de l'âge, du secteur géographique où l'animal a été élevé et du tonus musculaire. La venaison provenant d'une ferme est moins rude au goût et plus tendre que la venaison sauvage et s'adresse aux palais les plus fins. Puisque cette viande est très maigre et qu'une grande partie de la masse musculaire est dure, la venaison doit mijoter pour donner de bons résultats.

Les coupes plus dures — épaule, viande à mijoter, cuissot et bifteck de ronde — sont reléguées à la cuisson au feu de camp, et les recettes abondent pour la venaison apprêtée avec du café, des piments forts, de la sauce épicée, de la sauce Worcestershire, de la gelée de groseilles, des fruits, et beaucoup d'herbes et de bacon. Ces coupes sont excellentes comme viande à ragoût. Les marinades apportent une touche sympathique et rehaussent la saveur de cette viande, mais ne marinez pas les venaisons au-delà de 6 heures. Mélanger une certaine quantité de venaison hachée avec votre bœuf haché dans les chilis et découpez de gros morceaux de bloc d'épaule ou de bifteck de ronde pour les ragoûts ou les tourtes à la viande.

du riz brun ou blanc cuit à la vapeur, ou des nouilles aux œufs nappées de beurre. ● **4 à 6 portions**

MIJOTEUSE : Moyenne ou grande, ronde ou ovale

INTENSITÉ ET TEMPS DE CUISSON : FAIBLE, de 8 à 9 heures ; les champignons et le bacon sont ajoutés après 5 à 6 heures de cuisson

1 kg (2 lb) de venaison à mijoter, parée du gras, attendrie au maillet, coupée en gros morceaux de 4 cm (1½ po), puis épongés

Sel, et poivre noir du moulin, au goût

3 tranches de bacon fumé

30 ml (2 c. à table) d'huile d'olive

1 gros oignon jaune, coupé en deux et tranché en demi-lunes

2 carottes, hachées

1 gousse d'ail, finement hachée

30 ml (2 c. à table) de farine tout usage

160 ml (⅔ tasse) de vin rouge ou de xérès secs

1 feuille de laurier

2 ml (½ c. à thé) de thym séché ou 15 ml (1 c. à table) de thym frais, haché

1 boîte de 298 ml (10,5 oz) de bouillon de bœuf à faible teneur en sodium

283 g (12 oz) de champignons frais, tranchés ou coupés en quatre

30 ml (2 c. à table) de vinaigre balsamique

1. Saler et poivrer la venaison. Dans une grande poêle, à feu moyen-vif, faire cuire le bacon jusqu'à l'obtention d'une consistance croustillante. Le déposer sur des essuie-tout et l'émietter. En procédant par lots, ajouter l'huile à la graisse de bacon et faire dorer les morceaux de viande sur toutes les faces, soit environ 10 minutes au total. Transférer dans la mijoteuse. Répéter l'opération avec le reste de la viande. Transférer dans la mijoteuse. Ajouter l'oignon, les carottes et l'ail dans la poêle et, tout en bras-sant, les faire cuire de 3 à 5 minutes. Saupoudrer de farine et bien remuer. Transférer dans la mijoteuse. Dans la poêle, ajouter le vin et, en grattant le fond pour en détacher les particules, amener au point d'ébullition et laisser bouillir de 1 à 2 minutes, le temps que le volume du vin se soit légèrement réduit. Transférer dans la mijoteuse et ajouter la feuille de laurier, le thym et le bouillon. Remuer pour distribuer les ingrédients de manière uniforme. À couvert, laisser cuire à faible intensité de 5 à 6 heures.

2. Ajouter les champignons et le bacon émietté, et bien mélanger. Couvrir de nou-veau et poursuivre la cuisson à faible intensité pendant 3 heures, le temps que la venaison soit assez tendre pour être coupée à la fourchette.

3. Jeter la feuille de laurier et incorporer le vinaigre. Rectifier l'assaisonnement. Servir chaud.

Porc et agneau

Jadis une viande à la mauvaise réputation, le porc a de nos jours une personnalité et une saveur marquées et il est très maigre (295 calories par 113 g ou 4 oz). Moins gras et plus digeste qu'auparavant, le porc contient moins de cholestérol que le bœuf, le veau, l'agneau, voire la viande brune de dinde ou de poulet. Presque toutes les cuisines d'Orient et d'Occident le considèrent comme un produit de base, car il contient une grande quantité de bonne viande.

Le porc, particulièrement salé, se retrouve dans de nombreuses recettes yankees, comme les haricots cuits au four, la chaudrée de palourdes, les ragoûts, les soupes aux pois, les plats de légumes comme le succotash, et même des tartes aux pommes, car du saindoux a été utilisé en remplacement du beurre pour faire la croûte. Cette viande a été une denrée quotidienne pendant des siècles. Dans les plats braisés faits à la mijoteuse, le savoureux porc salé fond littéralement dans le plat. Le *petit salé* est traité au sel, mais pas fumé comme le *bacon,* et provient de la même partie du porc, le flanc. Un morceau de petit salé contient beaucoup de gras et quelques bandes de viande. Quand nous en demandons dans une recette, particulièrement dans le chapitre sur les haricots, ne l'omettez surtout pas car vous diminueriez la saveur du plat. Le *bacon de dos* est de la longe de porc salée et fumée ; le *bacon tranché* provient du flanc. Le flanc donne aussi les côtes levées (voir le chapitre sur Bout de côtes de bœuf, côtes levées et ailes de poulet, page 405). La *longe désossée, coupe courte,* provient de la partie située au-dessus des côtes. Le *filet* de porc, petit et mince, est la longue section non coupée. Il s'agit d'une viande maigre qu'il est facile de trop cuire. Ficelez 2 filets ensemble pour en augmenter l'épaisseur, et retirez-les de la

mijoteuse lorsqu'un thermomètre à lecture instantanée inséré dans la partie la plus charnue indique une température entre 63 et 66 °C (145 et 150 °F).

La cuisse de derrière, ou *jambon,* est la plus grosse coupe de porc. La longe se situe dans le dos de l'animal, tandis que l'épaule se divise en soc ou *rôti de soc,* et en rôti d'épaule *picnic.* L'épaule *picnic,* une partie savoureuse, est souvent utilisée pour remplacer le soc. La *côtelette de soc* est une tranche épaisse, avec l'os, prise dans le soc et contient l'une des viandes les plus savoureuses de l'animal. Le *jarret* est presque toujours traité avant d'être utilisé. L'épaule est la partie favorite des chefs chinois et représente une bonne coupe pour la viande à ragoût. Les gros cubes de viande à ragoût se découpent aussi dans un rôti de porc. Lorsque vous achetez du porc, cherchez une viande ferme, pâle, d'un rose rougeâtre, avec un grain fin. Le gras doit toujours être blanc crème.

Le rôti de porc, les côtes de porc, les côtelettes, le jambon, le bacon et les saucisses sont fréquemment utilisés dans nos recettes. Chacun possède une saveur et une texture uniques. Puisque le porc est très maigre et qu'il contient beaucoup moins de collagène que le bœuf, il est important de choisir les coupes qui se prêteront le mieux à la chaleur humide de la mijoteuse.

Si le porc est trop cuit, il aura tendance à se contracter plutôt qu'à s'attendrir. Le porc ne se mange jamais saignant; il doit toujours être cuit de part en part et un thermomètre à viande à lecture instantanée devrait indiquer une température de 71 °C (160 °F). Nous recommandons l'usage de cet appareil lors de la cuisson de tout rôti de porc entier.

L'épaule, les jarrets, le soc, la côtelette de soc, les côtes de porc et le rôti d'épaule *picnic* sont les meilleures coupes pour la mijoteuse. Le porc possède une saveur délicate; il prendra donc les parfums de votre sauce. Il se marie bien au sucré, par exemple les sauces barbecue et les fruits séchés, et aux parfums prononcés, par exemple la sauce aux arachides, la sauce soja et le gingembre.

Si vous voulez faire cuire un jambon dans votre mijoteuse, assurez-vous d'en choisir un qui puisse y tenir. Nous avons constaté que les demi-jambons conviennent parfaitement. Il faut compter de 170 à 227 g (6 à 8 oz) par personne si on utilise une pièce désossée et un peu plus pour un morceau avec l'os. Les jambons sont maintenant vendus complètement cuits. Si vous voulez faire cuire un de ces jambons de campagne artisanaux, comme les jambons de Virginia Smithfield, qui sont traités à sec, faites-le tremper au moins 48 heures puisqu'ils sont très salés; suivez les directives qui viennent avec le jambon. Les jarrets ressemblent à des jambons miniatures; faites-les cuire avec des légumes verts, des haricots ou des pois cassés, ou dans un potage ou un bouillon. Après la cuisson, enlevez la peau et les os, puis hachez la viande.

Si vous utilisez n'importe quel type de saucisses de porc, à moins que vous ne les

Les meilleures coupes de porc pour la mijoteuse

Épaule désossée

Longe désossée, coupe courte, muscle principal et œil

Côtelette de soc

Filet

Soc

Épaule picnic

Jarret

Petit salé

Poitrine fumée

Rôti de longe

Longe, bout des côtes

Les meilleures coupes d'agneau pour la mijoteuse

Jarret

Épaule

Côtelettes d'épaule

Gigot avec l'os, semi-désossé ou désossé

Haut de gigot

Collet

achetiez complètement cuites, vous devrez les faire brunir et les faire cuire avant de les ajouter dans la mijoteuse; sinon, enlevez la peau et faites cuire la viande émiettée. Faites cuire le bacon partiellement ou complètement comme indiqué dans la recette. N'ajoutez jamais de saucisse ou de bacon crus dans la mijoteuse, car ces ingrédients risquent de ne pas cuire complètement.

L'agneau a toujours alimenté les mythes et les légendes. Il est mentionné dans la Bible et on l'a utilisé non seulement à des fins religieuses, mais aussi pour la nourriture et la laine. C'est une viande qui apparaît dans toutes les cuisines du monde. L'agneau se marie aussi bien aux saveurs des tajines marocains, qu'à celles des caris indiens, des barbecues du Sud, des ragoûts français, des dolmas et de la moussaka grecques et qu'à celles de la cuisine des îles Britanniques. L'agneau possède une nature douce qui se marie aux légumes de toutes sortes, aux fruits frais et séchés, à la moutarde, au vin, à l'ail, aux tomates et aux noix. Le terme « agneau de printemps » désigne des animaux nés au printemps ; il inspire même un plat en France, le *navarin à la printanière,* un ragoût d'agneau de printemps et de légumes. Les premiers chrétiens avaient pour coutume de servir un agneau entier rôti à Pâques ; la pratique a été perpétuée par la royauté française jusqu'aux années 1700 et est toujours célébrée en Grèce et en Italie aujourd'hui.

Beaucoup de cuisines considèrent l'agneau comme leur source principale de protéines ; aux États-Unis, il représente plutôt un deuxième ou troisième choix, après le bœuf. Selon les statistiques, les Anglais et les Français mangent environ cinq fois plus d'agneau que les Américains.

De nos jours, l'agneau est frais et de grande qualité toute l'année ; les États-Unis importent maintenant une grande proportion de leur agneau d'Australie et de Nouvelle-Zélande. Le mouton désigne un animal âgé de deux ans ou plus, et n'est habituellement pas vendu aux États-Unis — il a une saveur beaucoup plus prononcée que l'agneau et est aussi plus coriace. La majorité de la viande d'agneau sur le marché provient de bêtes âgées entre 6 et 12 mois. L'authentique agneau du printemps, une véritable spécialité, est âgé entre 3 et 6 mois ; il s'agit d'une viande très tendre et nous ne la demandons dans aucune de nos recettes. Il vaut mieux la réserver pour d'autres types de préparations culinaires.

L'agneau se divise en plusieurs parties : poitrine, jarret, épaule, carré de côtelettes, filet, gigot et morceaux de flanc. Le *gigot,* qui est habituellement rôti à sec, est excellent pour la mijoteuse. Les meilleures parties à braiser sont l'*épaule* et la jambe de devant, qui est dure, nommée *jarret.* Il existe un *haut de gigot,* situé entre la jambe et l'épaule, mais il s'agit d'une coupe qu'on trouve seulement dans les boucheries. L'épaule d'agneau, avec ou sans l'os, est cuite entière comme un rôti, puis est coupée en viande à ragoût et en côtelettes. Les *côtelettes d'épaule* sont une merveilleuse coupe à braiser, car elles contiennent beaucoup de muscles. Si vous aimez le ragoût d'agneau, essayez de trouver du *collet* d'agneau ; il donne vraiment d'excellents ragoûts, goûteux, à la consistance et à la saveur subtile qui rappellent celle de la queue de bœuf. Le gigot se découpe aussi pour les ragoûts. Nous vous recommandons de couper votre propre viande à ragoût, la viande d'agneau à ragoût préparée étant constituée de restes divers. Les jarrets d'agneau sont une des viandes les plus succulentes et sensationnelles à faire cuire à la mijoteuse ; la viande finit par fondre en se détachant de l'os, alors qu'elle peut devenir dure et sèche au four. Lorsque vous achetez de l'agneau, cherchez une viande rouge sombre avec un grain fin et une odeur fraîche. Si elle sent le faisandé, la viande est trop vieille.

Le porc comme l'agneau doivent être cuisinés dans les 2 à 3 jours suivant l'achat ; sinon, ces viandes doivent être congelées. Laissez-les décongelez au réfrigérateur dans leur emballage, ou dans des sacs de congélation en plastique, pendant environ 24 heures.

Rôti de porc aux pommes

L e porc et les pommes forment une combinaison gagnante ; dans cette recette, ils cuisent ensemble pour donner un dîner du dimanche qui est rapide et facile à cuisiner. Servez les tranches de porc avec des pommes cuites et accompagnez-les avec de la purée de pommes de terre, des pois et un chutney. ◉ **6 à 8 portions**

MIJOTEUSE : Moyenne ou grande, ronde ou ovale
INTENSITÉ ET TEMPS DE CUISSON : ÉLEVÉE pendant 1 heure ; puis, FAIBLE de
    7 à 8 heures

1 rôti de longe de porc désossé de 1,5 à 1,8 kg (3 à 4 lb), ficelé, paré du gras
    visible et épongé
Sel, et poivre noir du moulin
6 à 7 pommes à cuire, pelées, étrognées et coupées en quartiers
60 ml (¼ tasse) de jus de pomme, de vin blanc fruité ou de champagne
60 ml (¼ tasse) de cassonade blonde, bien tassée
7 ml (1½ c. à thé) de gingembre moulu

1. Préchauffer le grilloir du four. Saler et poivrer le rôti de porc. Le déposer sur une plaque à rôtir peu profonde et le placer sur une grille du four. Le faire brunir sur toutes les faces sous le grilloir, ou dans une poêle à feu vif, pour enlever l'excès de gras ; bien égoutter.

2. Vaporiser la mijoteuse d'un enduit antiadhésif. Déposer les quartiers de pomme dans la mijoteuse, puis placer le rôti sur ces derniers. Dans un petit bol, combiner le jus de pomme, la cassonade et le gingembre. Arroser le rôti du mélange et bien le frotter de la préparation. À couvert, laisser cuire à intensité élevée pendant 1 heure.

3. Régler la mijoteuse à faible intensité et poursuivre la cuisson de 7 à 8 heures, le temps que la viande se coupe à la fourchette. Laisser reposer le porc dans un plat chaud pendant 10 minutes. Trancher et servir chaud.

Porc à la thaïe et sauce aux arachides

La sauce aux arachides est vraiment populaire de nos jours ; elle se retrouve dans toutes sortes de menus orientaux, car elle est indissociable de la cuisine du Sud-Est asiatique. Voici une adaptation d'une recette de *Cooking Light,* trouvée sur Internet, qui a reçu cinq étoiles de la part des cuisiniers amateurs. Il est bien d'utiliser une sauce teriyaki du commerce contenant des graines de sésame. Servez le porc à la thaïe sur un lit de riz au jasmin chaud.

◉ **4 portions**

MIJOTEUSE : Moyenne, ronde ou ovale
INTENSITÉ ET TEMPS DE CUISSON : FAIBLE, de 8 à 9 heures

1 longe de porc désossée de 1 kg (2 lb), parée du gras et coupée en
    4 morceaux
2 gros poivrons rouges, épépinés et coupés en lanières
80 ml (⅓ tasse) de sauce teriyaki du commerce
30 ml (2 c. à table) de vinaigre de riz
5 ml (1 c. à thé) de flocons de piment rouge
2 gousses d'ail, finement hachées
60 ml (¼ tasse) de beurre d'arachide crémeux

POUR LE SERVICE :
120 ml (½ tasse) d'oignons verts, hachés (partie blanche et un peu du vert)
60 ml (¼ tasse) d'arachides rôties à sec, hachées
2 limes, coupées en 8 ou 12 quartiers

1. Vaporiser la mijoteuse d'un enduit antiadhésif. Mettre le porc, les poivrons, la sauce teriyaki, le vinaigre de riz, les flocons de piment rouge et l'ail dans la mijoteuse. À couvert, laisser cuire à faible intensité de 8 à 9 heures, le temps que le porc se coupe à la fourchette.

2. Retirer le porc de la mijoteuse et le couper grossièrement. Incorporer le beurre d'arachide au liquide de la mijoteuse. Bien remuer pour dissoudre le beurre d'arachide et former une sauce. Remettre le porc dans la sauce de la mijoteuse et remuer pour bien enrober la viande.

3. Servir dans des bols peu profonds sur un lit de riz au jasmin chaud. Garnir chaque portion d'oignons verts et d'arachides. Passer les quartiers de lime aux convives.

Filet de porc et choucroute

Cette recette, qui provient de Bunny Dimmel, une amie de Beth, demande du filet de porc maigre au lieu d'une des coupes plus riches de porc. Il est important d'acheter de la choucroute fraîche, qui vient dans un sac (ou se trouve dans un bac réfrigéré dans la section des charcuteries), plutôt qu'en conserve ou dans un pot. Elle a un goût nettement supérieur, et elle aidera à conserver la viande maigre et juteuse. ● **6 portions**

MIJOTEUSE : Moyenne ou grande, ronde ou ovale
INTENSITÉ ET TEMPS DE CUISSON : FAIBLE, de 8 à 10 heures

30 ml (2 c. à table) d'huile d'olive
Filet de porc de 1 kg (2 lb), paré de la peau argentée et du gras, et épongé
4 petits oignons jaunes, coupés en quartiers
6 gousses d'ail, finement hachées
6 pommes de terre rouges, de grosseur moyenne, coupées en deux
Poivre noir du moulin (8 tours)
1 sac de 454 g (1 lb) de choucroute fraîche, rincée

1. Dans une grande poêle, à feu moyen-vif, faire chauffer l'huile jusqu'à ce qu'elle soit très chaude. Y faire dorer la viande sur tous les côtés, soit de 4 à 5 minutes au total. Transférer dans la mijoteuse. Placer les oignons autour du filet, parsemer d'ail et garnir avec les pommes de terre. Poivrer et recouvrir de choucroute. À couvert, laisser cuire à faible intensité de 8 à 10 heures, le temps que le porc se coupe à la fourchette.

2. Déposer le porc et les légumes dans un plat. Trancher le filet en portions épaisses. Disposer les tranches dans des assiettes individuelles. Entourer la viande de légumes et de choucroute. Servir.

Filet de porc braisé au lait
et aux fines herbes

L'amie de Beth, Leslie Mansfield, est une auteure de livres de cuisine qui habite Napa Valley, où elle et son mari possèdent une petite entreprise vinicole. La présente recette apparaît dans son livre *The Lewis and Clark Cookbook* (Celestial Arts, 2002), un recueil de recettes s'adressant aux cuisiniers modernes et se fondant sur des recettes historiques. L'ouvrage est si populaire que Leslie doit voyager dans différentes parties des États-Unis, de Cincinnati à l'Arkansas, pour animer des dîners de restaurant offrant des recettes tirées de son livre.

Ce plat s'adapte parfaitement à la mijoteuse. Il est insolite parce que les produits laitiers réguliers caillent dans le pot de grès. Eh bien, c'est exactement ce que qu'on recherche dans cette recette ; le lait donne une sauce épaisse des plus délectables avec le porc. ● **6 portions**

MIJOTEUSE : Moyenne ou grande, ronde ou ovale
INTENSITÉ ET TEMPS DE CUISSON : FAIBLE, de 5 à 6½ heures

60 ml (¼ tasse) d'huile d'olive
1,2 kg (2½ lb) de filet de porc, paré de la peau argentée et du gras, et
    épongé
15 ml (1 c. à table) d'origan frais, finement haché
15 ml (1 c. à table) d'estragon frais, finement haché
10 ml (2 c. à thé) de romarin frais, finement haché
8 ml (1¾ c. à thé) de sel
Poivre noir du moulin (8 tours)
480 à 540 ml (2 à 2¼ tasses) de lait entier chaud

1. Dans une grande poêle, à feu moyen-vif, faire chauffer l'huile jusqu'à ce qu'elle soit très chaude. Y faire dorer la viande sur tous les côtés, de 4 à 5 minutes au total. Transférer dans la mijoteuse. Saupoudrer des herbes, du sel et du poivre. Ajouter le lait ; il devrait monter à mi-hauteur du porc. À couvert, laisser cuire à faible intensité de 5 à 6½ heures ou jusqu'à ce que le porc se coupe à la fourchette.

2. Déposer le porc dans un plat chaud et le laisser reposer 10 minutes. Couper le rôti en tranches de 1,5 cm (½ po) d'épaisseur. Napper de sauce épaisse et crémeuse. Servir.

Porc glacé acajou

Le mélange de marmelade, de sauce soja et d'ail est utilisé à profusion pour glacer le porc et le poulet. Le mélange prend une coloration rouge foncé en cuisant et donne une texture succulente et sucrée à la partie externe de la viande. **⊙ 6 à 8 portions**

MIJOTEUSE : Grande, ronde ou ovale
INTENSITÉ ET TEMPS DE CUISSON : FAIBLE, de 8 à 10 heures

80 ml (⅓ tasse) de sauce soja
120 ml (½ tasse) de marmelade d'oranges
1 à 2 gousses d'ail, pressées, au goût
5 à 7 ml (1 à 1½ c. à thé) de flocons de piment rouge, au goût
45 ml (3 c. à table) de ketchup
1 soc de porc désossé de 1,6 kg (3½ lb), coupé en grosses pièces, ou 1,6 kg
    (3½ lb) de côtes levées à la paysanne
227 g (8 oz) de pois «Sugar snap»
120 ml (½ tasse) de poivron rouge coupé en bâtonnets

1. Vaporiser la mijoteuse d'un enduit antiadhésif.

2. Dans un petit bol, mélanger la sauce soja, la marmelade d'oranges, l'ail, les flocons de piment rouge et le ketchup jusqu'à l'obtention d'une consistance lisse. Frotter les deux côtés de la viande avec ce mélange. Transférer les morceaux de porc ou les côtes dans la mijoteuse. (S'il s'agit d'une mijoteuse ronde, empiler les côtes.) Verser tout reste de sauce dans le pot. À couvert, laisser cuire à faible intensité de 8 à 10 heures, le temps que la viande se détache de l'os et se coupe à la fourchette.

3. Incorporer les pois «Sugar snap» et le poivron. Couvrir de nouveau et laisser reposer quelques minutes pour réchauffer la préparation. Servir immédiatement.

Porc barbecue du Sud en brioche

Voici une façon délicieuse de faire cuire un rôti de porc. Vous tranchez ou déchiquetez la viande et en garnissez des petits pains frais, en nappant le tout de sauce barbecue. Ou vous déchiquetez la viande, la retournez dans le récipient en grès avec la sauce et laissez vos convives préparer leurs propres sandwichs. Servez ce plat avec de la salade de chou et des marinades. Il faut que la viande marine toute la nuit; alors, planifiez votre temps en conséquence. ◉ **8 portions**

MIJOTEUSE : Moyenne, ovale; ou grande, ronde ou ovale
INTENSITÉ ET TEMPS DE CUISSON : FAIBLE, de 8 à 10 heures

240 ml (1 tasse) de ketchup
240 ml (1 tasse) de sauce chili du commerce
60 ml (¼ tasse) de moutarde de Dijon
45 ml (3 c. à table) de vinaigre de cidre
45 ml (3 c. à table) de sauce Worcestershire
30 ml (2 c. à table) de miel
15 ml (1 c. à table) de sauce soja
2 ml (½ c. à thé) de flocons de piment rouge
4 gousses d'ail, finement hachées
1 soc de porc désossé de 1,5 kg (3 lb), paré de l'excès de gras
180 ml (¾ tasse) d'eau
8 petits pains empereur (kaiser), coupés en deux

POUR LE SERVICE :
Haricots cuits au four
Salade de chou
Marinades

1. Dans une casserole de taille moyenne, combiner le ketchup, la sauce chili, la moutarde, le vinaigre, la sauce Worcestershire, le miel, la sauce soja, les flocons de piment rouge et l'ail. À feu moyen-vif, amener au point d'ébullition, puis réduire le feu à moyen-doux et, à découvert, laisser frémir pendant 5 minutes. Laisser tiédir à la température ambiante.

2. Mettre le soc de porc dans un grand sac en plastique à fermeture à glissière. Verser la sauce barbecue sur le porc. Fermer le sac et laisser mariner au moins 8 heures au réfrigérateur, voire la nuit, en retournant le sac à quelques reprises si possible.

3. Retirer le soc de porc de la marinade. Transférer dans la mijoteuse. Verser la marinade dans un petit bol et ajouter l'eau. Bien mélanger. Asperger le rôti. À couvert,

laisser cuire à faible intensité de 8 à 10 heures ou jusqu'à ce que la viande se coupe à la fourchette.

4. Déposer le porc dans un plat. Recouvrir de papier d'aluminium. Laisser reposer le porc de 10 à 15 minutes avant de le découper en minces tranches. Mettre quelques tranches sur une moitié de chaque petit pain empereur. Napper d'un peu de sauce barbecue. Couvrir de l'autre moitié du pain et déguster. Servir avec des haricots cuits au four, de la salade de chou et des marinades. Prévoir des serviettes de table.

Côtelettes de porc, sauce tomate et champignons

Les côtelettes de porc ordinaires sont trop maigres pour être vraiment réussies dans la mijoteuse ; par contre, les côtelettes très épaisses avec l'os donnent un merveilleux résultat. Dans la présente recette, elles baignent dans une sauce tomate à l'italienne. Servez ces côtelettes sur un lit de riz cuit à la vapeur ou une pâte alimentaire qui retiendra la sauce, par exemple des plumes (pennes). ● **4 portions**

MIJOTEUSE : Moyenne, ovale ; ou grande, ronde ou ovale
INTENSITÉ ET TEMPS DE CUISSON : FAIBLE, de 6 à 8 heures

4 côtelettes de porc épaisses, avec l'os, d'au moins 2,5 cm (1 po)
    d'épaisseur, épongées
227 g (8 oz) de champignons, tranchés
1 oignon jaune, de grosseur moyenne, haché
1 gros poivron, rouge ou jaune, épépiné et coupé en rondelles ou en
    lanières
1 gousse d'ail, finement hachée
2 boîtes de 227 ml (8 oz) de sauce tomate
30 ml (2 c. à table) de vinaigre balsamique
30 ml (2 c. à table) de persil plat frais, finement haché
2 ml (½ c. à thé) d'origan séché
2 ml (½ c. à thé) de basilic séché
1 pincée de sel
30 ml (2 c. à table) de fécule de maïs
60 ml (¼ tasse) d'eau froide

1. Dans une grande poêle à fond épais, à feu moyen-vif, faire dorer les côtelettes de porc des deux côtés.

2. Dans la mijoteuse, mélanger les champignons, l'oignon, le poivron et l'ail. Étendre les côtelettes de porc sur le dessus des légumes.

3. Dans un bol de taille moyenne, combiner la sauce tomate, le vinaigre, le persil, l'origan, le basilic et le sel. Transférer le mélange sur les côtelettes de porc. À couvert, laisser cuire à faible intensité de 6 à 8 heures, le temps que la viande soit tendre.

4. Déposer le porc dans un plat et le couvrir de papier d'aluminium pour le garder chaud. Transvider la sauce tomate dans une casserole de taille moyenne. Dans un petit bol, à l'aide d'un fouet, combiner la fécule de maïs et l'eau jusqu'à l'obtention d'une consistance lisse. Incorporer le mélange à la sauce. À feu moyen, amener au point d'ébullition et, en brassant, laisser bouillir pendant environ 2 minutes ou jusqu'à ce que la sauce ait légèrement épaissi. Napper les côtelettes de porc de sauce. Servir.

Chile verde d'Oscar

I l s'agit du *chile verde* que vous défaites en lambeaux pour préparer les burritos et les casseroles. Si vous désirez en faire plutôt un ragoût, après avoir déchiqueté la viande, ajoutez une botte de carottes fraîches tranchées et des pommes de terre, les deux légumes étant déjà cuits, ainsi que 480 ml (2 tasses) de bouillon de dinde ou de poulet. ● **6 portions**

MIJOTEUSE : Grande, ronde ou ovale
INTENSITÉ ET TEMPS DE CUISSON : FAIBLE, de 7 à 9 heures

2 gros oignons jaunes, coupés en dés
2 gros poivrons jaunes, épépinés et hachés
3 jalapenos, épépinés et hachés
1,6 à 1,8 kg (3½ à 4 lb) de biftecks de faux-filet de porc (4 à 5)
1 pincée de cumin moulu
Environ 480 ml (2 tasses) d'eau, ou suffisamment pour couvrir la préparation
5 ml (1 c. à thé) de sel, ou au goût
Poivre noir du moulin au goût

1. Vaporiser la mijoteuse d'un enduit antiadhésif ou l'enduire d'huile. Superposer en couches les oignons, les poivrons, les jalapenos et les biftecks de faux-filet. Saupoudrer

de cumin et mouiller avec juste assez d'eau pour couvrir les ingrédients. À couvert, laisser cuire à faible intensité de 7 à 9 heures ou jusqu'à ce que le porc s'effiloche facilement à la cuillère.

2. Retirer les biftecks de faux-filet de la mijoteuse. Défaire la viande de l'os et la déchiqueter ; jeter les os. Saler et poivrer. Servir avec des tortillas, de maïs ou de blé, chaudes.

Ragoût de porc au cidre

Cette recette des plus populaires provient de Susie Dymoke, qui dirigeait l'école de cuisine Sur La Table, à Los Gatos, lorsqu'elle et Beth se sont rencontrées. Par la suite, Susie est devenue directrice à La Cucina Mugnaini, un fabricant de fours extérieurs exquis. Elle est maintenant une experte dans la cuisson au four à bois et donne des cours dans tout le pays. Puisqu'elle mesure rarement les ingrédients pour ce ragoût, nous avons été particulièrement ravies qu'elle veuille bien le faire pour nous. Bien que les marrons soient facultatifs, ils ajoutent une texture agréable et croquante. Le cidre est un ingrédient important ; celui qui contient de l'alcool est meilleur. Alors, procurez-vous une bonne marque de cidre, comme le Dry Blackthorn. Et comme Susie le dit : « Laissez mijoter toute la journée et dégustez ! » ● **6 portions**

MIJOTEUSE : Moyenne, ronde ou ovale
INTENSITÉ ET TEMPS DE CUISSON : ÉLEVÉE pendant 20 minutes (facultatif) ;
     puis, FAIBLE de 7 à 9 heures

1 gros oignon jaune, grossièrement haché
1 grosse pomme à cuire acidulée, comme Granny Smith ou reinette, pelée,
    étrognée et grossièrement coupée en cubes de 2,5 cm (1 po)
1 boîte de 227 ml (8 oz) de marrons (facultatif), égouttés et coupés en deux
750 g (1½ lb) d'épaule de porc désossée, coupée en cubes de 1,5 cm (½ po)
2 ml (½ c. à thé) de sel
Poivre noir du moulin (7 tours)
25 ml (1½ c. à table) de sauge émiettée
480 ml (2 tasses) de cidre fort sec
Riz à grains longs ou nouilles aux œufs pour le service

1. Vaporiser la mijoteuse d'un enduit antiadhésif. Superposer en couches l'oignon, la pomme, les marrons et le porc dans la mijoteuse. Saupoudrer de sel, de poivre et de

sauge. Asperger de cidre. Si possible, faire cuire à intensité élevée pendant 20 minutes afin de chauffer les ingrédients de part en part.

2. À couvert, laisser cuire à faible intensité de 7 à 9 heures.

3. Servir dans des bols à soupe peu profonds avec du riz blanc à grains longs ou des nouilles aux œufs.

Ragoût de porc à l'italienne

Beth contribue au grand magazine culinaire *Cooking Pleasures,* une publication du Cooking Club of America (888 850-8202), disponible par correspondance seulement. Cette recette a été créée pour le magazine, il y a quelques années, par l'enseignante et chroniqueuse culinaire Mary Ellen Evans. Ce plat est devenu un favori du personnel de rédaction. La touche spéciale vient des graines de fenouil et du romarin, deux aromates traditionnels de la cuisine italienne. Servez ce ragoût sur de la Polenta (page 164) ou des pâtes.

◉ **6 portions**

MIJOTEUSE : Grande, ronde ou ovale
INTENSITÉ ET TEMPS DE CUISSON : FAIBLE, de 7 à 9 heures

1 gros oignon jaune, coupé en 8 croissants
2 gros poivrons rouges, ou 1 rouge et 1 jaune, épépinés et coupés en
    minces lanières
2 gousses d'ail, finement hachées
45 ml (3 c. à table) d'huile d'olive
1,2 kg (2½ lb) d'épaule de porc désossée, coupée en cubes de 4 cm (1½ po),
    puis épongés
1 boîte de 455 ml (16 oz) de tomates en dés (avec de l'ail rôti ou d'autres
    aromates, si désiré), avec leur jus
120 ml (½ tasse) de vin rouge sec, comme un chianti ou un zinfandel
5 ml (1 c. à thé) de graines de fenouil
2 ml (½ c. à thé) d'écorce d'orange séchée ou 10 ml (2 c. à thé) de zeste
    d'orange râpé
2 ml (½ c. à thé) de romarin séché, émietté
1 ml (¼ c. à thé) de flocons de piment rouge
1 ml (¼ c. à thé) de sel

Poivre noir du moulin (6 tours)

45 ml (3 c. à table) de farine tout usage

60 ml (¼ tasse) d'eau

1. Vaporiser la mijoteuse d'un enduit antiadhésif. Disposer en couches l'oignon, le poivron et l'ail dans la mijoteuse.

2. Dans une grande poêle, à feu moyen-vif, faire chauffer 25 ml (1½ c. à table) d'huile jusqu'à ce qu'elle soit très chaude. Y faire dorer la moitié de la viande sur tous les côtés, soit de 4 à 5 minutes au total. Transférer dans la mijoteuse. Répéter l'opération avec le reste d'huile et de viande. Dans la poêle, mettre les tomates et verser le vin et, en raclant le fond pour en détacher les particules, amener à ébullition. Ajouter le fenouil, l'écorce d'orange, le romarin, les flocons de piment rouge, le sel et le poivre noir. Verser le mélange sur les ingrédients dans la mijoteuse. À couvert, laisser cuire à faible intensité de 7 à 9 heures ou jusqu'à ce que le porc se coupe à la fourchette.

3. Dans un petit bol, à l'aide d'un fouet, combiner la farine et l'eau. Incorporer le mélange au liquide chaud dans la mijoteuse. Régler à intensité élevée. Faire cuire, à découvert, pendant environ 15 minutes ou le temps que la sauce épaississe.

• • Cuisine intuitive à la mijoteuse • •

Beth a demandé à son amie psychothérapeute, Cat Wilson, de partager ses recettes préférées pour la mijoteuse. Plutôt que d'obtenir une simple liste de recettes et les différentes étapes à suivre pour les réaliser, Beth a découvert toute une philosophie sur l'art de cuisiner par instinct, selon la disponibilité des ingrédients et l'humeur du moment. Beaucoup de mordus de la mijoteuse cuisinent de cette façon, utilisant les recettes comme des modèles sur lesquels ils improvisent.

«La mijoteuse est le faitout de la femme qui travaille, estime Cat. Je regarde dans le réfrigérateur et combine une viande, un légume et des épices. Je mélange mentalement les saveurs, selon ce qui est disponible et mon expérience des cuisines du monde. Ainsi, il peut y avoir un plat à l'accent italien un soir, puis indien le suivant.

«La chose formidable avec la mijoteuse, plus qu'avec toutes les autres méthodes de cuisson, c'est que les maladresses sont réparables. Le résultat ne sera peut-être pas exactement conforme à vos intentions, mais il pourrait même être meilleur que prévu! L'avantage premier de la mijoteuse, c'est qu'elle est conçue pour les gens qui ne sont pas cuisiniers. Avec elle, nous avons l'air de savoir parfaitement ce que nous faisons. De plus, elle ne demande que très peu de temps et permet de cuisiner des plats qui ont un aspect et un goût sensationnels.

«Elle est parfaite pour préparer ce plat de porc appelé *carnitas*. Je tranche le porc en travers de la fibre pour qu'il s'effiloche en cuisant. Ensuite, j'utilise n'importe quel sachet d'assaisonnement à *carnitas*, parce que je n'arriverais pas à en préparer un moi-même. La mijoteuse donne les meilleurs *carnitas* qui soient parce que la viande devient si tendre qu'elle s'émiette en flocons. C'est aussi la façon dont je prépare la viande à taco ; j'utilise une pièce de viande, non de la viande hachée, et la coupe de telle façon qu'elle s'émiette. Ensuite, j'ajoute le meilleur assaisonnement à taco que je puisse me procurer. Oh, vous pouvez aussi ajouter des oignons si vos invités ne s'en formalisent pas.

« Je fais un ragoût polonais nommé *bigos* ; j'ai obtenu la recette de ma vieille amie Basia, de Pologne. Son mari était l'un des trois leaders de la résistance polonaise. Basia était issue d'une famille très riche et, à la grande consternation de ses parents, elle a épousé ce renégat. Essentiellement, le *bigos* est un ragoût chasseur polonais composé de petits bouts de viandes différentes ; tous les livres de cuisine polonais en proposent une recette. Cette recette est aussi parfaite quand vous avez des restes hétéroclites. Quand nous revenons d'un dîner au restaurant, je rapporte à la maison jusqu'au dernier petit morceau de bifteck et le dépose dans un sac que je conserve au congélateur. S'il y a un reste de jambon à la maison, j'en fais autant. Lorsque le sac est plein, nous sommes prêts pour le *bigos.*

« Votre point de départ n'a pas vraiment d'importance. Je prends du bœuf, du poulet, des saucisses kielbasa et de la dinde et je les tranche en bouchées. Je prends du blanc et du brun de poulet et de dinde pour un goût plus savoureux. Mes préférences vont à la kielbasa au bœuf et au poulet. Tranchez 1 à 2 oignons et incorporez-les au mélange. Salez. Remplissez votre pot de grès aux trois quarts. Mouillez avec un bon vin rouge et nichez une prune fraîche entière au centre de la préparation. C'est l'ingrédient magique. (N'enlevez ni la pelure ni le noyau, et ne faites rien de plus exotique que de laver le fruit.) Ensuite, vous égouttez et ajoutez 2 boîtes de choucroute, avant de remuer le tout. Je fais cuire le *bigos*, sans autre manipulation, jusqu'à ce que je rentre du travail. Le temps de cuisson varie de jour en jour ; je pense que ce plat peut cuire pendant 6, 9 ou 12 heures. On peut ajouter un doigt de xérès lorsqu'il est cuit. Je fais cuire ce plat à intensité élevée. Le jus ne réduit pas beaucoup ; donc, vous devrez peut-être éliminer un peu de jus de choucroute à la fin.

« Le *bigos* est encore meilleur le lendemain, parce que les saveurs ont eu le temps de se mélanger. C'est un de ces plats qui se préparent avec ce qui se trouve au réfrigérateur. Je le sers avec des pommes de terre pelées et bouillies, et je fais cuire quelques carottes à la vapeur en les gardant croquantes. Lorsque le bigos est prêt, vous obtenez un plat très riche — vous ne pouvez pas en manger trop parce que son goût est très fort ; heureusement, les pommes de terre viennent adoucir le tout. Après un tel repas, toutefois, vous aurez une bonne compréhension du caractère substantiel et rassasiant de la cuisine de l'Europe de l'Est, servie après une longue journée de travail aux champs.

« Une autre de mes spécialités à la mijoteuse est la jambalaya, la version créole du ragoût chasseur. Elle est faite de quelques-uns des ingrédients suivants : crevettes, jambon, huîtres fraîches crues, saucisses fumées et poulet. Vous devez faire cuire le riz blanc séparément et le servir sur le dessus des autres ingrédients lorsqu'il est prêt. Encore une fois, utilisez n'importe quel mélange des viandes déjà mentionnées que vous aurez coupées en bouchées de grosseur uniforme. Ajoutez de l'oignon jaune, haché ou tranché, 4 ou 5 oignons verts hachés, 2 ou 3 tiges de céleri avec les feuilles hachées, et 1 sac entier de gombos tranchés encore congelés. Vous aurez également besoin de 2 ou 3 (selon la grosseur) poivrons verts, rouges ou jaunes, la variété douce. Vous devriez avoir une proportion égale de viandes et de légumes, mais ce n'est pas vraiment important.

« Ajoutez du sel, du paprika, du piment de Cayenne, 5 ml (1 c. à thé) d'ail pressé ou haché finement, de la poudre "filé" (racine de sassafras moulue, utilisée tant comme assaisonnement qu'agent liant) et 1 feuille de laurier. Incorporez 1 petite boîte de tomates hachées (avec leur jus). Remuez ensuite le tout et laissez cuire toute la journée. Encore une fois, ce plat a vraiment bon goût le lendemain. On souhaite garder le plat juteux, qu'il y ait beaucoup de liquide épais pour arroser jusqu'à la dernière bouchée de riz. Mon cousin est Cajun; il est cuisinier pour la Croix-Rouge par l'entremise de la Southern Baptist Church et a voyagé dans le monde entier pour travailler à l'alimentation des peuples. Ce jambalaya est une variante de sa recette. Nous aimons les huîtres fraîches (celles en conserve deviennent spongieuses, comme le foie trop cuit) et les crevettes fraîches avec les saucisses fumées et le poulet. Ce sont là nos mélanges préférés. Un ingrédient clé reste le poivron, peu importe sa couleur. Il ajoute vraiment quelque chose. Nous ne servons habituellement qu'une salade en accompagnement de la jambalaya.

« Voici un autre ragoût fabuleux : le ragoût à la flanelle rouge DiBarney. DiBarney était le beau-père de ma mère. Quand les enfants étaient petits, ils n'arrivaient pas à dire "Daddy" (papa) Barney. Son nom s'est ainsi transformé en DiBarney et lui est resté jusqu'à sa mort, survenue autour de ses 90 ans. Il a participé à des spectacles de variétés jusqu'à l'âge de 42 ans et a fait le tour du monde. Il était un chanteur et un danseur qui ressemblait beaucoup à Maurice Chevalier. Il était merveilleux, avec un cœur aussi grand que le monde extérieur. Quand DiBarney est mort, 2 000 personnes sont venues aux obsèques. La plupart d'entre elles étaient ses aigles scouts, éclaireurs et louveteaux, et leurs fils qui étaient aussi scouts. DiBarney a aussi dirigé la seule salle de cinéma de la ville. J'ai le tambourin et la claquette qu'il a sortis de la boîte à musique quand il a dû passer aux films parlants.

« Ce plat s'appelle ragoût à la flanelle rouge parce qu'en cuisant il prend la couleur des longs sous-vêtements rouges que l'on faisait bouillir sur le poêle pour les laver. Vous n'avez qu'à mettre tous les ingrédients crus dans le pot, à vous rendre au travail et, à votre retour à la maison, le dîner est prêt !

« Coupez le bœuf en cubes de la grosseur d'une bouchée. En fait, vous coupez tout en cubes de cette grosseur : le bœuf, l'oignon, les carottes, les pommes de terre (avec la pelure). Ajoutez 1 grosse boîte de tomates coupées en morceaux de la grosseur d'une bouchée. Délicieux ! Ne mettez pas de céleri, car ce légume change complètement le goût. N'ajoutez pas de pois ou de haricots verts, ces derniers se destinant uniquement à la soupe minestrone. Si vous avez du bouillon de bœuf ou une poudre à saveur de bœuf de Knorr, incorporez-les. Puis, ajoutez de l'eau. Salez et poivrez ; vous n'aurez pas besoin d'autre assaisonnement. Ce plat est merveilleux avec une grande gorgée de lait froid et quelques craquelins ou du pain frais.

« Parfois, je prépare un ragoût du réfrigérateur, notamment lorsque je cuisine par pays. Cela arrive quand je nettoie le réfrigérateur. Je mets alors dans la mijoteuse tout ce qui semble ne fût-ce que légèrement compatible : viande, légumes, tout. Ensuite, je mouille de bouillon de poulet ou de bouillon Knorr et d'eau, je sale et je poivre. J'utilise des légumes fanés, des pommes de terre sans les bouts noircis ; à peu près tout peut aller. Ensuite, j'ajuste la saveur selon mon humeur (française, italienne, mexicaine, chinoise, anglaise) en utilisant les assaisonnements appropriés. Je prends ce que j'ai dans le réfrigérateur et j'ajoute des herbes de Provence, ou du basilic et de l'origan, ou du curcuma, du cumin et de l'assaisonnement au chile, ou du cinq-épices chinois, ou seulement du sel et du poivre. Si c'est italien, français ou anglais, j'ajoute des nouilles ; si c'est mexicain ou chinois, du riz (aucun des deux n'est cuit). Puis, quand je rentre à la maison, la casserole de spécialité nationale du jour est prête. C'est amusant et habituellement savoureux.

« C'est une façon de cuisiner très rapide. Comme DiBarney avait l'habitude de dire, "le temps d'un lèchement et d'une promesse et le dîner est servi". »

Posole d'Oscar

Oscar Mariscal était le chef au restaurant St. Michael's Alley lorsque Beth était maître pâtissière dans les années 1970 et 80. Le posole, ce plat mexicain traditionnellement offert la veille de Noël, est aussi servi le jour même de la Nativité pour aider les convives à se remettre des festivités de la veille. C'est aussi un ragoût idéal pour les surprises-parties. Le posole peut également être fait avec du poulet. Si vous aimez un ragoût un peu plus rassasiant, ajoutez une boîte de haricots pinto rincés. ◉ **6 portions**

MIJOTEUSE : Moyenne, ronde ou ovale

INTENSITÉ ET TEMPS DE CUISSON : FAIBLE, de 7 à 8 heures ; la coriandre fraîche, le sel et le poivre sont ajoutés avant la dernière heure de cuisson

30 ml (2 c. à table) d'huile d'olive

1 kg (2 lb) d'épaule de porc désossée, coupée en cubes de 1,5 cm (½ po), puis épongés

1 oignon jaune, de grosseur moyenne, haché

4 à 6 gousses d'ail, pressées, au goût

15 ml (1 c. à table) d'assaisonnement au chile

10 ml (2 c. à thé) d'origan séché

2 ml (½ c. à thé) de cumin moulu

2 boîtes de 426 ml (15 oz) de maïs blanc lessivé, rincé et égoutté

1 boîte de 199 ml (7 oz) de chiles verts rôtis coupés en dés, avec leur jus

1,5 l (6 tasses) de bouillon de poulet

60 ml (¼ tasse) de coriandre fraîche, finement hachée

2 ml (½ c. à thé) de sel, ou au goût

Poivre noir du moulin, au goût

POUR LE SERVICE :

Laitue iceberg, tranchée en lanières

Radis tranchés

Oignons verts, hachés (partie blanche et un peu du vert)

Avocat coupé en dés

Graines de citrouille, grillées

Salsa aux tomates avec gros morceaux

Coriandre fraîche, ciselée

Quartiers de lime

Tortillas de blé, chaudes

1. Dans une grande poêle, à feu moyen-vif, faire chauffer 15 ml (1 c. à table) d'huile jusqu'à ce qu'elle soit très chaude. Y ajouter la moitié de la viande et la faire dorer sur tous les côtés, de 4 à 5 minutes au total. Transférer dans la mijoteuse. Répéter l'opération avec le reste d'huile et de viande. Ajouter l'oignon, l'ail, l'assaisonnement au chile, l'origan, le cumin, le maïs lessivé, les chiles et le bouillon. Bien mélanger. À couvert, laisser cuire à faible intensité de 6 à 7 heures.

2. Incorporer la coriandre fraîche. Saler et poivrer. Couvrir de nouveau et poursuivre la cuisson à faible intensité pendant 1 heure.

3. Servir dans des bols à soupe peu profonds avec un choix de garnitures présentées dans de petits contenants, et des tortillas de blé chaudes.

Ragoût navajo

Voici une véritable spécialité du Four Corners (endroit où se rencontrent les États du Nouveau-Mexique, du Colorado, de l'Utah et de l'Arizona). C'est un repas rapide et facile à préparer. Servez-le avec du pain croûté, du riz espagnol et une salade verte. ● **4 à 6 portions**

MIJOTEUSE : Moyenne ou grande, ronde ou ovale

INTENSITÉ ET TEMPS DE CUISSON : FAIBLE de 7 à 9 heures, puis ÉLEVÉE pendant environ 20 minutes ; les pois chiches et les chiles sont ajoutés avant les 20 dernières minutes de cuisson

1 soc de porc de 1 à 1,2 kg (2 à 2½ lb), paré du gras
1 gros oignon jaune, coupé en deux et tranché en demi-lunes
Eau pour recouvrir
1 boîte de 426 ml (15 oz) de pois chiches (garbanzos), rincés et égouttés
1 boîte de 114 ml (4 oz) de chiles verts entiers rôtis, égouttés et coupés en lanières de 1,5 à 2,5 cm (½ à 1 po) de large
Sel, et poivre noir du moulin, au goût

1. Le matin, mettre le soc de porc et les tranches d'oignon dans la mijoteuse et ajouter juste ce qu'il faut d'eau pour les recouvrir. À couvert, laisser cuire à faible intensité de 7 à 9 heures ou jusqu'à ce que le porc s'effiloche facilement à la cuillère.

2. Lorsque arrive l'heure du dîner, couper le soc de porc en cubes ou le briser en morceaux inégaux. Retourner le porc dans la mijoteuse. Ajouter les pois chiches et les chiles. Régler la mijoteuse à intensité élevée et faire cuire environ 20 minutes, le temps que le contenu soit chaud. Saler et poivrer. Si désiré, épaissir la sauce en poursuivant la cuisson à intensité élevée pendant 15 minutes. Servir dans des bols.

Saucisses et poivrons

Un des meilleurs repas consiste en une casserole fumante de saucisses italiennes cuites avec des poivrons doux. Ce plat a d'abord été connu aux États-Unis en tant que saucisses et poivrons de Frank Sinatra avant de devenir un classique lorsque Dinah Shore l'a publié dans son livre *Someone's in the Kitchen with Dinah,* il y a des décennies (Doubleday, 1971). C'est de la cuisine réconfort italienne, que nous avons adaptée pour la mijoteuse. Servez ce plat avec une montagne de pain croûté pour en absorber le jus, ou sur un long pain à sous-marin et mangez-le comme un sandwich, ou encore versez-le à la cuillère sur des nouilles au beurre.

4 à 6 portions

MIJOTEUSE : Moyenne ou grande, ronde ou ovale
INTENSITÉ ET TEMPS DE CUISSON : FAIBLE, de 6 à 8 heures

3 gros poivrons de couleurs variées (rouge, jaune et orange), épépinés et
    coupés en gros morceaux
1 gros oignon jaune, coupé en croissants
3 gousses d'ail, pelées
Sel, et poivre noir du moulin, au goût
15 ml (1 c. à table) de thym frais, finement haché
30 ml (2 c. à table) d'huile d'olive
1 kg (2 lb) de saucisses variées, comme italienne piquante, italienne douce
    et poulet et basilic
80 ml (⅓ tasse) de vin rouge sec

1. Déposer les poivrons dans la mijoteuse. Ajouter l'oignon et l'ail. Bien mélanger. Saupoudrer d'un peu de sel et de poivre et de tout le thym.

2. Dans une grande poêle, faire chauffer l'huile d'olive à feu moyen-vif. Y faire brunir les saucisses de 3 à 5 minutes en les piquant à l'aide d'une fourchette. Transférer les saucisses sur les légumes dans la mijoteuse. Verser le vin dans la poêle et, en raclant le fond pour en détacher les particules, amener au point d'ébullition. Verser le vin dans la mijoteuse. À couvert, laisser cuire à faible intensité de 6 à 8 heures. Servir les saucisses et les poivrons alors que le tout est chaud.

Agneau et chou

Cette recette est un cadeau de l'ami de Beth, Robert Lambert, un styliste culinaire doué, un auteur de livres de cuisine et un entrepreneur dans le domaine alimentaire. Les recettes de Robert sont souvent tirées de la boîte à recettes de sa grand-mère, Florrie, et elles remontent aux années de son enfance passées dans le Michigan rural. Robert parle des dîners avec sa grand-mère dans un ouvrage non publié et intitulé *Journey Home*.

«Ce plat, Agneau et chou, était un favori de notre famille, un dîner mijoté plus souvent au printemps et à l'automne qu'à l'été, quoique nous l'ayons souvent servi en été afin que les convives qui ne nous visitaient que durant cette période puissent également le déguster. Ce plat a probablement été conçu pour être réalisé avec du mouton au goût prononcé, mais il est encore meilleur lorsqu'il est préparé avec un gigot d'agneau du printemps.» ◉ **4 à 6 portions**

> **MIJOTEUSE :** Moyenne ou grande, ronde ou ovale (selon la taille du gigot d'agneau)
>
> **INTENSITÉ ET TEMPS DE CUISSON :** ÉLEVÉE pour 1 heure, puis FAIBLE de 4 à 5 heures, puis ÉLEVÉE de nouveau pour 20 minutes ; le chou est ajouté avant les 20 dernières minutes de cuisson

2 ml (½ c. à thé) de baies de piment de la Jamaïque
2 ml (½ c. à thé) de grains de poivre noir
2 ml (½ c. à thé) de clous de girofle entiers
1 petit gigot d'agneau (environ 1 kg ou 2 lb), avec l'os ou désossé et ficelé
480 ml (2 tasses) de bouillon de poulet chaud (facultatif)
120 ml (½ tasse) de vin blanc sec (facultatif)
3 à 5 ml (¾ à 1 c. à thé) de sel, au goût
1 chou, étrogné et coupé en 8 morceaux

1. Mettre les baies de piment de la Jamaïque, les grains de poivre et les clous de girofle dans un sac d'étamine ou une boule à thé. Réserver.

2. Déposer l'agneau dans la mijoteuse. Si une mijoteuse ronde est utilisée, mettre la partie charnue de l'agneau au fond du pot. Si utilisés, verser le bouillon et le vin sur la pièce de viande. Ajouter assez d'eau chaude pour recouvrir l'agneau de 2,5 cm (1 po). Saler légèrement si le bouillon de poulet est utilisé. Ajouter le bouquet d'épices ou la boule à thé. À couvert, laisser cuire à intensité élevée pendant 1 heure.

3. Régler la mijoteuse à faible intensité et faire cuire de 4 à 5 heures ou jusqu'à ce que l'agneau se coupe à la fourchette. Environ 20 minutes avant la fin de la cuisson, préchauffer le four à 100 °C (200 °F).

4. Transférer l'agneau dans un plat. Le couvrir de papier d'aluminium et le garder au chaud dans le four. Mettre les morceaux de chou dans le bouillon chaud de la mijoteuse et régler l'appareil à intensité élevée. À couvert, laisser cuire de 20 à 30 minutes, le temps que le chou soit attendri.

5. Un peu avant que le chou finisse de cuire, découper la viande. Servir l'agneau dans des bols peu profonds accompagné de 2 morceaux de chou et d'un peu de bouillon.

Pâtes, jarret d'agneau à la bière et sauce tomate

Ce plat savoureux est décidément un régal lorsqu'il est servi sur d'épaisses pâtes artisanales. Choisissez une forme consistante de pâte, comme des rigatonis ou des pennes, pour retenir la sauce. Nous pensons qu'il vaut le coup de chercher des pâtes alimentaires importées, comme celles de marque De Cecco ou Barilla, surtout quand vous vous donnez la peine de préparer une garniture aussi délicieuse que celle-ci. Pour cette recette, choisissez une bière brune ou une bière qui n'est pas trop amère. ◉ **4 à 6 portions**

MIJOTEUSE : Moyenne ou grande, ronde ou ovale
INTENSITÉ ET TEMPS DE CUISSON : FAIBLE, de 7 à 8 heures

45 ml (3 c. à table) d'huile d'olive

4 jarrets d'agneau (une quantité totale d'environ 2,25 kg ou 5 lb), parés du gras

2 à 3 branches de céleri, coupées en tronçons de 1 cm (⅓ po)

2 grosses carottes, coupées en rondelles de 1 cm (⅓ po) d'épaisseur

4 gousses d'ail, tranchées

240 ml (1 tasse) de bière brune ou d'ale

60 ml (¼ tasse) de pâte de tomates

2 boîtes de 411 ml (14,5 oz) de tomates hachées, avec leur jus

30 ml (2 c. à table) de romarin frais, finement haché, ou 10 ml (2 c. à thé) de romarin séché, émietté

10 ml (2 c. à thé) d'origan frais, haché, ou 3 ml (¾ c. à thé) d'origan séché

5 ml (1 c. à thé) de sel, ou au goût

0,5 ml (⅛ c. à thé) de poivre noir fraîchement moulu, ou au goût

454 g (1 lb) de pâtes d'une bonne épaisseur

1. Dans une grande poêle, à feu moyen-vif, faire chauffer l'huile et brunir les jarrets sur tous les côtés, soit de 5 à 7 minutes en tout. Il faudra peut-être procéder par lots. Transférer les jarrets grillés dans un plat. Verser l'huile dans la poêle, sauf environ 15 ml (1 c. à table). Tout en brassant à quelques reprises, y attendrir le céleri, les carottes et l'ail pendant environ 5 minutes. Faire un lit avec les légumes au fond de la mijoteuse et y disposer l'agneau.

2. Verser la bière dans la poêle et, en raclant le fond pour en détacher les particules, amener au point d'ébullition. Incorporer la pâte de tomates, les tomates hachées avec leur jus, les herbes, le sel et le poivre. Amener de nouveau au point d'ébullition, puis réduire le feu à moyen-doux et laisser mijoter pendant environ 5 minutes. Verser la sauce sur l'agneau dans la mijoteuse. À couvert, laisser cuire à faible intensité de 7 à 8 heures ou jusqu'à ce que l'agneau se coupe à la fourchette.

3. Préchauffer le four à 190 °C (375 °F) et porter une grande marmite d'eau salée à ébullition pour faire bouillir les pâtes. À l'aide une cuillère à égoutter ou de pinces, déposer les jarrets dans un plat de cuisson peu profond. Garder au chaud dans le four pendant la cuisson des pâtes et la préparation de la sauce.

4. Verser la sauce dans une passoire. Réserver les aliments solides. Enlever le plus de gras possible de la sauce, puis la verser dans une petite casserole. Incorporer les carottes et le céleri, et porter la sauce à ébullition. Réduire le feu à moyen-doux et laisser mijoter environ 10 minutes, le temps que la sauce épaississe un peu.

5. Faire bouillir les pâtes, les égoutter et les transférer dans un plat de service chaud. Les napper de la sauce tomate. Servir une portion de pâtes garnie d'agneau à chacun des convives. Donner un jarret entier aux gros mangeurs ; pour les appétits plus petits, séparer la viande des os en faisant de gros morceaux.

Jarret d'agneau du vignoble de Martha

Cette recette de jarret d'agneau ne contient ni ail, ni tomates, ni herbes, ni ingrédients sophistiqués ; c'est de la cuisine maison sans fioritures. Martha, notre agente littéraire, récupère souvent le jus de cuisson des jarrets et le congèle pour l'utiliser la prochaine fois qu'elle fait cette recette. Elle et son mari vivent au milieu d'un vignoble dans Napa Valley ; ils cuisinent donc souvent avec le vin produit sur leur propriété et s'en servent également pour accompagner le ragoût. Notez que cette recette demande du poivre blanc, non du noir qui est plus piquant. ● **4 à 6 portions**

MIJOTEUSE : Moyenne ou grande, ronde ou ovale

INTENSITÉ ET TEMPS DE CUISSON : FAIBLE, de 7 à 8 heures ; les pommes de terre et les carottes sont ajoutées après 3½ heures de cuisson

4 jarrets d'agneau (une quantité totale d'environ 2,25 kg ou 5 lb), parés du gras
120 ml (½ tasse) de farine tout usage
45 ml (3 c. à table) d'huile d'olive
1 oignon jaune, de grosseur moyenne, haché
240 ml (1 tasse) de vin blanc sec
480 à 720 ml (2 à 3 tasses) de bouillon de poulet ou de bœuf, ou au besoin
500 à 625 g (1 à 1¼ lb) de pommes de terre nouvelles miniatures, gardées entières
340 g (12 oz) de carottes miniatures ou d'épaisses tranches de carottes régulières
Sel et poivre blanc, au goût

1. À l'aide de la pointe d'un couteau, percer les jarrets d'agneau à quelques endroits. Sur une planche à découper ou un plat de service, rouler les jarrets dans la farine afin de les enrober complètement. Dans une grande poêle, faire chauffer l'huile à feu moyen-vif et dorer les jarrets sur tous les côtés, de 5 à 7 minutes en tout. Il faudra peut-être procéder par lots. Transférer les jarrets grillés dans la mijoteuse. Ajouter l'oignon dans la poêle et, en brassant à quelques reprises, l'attendrir quelque peu, soit pendant environ 3 minutes. Verser le vin dans la poêle et, en raclant le fond pour en détacher les particules, amener au point d'ébullition. Transférer les oignons et le vin dans la mijoteuse. Ajouter assez de bouillon pour recouvrir l'agneau. Saler et poivrer légèrement. À couvert, laisser cuire à faible intensité pendant 3½ heures.

2. Incorporer les pommes de terre et les carottes au contenu de la mijoteuse. À couvert, poursuivre la cuisson à faible intensité de 3½ à 4½ heures, le temps que l'agneau soit très tendre lorsque piqué à l'aide d'une fourchette et que la viande se détache facilement de l'os.

3. Rectifier l'assaisonnement (Martha aime ce plat avec beaucoup de poivre blanc). Directement du pot de grès, déposer dans chaque assiette un jarret ou un morceau d'agneau, quelques pommes de terre et des carottes. Napper de sauce. Servir.

Jarret d'agneau de Victoria braisé à l'ail, au romarin frais et au vin blanc

Voici une recette réconfortante adaptée du merveilleux livre *The Pressure Cooker Gourmet* de Victoria Wise (Harvard Common Press, 2003). Eh oui, il faut trois têtes d'ail complètes; les gousses sont mises non épluchées dans le pot de grès; aussi n'y a-t-il aucune inquiétude culinaire à se faire. Les dîneurs peuvent presser les gousses pour récupérer la succulente pâte en mangeant les jarrets. Il est à noter que, contrairement aux autres recettes, celle-ci ne demande que deux jarrets. Si vous ne voulez pas couper les jarrets, demandez au boucher de le faire pour vous. Cette recette propose une garniture de zeste de citron haché qui donne vraiment du punch. Nous aimons aussi réduire le zeste finement au robot culinaire, avec une quantité égale de persil, pour faire une sorte de gremolata. Servez le jarret avec des nouilles aux œufs ou des pommes de terre bouillies. ◉ **2 à 3 portions**

MIJOTEUSE : Moyenne, ronde ou ovale
INTENSITÉ ET TEMPS DE CUISSON : FAIBLE, de 7 à 8 heures

25 ml (1½ c. à table) d'huile d'olive
2 jarrets d'agneau (une quantité totale de 1,25 kg ou 2½ lb), parés du gras,
    chacun coupé en diagonale en 3 morceaux
180 ml (¾ tasse) de vin blanc sec
3 têtes d'ail, les gousses séparées mais non épluchées
2 tomates fraîches ou en conserve, de taille moyenne, grossièrement
    hachées
7 ml (1½ c. à thé) de romarin frais, haché
Sel, et poivre noir du moulin, au goût
60 ml (¼ tasse) de zeste de citron, haché, pour la garniture

1. Dans une grande poêle, à feu moyen-vif, faire chauffer l'huile et brunir les jarrets sur tous les côtés, pour un total d'environ 5 minutes. Transférer les jarrets grillés dans la mijoteuse. Verser le vin dans la poêle et, en raclant le fond pour en détacher les particules, amener au point d'ébullition. Ajouter l'ail, les tomates et le romarin, et amener à nouveau à ébullition. Verser sur l'agneau dans la mijoteuse. À couvert, laisser cuire à faible intensité de 7 à 8 heures ou jusqu'à ce que l'agneau soit très tendre et se détache de l'os.

2. Saler et poivrer, puis parsemer de zeste de citron. Servir directement du récipient en grès.

Côtelettes d'agneau braisées et haricots blancs

D ans ce cas, vous servez une viandeuse côtelette d'épaule d'agneau entière (qui adore être braisée) avec des haricots et une sauce savoureuse. Il s'agit d'une recette qui donne un plat merveilleux, économique et très savoureux. Pour plus de saveur, n'hésitez pas à faire dorer vos côtelettes dans l'huile provenant des tomates séchées. Servez-les sur un lit de riz. ◎ **4 portions**

MIJOTEUSE : Moyenne, ovale ; ou grande, ronde ou ovale
INTENSITÉ ET TEMPS DE CUISSON : FAIBLE, de 5 à 7 heures ; les haricots sont
    ajoutés à mi-cuisson

15 à 30 ml (1 à 2 c. à table) d'huile d'olive, ou au besoin
4 côtelettes d'épaule d'agneau
1 oignon jaune, de grosseur moyenne, haché
120 m (½ tasse) de bouillon de poulet
120 ml (½ tasse) de vin blanc sec
60 ml (¼ tasse) de tomates séchées au soleil, hachées, conditionnées dans
    l'huile, égouttées
2 ml (½ c. à thé) de marjolaine ou de thym séchés
1 pincée de cumin moulu
1 boîte de 426 ml (15 oz) de petits haricots blancs, rincés et égouttés
Sel, et poivre noir du moulin, au goût
Riz cuit et chaud, pour le service

1. Dans une grande poêle antiadhésive, à feu moyen-vif, faire chauffer l'huile et brunir l'agneau des deux côtés ; transférer dans la mijoteuse. Ajouter l'oignon dans la poêle et l'attendrir pendant quelques minutes ; le transférer dans la mijoteuse. Ajouter le bouillon, le vin, les tomates, la marjolaine et le cumin dans la mijoteuse. À couvert, laisser cuire à faible intensité de 2½ à 3½ heures.

2. Ajouter les haricots et, à couvert, poursuivre la cuisson à faible intensité de 2½ à 3½ heures, le temps que l'agneau soit très tendre. Saler et poivrer. Servir sur un lit de riz.

Goulache d'agneau au blanc

Avec l'arrivée de l'agneau du printemps dans les marchés et les citrons frais qui sont encore dans les arbres en Californie, voici une merveilleuse recette pour un dîner de fin d'hiver. Cette goulache est une autre recette qui nous provient de Nancyjo Riekse ; Nancyjo l'a adaptée pour la mijoteuse à partir d'une recette qu'elle prépare depuis 20 ans. Si le citron et l'agneau vous apparaissent comme une nouvelle combinaison, dites-vous que cette dernière est courante dans la cuisine du Moyen-Orient. Lorsque vous voyez l'expression *au blanc,* cela signifie que la viande n'est pas préalablement saisie. Servez la goulache avec de larges nouilles aux œufs beurrées et parsemez-la de zeste de citron râpé. ◉ **4 à 6 portions**

MIJOTEUSE : Moyenne ou grande, ronde ou ovale
INTENSITÉ ET TEMPS DE CUISSON : FAIBLE, de 5 à 6 heures

45 ml (3 c. à table) de beurre non salé, ramolli
1 oignon jaune, de grosseur moyenne, haché
1 kg (2 lb) de viande à ragoût d'agneau du printemps frais, par exemple
    dans d'épaule, coupée en cubes de 4 cm (1½ po)
1 citron épépiné, tranché finement
5 ml (1 c. à thé) de graines de cumin
10 ml (2 c. à thé) de marjolaine séchée
1 gousse d'ail, pelée
240 ml (1 tasse) de bouillon de légumes
Sel, et poivre noir du moulin, au goût

1. Graisser le fond de la mijoteuse avec le beurre et y étendre l'oignon. Déposer l'agneau dans la mijoteuse et le couvrir des tranches de citron.

2. Dans un mortier, écraser ensemble les graines de cumin, la marjolaine et l'ail à l'aide d'un pilon. Incorporer ce mélange au bouillon de légumes. Verser le bouillon dans la mijoteuse. À couvert, laisser cuire à faible intensité de 5 à 6 heures ou jusqu'à ce que l'agneau se coupe à la fourchette. Saler et poivrer. Servir.

Cari d'agneau

L e mot «cari» dérive du mot hindi *kard*, qui signifie aussi bien «cuire sur une longue période de temps» que «sauce». Ainsi, quand vous verrez le mot «cari» dans un nom de recette, vous saurez que le plat mijote comme un ragoût avec diverses épices, y compris de la cardamome, un membre de la famille du gingembre et un ajout populaire, piquant et suave, aux caris et aux pâtisseries. Les capsules de cardamome contiennent de nombreuses graines aromatiques mais, par commodité, sont placées entières dans le sac d'épices ou légèrement pilées (la coquille se désagrège pendant la cuisson). Les capsules de la cardamome verte, cueillies quand elles sont encore immatures et séchées, et celles de la cardamome noire sont disponibles dans les épiceries indiennes. Le cari d'agneau est un plat classique des bistrots français. Épais et aromatique, il est idéalement accompagné de riz basmati à grains longs. ● **6 portions**

MIJOTEUSE : Moyenne ou grande, ronde ou ovale
INTENSITÉ ET TEMPS DE CUISSON : ÉLEVÉE, pour 1 heure ; puis FAIBLE de 6 à 8 heures

30 à 60 ml (2 à 4 c. à table) d'huile de cuisson
2 oignons jaunes, de grosseur moyenne, hachés
1 kg (2 lb) d'épaule, de jarret ou de haut de gigot d'agneau, paré du gras visible et coupé en cubes de 5 cm (2 po)
1 morceau de 1,5 cm (½ po) de gingembre frais, pelé
2 gousses d'ail, pelées
2 piments serrano ou jalapeno, épépinés
240 ml (1 tasse) de bouillon de poulet ou de légumes
15 ml (1 c. à table) de cumin moulu
15 ml (1 c. à table) de coriandre moulue
2 ml (½ c. à thé) de curcuma
25 ml (1½ c. à table) de farine tout usage
1 boîte de 398 ml (14 oz) de lait de coco, non sucré
2 grosses pommes acidulées, comme la Fuji ou la Granny Smith, pelées, étrognées et grossièrement hachées
5 capsules de cardamome verte (placées dans un sac d'épices)
3 capsules de cardamome noire (placées dans un sac d'épices)
1 bâton de cannelle de 10 cm (4 po)
1 feuille de laurier
4 clous de girofle
5 ml (1 c. à thé) de sel, ou au goût

120 ml (½ tasse) de yaourt nature

80 ml (⅓ tasse) de chutney aux fruits, réduit au robot culinaire jusqu'à
        l'obtention d'une consistance lisse

POUR LE SERVICE :

Riz basmati, cuit et chaud

120 ml (½ tasse) de coriandre fraîche, ciselée

1. Dans une grande poêle antiadhésive, à feu moyen-vif, faire chauffer la moitié de l'huile. Y faire brunir la moitié des oignons et la moitié de l'agneau sur tous les côtés pendant environ 10 minutes. Transférer le tout dans la mijoteuse. Faire brunir le reste des oignons et de l'agneau. Transférer de nouveau dans la mijoteuse.

2. Réduire le gingembre, l'ail et les piments dans un minirobot, puis ajouter un peu du bouillon pour former une pâte. Ajouter la pâte dans la poêle, puis le cumin, la coriandre et le curcuma et, en remuant constamment, faire chauffer pendant quelques minutes. Saupoudrer de la farine et mouiller avec le reste du bouillon ; remuer jusqu'à l'obtention d'une consistance lisse. Verser le mélange dans la mijoteuse, puis ajouter le lait de coco et les pommes. Mettre les capsules de cardamome, le bâton de cannelle, la feuille de laurier et les clous de girofle dans un sac d'étamine ; enfouir dans le mélange. À couvert, laisser cuire à intensité élevée pendant 1 heure.

3. Régler la mijoteuse à faible intensité et poursuivre la cuisson de 6 à 8 heures ou jusqu'à ce que l'agneau soit très tendre.

4. Jeter le sac d'épices et saler le cari. Incorporer le yaourt et le chutney ; laisser reposer dans la mijoteuse, à couvert, pendant 15 minutes pour réchauffer. Servir avec le riz basmati garni de coriandre fraîche.

Ragoût irlandais

L e délicieux et éternellement populaire ragoût irlandais, originaire de l'île verdoyante des prophètes et des philosophes, est un ragoût dont la préparation est de facture classique. À l'instar des ragoûts français, la viande est coupée en morceaux, saisie pour en caraméliser la surface, puis cuite dans beaucoup de liquide, sans agent liant. Servez ce mets avec du pain irlandais de soude et du beurre, ainsi qu'une chope de Guinness froide pour retrouver la quintessence des plats servis dans les brasseries. ● **6 portions**

MIJOTEUSE : Moyenne ou grande, ronde ou ovale

INTENSITÉ ET TEMPS DE CUISSON : ÉLEVÉE, pour 1 heure ; puis FAIBLE de 6 à
    7 heures

15 à 30 ml (1 à 2 c. à table) d'huile d'olive, au besoin

1 kg (2 lb) d'épaule d'agneau, parée du gras, coupé en cubes de 4 cm
    (1½ po), épongés

8 pommes de terre nouvelles blanches, bien nettoyées et coupées en
    tranches de 1,5 cm (½ po) d'épaisseur

8 oignons perlés blancs, coupés en deux

1 sac de 340 g (12 oz) de carottes miniatures, ou 3 grosses carottes
    coupées en épaisses rondelles

4 branches de céleri, hachées

30 ml (2 c. à table) de persil plat frais, ciselé

12 ml (2½ c. à thé) d'un mélange d'herbes sans sel, comme celui de
    Mme Dash ou de Mme McCormick

10 ml (2 c. à thé) de thym séché

1 feuille de laurier

480 ml (2 tasses) d'eau, de bouillon de poulet ou de bouillon de légumes

Sel, et poivre noir du moulin, au goût

1. Dans une grande poêle antiadhésive, à feu moyen-vif, faire chauffer 15 ml (1 c. à table) d'huile et y faire brunir la moitié de l'agneau sur tous les côtés. Réserver. Faire brunir l'autre moitié de la viande, en ajoutant plus d'huile si nécessaire.

2. Dans la mijoteuse, disposer en couches les pommes de terre, les oignons, les carottes et le céleri, et terminer avec la viande. Ajouter le persil, le mélange d'herbes, le thym et la feuille de laurier, puis verser l'eau. À couvert, laisser cuire à intensité élevée pendant 1 heure.

3. Régler la mijoteuse à faible intensité et poursuivre la cuisson de 6 à 7 heures ou jusqu'à ce que l'agneau et les légumes soient très tendres.

4. Saler et poivrer. Si on désire un ragoût plus épais, incorporer de 15 à 30 ml (1 à 2 c. à table) de beurre manié (page 21). Servir le ragoût directement du récipient.

Agnello al forno

*A*gnello al forno signifie «agneau rôti au four». Il s'agit d'un plat maison traditionnel cuisiné particulièrement dans la région napolitaine. Il est monté en couches dans une cocotte d'argile et mijoté pendant de longues heures. Bien qu'il soit souvent fait avec de la chèvre, la version à l'agneau, habituellement un morceau d'épaule, est la plus populaire. Les herbes fraîches sont indispensables; ne pensez même pas préparer ce plat avec des herbes séchées. ◉ **6 portions**

MIJOTEUSE : Moyenne ou grande, ronde ou ovale

INTENSITÉ ET TEMPS DE CUISSON : FAIBLE, de 8 à 10 heures; la moitié des herbes est ajoutée avant la dernière heure de cuisson

3 oignons jaunes, de grosseur moyenne, coupés en 8 morceaux

2 gousses d'ail, finement hachées

1 kg (2 lb) de pommes de terre nouvelles, blanches ou rouges, coupées en deux ou en quatre

30 ml (2 c. à table) d'huile d'olive

1 kg (2 lb) de viande à ragoût d'agneau, parée d'un peu de gras, coupée en morceaux de 4 cm (1½ po) et épongée

60 ml (¼ tasse) de persil plat frais, haché menu

60 ml (¼ tasse) de basilic frais, haché menu

30 ml (2 c. à table) d'origan ou de sarriette, frais, hachés menu

Poivre noir du moulin (8 tours)

Sel, au goût

1 kg (2 lb) de tomates italiennes mûres, grossièrement hachées

30 ml (2 c. à table) de beurre non salé, coupé en petits carrés

1. Disposer en couches les oignons, l'ail et les pommes de terre dans la mijoteuse.

2. Dans une grande poêle, à feu moyen-vif, faire chauffer 15 ml (1 c. à table) d'huile jusqu'à ce qu'elle soit très chaude. Faire dorer la moitié de la viande sur tous les côtés, soit de 4 à 5 minutes au total. Transférer l'agneau dans la mijoteuse. Répéter l'opération avec le reste d'huile et de viande. Ajouter la moitié des herbes et la totalité du poivre dans la mijoteuse, puis saler. Garnir avec les tomates et parsemer du beurre. À couvert, laisser cuire à faible intensité de 8 à 10 heures ou jusqu'à ce que l'agneau se coupe à la fourchette.

3. Une heure avant la fin du temps de cuisson, répartir le reste des herbes sur la viande et les légumes. Servir avec du riz et une belle salade verte.

Bout de côtes de bœuf, côtes levées de porc et ailes de poulet

La mijoteuse est un excellent moyen de cuisiner les côtes levées et les ailes de poulet, des plats économiques et toujours appréciés lors des rassemblements estivaux. Les côtes de viande sont un peu grasses ; aussi restent-elles tendres et juteuses pendant la longue cuisson et s'imprègnent-elles de toute sauce que vous utilisez pour les braiser. Une cuisson lente et une sauce ou une marinade savoureuse se traduisent par une viande vraiment goûteuse et succulente. Alors que les côtes de viande fumées sur un gril ou rôties au

four sont caoutchouteuses, celles cuites à la mijoteuse sont si tendres qu'elles se défont à la fourchette. Elles se préparent si facilement que vous pourriez acheter une mijoteuse uniquement pour en cuisiner.

Les côtes de bœuf, appelées *bouts de côtes de bœuf* ou *haut-de-côtes de bœuf*, selon la partie où elles ont été prélevées, viennent des 12 côtes qui traversent la région du flanc inférieur, derrière la poitrine et juste sous le train de côtes principal. Cherchez des côtes maigres et bien viandeuses. Celles qui proviennent du bout des côtes sont scandaleusement bonnes. Les bouts de côtes sont aussi appelés *flanken* (particulièrement dans les livres de cuisine allemands) et ils sont coupés à travers l'os. Les côtes de style anglais sont presque toujours désossées. Elles sont coupées en rectangles individuels avec encore un peu d'os à l'intérieur, et on les trouve habituellement chez le boucher. Quand vous achetez des côtes de bœuf, prévoyez 454 g (1 lb) par personne, ou plus si vous voulez des restes.

La famille des côtes de porc inclut les côtes levées, les petites côtes levées de dos, et les bouts de côtes (longe). La nature douce du porc se marie magnifiquement avec un grand choix de sauces barbecue et de marinades légèrement épicées qui donnent un repas succulent et satisfaisant. Les *côtes*

levées sont les côtes de porc les plus populaires en raison de leur merveilleuse saveur viandeuse. Si vous êtes comme la plupart des gens, quand vous imaginez un plat de côtes de porc, ce sont des côtes levées avec une sauce tomate barbecue piquante qui vous viennent à l'esprit. Les côtes levées sont coupées dans l'abdomen après que le bacon a été enlevé. Elles viennent dans une tranche de 900 g à 1,4 kg (2 à 3 lb) ayant une quantité variable de viande et de gras, assez pour nourrir 2 ou 3 personnes. Inspectez soigneusement les tranches et choisissez-en une qui présente beaucoup de viande par rapport à la quantité de gras. Vous pouvez faire cuire la tranche entière, la diviser en deux sections que vous empilez dans votre mijoteuse ronde, ou la diviser en portions. Nous ne faisons pas précuire les côtes dans l'eau bouillante ; la mijoteuse fait parfaitement le travail et ne nécessite aucune préparation complexe. Remplissez-la de côtes et laissez tout simplement cuire.

Les *petites côtes levées de dos* figurent au menu de tous les restaurants américains raffinés qui servent des côtes, mais elles sont loin d'être les plus viandeuses. Elles proviennent essentiellement des os des côtes de porc prélevées dans la longe, dont on a retiré presque toute la viande. On les sert en hors-d'œuvre parce qu'elles sont petites et très tendres. Une plaque nourrit seulement 1 ou 2 personnes; vous devrez donc remplir entièrement la mijoteuse pour rassasier un groupe.

Les *bouts de côtes de longe* sont des côtelettes de longe de porc fendues ou divisées en deux. Elles sont peu coûteuses et contiennent beaucoup de viande; c'est une des coupes idéales pour braiser à la mijoteuse.

Pour ces trois coupes, procurez-vous seulement du porc de catégorie A et achetez-le frais pour une meilleure saveur.

Les ailes de poulet, en raison de leur taille, sont les plus amusantes bouchées. Elles sont parfaites pour les casse-croûte de fêtes, les pique-niques ou les repas à la bonne franquette à la maison. Une aile de poulet est composée de trois sections, appelées morceaux : la première est le *pilon d'aile*, qui ressemble à une petite baguette. C'est la partie carnée de l'aile, avec un os au centre. Le morceau du milieu possède deux os minces et une quantité plus modeste d'une viande très savoureuse. La troisième section est l'*aileron;* le mieux est de l'utiliser dans un bouillon, car son os ajoutera saveur et corps à vos potages au poulet. Si vous faites frire des ailes de poulet ou les cuisez au four, il n'y a aucune raison de ne pas les conserver entières et de ne pas laisser les convives les défaire eux-mêmes. Par contre, l'espace de cuisson dans la mijoteuse est plutôt limité; aussi est-il préférable de disjoindre les parties des ailes et de ne préparer que les deux premières sections. (De plus, les ailes entières ont tendance à s'entrelacer dans la mijoteuse, ce qui peut être désagréable quand vous essayez de les brasser pour distribuer l'assaisonnement de manière uniforme.)

Pour disjoindre une aile de poulet, placez-la sur une planche à découper.

Pliez une des parties vers l'arrière contre la planche et utilisez un couteau bien aiguisé pour couper directement à travers l'articulation. Quand vous trouverez le bon endroit où couper, votre couteau glissera facilement à travers. Vous développerez une grande dextérité assez rapidement. Coupez à travers l'autre articulation de la même manière; utilisez ensuite votre couteau pour enlever les grands morceaux de peau pendante. Mettez les ailerons dans un sac en plastique robuste et congelez-les pour faire des bouillons.

Grâce aux nouvelles stratégies de marketing de l'industrie de la volaille, il est maintenant plus facile que jamais de servir des ailes de poulet. Au comptoir des viandes fraîches, on trouve des paquets de pilons d'aile. Dans les magasins-entrepôt et les grands supermarchés, vous pouvez acheter de grands sacs congelés de pilons d'aile et d'ailettes. Ceux-ci sont souvent appelés *ailes de fête*, et sont particulièrement pratiques parce que les morceaux sont congelés individuellement, ce qui vous permet de retirer du sac seulement la quantité dont vous avez besoin. On compte approximativement 10 ailes de fête dans 454 g (1 lb). Prenez-en autant que nécessaire et mettez-les dans un sac en plastique. Décongelez-les au réfrigérateur durant toute une nuit. Ou, si vous êtes pressé, mettez-les dans un sac en plastique que vous déposerez dans un évier plein d'eau froide.

Servez les côtes et les ailes avec des haricots au lard, du succotash, de grosses salades vertes, des salades de haricots d'été ou de légumes, des pommes de terre au four et des épis de maïs. Et offrez beaucoup de serviettes de table en papier (et peut-être même des bavettes en papier).

Si vous ne voulez pas utiliser une sauce barbecue du commerce, voici quelques sauces maison à préparer dans votre mijoteuse.

Sauce barbecue relevée

C'est la sauce barbecue classique, simple à préparer, et aussi notre sauce tout-usage favorite. ● 720 ml (3 tasses)

MIJOTEUSE : Moyenne ou grande, ronde ou ovale

INTENSITÉ ET TEMPS DE CUISSON : FAIBLE, de 5 à 6 heures

80 ml (⅓ tasse) d'huile d'olive

1 gros oignon jaune, haché

120 ml (½ tasse) de vin rouge sec ou d'eau

80 ml (⅓ tasse) de vinaigre de cidre

80 ml (⅓ tasse) de jus de citron frais

60 ml (¼ tasse) de cassonade, blonde ou brune, bien tassée

45 ml (3 c. à table) de sauce Worcestershire

15 ml (1 c. à table) de sauce soja

15 ml (1 c. à table) de paprika

5 à 10 ml (1 à 2 c. à thé) d'assaisonnement au chile, au goût

480 ml (2 tasses) de ketchup

1. Dans une poêle de taille moyenne, à feu moyen, faire chauffer l'huile et, tout en brassant, y attendrir l'oignon pendant environ 5 minutes. Verser le vin et le vinaigre et, en raclant le fond pour en détacher les particules, porter à ébullition. Transférer dans la mijoteuse. Ajouter le reste des ingrédients. À couvert, laisser cuire à faible intensité de 5 à 6 heures.

2. Si la sauce n'est pas assez épaisse, enlever le couvercle, régler la mijoteuse à intensité élevée et poursuivre la cuisson environ 30 minutes, le temps d'obtenir la consistance désirée. Réduire la préparation en purée à l'aide d'un mélangeur à main ou la transférer dans un robot culinaire et actionner ce dernier jusqu'à l'obtention d'une consistance lisse. Laisser refroidir. Transférer dans un pot hermétiquement fermé, et réfrigérer pendant une période maximale de 2 mois.

Sauce barbecue aux bleuets

La sœur de Beth, Meg, lui a envoyé un livre de cuisine de l'île Whidbey, dans le Puget Sound (dans l'État de Washington), un endroit où elle passe souvent ses vacances et dont elle adore les incroyables aliments cultivés et produits localement. Voici une recette vraiment unique de sauce barbecue sans tomates qui a été adaptée de ce livre de cuisine, qui se prétend avoir des racines sudistes et être digne de la touche d'une grand-mère. Préparez-la l'été, lorsque les bleuets sont en saison ; les bleuets

congelés peuvent convenir aussi. Les bleuets vont réduire considérablement de volume durant la cuisson. Cette recette se prépare aussi avec des mûres sauvages.
◦ 1 l (4 tasses)

MIJOTEUSE : Moyenne ou grande, ronde ou ovale
INTENSITÉ ET TEMPS DE CUISSON : FAIBLE, de 6 à 8 heures

15 ml (1 c. à table) d'huile d'olive
1 petit oignon jaune, coupé en dés
2 gousses d'ail, écrasées
60 ml (¼ tasse) de vin zinfandel
80 ml (⅓ tasse) de vinaigre de cidre
1,5 l (6 tasses) de bleuets frais ou 1,2 kg (2½ lb) de bleuets congelés (non
    conditionnés dans le sirop)
80 ml (⅓ tasse) de cassonade blonde, bien tassée
15 ml (1 c. à table) de sauce Worcestershire
Jus de 1 citron
1 grosse pincée de flocons de piment rouge
1 grosse pincée d'assaisonnement au chile
Sel, et poivre noir du moulin, au goût

1. Dans une poêle de taille moyenne, à feu moyen, faire chauffer l'huile et, tout en brassant, y attendrir l'oignon et l'ail pendant environ 5 minutes. Verser le vin et le vinaigre et, en raclant le fond pour en détacher les particules, porter à ébullition. Transférer dans la mijoteuse. Ajouter le reste des ingrédients, sauf le sel et le poivre. À couvert, laisser cuire à faible intensité de 6 à 8 heures ou jusqu'à épaississement.

2. Si la sauce n'est pas assez épaisse, enlever le couvercle, régler la mijoteuse à intensité élevée et poursuivre la cuisson environ 30 minutes, le temps d'obtenir la consistance désirée. Réduire la préparation en purée à l'aide d'un mélangeur à main ou la transférer dans un robot culinaire et actionner ce dernier jusqu'à l'obtention d'une consistance lisse. Saler et poivrer. Laisser refroidir. Transférer dans un pot hermétiquement fermé, et réfrigérer pendant une période maximale de 2 mois.

Sauce barbecue au miel

Cette sauce tomate barbecue, simple à préparer, est douce et en même temps légèrement épicée ; elle vous donnera des côtes de viande et du poulet pleinement savoureux. Pour une sauce plus épicée, vous pouvez ajouter plus d'assaisonnement au chile. ◦ Donne 1,2 l (5 tasses)

MIJOTEUSE : Moyenne, ronde ou ovale
INTENSITÉ ET TEMPS DE CUISSON : FAIBLE, de 5 à 6 heures

2 boîtes de 227 ml (8 oz) de sauce tomate
240 ml (1 tasse) de ketchup

45 ml (3 c. à table) de pâte de tomates

2 gousses d'ail, écrasées, ou 3 ml (¾ c. à thé) de poudre d'ail

1 à 2 échalotes françaises, au goût, finement hachées (dans un minirobot culinaire, si possible)

90 ml (¾ tasse) de miel

180 ml (¾ tasse) de confiture ou de conserve de fruits, comme framboises, abricots, pêches, prunes, ou de marmelade d'oranges

160 ml (⅔ tasse) de cassonade blonde, bien tassée

80 ml (⅓ tasse) de jus de citron frais

30 ml (2 c. à table) de sauce Worcestershire

30 ml (2 c. à table) de moutarde de Dijon

15 ml (1 c. à table) d'assaisonnement au chile, ou au goût

1 grosse pincée de flocons de piment rouge

Sel, et poivre noir du moulin, au goût

1. Mettre tous les ingrédients dans la mijoteuse, sauf le sel et le poivre, et bien mélanger. À couvert, laisser cuire à faible intensité de 5 à 6 heures ou jusqu'à épaississement.

2. Si la sauce n'est pas assez épaisse, enlever le couvercle, régler la mijoteuse à intensité élevée et poursuivre la cuisson environ 30 minutes, le temps d'obtenir la consistance désirée. Saler et poivrer. Laisser refroidir. Transférer dans un pot hermétiquement fermé, et réfrigérer pendant une période maximale de 2 mois.

Côtes levées de porc barbecue

L a sœur de Beth, Meg, a deux bambins qui adorent les côtes, tout comme les quesadillas et les brocolis cuits à la vapeur. Meg coupe la sauce barbecue du commerce avec un peu de ketchup pour plaire aux palais plus jeunes. À notre avis, cette recette est fabuleuse.

4 à 6 portions

MIJOTEUSE : Grande, ronde ou ovale
INTENSITÉ ET TEMPS DE CUISSON : FAIBLE, de 8 à 9 heures

480 ml (2 tasses) de sauce barbecue de son choix, faite maison (pages 408 à 410) ou du commerce

120 ml (½ tasse) de ketchup

15 ml (1 c. à table) de sauce Worcestershire

30 ml (2 c. à table) de cassonade, blonde ou brune

1,8 kg (4 lb) de côtes levées ou de petites côtes levées de dos de porc,
    coupées en portions de 3 ou 4 côtes chacune, ou de bout de côtes
    (longe)

1. Combiner la sauce barbecue, le ketchup, la sauce Worcestershire et la cassonade dans la mijoteuse. Ajouter le porc et l'immerger dans la sauce. Si une mijoteuse ronde est utilisée, empiler les côtes en versant de la sauce entre chaque rangée. À couvert, laisser cuire à faible intensité de 8 à 9 heures ou jusqu'à ce que la viande soit tendre et qu'elle commence à se détacher de l'os.

2. Déposer les côtes dans un plat de service. S'il reste de la sauce au fond de la mijoteuse, la verser dans un bol et la servir en accompagnement.

Côtes levées de porc barbecue et miel

ette recette de porc glacé est ridiculement simple et magnifiquement délicieuse. ⦿ **4 à 6 portions**

MIJOTEUSE : Grande, ronde ou ovale
INTENSITÉ ET TEMPS DE CUISSON : FAIBLE, de 8 à 9 heures

1,8 kg (4 lb) de côtes levées ou de petites côtes levées de dos de porc,
    coupées en portions de 3 ou 4 côtes chacune, ou de bout de côtes
    (longe)
1 oignon jaune, tranché
1 bouteille de 455 ml (16 oz) de sauce barbecue du commerce, ou 480 ml
    (2 tasses) de sauce barbecue maison (pages 408 à 410)
120 ml (½ tasse) de miel doux

1. Déposer les côtes et les tranches d'oignon dans la mijoteuse en couches alternées. Dans un bol de taille moyenne, mélanger la sauce barbecue et le miel jusqu'à l'obtention d'une consistance lisse. À l'aide d'une cuillère, verser la sauce sur les côtes. Si une mijoteuse ronde est utilisée, verser la sauce entre les couches de viande et d'oignons. À couvert, laisser cuire à faible intensité de 8 à 9 heures ou jusqu'à ce que la viande soit tendre et qu'elle commence à se séparer de l'os.

2. Déposer les côtes dans un plat de service. S'il reste de la sauce au fond de la mijoteuse, la verser dans un bol et la servir en accompagnement.

Côtes levées de porc glacées à la mélasse

L a mélasse est le meilleur ingrédient pour les sauces douces et sirupeuses qui glacent les côtes de porc de la Nouvelle-Angleterre jusqu'aux États du Sud. Servez ces côtes avec de la salade de pommes de terre et des petits pains chauds. **◉ 6 à 8 portions**

MIJOTEUSE : Grande, ronde ou ovale
INTENSITÉ ET TEMPS DE CUISSON : FAIBLE, de 8 à 10 heures

120 ml (½ tasse) de moutarde de Dijon
120 ml (½ tasse) de mélasse, claire ou foncée, non sulfurée
80 ml (⅓ tasse) de vinaigre de cidre
80 ml (⅓ tasse) de cassonade, blonde ou brune, bien tassée
5 à 10 ml (1 à 2 c. à thé) de sauce au piment fort, comme le Tabasco, au goût
1 pincée de sel
1,8 kg (4 lb) de côtes levées ou de petites côtes levées de dos de porc, coupées en portions de 3 ou 4 côtes chacune, ou de bout de côtes (longe)

1. Dans une casserole à fond épais de taille moyenne, combiner la moutarde, la mélasse, le vinaigre, la cassonade, la sauce au piment fort et le sel. À feu moyen, amener au point d'ébullition. Réduire à feu doux et, à découvert, laisser mijoter pendant 5 minutes. Retirer la sauce du feu et la laisser tiédir à la température ambiante.

2. Badigeonner les côtes des deux côtés de deux ou trois couches de sauce. Déposer les côtes dans la mijoteuse ; les empiler, si une mijoteuse ronde est utilisée. À couvert, laisser cuire à faible intensité de 8 à 10 heures ou jusqu'à ce que la viande soit tendre et qu'elle commence à se détacher de l'os. Servir immédiatement.

Bout de côtes de porc à l'oignon, aux pommes et à la choucroute

Bien que l'on croie que la choucroute, littéralement « chou aigre », est une tradition culinaire européenne, elle était en fait un des mets principaux en Chine il y a plus de 2 000 ans, où on la faisait fermenter dans des pots de grès avec de l'alcool de riz et du sel. Elle a rejoint l'Europe par la route des épices, et les pays situés le long de la mer du Nord, particulièrement l'Allemagne et la Pologne, l'ont adoptée. La choucroute a une saveur aigre qui en fait un complément parfait à la douce saveur du porc. Ne l'achetez pas en conserve ou en pot ; optez pour la choucroute fraîche en sac qu'on trouve dans la section charcuterie. Servez ces côtes de porc avec des pommes de terre persillées, en purée ou bouillies, de la sauce de canneberge et un peu de sauce crémeuse au raifort. ● **4 portions**

MIJOTEUSE : Grande, ronde ou ovale
INTENSITÉ ET TEMPS DE CUISSON : FAIBLE, de 8 à 9 heures

900 g à 1,4 kg (2 à 3 lb) de bout de côtes de porc (longe)
Sel, et poivre noir du moulin, au goût
2 oignons blancs, de grosseur moyenne, coupés en tranches de 0,6 cm
    (¼ po) d'épaisseur
2 pommes acidulées, de grosseur moyenne, pelées, étrognées et coupées
    en tranches de 0,6 cm (¼ po) d'épaisseur
900 g (2 lb) de choucroute fraîche, rincée et égouttée
2 ml (½ c. à thé) de graines de cumin
120 ml (½ tasse) de jus de pomme ou de vin blanc sec
60 ml (¼ tasse) de bouillon de bœuf ou de légumes

1. Graisser le fond de la mijoteuse de beurre ou d'huile. Saler et poivrer le porc. Par couches, disposer les oignons, les pommes, les côtes de porc et la choucroute. Parsemer de graines de cumin, puis verser le jus et le bouillon. À couvert, laisser cuire à faible intensité de 8 à 9 heures ou jusqu'à ce que la viande soit tendre et qu'elle commence à se détacher de l'os. Servir immédiatement.

Côtes levées de porc réconfortantes, à l'ananas et au gingembre

oilà une autre recette de porc glacé ridiculement simple et vraiment délicieuse. La viande doit mariner toute une nuit ; alors, il faut planifier en conséquence. ◉ **4 à 6 portions**

MIJOTEUSE : Grande, ronde ou ovale
INTENSITÉ ET TEMPS DE CUISSON : FAIBLE, de 8 à 9 heures

1 boîte de 568 ml (20 oz) de gros morceaux d'ananas conditionnés dans le jus, égouttés, et 120 ml (½ tasse) de jus réservé
80 ml (⅓ tasse) de sauce soja
80 ml (⅓ tasse) de ketchup
45 ml (3 c. à table) de vinaigre de cidre
30 ml (2 c. à table) de xérès sec
45 ml (3 c. à table) de cassonade, blonde ou brune
30 ml (2 c. à table) de gingembre frais, finement haché ou râpé
1 gousse d'ail, finement hachée
1,8 kg (4 lb) de côtes levées ou de petites côtes levées de dos de porc, coupées en portions de 3 ou 4 côtes chacune, ou de bout de côtes (longe)

1. Dans un grand bol profond, mélanger le jus d'ananas réservé, la sauce soja, le ketchup, le vinaigre, le xérès, la cassonade, le gingembre et l'ail ; ajouter les côtes. Couvrir le bol et faire mariner toute une nuit au réfrigérateur.

2. Graisser la mijoteuse d'huile et ajouter les côtes et la marinade. Si une mijoteuse ronde est utilisée, empiler les côtes en les alternant avec les morceaux d'ananas. Si une mijoteuse ovale est utilisée, y mettre les côtes et disposer les morceaux d'ananas autour. À couvert, laisser cuire à faible intensité de 8 à 9 heures ou jusqu'à ce que la viande soit tendre et qu'elle commence à se détacher de l'os. Servir immédiatement.

Bout de côtes de bœuf assaisonnées aux chiles et à la bière

Cette recette est tirée d'un de nos magazines de cuisine favoris, étonnamment peu connu, Chile Pepper. Eh oui, toutes les recettes présentées utilisent des chiles. Celle-ci est si savoureuse que vous pourriez ne jamais retourner manger dans un restaurant de côtes de viande. Vous pouvez servir ces côtes de bœuf directement de la mijoteuse ou les terminer sur le gril pour organiser une fête autour du barbecue où les invités n'auront pas à attendre pendant des heures que vos côtes soient à point. Servez ce plat avec de la salade de chou cru et des margaritas. Ne soyez pas découragé par la grande quantité de côtes. Cette recette est conçue pour les groupes, mais vous pouvez sans problème réduire les quantités de moitié.

○ **10 à 14 portions**

MIJOTEUSE : Grande, ovale ou ronde
INTENSITÉ ET TEMPS DE CUISSON : FAIBLE, de 7 à 9 heures

2 bouteilles de bière de 341 ml (12 oz)
60 ml (¼ tasse) de cassonade blonde, bien tassée
10 ml (2 c. à thé) de moutarde sèche
10 ml (2 c. à thé) de poudre d'ail
1 l (4 tasses) de sauce barbecue de son choix, maison (pages 408 à 410) ou
   du commerce
120 ml (½ tasse) de vinaigre de riz
120 ml (½ tasse) de moutarde blanche (pas trop piquante)
120 ml (½ tasse) de miel
1 orange, coupée en rondelles de 0,6 cm (¼ po) d'épaisseur
1 oignon blanc, de grosseur moyenne, coupé en tranches de 0,6 cm (¼ po)
   d'épaisseur
4 jalapenos marinés, coupés en anneaux de 0,6 cm (¼ po) d'épaisseur
2 chipotles en conserve, dans une sauce adobo, égouttés et hachés
5,5 kg (12 lb) de bout de côtes de bœuf
Sel de mer, et poivre noir du moulin, au goût

1. Dans un bol de taille moyenne, mélanger la bière, la cassonade, la moutarde et la poudre d'ail. Brasser jusqu'à l'obtention d'une consistance homogène. Incorporer la sauce barbecue, le vinaigre, la moutarde et le miel, et brasser jusqu'à l'obtention d'une consistance lisse.

2. Mettre l'orange, l'oignon, les jalapenos et les chipotles dans la mijoteuse. Saler et poivrer les côtes, et les déposer sur les ingrédients. Verser assez de sauce pour couvrir complètement la viande. Ou, si une mijoteuse ronde est utilisée, empiler les côtes en alternance avec la sauce. À couvert, laisser cuire à faible intensité de 7 à 9 heures ou jusqu'à ce que la viande soit tendre et qu'elle commence à se détacher de l'os.

3. Placer les côtes dans un plat de service et réserver. Laisser la sauce tiédir un peu puis, à l'aide d'une cuillère, enlever le gras qui se trouve en surface et le jeter. Servir immédiatement ou placer les côtes sur un gril chaud pour les colorer davantage. Filtrer la sauce au tamis et la servir en accompagnement.

Bout de côtes de bœuf au vin rouge

C e plat est inspiré de la première recette de côtes de bœuf que Beth a concoctée. La mijoteuse élimine l'étape consistant à les faire d'abord dorer, mais donne des côtes de bœuf viandeuses et juteuses. ● **4 à 5 portions**

MIJOTEUSE : Grande, ronde ou ovale
INTENSITÉ ET TEMPS DE CUISSON : FAIBLE, de 7 à 8 heures

240 ml (1 tasse) de vin rouge, comme du merlot
160 ml (⅔ tasse) de ketchup
45 ml (3 c. à table) de sauce soja
2 gousses d'ail, pressées (facultatif)
30 ml (2 c. à table) de cassonade, blonde ou brune
2 ml (½ c. à thé) de poivre noir fraîchement moulu
1,8 kg (4 lb) de bout de côtes de bœuf
2 oignons jaunes, de grosseur moyenne, hachés

1. Mettre le vin, le ketchup, la sauce soja, la cassonade, le poivre et, si utilisé, l'ail dans la mijoteuse et bien mélanger jusqu'à l'obtention d'une consistance lisse. Ajouter les côtes et les immerger dans la sauce. Si une mijoteuse ronde est utilisée, les empiler. Étaler les oignons sur la viande. À couvert, laisser cuire à faible intensité de 7 à 8 heures ou jusqu'à ce que la viande soit tendre et qu'elle commence à se détacher de l'os.

2. Déposer les côtes dans un plat de service. Réserver. Laisser la sauce tiédir quelque peu puis, à la cuillère, enlever le gras qui se trouve en surface et le jeter. Verser immédiatement la sauce sur les côtes. Servir.

Bout de côtes de bœuf en un clin d'œil

oici une recette rapide, facile et délicieuse. ● **4 portions**

MIJOTEUSE : Grande, ronde ou ovale
INTENSITÉ ET TEMPS DE CUISSON : FAIBLE, de 7 à 8 heures

15 ml (1 c. à table) de beurre non salé ou d'huile d'olive
1 oignon jaune, de grosseur moyenne, haché menu
180 ml (¾ tasse) de ketchup
60 ml (¼ tasse) de sauce soja
45 ml (3 c. à table) de vinaigre de cidre
45 ml (3 c. à table) de cassonade, blonde ou brune
1,5 à 1,8 kg (3 à 4 lb) de bout de côtes de bœuf

1. Dans une petite poêle, à feu moyen, faire fondre le beurre et, tout en brassant, y attendrir l'oignon pendant environ 5 minutes. Ajouter le ketchup, la sauce soja, le vinaigre et la cassonade. Brasser jusqu'à l'obtention d'une consistance lisse et faire chauffer pendant 5 minutes.

2. Mettre les bouts de côtes dans une lèchefrite et les faire griller jusqu'à ce qu'ils soient bien dorés. Les transférer dans la mijoteuse. Si une mijoteuse ronde est utilisée, les empiler. Verser la sauce et répartir les oignons sur la viande. À couvert, laisser cuire à faible intensité de 7 à 8 heures ou jusqu'à ce que la viande soit tendre et qu'elle commence à se détacher de l'os.

3. Déposer les côtes dans un plat de service. Réserver. Laisser la sauce tiédir quelque peu puis, à la cuillère, enlever le gras qui se trouve en surface et le jeter. Verser immédiatement la sauce sur les côtes. Servir.

Ailes de poulet au miel à la pékinoise

C es ailes, à la fois salées et sucrées, constituent un excellent repas de fête. Vous pouvez toujours les servir avec du riz pour un repas à la bonne franquette. ◉ **4 portions en plat principal, 10 en hors-d'œuvre**

MIJOTEUSE : Grande, ronde ou ovale
INTENSITÉ ET TEMPS DE CUISSON : ÉLEVÉE, de 1½ à 2 heures

1,8 kg (4 lb) d'ailes de poulet, coupées en morceaux, les ailerons réservés
    pour un bouillon ou jetés ; ou 1,4 kg (3 lb) de pilons d'aile
15 ml (1 c. à table) d'huile végétale
120 ml (½ tasse) de sauce soja
60 ml (¼ tasse) de xérès sec
60 ml (¼ tasse) de vinaigre de cidre
60 ml (¼ tasse) de sauce hoisin
120 ml (½ tasse) de miel
60 ml (¼ tasse) de marmelade d'oranges
6 oignons verts (parties blanche et verte), hachés menu
2 gousses d'ail, finement hachées
Quelques jets de sauce au piment fort, comme le Tabasco

1. Vaporiser un enduit de cuisson antiadhésif dans la mijoteuse. Rincer le poulet et l'éponger.

2. Dans une grande poêle à fond épais, à feu moyen-vif, faire chauffer l'huile. Y faire brunir les ailes, en plusieurs lots si nécessaire, de 3 à 5 minutes par côté. Quand elles sont dorées, les transférer dans la mijoteuse.

3. À l'aide d'un fouet, dans un bol de taille moyenne, combiner les ingrédients restants et verser la préparation sur les ailes dans la mijoteuse. Remuer pour enrober uniformément les ailes. À couvert, laisser cuire à intensité élevée de 1½ à 2 heures. Si possible, brasser légèrement à mi-cuisson à l'aide d'une cuillère en bois ; pousser les ailes en surface vers le fond de la mijoteuse pour les recouvrir de sauce. Servir brûlant ou chaud.

Ailes de poulet à l'orange et à la moutarde de Dijon

es ailes légèrement piquantes ont été les favorites des dégustateurs de nos recettes.

4 portions en plat principal, 10 en hors-d'œuvre

MIJOTEUSE : Grande, ronde ou ovale
INTENSITÉ ET TEMPS DE CUISSON : ÉLEVÉE, de 1½ à 2 heures

1,8 kg (4 lb) d'ailes de poulet, coupées en morceaux, les ailerons réservés
    pour un bouillon ou jetés ; ou 1,4 kg (3 lb) de pilons d'aile
15 ml (1 c. à table) d'huile d'olive, ou au besoin
3 échalotes françaises, hachées menu
120 ml (½ tasse) de marmelade d'oranges
45 ml (3 c. à table) de moutarde de Dijon
30 ml (2 c. à table) de vinaigre de cidre
10 ml (2 c. à thé) de sauce Worcestershire
15 ml (1 c. à table) de cassonade blonde, bien tassée
1 pincée de sel

1. Vaporiser un enduit de cuisson antiadhésif dans la mijoteuse. Rincer le poulet et l'éponger.

2. Dans une grande poêle à fond épais, à feu moyen-vif, faire chauffer l'huile. Y faire brunir les ailes, en plusieurs lots si nécessaire, de 3 à 5 minutes par côté. Quand elles sont dorées, les transférer dans la mijoteuse.

3. Réduire à feu moyen et, si nécessaire, ajouter de 5 à 10 ml (1 à 2 c. à thé) d'huile dans la poêle. Ajouter les échalotes et, tout en brassant, les attendrir de 3 à 4 minutes. Incorporer le reste des ingrédients.

4. Retirer du feu et répartir sur les ailes dans la mijoteuse. Remuer les ailes pour les enrober de manière uniforme. À couvert, laisser cuire à intensité élevée de 1½ à 2 heures. Si possible, brasser légèrement à mi-cuisson à l'aide d'une cuillère en bois ; pousser les ailes en surface vers le fond de la mijoteuse pour les recouvrir de sauce. Servir brûlant ou chaud.

Ailes de poulet à la sauce aux abricots

La préparation sucrée servant à glacer les ailes sera aussi excellente sur des côtes de porc. Cette recette est adaptée d'une recette parue dans notre rubrique « Plats maison » du *San Jose Mercury News,* qui était elle-même adaptée d'une recette tirée d'un numéro du magazine *Gourmet* paru en 1999. ◉ **4 portions en plat principal, 10 en hors-d'œuvre**

MIJOTEUSE : Grande, ronde ou ovale
INTENSITÉ ET TEMPS DE CUISSON : ÉLEVÉE, de 1½ à 2 heures

1,8 kg (4 lb) d'ailes de poulet, coupées en morceaux, les ailerons réservés
    pour un bouillon ou jetés ; ou 1,4 kg (3 lb) de pilons d'aile
15 ml (1 c. à table) d'huile d'olive, ou plus au besoin
160 ml (⅔ tasse) d'abricots en conserve
2 gousses d'ail, pressées
120 ml (½ tasse) de jus de lime frais (de 5 à 6 limes)
80 ml (⅓ tasse) de sauce soja
60 ml (¼ tasse) de sucre

1. Vaporiser un enduit de cuisson antiadhésif dans la mijoteuse. Rincer le poulet et l'éponger.

2. Dans une grande poêle à fond épais, à feu moyen-vif, faire chauffer l'huile. Y faire brunir les ailes, en plusieurs lots si nécessaire, de 3 à 5 minutes par côté. Quand elles sont dorées, les transférer dans la mijoteuse.

3. Réduire le reste des ingrédients au robot culinaire jusqu'à l'obtention d'une consistance lisse. Transférer sur le poulet dans la mijoteuse. Remuer les ailes pour les enrober de manière uniforme. À couvert, laisser cuire à intensité élevée de 1½ à 2 heures. Si possible, brasser légèrement à mi-cuisson à l'aide d'une cuillère en bois ; pousser les ailes en surface vers le fond de la mijoteuse pour les recouvrir de sauce. Servir brûlant ou chaud.

Poissons et crustacés

Dans ce chapitre, nous présentons quelques recettes pour préparer les poissons et les crustacés à la mijoteuse. Notez bien que le poisson cuit beaucoup plus rapidement que les autres aliments ; sa cuisson à la mijoteuse n'est jamais l'affaire de toute une journée, à moins que vous ne fassiez une sauce qui servira de base. Nos recettes utilisent des techniques qui s'écartent de la méthode « laisser mijoter toute la journée » ; prêtez une attention particulière aux temps de cuisson relativement courts. Vous trouverez dans ce chapitre de savoureux ragoûts de fruits de mer et une technique de cuisson à la vapeur révolutionnaire, qui consiste à faire cuire le poisson à intensité élevée pendant une courte période de temps. Cette technique est si pratique que vous l'utiliserez à maintes reprises.

Cioppino au crabe

L e cioppino est un ragoût communautaire de fruits de mer aux tomates qui est devenu un genre de tradition dans le secteur de la baie de San Francisco, tant dans les restaurants de North Beach que dans les foyers. Il est surnommé le « ragoût du pêcheur » en raison de sa popularité auprès des pêcheurs italiens et portugais, en partie parce qu'il utilise les restes des prises quotidiennes. Plusieurs familles le dégustent comme repas de la veille de Noël, qui tombe au beau milieu de la saison de pêche au crabe de Dungeness, sur la côte Ouest. Présentez-le dans un bol de service peu profond, avec des pinces et une louche pour que chaque convive puisse se servir. Distribuez des bavoirs, des pinces à crabe et un tas de serviettes de table de papier. C'est un repas que vous mangez avec les doigts, accompagné de pain au levain à tremper dans la sauce. Cette recette peut facilement être doublée ; rappelez-vous seulement de prévoir la moitié d'un crabe par convive. ● **6 portions**

MIJOTEUSE : Grande, ronde ou ovale
INTENSITÉ ET TEMPS DE CUISSON : FAIBLE, de 4 à 6 heures ; puis ÉLEVÉE de
    20 à 30 minutes (après avoir ajouté le crabe)

60 ml (¼ tasse) d'huile d'olive
1 oignon jaune, de grosseur moyenne, haché menu
2 gousses d'ail, finement hachées
1 boîte de 426 ml (15 oz) de sauce tomate

2 boîtes de 796 ml (28 oz) de tomates italiennes entières, légèrement
égouttées (si elles sont conditionnées dans une purée, ne pas les
égoutter)

240 ml (1 tasse) de vin blanc sec

1 feuille de laurier

15 ml (1 c. à table) de basilic séché, ou 45 ml (3 c. à table) de basilic frais,
ciselé

5 ml (1 c. à thé) de flocons de piment rouge

2 ml (½ c. à thé) d'origan séché

Sel, et poivre noir du moulin, au goût

3 crabes entiers cuits à la vapeur, fendus et nettoyés (demandez à votre
poissonnier de le faire)

1. Dans une poêle de taille moyenne, à feu moyen, faire chauffer l'huile. Tout en brassant, y attendrir l'oignon pendant environ 5 minutes. Ajouter l'ail et poursuivre la cuisson pendant 2 minutes. Transférer dans la mijoteuse. Ajouter la sauce tomate, les tomates, le vin, la feuille de laurier, le basilic, les flocons de piment et l'origan. Écraser les tomates avec le dos d'une cuillère. À couvert, laisser mijoter à faible intensité de 4 à 6 heures.

2. Saler et poivrer. Ajouter le crabe. À couvert, poursuivre la cuisson à intensité élevée de 20 à 30 minutes pour chauffer le crabe de part en part. Servir immédiatement.

CIOPPINO AUX FRUITS DE MER : Substituer aux crabes 454 g (1 lb) de crevettes moyennes (grosseur 16⁄20) avec la queue, décortiquées et déveinées ; 2 crabes cuits à la vapeur, fendus et nettoyés ; 227 g (½ lb) de pétoncles géants ; et 454 g (1 lb) de filets de poisson à chair blanche, comme le vivaneau rouge, le bar, le flétan ou la beaudroie. Ajouter les ingrédients à la sauce aux tomates chaude durant les 20 à 30 dernières minutes de cuisson.

Conseils pour la cuisson des poissons et des fruits de mer à la mijoteuse

- Achetez vos poissons frais, mais cherchez les aubaines dans la section des produits congelés en ce qui concerne les crevettes, les pétoncles et les calmars, car ce genre de produit donne de très bons résultats à la mijoteuse. Le poisson frais devrait avoir une odeur naturelle et douce, jamais louche ou désagréable. Évitez le poisson gluant ou desséché ; le poisson devrait sembler ferme, humide et translucide. Évitez également les poissons délicats qui se désagrégeront dans la mijoteuse. Si vous utilisez des palourdes, des huîtres ou des moules, elles devraient être vivantes et propres, et leurs coquilles devraient être intactes et bien fermées.

- Conservez tous les fruits de mer au réfrigérateur jusqu'au moment de vous en servir.

Ragoût de crevettes à la créole

Voici la sainte trinité de la cuisine créole : oignon, céleri et poivron. La poudre « filé » (racines de sassafras moulues) est un assaisonnement typique de la cuisine créole. Elle possède un goût boisé avec une pointe de racinette. Elle est ajoutée à la fin de la cuisson pour épaissir le liquide de cuisson et rehausser la saveur du plat. ◉ **6 portions**

MIJOTEUSE : Moyenne, ronde ou ovale

INTENSITÉ ET TEMPS DE CUISSON : FAIBLE, de 5 à 6 heures ou ÉLEVÉE de
    2½ à 3 heures

1 boîte de 411 ml (14,5 oz) de tomates en dés, avec leur jus
1 boîte de 411 ml (14,5 oz) de bouillon de poulet
360 ml (1½ tasse) d'oignon haché
240 ml (1 tasse) de poivron vert, épépiné et haché
240 ml (1 tasse) de céleri émincé
2 gousses d'ail, finement hachées
12 ml (½ c. à thé) de paprika
2 ml (½ c. à thé) de poivre noir fraîchement moulu
1 ml (¼ c. à thé) de sel
1 ml (¼ c. à thé) de sauce épicée, comme le Tabasco
1 feuille de laurier
1 boîte de 170 ml (6 oz) de pâte de tomates
750 g (1½ lb) de crevettes crues, de grosseur moyenne (grosseur ³¹⁄₃₅),
    décortiquées et déveinées
1 botte moyenne d'oignons verts (la partie blanche et une section du vert),
    hachés
15 ml (1 c. à table) de poudre « filé »

POUR LE SERVICE :
720 ml (3 tasses) de riz blanc ou de riz de noix de pecan, cuit et chaud
Sauce épicée, comme le Tabasco

1. Mélanger les tomates avec leur jus, le bouillon, l'oignon, le poivron, le céleri, l'ail, le paprika, le poivre noir, le sel, la sauce épicée et la feuille de laurier dans la mijoteuse ; incorporer la pâte de tomates. À couvert, laisser cuire à faible intensité de 5 à 6 heures ou à intensité élevée de 2½ à 3 heures.

2. Jeter la feuille de laurier. Incorporer les crevettes, les oignons verts et la poudre « filé » dans le mélange chaud de légumes et tomates. À couvert, poursuivre la cuisson

pendant environ 5 minutes, le temps que les crevettes soient complètement cuites. Servir immédiatement sur le riz cuit et chaud. Prévoir la bouteille de sauce épicée pour les convives.

Chaudrée de fruits de mer confettis

Cette recette, qui se veut un prolongement de la Chaudrée de maïs de la page 73, constitue un plat unique des plus colorés à servir dans un bol. La chaudrée est un cadeau fait au monde culinaire par les pêcheurs de la France ; c'est un ragoût collectif préparé avec les prises du jour. Le ragoût de poisson était cuisiné dans une grosse marmite en fonte appelée « chaudière », la racine du mot « chaudrée ». Nous aimons faire cette recette avec les divers fruits de mer surgelés individuellement qui sont vendus dans des sacs commodes de 500 g (1 lb) dans une de nos épiceries spécialisées locales. Nous gardons un sac ou deux au congélateur afin de pouvoir faire cette chaudrée quand bon nous semble. Le mélange que nous achetons comprend des anneaux de calmars, des crevettes décortiquées et des pétoncles, mais nous avons vu d'autres mélanges qui comprenaient de gros morceaux de poisson, des palourdes et du crabe. Il est possible aussi de créer son propre mélange de crustacés et/ou de filets de poisson à chair blanche et à saveur douce, selon les produits disponibles. Si vous utilisez des fruits de mer frais, l'étape de cuisson finale se fera plus rapidement. ● **4 à 6 portions en plat principal**

MIJOTEUSE : Moyenne ou grande, ronde
INTENSITÉ ET TEMPS DE CUISSON : FAIBLE, de 5 à 6 heures ; puis ÉLEVÉE
     pendant 1 heure ou moins

25 ml (1½ c. à table) de beurre non salé
1 petit oignon jaune, haché menu
3 branches de céleri, hachées menu
1 gros ou 2 petits poivrons rouges, épépinés et hachés menu
2 pommes de terre Russet, de grosseur moyenne, pelées et coupées en dés
    de 1,5 cm (½ po)
480 ml (2 tasses) de bouillon de poulet
½ feuille de laurier
0,5 ml (⅛ c. à thé) de paprika
5 ml (1 c. à thé) de thym séché ou 15 ml (1 c. à table) de thym frais, ciselé

1 ml (¼ c. à thé) de poivre noir fraîchement moulu

2 ml (½ c. à thé) de sel ou au goût

480 ml (2 tasses) de lait entier

240 ml (1 tasse) de crème 11,5 % M.G.

480 ml (2 tasses) de grains de maïs surgelés, dégelés

454 g (1 lb) de crustacés, de filets de poisson à chair blanche ou d'un
mélange (choisir des crustacés frais ou congelés individuellement),
nettoyés ou décortiqués et, si nécessaire, coupés en gros morceaux

1. Dans une poêle de taille moyenne, à feu moyen-vif, faire chauffer le beurre. Tout en brassant à quelques reprises, y faire revenir l'oignon et le céleri de 2 à 3 minutes, le temps que l'oignon soit transparent. Ajouter le poivron et poursuivre la cuisson de 2 à 3 minutes ou jusqu'à ce qu'il commence à ramollir.

2. Pendant que les légumes cuisent, mettre les pommes de terre dans la mijoteuse.

3. Quand les légumes sont prêts, les transférer dans la mijoteuse en raclant tout reste de beurre dans la poêle. Ajouter le bouillon, la feuille de laurier, le paprika, le thym et le poivre noir. Si le bouillon est non salé, ajouter 2 ml (½ c. à thé) de sel. Remuer très doucement la couche supérieure des ingrédients, en essayant de ne pas déplacer les pommes de terre, qui devraient rester submergées. À couvert, laisser cuire à faible intensité de 5 à 6 heures ou jusqu'à ce que les pommes de terre se coupent à la fourchette.

4. Ajouter le lait, la crème 11,5 % M.G., le maïs et les fruits de mer. Bien remuer. À couvert, poursuivre la cuisson à intensité élevée pendant environ 1 heure ou jusqu'à ce que la chaudrée soit très chaude et que les fruits de mer soient à point. Rectifier l'assaisonnement. Jeter la feuille de laurier. Servir.

Jambalaya au poulet et aux crevettes

La jambalaya est typique de la cuisine créole régionale, et chaque restaurant de la Nouvelle-Orléans dispose probablement de sa propre version. Il s'agit d'un plat complexe qui se compose de riz, d'oignons, de poivrons, de tomates, d'une viande salée et fumée, de volaille et de crustacés, ou de n'importe quelle combinaison de ces ingrédients. ● **4 à 6 portions**

MIJOTEUSE : Moyenne ou grande, ronde ou ovale

INTENSITÉ ET TEMPS DE CUISSON : FAIBLE de 5 à 6 heures ou ÉLEVÉE de 2½ à 3 heures ; puis ÉLEVÉE de 10 à 15 minutes (après l'ajout des crevettes et du poivron)

1 gros oignon jaune, haché
240 ml (1 tasse) de céleri émincé
1 boîte de 411 ml (14,5 oz) de tomates en dés, avec leur jus
1 boîte de 411 ml (14,5 oz) de bouillon de poulet
1 boîte de 86 ml (3 oz) de pâte de tomates (la moitié d'une boîte de 170 ml ou 6 oz)
25 ml (1½ c. à table) de sauce Worcestershire
7 ml (1½ c. à thé) d'assaisonnement cajun
454 g (1 lb) de demi-poitrines ou de hauts de cuisse de poulet désossés, coupés en morceaux de 2 cm (¾ po)
240 ml (1½ tasse) de riz étuvé
227 g (8 oz) de grosses crevettes crues (grosseur $^{16}/_{30}$ ou $^{21}/_{30}$), décortiquées et déveinées
180 ml (¾ tasse) de poivron vert, épépiné et haché

POUR LE SERVICE :
Baguette fraîche
Beurre

1. Mélanger l'oignon, le céleri, les tomates avec leur jus, le bouillon, la pâte de tomates, la sauce Worcestershire et l'assaisonnement cajun dans la mijoteuse. Incorporer le poulet et le riz. À couvert, laisser cuire à faible intensité de 5 à 6 heures ou à intensité élevée de 2½ à 3 heures, le temps que la majeure partie du liquide ait été absorbée, que le poulet soit cuit et que le riz soit tendre.

2. Incorporer les crevettes et le poivron. À couvert, poursuivre la cuisson à intensité élevée de 10 à 15 minutes ou jusqu'à ce que les crevettes soient complètement cuites. Servir immédiatement. Accompagner de la baguette fraîche et de beurre.

Huachinango à la Veracruzana

Lorsque Beth a visité Baja, en Californie, il y avait beaucoup de restaurants, souvent grands comme des cafétérias, qui offraient des spécialités de *mariscos* (fruits de mer). Un des plats les plus courants sur le menu était le *huachinango Veracruzana* (vivaneau en sauce tomate), nommé d'après la ville située à l'est de Mexico, du côté des Caraïbes, qui a déjà accueilli la plupart des bateaux marchands arrivant de l'Espagne. Les câpres mexicaines ne sont habituellement pas disponibles aux États-Unis; vous n'avez qu'à utiliser les plus grosses et dodues que vous pourrez trouver au supermarché. Utilisez aussi l'origan mexicain, une herbe populaire, qui est plus doux que l'origan grec. Les recettes traditionnelles recommandent de servir ce plat avec des olives vertes ou noires hachées, une garniture qui nous apparaît facultative. Accompagnez-le de riz espagnol et de tortillas de maïs chaudes. ◐ **4 à 5 portions**

MIJOTEUSE : Moyenne ou grande, ovale

INTENSITÉ ET TEMPS DE CUISSON : FAIBLE, de 5 à 6 heures, puis ÉLEVÉE de 20 à 30 minutes ; ou ÉLEVÉE de 3 à 3½ heures au total ; le poisson est ajouté avant les 20 à 30 dernières minutes de cuisson

1 oignon, jaune ou blanc, petit à moyen, haché menu

2 gousses d'ail, pressées

2 ml (½ c. à thé) d'origan séché

1 pincée de cannelle moulue

30 ml (2 c. à table) d'huile d'olive

30 ml (2 c. à table) de persil plat frais ou de coriandre fraîche, finement hachés

1 à 2 jalapenos, au goût, épépinés et hachés menu

1 boîte de 796 ml (28 oz) de tomates en dés, égouttées

120 ml (½ tasse) de jus de palourde en bouteille

454 g (1 lb) de filets de vivaneau

45 ml (3 c. à table) de jus de lime frais

15 ml (1 c. à table) de grosses câpres, rincées et égouttées

2 limes, tranchées, pour le service

1. Mélanger l'oignon, l'ail, l'origan, la cannelle, l'huile d'olive, le persil, les jalapenos, les tomates et le jus de palourde dans la mijoteuse. À couvert, laisser cuire à faible intensité de 5 à 6 heures ou à intensité élevée de 2½ à 3 heures, le temps que le contenu bouillonne et qu'il soit bien mélangé.

2. Étendre le poisson dans la sauce ; si les filets sont épais, et que la mijoteuse est ovale, les poser à plat en les laissant se chevaucher. Si la mijoteuse est ronde, rouler les filets et les déposer dans la sauce. Napper les filets d'un peu de sauce ; les arroser de jus de lime et répartir les câpres. À couvert, poursuivre la cuisson à intensité élevée de 20 à 30 minutes, le temps que le poisson soit bien cuit et qu'il se détache en flocons à la fourchette. Éviter de trop cuire le poisson.

3. Garnir de tranches de lime. Servir immédiatement.

Baccalà alla Fiorentina

L*e baccalà* est de la morue salée et séchée, probablement l'une des méthodes les plus anciennes de conservation du poisson. Cette morue est caractéristique de la cuisine européenne provinciale. Chaque province de l'Italie possède son ragoût de morue salée que l'on fait cuire dans une poterie. L'équivalent français est la « brandade » et l'espagnol, le *bacalao al ajo*. Ici, nous utilisons des olives, des câpres, des pignons et des raisins secs, et saupoudrons de farine la morue imbibée de lait, ce qui épaissit le ragoût. Cette version du *baccalà* provient de Florence, une région de l'Italie qui ne longe pas le littoral. La morue salée doit tremper dans l'eau froide pendant 12 heures avant la préparation du plat ; alors, planifiez en conséquence. Servez la morue accompagnée de pommes de terre bouillies et d'épinards ou de feuilles de navet, et d'un pain italien croûté. **⦾ 4 à 6 portions**

MIJOTEUSE : Moyenne, ronde ou ovale
INTENSITÉ ET TEMPS DE CUISSON : ÉLEVÉE pour 1 heure, puis FAIBLE de
    3 à 4 heures ; les pignons sont ajoutés avant les 20 dernières minutes de
    cuisson

1 kg (2 lb) de morue salée
Lait
60 ml (¼ tasse) de farine tout usage ou de farine à pâtisserie de blé entier
Sel, et poivre noir du moulin
60 ml (¼ tasse) d'huile d'olive
16 oignons perlés blancs, pelés et coupés en deux
4 tomates mûres, de grosseur moyenne, pelées, épépinées et hachées ; ou
    240 ml (1 tasse) de tomates en conserve, hachées et égouttées
180 ml (¾ tasse) d'olives mûres dénoyautées (au choix), égouttées

120 (½ tasse) de raisins secs dorés

180 ml (¾ tasse) de bouillon de poulet ou de légumes

45 ml (3 c. à table) de pâte de tomates

45 ml (3 c. à table) de vinaigre balsamique

45 ml (3 c. à table) de persil plat frais ou de feuilles de céleri, ciselés

30 ml (2 c. à table) de câpres Nonpareil, rincées et égouttées

80 ml (⅓ tasse) de pignons (facultatif), légèrement grillés à feu moyen dans une poêle sèche jusqu'à l'obtention d'une coloration dorée

1.   Laver la morue salée, la mettre dans un bol et la recouvrir d'eau froide. Couvrir le bol et le réfrigérer pendant environ 12 heures ; changer l'eau à 3 reprises. Égoutter et rincer la morue dans une passoire sous l'eau froide courante, puis l'éponger avec des essuie-tout. Enlever la peau et couper le poisson en gros morceaux de 5 cm (2 po). Déposer les morceaux dans un bol et les recouvrir de lait froid. Couvrir le bol et le réfrigérer pendant environ 2 heures. Rincer de nouveau la morue salée dans une passoire sous l'eau froide, puis l'éponger. Mettre la farine dans un plat. Y ajouter du sel et du poivre. Enrober chaque morceau de poisson avec le mélange de farine.

2.   Dans une grande poêle à fond épais, à feu moyen-vif, faire chauffer 30 ml (2 c. à table) d'huile et y faire rapidement dorer la morue des deux côtés. Transférer dans la mijoteuse. Ajouter 30 ml (2 c. à table) d'huile dans la poêle et, tout en brassant, y faire ramollir les oignons pour une période n'excédant pas 5 minutes. Transférer les oignons dans la mijoteuse. Ajouter les tomates, les olives, les raisins secs, le bouillon, la pâte de tomates, le vinaigre, le persil et les câpres au contenu de la mijoteuse. À couvert, laisser cuire à intensité élevée pendant 1 heure.

3.   Régler la mijoteuse à faible intensité et poursuivre la cuisson de 3 à 4 heures ou jusqu'à ce que les oignons soient tendres.

4.   Incorporer les pignons avant les 20 dernières minutes de cuisson. Servir à la louche directement du récipient en grès.

Darnes de saumon pochées à la mijoteuse

La mijoteuse ovale donne les meilleurs résultats avec cette recette simple ; la teneur en gras naturellement élevée du poisson signifie qu'il ne séchera pas s'il est un peu trop cuit. Assurez-vous de verser le liquide bouillant autour du poisson, non dessus. Cette recette est tout aussi fameuse si on utilise des darnes de flétan ou d'espadon. Servez ce plat avec de la sauce tartare. **○ 4 portions**

MIJOTEUSE : Moyenne ou grande, ovale
INTENSITÉ ET TEMPS DE CUISSON : ÉLEVÉE, pour 1½ heure

4 darnes ou filets de saumon de 227 g (8 oz), rincés et épongés
240 ml (1 tasse) de bouillon de poulet ou d'eau
120 ml (½ tasse) de vin blanc sec
Sel de mer, au goût
2 grains de poivre noir
1 brin d'aneth frais
1 épaisse tranche d'oignon
3 brins de persil plat, frais

POUR LE SERVICE :
Quartiers de citron
Sauce tartare froide

1. Vaporiser un enduit de cuisson antiadhésif dans la mijoteuse et y déposer le saumon. Les darnes peuvent être serrées côte à côte ; replier les bouts sous les filets de façon à ce que l'épaisseur du poisson, et donc la cuisson, soit uniforme.

2. Dans une casserole ou au micro-ondes, faire chauffer le bouillon et le vin jusqu'au point d'ébullition. Verser autour du saumon dans la mijoteuse. Saupoudrer les biftecks de sel. Ajouter les grains de poivre, l'aneth, la tranche d'oignon et le persil dans le liquide au pourtour des biftecks. À couvert, laisser cuire à intensité élevée pendant environ 1½ heure ou jusqu'à ce que le saumon soit opaque et ferme au toucher.

3. À l'aide d'une spatule à crêpes ou en caoutchouc, retirer délicatement le saumon de la mijoteuse. Le servir immédiatement pendant qu'il est chaud, ou le laisser tiédir dans le court-bouillon avant de le réfrigérer jusqu'à ce qu'il soit froid. Accompagner de quartiers de citron et de sauce tartare.

Saumon poché à la mijoteuse de Nancyjo avec sauce hollandaise

Notre amie Nancyjo Riekse sert des tranches de saumon cuit sur un lit de jeunes pousses de pak-choï cuites à la vapeur. Nous aimons aussi ce saumon avec une sauce hollandaise. ● **4 à 6 portions**

MIJOTEUSE : Moyenne ou grande, ovale
INTENSITÉ ET TEMPS DE CUISSON : ÉLEVÉE, pour 1½ heure

1 filet de saumon épais de 1 à 1,5 kg (2 à 3 lb), pris au centre du poisson, la
    peau enlevée, rincé et épongé
Sel, et poivre noir du moulin, au goût
1 citron tranché
240 ml (1 tasse) de bouillon de légumes
30 ml (2 c. à table) de beurre non salé

SAUCE HOLLANDAISE :
4 gros jaunes d'œuf
15 ml (1 c. à table) de jus de citron frais
1 pincée de sel et 1 autre de poivre blanc
240 ml (1 tasse ou 2 bâtonnets) de beurre non salé, fondu et gardé au chaud
80 ml (⅓ tasse) de crème sure (si désiré, à faible teneur en gras)

1. Vaporiser un enduit de cuisson antiadhésif dans la mijoteuse et y déposer le filet de saumon, en repliant les bouts sous le filet de façon à ce que l'épaisseur du poisson, et donc la cuisson, soit uniforme. Saler et poivrer légèrement. Garnir de tranches de citron.

2. Dans une casserole ou au micro-ondes, faire chauffer le bouillon et le beurre jusqu'au point ébullition. Verser autour du saumon dans la mijoteuse. À couvert, laisser cuire à intensité élevée pendant environ 1½ heure ou jusqu'à ce que le saumon soit opaque et ferme au toucher.

3. Pour faire la sauce, mettre les jaunes d'œuf, le jus de citron, le sel et le poivre blanc dans un robot culinaire. Faire fonctionner l'appareil jusqu'à ce que les ingrédients soient bien mélangés. Sans arrêter le moteur, ajouter le beurre fondu chaud par le tube d'alimentation, d'abord goutte à goutte, puis en filet jusqu'à l'obtention d'une sauce crémeuse et émulsionnée. Transvider dans un bol et, à l'aide d'un fouet, incorporer la crème sure. Verser la sauce dans un contenant profond qui peut tenir debout dans un bain d'eau chaude jusqu'au moment de servir. Si désiré, la verser dans un contenant de type thermos.

4. À l'aide d'une grande spatule à crêpes ou en caoutchouc, retirer délicatement le poisson du récipient en grès. Servir immédiatement accompagné de la sauce hollandaise, qui aura été placée dans un petit bol afin que les convives puissent se servir.

Bar aux agrumes

 ous pouvez remplacer le bar par d'autres poissons à chair ferme, par exemple le flétan ou le mérou. ● **4 portions**

MIJOTEUSE : Moyenne ou grande, ovale
INTENSITÉ ET TEMPS DE CUISSON : ÉLEVÉE, pour 1½ heure

750 g (1½ lb) de filets de bar, rincés et épongés
Sel de mer et poivre blanc, au goût
1 oignon blanc, de grosseur moyenne, haché
60 ml (¼ tasse) de persil plat frais, finement haché
15 ml (1 c. à table) de zeste râpé de citron, de lime ou d'orange, ou toute
    combinaison de ceux-ci
45 ml (3 c. à table) de vin blanc sec ou d'eau
15 ml (1 c. à table) d'huile d'olive ou d'huile de sésame asiatique

POUR LE SERVICE :
Quartiers de citron
Quartiers de lime
Sauce tartare froide

1. Beurrer la mijoteuse ou y vaporiser un enduit de cuisson antiadhésif. Déposer le poisson dans le récipient en grès. Saler et poivrer légèrement. Ajouter l'oignon, le persil et le zeste. Asperger avec le vin et l'huile. À couvert, laisser cuire à intensité élevée pendant 1½ heure.

2. À l'aide d'une grande spatule à crêpes ou en caoutchouc, retirer délicatement le poisson du récipient en grès. Servir immédiatement avec les quartiers de citron et de lime et la sauce tartare.

Truite au vin blanc

La truite fait partie de la famille des salmonidés, ce qui signifie qu'elle est parente du saumon, aussi bien que de la truite arc-en-ciel et de la truite steelhead. Cette recette vous présente une méthode populaire pour préparer la truite. Servez le poisson chaud directement du pot de grès avec un *beurre blanc,* la délicieuse sauce française au beurre qui résulte d'une réduction d'échalotes, de vinaigre et de vin. Ou sortez le poisson du récipient, laissez-le tiédir, réfrigérez-le et servez-le froid avec de la sauce tartare. L'une ou l'autre de ces garnitures se mariera à la texture sèche du poisson. ◉ **6 portions**

MIJOTEUSE : Moyenne ou grande, ovale
INTENSITÉ ET TEMPS DE CUISSON : ÉLEVÉE, de 45 minutes à 1¼ heure, selon la grosseur des poissons

6 truites sans arêtes, tête et queue gardées, chacune d'environ 750 g (1½ lb)
Sel, et poivre noir du moulin, au goût
30 ml (2 c. à table) de beurre non salé
2 échalotes françaises, de grosseur moyenne, hachées
60 ml (¼ tasse) de persil plat frais, ciselé
1 citron, tranché
360 ml (1½ tasse) de vin blanc sec

1. Vaporiser un enduit de cuisson antiadhésif dans la mijoteuse. Saupoudrer l'intérieur et l'extérieur du poisson de sel et de poivre. Déposer les truites dans la mijoteuse ; elles peuvent être couchées l'une contre l'autre.

2. Dans une petite poêle, à feu moyen, faire fondre le beurre et y attendrir les échalotes de 3 à 4 minutes. Incorporer le persil. Farcir l'intérieur de chaque truite du mélange. Répartir les tranches de citron sur les poissons.

3. Dans une casserole ou au micro-ondes, faire chauffer le vin jusqu'au point d'ébullition. Verser autour de la truite. À couvert, laisser cuire à intensité élevée de 45 minutes à 1¼ heure ou jusqu'à ce que les poissons soient tendres.

Coquilles à la mijoteuse

Les pétoncles frais possèdent une odeur pure et douce, et sont très périssables. Comme les autres fruits de mer, les pétoncles, aussi nommés coquilles Saint-Jacques, s'attendrissent rapidement dans la chaleur humide de la mijoteuse ; vous devez donc rester dans la cuisine pour cette recette. Puisque les pétoncles sont de grosseur différente, le temps de cuisson sera chaque fois légèrement différent. Servez-les en entrée avec de la baguette ou comme plat principal avec un légume vert cuit à la vapeur, tels des pois ou des asperges. Si vous voulez des coquilles Saint-Jacques gratinées, parsemez-les de fromage suisse que vous ferez fondre et dorer au four. Nous désirons remercier notre camarade adepte de la mijoteuse, Lora Brody, qui nous a initiées à la préparation des pétoncles à la mijoteuse. ⚬ **4 portions en hors-d'œuvre**

MIJOTEUSE : Moyenne, ronde
INTENSITÉ ET TEMPS DE CUISSON : ÉLEVÉE, de 45 minutes à 1¼ heure ; les pétoncles sont ajoutés avant les 30 à 45 dernières minutes de cuisson

30 ml (2 c. à table) de beurre non salé
30 ml (2 c. à table) d'échalotes françaises, finement hachées
60 ml (¼ tasse) de vermouth sec
6 tranches de citron
600 g (1⅓ lb) de pétoncles (ou de pétoncles géants, coupés en deux), rincés
    et épongés
1 pincée de sel de mer
1 pincée de poivre blanc
30 ml (2 c. à table) de persil plat frais, finement haché (facultatif)
60 ml (¼ tasse) de crème fraîche (facultatif)

1. Mélanger le beurre, les échalotes, le vermouth et les tranches de citron dans la mijoteuse. À couvert, laisser cuire à intensité élevée de 15 à 30 minutes ou jusqu'à ce que le beurre ait fondu. Il est très important de préchauffer le liquide de cuisson, sinon les pétoncles ne cuiront pas correctement.

2. Ajouter les pétoncles et le sel, en remuant les pétoncles pour les enrober de liquide de cuisson. À couvert, poursuivre la cuisson à intensité élevée de 30 à 45 minutes, le temps que les pétoncles soient opaques et fermes. Ne pas trop les cuire.

3. Jeter les tranches de citron et ajouter une pincée de poivre blanc. Retirer les pétoncles du liquide de cuisson et les répartir dans 6 coquilles ou petits ramequins. Servir tel quel, saupoudré d'un peu de persil, ou ajouter 60 ml (¼ tasse) de crème fraîche au liquide de cuisson réservé pour faire une sauce riche et divine. Verser sur les pétoncles.

Calamari fra diavolo

D ans les années 1980, Beth a travaillé au restaurant India Joze à Santa Cruz. Chaque mois de septembre, le restaurant tenait un festival des calmars. Chaque jour du festival, vers midi, la table à pâtisserie de la cuisine était couverte de plastique et une équipe d'employés à temps partiel débarquait pour nettoyer les mollusques. Même si Beth était maîtresse pâtissière, elle se joignait à eux et, pendant deux semaines, elle préparait personnellement des dizaines de kilos de calmar à l'aide d'un couperet chinois. Ce restaurant offrait également des cours de cuisine.

Il existe deux méthodes distinctes pour faire cuire les calmars. La première consiste à les faire revenir rapidement dans une poêle à frire ou un wok avec une sauce intéressante ; la seconde, à les faire mijoter très doucement pendant environ 45 minutes. Toute méthode se situant entre ces deux extrêmes donnera une chair et des tentacules caoutchouteux. La sauce aux tomates épicée, la *fra diavolo,* représente une façon très courante de servir les calmars aux convives qui n'y ont jamais goûté auparavant. Vous pouvez trancher les tentacules en morceaux plus petits ou les laisser entiers puisqu'ils ne sont pas très gros. Servez cette recette avec du pain croûté frais ou sur des spaghettis. ◉ **4 portions**

MIJOTEUSE : Moyenne, ronde ou ovale

INTENSITÉ ET TEMPS DE CUISSON : FAIBLE, de 2¼ à 3 heures ; les calmars sont ajoutés de 45 minutes à 1 heure avant la fin de la cuisson

60 ml (¼ tasse) d'huile d'olive

1 gros oignon jaune, coupé en dés

1 gousse d'ail, pressée

480 ml (2 tasses) de tomates italiennes en conserve ou de tomates fraîches pelées, hachées

30 ml (2 c. à table) de pâte de tomates

1 à 2 ml (¼ à ½ c. à thé) de flocons de piment rouge, au goût

1 ml (¼ c. à thé) d'origan séché

360 ml (1½ tasse) de vin blanc sec

1 kg (2 lb) de calmars, ou 875 g (1¾ lb) s'ils sont déjà parés

30 ml (2 c. à table) de persil plat frais, haché

Sel, au goût

1. Dans une poêle de taille moyenne à fond épais, à feu moyen, faire chauffer l'huile et y ramollir rapidement l'oignon, soit pendant environ 5 minutes. Ajouter l'ail et poursuivre la cuisson pendant quelques minutes. Transférer dans la mijoteuse. Ajouter

les tomates, la pâte de tomates, le poivron rouge et l'origan. Verser le vin dans la poêle et régler à feu vif. Porter à ébullition et le laisser réduire d'un tiers de son volume, soit à environ 240 ml (1 tasse); verser dans le pot de grès. À couvert, laisser cuire à faible intensité de 1½ à 2 heures.

2. Au besoin, nettoyer les calmars : ôter d'abord la tête, puis retirer les intestins et la poche d'encre qui vient avec. Enlever la peau tachetée externe du corps en tirant sur les ailerons; elle glissera. Enlever l'épine dorsale semblable à de la cellophane à l'intérieur du corps. Extraire les intestins et il restera une forme de cône. Bien rincer à l'eau froide, éponger avec des essuie-tout et hacher grossièrement ou trancher en anneaux. Prendre la tête et couper les tentacules au-dessous des yeux. Enlever le bec dur se trouvant là où les tentacules se rejoignent. Laisser les tentacules intacts ou les hacher afin qu'ils ne semblent pas si effrayants. Réfrigérer à couvert jusqu'au moment d'utiliser.

3. Lorsque la sauce aux tomates est prête, ajouter les calmars et le persil, et poursuivre la cuisson à faible intensité pendant 45 minutes ou jusqu'à ce que les calmars soient tendres. Rectifier l'assaisonnement.

Fettuccinis au saumon fumé

C e plat de pâtes est riche, élégant et facile à préparer. Vous pouvez le servir en entrée ou encore en plat principal si vous augmentez la quantité de pâtes. Puisque le poisson est salé, vous n'aurez pas besoin d'ajouter de sel. ❍ **4 portions en plat principal; 6 à 8 portions en hors-d'œuvre**

MIJOTEUSE : Petite ou moyenne, ronde
INTENSITÉ ET TEMPS DE CUISSON : FAIBLE, de 1 à 2 heures

480 ml (2 tasses) de crème 35 % M.G.
85 à 113 g (3 à 4 oz) de lox ou de saumon fumé de qualité supérieure, haché
    ou émietté en morceaux de 1,5 cm (½ po)
454 g (1 lb) de fettuccinis frais, réguliers aux œufs ou aux épinards
30 ml (2 c. à table) d'huile d'olive (facultatif)
Poivre noir du moulin, au goût

1. Mélanger la crème et le saumon fumé dans la mijoteuse. À couvert, laisser cuire à faible intensité de 1 à 2 heures, le temps que le contenu soit très chaud.

2. Pendant ce temps, faire bouillir les fettuccinis pendant environ 3 minutes ou jusqu'à ce qu'ils soient al dente. Éviter de trop les cuire. Si les pâtes doivent attendre plus de 5 minutes, les mélanger avec de l'huile d'olive. Incorporer les fettuccinis à la sauce chaude et les enrober de manière uniforme. Si la mijoteuse est assez grande, y déposer simplement les pâtes ; sinon, verser la sauce sur les pâtes dans un bol peu profond qui aura été préalablement réchauffé. Parsemer de poivre noir du moulin. Servir immédiatement.

Pâtes aux fruits de mer

 ette recette, une variante des Coquilles à la mijoteuse (page 435), utilise un mélange de pétoncles, de crevettes et de crabe à servir sur des fettuccinis frais. ● **4 portions**

MIJOTEUSE : Moyenne, ronde
INTENSITÉ ET TEMPS DE CUISSON : ÉLEVÉE, de 45 minutes à 1¼ heure ; les fruits de mer sont ajoutés après 15 à 30 minutes de cuisson

30 ml (2 c. à table) d'huile d'olive
2 échalotes françaises, de grosseur moyenne, hachées
60 ml (¼ tasse) de vermouth sec
227 g (8 oz) de pétoncles (ou de pétoncles géants, coupés en deux), rincés et épongés
227 g (8 oz) de crevettes, de grosseur moyenne, décortiquées et déveinées
227 g (8 oz) de chair de crabe
10 ml (2 c. à thé) d'estragon frais, finement haché
1 pincée de sel de mer, au goût
454 g (1 lb) de fettuccinis frais

1. Mélanger l'huile d'olive, les échalotes et le vermouth dans la mijoteuse. À couvert, laisser cuire à intensité élevée pendant 15 à 30 minutes, le temps que le contenu soit chaud. Il est très important de préchauffer le liquide de cuisson, sinon les fruits de mer ne cuiront pas correctement.

2. Tout en remuant pour bien enrober les fruits de mer du liquide de cuisson, ajouter les pétoncles, les crevettes, la chair de crabe, l'estragon et le sel. À couvert, poursuivre la cuisson à intensité élevée de 30 à 45 minutes ou jusqu'à l'obtention d'une consistance opaque et ferme. Bien surveiller afin de ne pas trop cuire les fruits de mer.

3. À la fin du temps cuisson, faire bouillir les pâtes dans une eau salée jusqu'à l'obtention d'une consistance al dente. Verser les pâtes dans une passoire, rincer brièvement à l'eau chaude et égoutter. Diviser les pâtes dans 4 plats chauds. Répartir les fruits de mer sur les pâtes. Passer le moulin à poivre aux convives.

Pommes de terre farcies au thon et au fromage

V oici une recette donnant un plat principal léger pour le déjeuner ou le dîner. Puisque le thon en conserve est salé, nous estimons qu'aucun ajout de sel n'est nécessaire.

◦ **4 portions**

MIJOTEUSE : Moyenne ou grande, ronde ou ovale
INTENSITÉ ET TEMPS DE CUISSON : ÉLEVÉE, de 3¾ à 6 heures ou FAIBLE de 6 à 8 heures, puis ÉLEVÉE de 45 minutes à 1 heure

4 pommes de terre Idaho ou Russet, de grosseur moyenne, bien nettoyées et gardées mouillées
180 ml (¾ tasse) de cheddar, râpé fin
60 ml (¼ tasse) de lait
1 boîte de 170 ml (6 oz) de thon conditionné dans l'eau, égoutté
120 ml (½ tasse) de crème sure (si désiré, à faible teneur en gras)
1 oignon vert (le blanc et un peu du vert), émincé

1. À l'aide d'une fourchette ou de la pointe d'un couteau, piquer les pommes de terre et les empiler dans la mijoteuse ; ne pas ajouter d'eau. À couvert, laisser cuire intensité élevée de 3 à 5 heures ou à faible intensité de 6 à 8 heures, le temps que les pommes de terre se coupent à la fourchette.

2. À l'aide de pinces, retirer les pommes de terre de la mijoteuse et les couper en deux dans le sens de la longueur. À la cuillère, évider le centre de chaque moitié en laissant suffisamment de chair pour garder la forme de la pelure intacte. Mettre la chair de pommes de terre dans un bol et ajouter 120 ml (½ tasse) de fromage, le lait, le thon, la crème sure et l'oignon vert. À l'aide d'une fourchette, écraser les ingrédients et en farcir les pelures, en formant un monticule en surface. Transférer les pommes de terre farcies dans la mijoteuse en les disposant sur une seule couche, si possible, afin qu'elles se touchent. Parsemer des derniers 60 ml (¼ tasse) de fromage. À couvert, poursuivre la cuisson à intensité élevée de 45 minutes à 1 heure. Retirer délicatement les pommes de terre de la mijoteuse. Servir immédiatement.

Poudings, gâteaux et pains à la mijoteuse

Nous commençons cette section avec de sublimes desserts, les poudings, et poursuivons avec des gâteaux, des pains vapeur et des poudings de pain perdu, plus rustiques et copieux. Ces desserts se réussissent très bien à la mijoteuse et ne nécessitent ni équipement spécial ni technique particulière. Pendant que vous lirez nos recettes, laissez-vous tenter. C'est précisément le but des desserts — faire venir l'eau à la bouche.

Les gâteaux à la crème-dessert offrent le meilleur des deux mondes — une délicieuse crème-dessert se dépose au fond, tandis qu'un gâteau éponge, semblable à un soufflé, se forme sur le dessus. Ils se séparent en deux couches durant la cuisson.

La mijoteuse permet de préparer d'autres types de crème-dessert, comme le tapioca ou le pouding au riz, qui sont de merveilleux desserts à l'ancienne. Partout dans le monde où se retrouvent du riz et du pain, il existe un pouding au riz ou un pain perdu. Cette pratique permettant de transformer les restes de féculents en préparation sucrée date probablement de la préparation des premières bouillies de céréales, comme celles d'avoine et de maïs. Le Pouding indien (page 455), avec son appétissant parfum de mélasse, est une véritable spécialité américaine. Vous pouvez utiliser du tapioca perlé entier ou à cuisson rapide (du tapioca entier passé dans un genre de moulin à café) dans les recettes pour la mijoteuse.

Le secret pour réussir des crèmes-desserts soyeuses, spécialement le pouding au riz, consiste à ne pas trop les cuire. L'utilisation de la mijoteuse permet d'éviter pratiquement ce problème. L'amidon du riz se défait pendant la cuisson et permet, en conjonction avec les œufs, d'épaissir le mélange. Nos recettes demandent souvent du riz à grains courts ou moyens, comme le riz italien arborio ou les riz japonais glutineux, qui donnent des crèmes-desserts veloutées. Les riz à grains longs ne contiennent pas assez d'amidon pour épaissir aussi bien les poudings. Servez vos poudings au riz chauds. N'oubliez pas que la réfrigération durcit l'amidon du riz, ce qui fait qu'un pouding froid sera plus ferme.

Les poudings de pain perdu contenant du lait et des œufs sont habituellement cuits à intensité élevée, ce qui donne une température plus douce que la cuisson au four conventionnel. Pour éviter la détérioration du mélange, on ne doit pas le laisser reposer à une température trop basse durant une longue période. Il faut surveiller ces poudings attentivement pour éviter de les roussir ou de trop les cuire.

La cuisson à la mijoteuse a ses limites en ce qui concerne les desserts. Elle ne permet pas de faire de gâteaux éponge, de tartes traditionnelles avec croûtes, de meringues ou de biscuits. Cependant, elle permet de réussir de délicieux desserts à l'ancienne. Bien qu'il existe des moules pouvant être insérés dans la mijoteuse pour transformer l'appareil en minifour (Rival propose un petit moule en aluminium), nous avons cherché des recettes qui pouvaient se préparer directement dans la mijoteuse, sans équipement spécial. Nous en avons trouvé un assez grand nombre. La mijoteuse est idéale pour la préparation de gâteaux à un étage, de poudings vapeur, de gâteaux aux fruits denses et de pains éclair.

Nous préférons la mijoteuse à la cuisinière pour la cuisson des poudings à la vapeur. Selon le moule, vous pouvez mettre un trépied ou non pour le soutenir ; les éléments chauffants se trouvent sur les parois de l'appareil ; contrairement aux ronds de la cuisinière, il n'y a aucun contact avec une chaleur directe dans le fond du récipient.

Nos pains éclair et nos gâteaux cuisent directement dans le pot de grès. Ces desserts sont particulièrement commodes lorsque vous êtes dans une cuisine qui n'a pas de four, ou que vous êtes dans un espace contenant peu d'appareils, comme un voilier ou un studio sans cuisine. Vous apprécierez particulièrement nos poudings vapeur aux fruits et aux épices ; ce sont des gâteaux très moelleux. Ils ne sont pas trop sucrés et rappellent ceux de nos ancêtres, lesquels n'avaient pas la chance de cuisiner

Forme de mijoteuse préconisée

Utilisez une mijoteuse ronde pour faire cuire vos crèmes-desserts, gâteaux à la crème-dessert et poudings de pain perdu, car les préparations de ce genre ont tendance à brûler dans un modèle ovale.

dans une mijoteuse et faisaient plutôt leur recette au-dessus d'un feu.

Nos gâteaux à un étage prennent la forme de la mijoteuse. Qu'il s'agisse d'un gâteau à la compote de pommes, d'un gâteau aux carottes ou d'un pain d'épices, la préparation n'a rien de sophistiqué. Le gâteau aux bleuets (myrtilles) est délicieux au petit-déjeuner, à l'heure de la collation ou comme dessert. Tous ces gâteaux ont une pâte suffisamment épaisse pour tenir dans la mijoteuse. Nous aimons mettre un cercle de papier sulfurisé au fond du pot pour permettre un démoulage rapide. Vous pouvez servir ces gâteaux avec l'une de nos sauces, de la crème fouettée, un glaçage de votre choix, saupoudrés de sucre glace ou tout simplement nature.

Nous avons aussi découvert que nous pouvions préparer des pains de maïs à la pâte dense dans le pot de grès. Ils accompagnent bien nos plats de haricots, nos soupes et nos chilis. Remarquez que la plupart des recettes cuisent à intensité élevée ; l'intensité faible ne permet pas aux pains et gâteaux d'avoir la texture désirée.

•• Comment faire cuire des pains à la levure •• dans le récipient en grès de la mijoteuse

Le récipient amovible de la mijoteuse est fait de céramique vernissée à haute température et convient ainsi parfaitement comme moule pour cuire les pains à la levure dans un four conventionnel. Si vous possédez une mijoteuse avec un pot amovible, ce dernier donne de jolis pains ayant la forme d'un pot à fleurs et présentant un dessus en forme de dôme. Toutes les pâtes de boulangerie donnent de bons résultats.

On doit bien graisser le récipient en grès avant d'y mettre la pâte afin d'éviter que cette dernière ne colle. Pendant la phase de fermentation, la pâte doit être recouverte d'une pellicule de plastique graissée. Lorsque la pâte a doublé de volume, ou selon les instructions de la recette, enlevez la pellicule de plastique et mettez le pot de grès dans un four préchauffé sur la grille placée à la position inférieure pour donner de l'espace au pot. Lorsque le moment sera venu de retirer le pot du four, mettez des gants isolants épais et placez une main en dessous du pot afin de le soutenir. Le récipient en grès sera très chaud. Mettez-le à tiédir sur un linge à vaisselle plié sur le comptoir, non directement sur le comptoir froid ni sur le dessus de la cuisinière ou sur une grille métallique, car la céramique risque de craquer lorsqu'elle est soumise à de brusques changements de température.

Vous pouvez utiliser un pot de grès de 1 à 1,5 l (4 à 6 tasses), un plat à soufflé ou un moule à ressort de 15 cm (6 po) à la place d'un moule à pain rectangulaire de 20 x 10 cm (8 x 4 po), ou un pot de grès de 2 à 2,5 l (8 à 10 tasses) à la place d'un moule rectangulaire régulier de 23 x 13 cm (9 x 5 po). Utilisez un récipient en grès de 3,5 à 4 l (14 à 16 tasses) pour cuire un volume de pâte donnant 2 pains de grosseur standard, en augmentant le temps de cuisson de 15 à 30 minutes. Cette méthode offre une solution de rechange intéressante pour les pains qui sont souvent faits dans un moule à bundt de 25 cm (10 po), comme le pain de singe et certains gâteaux danois des fêtes. Le kulich russe, qui est traditionnellement cuit dans un haut moule, peut être fait dans un récipient en grès de 3,5 à 4,5 l (14 à 18 tasses).

Certains boulangers maison n'utilisent leur mijoteuse, moyenne ou grande, que pour faire lever la pâte, comme on le ferait dans un bol de céramique ou un seau de fermentation en plastique. Le récipient étroit, avec ses hauts bords, est parfait pour encourager la pâte à lever en un mouvement vertical, plutôt que de s'étendre horizontalement. Vous pouvez ensuite mettre la pâte sur un plan de travail, la dégonfler, la diviser, la façonner et la faire cuire dans des moules à pain ordinaires.

Gâteau au fudge chaud, servi à la cuillère

Normalement cuit dans un bain d'eau chaude pour une cuisson lente et uniforme, le gâteau à la crème-dessert est l'un des meilleurs desserts à faire dans une mijoteuse. Il se sépare pendant la cuisson, donnant une sauce semblable à la crème anglaise au fond et un étage de gâteau de Savoie par-dessus. Vous pouvez le servir directement de la mijoteuse (à l'aide d'une grande cuillère) lorsqu'il est chaud, à la température ambiante ou froid. Si vous ne pouvez trouver de chocolat moulu, utilisez du cacao en poudre ; si le cacao dont vous disposez n'est pas sucré, augmentez la quantité de sucre de la recette à 160 ml (⅔ tasse). ◉ **4 à 6 portions**

MIJOTEUSE : Moyenne, ronde
INTENSITÉ ET TEMPS DE CUISSON : ÉLEVÉE, de 2 à 2¼ heures

180 ml (¾ tasse) de farine tout usage
60 ml (¼ tasse) de chocolat moulu sucré, comme celui de marque
    Ghirardelli
60 ml (¼ tasse) de sucre
7 ml (1½ c. à thé) de levure chimique
1 ml (¼ c. à thé) de sel
120 ml (½ tasse) de lait
60 ml (¼ tasse ou ½ bâtonnet) de beurre non salé, fondu
5 ml (1 c. à thé) d'extrait de vanille

GARNITURE :
60 ml (¼ tasse) de poudre de cacao sucrée, comme celle de marque
    Ghirardelli
60 ml (¼ tasse) de sucre granulé
60 ml (1¼ tasse) de cassonade blonde, bien tassée
360 ml (1½ tasse) d'eau bouillante
Glace à la vanille ou yaourt glacé au café pour le service

1. Vaporiser un enduit de cuisson antiadhésif à saveur de beurre dans la mijoteuse.

2. Dans un bol de taille moyenne, à l'aide d'un fouet, combiner la farine, le chocolat moulu, le sucre, la levure chimique et le sel. Faire un trou au centre de la préparation et y ajouter le lait, le beurre fondu et la vanille. Remuer les ingrédients liquides jusqu'à ce qu'ils soient bien mélangés. Tout en continuant à remuer en formant des cercles de plus en plus grands, incorporer graduellement les ingrédients secs jusqu'à l'obtention d'une pâte lisse et épaisse. Étendre la pâte uniformément dans la mijoteuse.

3. Pour faire la garniture, mélanger tous les ingrédients dans un autre bol de taille moyenne et les fouetter jusqu'à l'obtention d'une consistance lisse. Verser doucement sur la pâte dans la mijoteuse; ne pas remuer. À couvert, laisser cuire à intensité élevée de 2 à 2¼ heures ou jusqu'à ce que le gâteau ait gonflé et que le dessus soit pris.

4. Éteindre la mijoteuse et laisser reposer à couvert pendant au moins 30 minutes avant de réfrigérer, ou servir directement de la mijoteuse.

5. À l'aide d'une cuillère, répartir le gâteau dans des bols individuels. Ajouter une cuillerée de glace à la vanille ou de yaourt glacé au café près du gâteau. Verser un peu de crème-dessert au fudge qui se trouve au fond de la mijoteuse sur le gâteau et la glace. Servir.

Gâteau à la crème-dessert au beurre d'arachide et au chocolat

Il s'agit de l'un des plus anciens desserts à la mijoteuse qui soient en circulation. Le mélange cuit directement dans la mijoteuse à intensité élevée, la température requise pour cuire adéquatement; n'essayez même pas la cuisson à faible intensité. Quand vous montez le gâteau, la pâte descend au fond et la crème-dessert flotte sur le dessus. Cependant, après la cuisson, lorsque vous enlèverez le couvercle, vous découvrirez que la crème-dessert a coulé au fond et que le gâteau au chocolat collant est sur le dessus! Ce dessert peut être servi chaud, à la température ambiante ou froid. **⊙ 6 à 8 portions**

MIJOTEUSE : Moyenne, ronde
INTENSITÉ ET TEMPS DE CUISSON : ÉLEVÉE, de 2 à 2¼ heures

240 ml (1 tasse) de farine tout usage
30 ml (2 c. à table) de cacao en poudre, non sucré
120 ml (½ tasse) de sucre
7 ml (1½ c. à thé) de levure chimique
1 pincée de sel
120 ml (½ tasse) de lait entier ou de lait au chocolat
30 ml (2 c. à table) d'huile de canola, d'arachide ou de noix
15 ml (1 c. à table) d'extrait de vanille

120 ml (½ tasse) de beurre d'arachide crémeux ou croquant (naturel ou hydrogéné)

120 ml (½ tasse) de grains de chocolat mi-sucré

GARNITURE :

45 ml (3 c. à table) de cacao en poudre, non sucré

180 ml (¾ tasse) de sucre

360 ml (1½ tasse) d'eau bouillante

Glace à la vanille pour le service

1. Vaporiser un enduit de cuisson antiadhésif à saveur de beurre dans la mijoteuse.

2. Dans un bol de taille moyenne, à l'aide d'un fouet, combiner la farine, le cacao, le sucre, la levure chimique et le sel. Faire un trou au centre de la préparation et y ajouter le lait, l'huile et la vanille. Remuer les ingrédients liquides jusqu'à ce qu'ils soient bien mélangés. Tout en continuant à remuer en formant des cercles de plus en plus grands, incorporer graduellement les ingrédients secs jusqu'à l'obtention d'une pâte lisse. Incorporer le beurre d'arachide (le réchauffer au micro-ondes s'il sort épais et collant du réfrigérateur) ; la pâte sera épaisse. Incorporer les grains de chocolat. Étendre la pâte uniformément dans la mijoteuse.

3. Pour faire le glaçage, mélanger le cacao et le sucre dans un autre bol de taille moyenne ; verser l'eau bouillante et fouetter jusqu'à l'obtention d'une consistance lisse. Transférer délicatement le mélange sur la pâte dans la mijoteuse ; ne pas remuer. À couvert, laisser cuire à intensité élevée de 2 à 2 ¼ heures ou jusqu'à ce que le gâteau ait gonflé et que le dessus soit pris.

4. Éteindre la mijoteuse et laisser reposer à couvert pendant au moins 30 minutes. Servir.

5. Servir le gâteau à la cuillère dans des bols individuels. Ajouter une cuillerée de glace à la vanille à côté du gâteau. Verser un peu de la crème-dessert au fudge sur le gâteau et la glace, puis servir.

Crème-dessert éponge au babeurre et au citron

Pour ce dessert, nous utilisons l'un de nos produits préférés : l'huile d'agrumes Boyajian. Les huiles de cette entreprise, faites à partir d'écorces de citrons, d'oranges et de limes frais, ont un goût pur et mordant. Vous n'aurez besoin que d'une petite quantité pour obtenir un goût de citron fabuleux. Cherchez les huiles dans des bouteilles individuelles, ou dans un emballage dégustation, dans les boutiques gastronomiques. Ou achetez-les en ligne à www.boyajianinc.com. Ici, en Californie, nous pouvons facilement mettre la main sur les citrons de Meyer ; ces «citrons de jardin» sont juteux, aigres-doux, et sont maintenant commercialisés à grande échelle. Le jus de ce citron est vraiment délicieux dans cette recette.

Ce gâteau à la crème-dessert est plus raffiné que ceux au chocolat. Le gâteau éponge sur le dessus est pâle et délicat, et la crème-dessert au citron qui se trouve en dessous est lisse et abondante. L'amaretto donne une agréable saveur d'amande, mais vous ne goûterez pas l'alcool. Servez ce dessert tel quel ou avec des baies fraîches. **◉ 4 à 6 portions**

MIJOTEUSE : Moyenne, ronde.
INTENSITÉ ET TEMPS DE CUISSON : ÉLEVÉE, de 1½ à 2 heures

240 ml (1 tasse) de sucre
60 ml (¼ tasse) de farine tout usage
1 ml (¼ c. à thé) de sel
240 ml (1 tasse) de babeurre
60 ml (¼ tasse) de jus de citron frais, citrons de Meyer de préférence
1 ml (¼ c. à thé) d'huile de citron Boyajian ou 0,5 ml (⅛ c. à thé) d'extrait de citron
15 ml (1 c. à table) d'amaretto
3 gros œufs, séparés

1. Vaporiser un enduit de cuisson antiadhésif à saveur de beurre dans la mijoteuse.

2. Dans un bol de taille moyenne, à l'aide d'un fouet, combiner le sucre, la farine et le sel. Faire un trou au centre de la préparation et y ajouter le babeurre, le jus et l'huile de citron, et l'amaretto. Remuer les ingrédients liquides jusqu'à ce qu'ils soient bien mélangés. Tout en continuant à remuer en formant des cercles de plus en plus grands, incorporer graduellement les ingrédients secs jusqu'à l'obtention d'une pâte lisse. Dans un petit bol, fouetter les jaunes d'œuf jusqu'à l'obtention d'une couleur pâle. Incorporer ensuite à la pâte.

3. Dans un bol de taille moyenne, à l'aide d'un mixeur électrique, battre les blancs d'œuf jusqu'à la formation de pics fermes, mais non secs. Incorporer délicatement environ un tiers des blancs d'œuf battus dans la pâte. Ajouter le reste des blancs d'œuf et l'incorporer doucement à la pâte à l'aide d'une spatule en caoutchouc. Transférer la pâte dans la mijoteuse. À couvert, laisser cuire à intensité élevée de 1½ à 2 heures ou jusqu'à ce que le gâteau ait gonflé, que le dessus soit pris et que les bords soient dorés.

4. Éteindre la mijoteuse et laisser reposer à couvert pendant au moins 30 minutes avant le service.

5. À l'aide d'une cuillère, servir le gâteau chaud et la sauce semblable à une crème-dessert dans des bols individuels. Si désiré, garnir de baies fraîches.

Pouding au riz à la gousse de vanille

Les poudings au riz incarnent la vraie cuisine réconfort. Depuis que le riz est cultivé, on a fait une sorte ou l'autre de pouding au riz. L'ajout de lait concentré non sucré est important, car il empêche le lait entier de se séparer pendant la cuisson. ● **8 portions**

MIJOTEUSE : Moyenne, ronde

INTENSITÉ ET TEMPS DE CUISSON : FAIBLE pour 3 heures ; les œufs, la crème, le zeste, la muscade et les raisins secs sont ajoutés avant les 30 dernières minutes de cuisson

160 ml (⅔ tasse) de riz blanc à grains moyens, comme le calrose, ou un riz à risotto, par exemple l'arborio, brièvement rincé et égoutté

1 boîte de 370 ml (13 oz) de lait concentré non sucré

1,5 l (6 tasses) de lait entier

300 ml (1¼ tasse) de sucre

1 pincée de sel

1 gousse de vanille

3 gros œufs, légèrement battus

360 ml (1½ tasse) de crème 35 % M.G.

5 ml (1 c. à thé) de zeste de citron, râpé

2 ml (½ c. à thé) de noix de muscade, fraîchement râpée

180 ml (¾ tasse) de raisins secs, dorés ou noirs

Fruits frais ou en conserve ou crème fouettée (facultatif) pour le service

1. Vaporiser un enduit de cuisson antiadhésif à saveur de beurre dans la mijoteuse. Y mélanger le riz et le lait concentré non sucré.

2. Dans une grande casserole à fond épais, combiner le lait entier, le sucre et le sel. Faire chauffer jusqu'à l'apparition de bulles autour des bords afin de dissoudre le sucre. Retirer du feu.

3. Fendre la gousse de vanille par le milieu et gratter les graines avec la pointe d'un petit couteau ; ajouter la gousse et les graines dans la mijoteuse. Verser le lait chaud dans la mijoteuse et, à l'aide d'un fouet, bien remuer. À couvert, laisser cuire à faible intensité pendant environ 2½ heures ou jusqu'à ce que le lait soit absorbé et que le flan soit pris. En cuisant, le lait bouillonnera légèrement. Retirer la gousse de vanille, la rincer, la sécher et la conserver pour une utilisation ultérieure.

4. Dans un bol de taille moyenne, à l'aide d'un fouet, combiner les œufs, la crème, le zeste de citron et la noix de muscade. Ajouter environ 60 ml (¼ tasse) du pouding chaud au mélange d'œufs et bien battre pour prévenir la formation de grumeaux. Verser lentement le mélange sur le pouding dans la mijoteuse et remuer constamment jusqu'à l'obtention d'une consistance homogène. Si utilisés, incorporer les raisins secs. À couvert, poursuivre la cuisson à faible intensité pendant 30 minutes.

5. Éteindre la mijoteuse et laisser tiédir le pouding partiellement couvert jusqu'à 30 minutes. Servir chaud. Ou verser à la cuillère dans de petits plats, couvrir d'une pellicule de plastique et réfrigérer pour manger froid. Si désiré, servir avec des fruits en conserve ou frais, ou encore avec une cuillerée de crème fouettée.

Pouding au riz au jasmin avec lait de coco

Le riz parfumé au jasmin se marie naturellement à la noix de coco ; il semble accentuer l'arôme de la noix. Rappelez-vous de remuer doucement afin de ne pas réduire en bouillie le délicat riz cuit. Le pouding épaissira beaucoup en refroidissant. Servez-le avec des tranches de mangues ou de pêches fraîches. La crème fouettée ou la crème 35 % M.G. sont facultatives. **◦ 8 portions**

MIJOTEUSE : Moyenne, ronde
INTENSITÉ ET TEMPS DE CUISSON : FAIBLE, pour 3 heures

180 ml (¾ tasse) de riz au jasmin
1 boîte de 398 ml (14 oz) de lait de coco, non sucré
1 l (4 tasses) de crème 11,5 % M.G.
120 ml (½ tasse) de sucre
10 ml (2 c. à thé) d'extrait de vanille
5 ml (1 c. à thé) d'extrait de coco
1 à 2 mangues ou pêches mûres (facultatif), pelées, dénoyautées et
    hachées (240 à 480 ml ou 1 à 2 tasses)
Crème fouettée ou crème 35 % M.G. (facultatif) pour le service

1. Vaporiser un enduit de cuisson antiadhésif à saveur de beurre dans la mijoteuse. Y mélanger le riz et le lait de coco.

2. Dans une grande casserole à fond épais, à feu moyen-vif, combiner la crème 11,5 % M.G. et le sucre. Faire chauffer jusqu'à l'apparition de bulles autour des bords afin de dissoudre le sucre. Verser la crème chaude dans la mijoteuse et, à l'aide d'un fouet, bien remuer. À couvert, laisser cuire à faible intensité pendant environ 3 heures ou jusqu'à épaississement. En cuisant, le lait bouillonnera légèrement.

3. Incorporer doucement les extraits. Éteindre la mijoteuse et laisser tiédir le pouding partiellement couvert pendant au moins 30 minutes. Si utilisées, incorporer les mangues ou les pêches. Servir chaud, à la température ambiante ou froid et, si désiré, avec de la crème.

Kheer

L e pouding au riz indien, crémeux et parfumé, connu sous le nom de *kheer* est vraiment l'un de nos favoris. Nous n'avions dégusté ce dessert que dans des restaurants avant d'apprendre à le préparer à la maison. Vous devrez peut-être vous rendre dans une boutique gastronomique ou un marché indien ou moyen-oriental pour trouver l'eau de rose et les capsules de cardamome verte entières. Les capsules de cardamome verte sont différentes de celles de cardamome blanches utilisées dans la cuisine scandinave. Il ne faut pas prendre de la cardamome décortiquée ou moulue. Vous pouvez aussi commander les capsules de cardamome chez Penzeys Spices (800 741-7787 ; www.penzeys.com). Vous pouvez faire une version riche du kheer avec du lait entier, une maigre avec du lait écrémé, ou une version intermédiaire avec du lait partiellement écrémé. ◉ **6 portions**

MIJOTEUSE : Moyenne ou grande, ronde

INTENSITÉ ET TEMPS DE CUISSON : FAIBLE, pour 4 heures ; puis ÉLEVÉE
pendant 30 minutes

160 ml (⅔ tasse) de riz basmati blanc

160 ml (⅔ tasse) de sucre

1 boîte de 341 ml (12 oz) de lait concentré, non sucré

600 ml (2½ tasses) de lait

4 capsules de cardamome verte

60 ml (¼ tasse) de raisins secs dorés, ou au besoin

5 ml (1 c. à thé) d'eau de rose

45 ml (3 c. à table) de pistaches décortiquées, grillées à feu moyen dans une
poêle sèche jusqu'à exhaler leur parfum, puis grossièrement hachées

---

• • Tapioca au chocolat • •

Si vous aimez le tapioca et le chocolat, faites-vous plaisir avec ce pouding qui se prépare en un tournemain ! Lorsque n'importe lequel des tapiocas (les deux pages suivantes) est cuit, ajoutez des grains de chocolat mi-sucré (60 ml ou ¼ tasse pour chaque 480 ml ou 2 tasses de liquide dans la recette). Remuez doucement jusqu'à ce que le chocolat soit fondu et réparti également dans le pouding. Servez ce dessert chaud ou froid. Dans le dernier cas, laissez-le tiédir, couvrez-le et réfrigérez-le. Le tapioca au chocolat fait des merveilles avec les fraises, la crème fouettée sucrée ou la garniture à desserts non laitière.

---

1. Vaporiser un enduit de cuisson antiadhésif à saveur de beurre dans la mijoteuse.

2. Rincer le riz dans une passoire à mailles fines. Bien l'égoutter. Mettre le riz, le sucre, le lait concentré non sucré, 360 ml (1½ tasse) de lait et les capsules de cardamome dans la mijoteuse, et bien remuer le tout. À couvert, laisser cuire à faible intensité pendant 4 heures. (Si vous êtes à la maison, remuez le kheer à 1 ou 2 reprises durant la cuisson.)

3. Incorporer 240 ml (1 tasse) de lait. À couvert, poursuivre la cuisson à intensité élevée pendant 30 minutes.

4. Éteindre la mijoteuse et, à couvert, laisser le kheer tiédir complètement ; incorporer les raisins secs et l'eau de rose. Couvrir et réfrigérer jusqu'au moment de servir.

5. Pour servir, verser le kheer à la cuillère dans de petits plats. Saupoudrer chaque portion d'un peu de pistaches.

Tapioca

L e tapioca est de retour — bien que, pour beaucoup d'amateurs invétérés de crèmes-desserts, il ne soit jamais passé de mode — et se retrouve même dans les réfrigérateurs de nos supermarchés. Cependant, après en avoir fait à la maison dans votre mijoteuse, vous ne retournerez jamais en acheter au magasin ! Le tapioca est certes toute une affaire à préparer sur la cuisinière, mais beaucoup plus simple à préparer à la mijoteuse. Cette version, même si vous la faites avec un lait partiellement écrémé, est lisse, crémeuse et riche au goût. Pour un tapioca plus consistant, utilisez du lait entier ou du lait et de la crème 11,5 % M.G. N'utilisez pas un tapioca instantané pour faire cette recette. Vous pouvez doubler ou tripler les quantités mais, dans ce cas, employez une mijoteuse de taille moyenne et sachez que le temps de cuisson de l'étape 2 passera de 2½ à 3 heures. **⦿ 4 portions**

MIJOTEUSE : Petite, ronde
INTENSITÉ ET TEMPS DE CUISSON : FAIBLE, pour 2 heures ; l'œuf est ajouté
    avant les 30 dernières minutes de cuisson

480 ml (2 tasses) de lait (si désiré, partiellement écrémé)
120 ml (½ tasse) de sucre
60 ml (¼ tasse) de petit tapioca perlé (non instantané)
5 ml (1 c. à thé) d'extrait de vanille

1 gros œuf

Fruits frais ou en conserve ou crème fouettée (facultatif) pour le service

1. Vaporiser un enduit de cuisson antiadhésif à saveur de beurre dans la mijoteuse.

2. Mettre le lait, le sucre, le tapioca et la vanille dans la mijoteuse et, à l'aide d'un fouet, bien mélanger. À couvert, laisser cuire à faible intensité pendant environ 1½ heure, le temps que le lait ait été absorbé, que le pouding ait épaissi et que la majorité des boules de tapioca soient complètement transparentes. Certaines d'entre elles auront toujours un point blanc au centre et c'est bien ainsi. Pendant la cuisson, le lait bouillonnera légèrement.

3. Dans une tasse ou un petit bol, battre l'œuf. Remuer à fond le tapioca pour défaire les blocs qui s'y sont formés. Déposer quelques cuillerées du tapioca chaud dans l'œuf et bien battre. Transférer le mélange dans la mijoteuse et, à l'aide d'une cuillère ou d'une spatule, bien remuer. À couvert, poursuivre la cuisson à faible intensité pendant 30 minutes.

4. Éteindre la mijoteuse et laisser tiédir le pouding partiellement couvert pendant 30 minutes. Servir chaud ou verser dans des bols individuels, couvrir et réfrigérer. Servir tel quel ou garni de fruits ou de crème fouettée. Conserver couvert au réfrigérateur.

Tapioca sans produits laitiers

La profusion de laits de soja, de céréales et de noix signifie qu'il existe plusieurs nouvelles options pour ceux qui ne veulent ou ne peuvent boire de lait. Ce tapioca utilise du lait de soja à la vanille. Puisque le degré de sucre des laits de soja varie grandement selon la marque, il vous faudra peut-être ajuster la quantité de sucre dans cette recette. **◦ 4 portions**

MIJOTEUSE : Petite ou moyenne, ronde

INTENSITÉ ET TEMPS DE CUISSON : FAIBLE, pour 2½ heures ; l'œuf est ajouté avant les 30 dernières minutes de cuisson

480 ml (2 tasses) de lait de soja à la vanille

80 ml (⅓ tasse) de cassonade blonde, bien tassée

60 ml (¼ tasse) de petit tapioca perlé (non instantané)

2 ml (½ c. à thé) d'extrait de vanille

1 gros œuf

Fruits frais ou en conserve ou garniture à desserts non laitière (facultatif)
     pour le service

1. Vaporiser un enduit de cuisson antiadhésif dans la mijoteuse. Mélanger le lait de soja, la cassonade, le tapioca et la vanille dans la mijoteuse À couvert, laisser cuire à faible intensité pendant environ 2 heures, le temps que le lait ait été absorbé, que le pouding ait épaissi et que la majorité des boules de tapioca soient complètement transparentes. Certaines d'entre elles auront toujours un point blanc au centre et c'est bien ainsi.

2. Dans une tasse ou un petit bol, battre l'œuf. Remuer à fond le tapioca pour défaire les blocs qui s'y sont formés. Mettre quelques cuillerées du tapioca chaud dans l'œuf et bien battre. Transférer le mélange dans la mijoteuse et, à l'aide d'une cuillère ou d'une spatule, bien remuer. À couvert, poursuivre la cuisson à faible intensité pendant 30 minutes.

3. Éteindre la mijoteuse et laisser tiédir le pouding partiellement couvert pendant 30 minutes. Servir chaud, ou verser dans un bol, laisser tiédir, couvrir et réfrigérer. Servir tel quel ou garni de fruits ou de garniture à desserts non laitière.

Pouding indien

Dans les années 1950, alors que Beth était adolescente, chaque soir il se préparait un dessert à la maison, ce qui a marqué ses débuts en cuisine. Il n'y avait rien d'élaboré, seulement des desserts simples et faciles à préparer : crèmes-desserts de toutes sortes, salades de fruits froides, parfaits au Jell-O, gâteaux dorés et chocolatés au glaçage lisse, pain d'épices et véritable crème fouettée, quatre-quarts, gâteau au fromage style New York garni de fraises congelées sucrées et pouding indien tiré du premier livre de cuisine de Betty Crocker. Le pouding indien est probablement préparé par les cuisiniers américains depuis que le maïs est cultivé. Ce dessert traditionnel de la Nouvelle-Angleterre est simplement fait d'une bouillie de semoule de maïs mélangée avec de la mélasse importée des Indes, du lait, du beurre et des œufs. Ce pouding, semblable à une polenta sucrée, cuisait lentement dans un pot de grès au four à bois toute la journée, voire toute la nuit. Betty Crocker nous a appris à le faire cuire dans un four très doux pendant 3 heures. Voici une version pour la mijoteuse où chaque bouchée est un délice incomparable. Le pouding indien est traditionnellement servi chaud le jour de sa cuisson, accompagné d'une glace à la vanille qui fond lorsque posée sur le dessert. ● **6 portions**

780 ml (3¼ tasses) de lait entier

120 ml (½ tasse) de semoule de maïs jaune, mouture moyenne ou fine

60 ml (¼ tasse) de mélasse, claire ou foncée

45 ml (3 c. à table) de cassonade, blonde ou brune

2 ml (½ c. à thé) de cannelle moulue

2 ml (½ c. à thé) de muscade moulue

0,5 ml (⅛ c. à thé) de bicarbonate de soude

1 pincée de sel

5 ml (1 c. à thé) d'extrait de vanille

1 gros œuf

1 gros jaune d'œuf

45 ml (3 c. à table) de beurre non salé, coupé en morceaux

120 ml (½ tasse) de crème à faible teneur en matière grasse ou de lait
    concentré non sucré

1. Dans une casserole de taille moyenne, à feu moyen, faire chauffer 660 ml (2¾ tasses) de lait entier. Dans un petit bol, à l'aide d'un fouet, combiner 120 ml (½ tasse) de lait avec la semoule de maïs jusqu'à l'obtention d'une consistance lisse. Tout en fouettant constamment, verser le mélange de semoule de maïs dans le lait chaud. Faire chauffer en remuant constamment pour éviter la formation de grumeaux jusqu'à ce que le mélange commence à épaissir. Incorporer la mélasse, la cassonade, la cannelle, la muscade, le bicarbonate de soude, le sel et la vanille. Dans un petit bol, battre l'œuf entier et le jaune d'œuf; ajouter une cuillerée du mélange chaud de semoule de maïs et bien battre pour éviter de faire tourner. Ajouter une autre cuillerée du mélange chaud et remuer. Verser le mélange d'œuf dans la casserole en remuant le tout à l'aide d'un fouet. Retirer du feu.

2. Graisser la mijoteuse avec 15 ml (1 c. à table) du beurre. Verser la bouillie de maïs dans la mijoteuse. Incorporer 30 ml (2 c. à table) de beurre et remuer jusqu'à ce qu'il fonde. Verser la crème à faible teneur en matière grasse en un mouvement circulaire; ne pas remuer. À couvert, laisser cuire à faible intensité de 8½ à 9 heures ou jusqu'à ce que le pouding soit pris.

3. À l'aide d'une cuillère, répartir le pouding dans des bols individuels. Servir chaud.

Pouding de pain perdu aux raisins secs avec calvados et pacanes

À notre humble avis, il n'y a aucune eau-de-vie qui se compare au calvados vieilli. À la première petite gorgée, vous pourriez être déçu car, bien que le calvados soit fait à partir de pommes, il ne goûte pas la pomme. Il a plutôt le goût d'un superbe cognac, mais quels miracles il peut accomplir en cuisine! Il mêle les saveurs de pommes et de fruits séchés dans ce délicieux pouding de pain perdu fait avec du bon vieux pain aux raisins. ● **6 portions**

MIJOTEUSE : Moyenne, ronde
INTENSITÉ ET TEMPS DE CUISSON : ÉLEVÉE, de 2½ à 3 heures

240 ml (½ tasse) de pacanes, grossièrement hachées, grillées
8 tranches de pain aux raisins (les croûtes enlevées) coupées en dés
2 pommes à cuire, de grosseur moyenne, comme des reinettes, ou poires
     fermes, pelées, étrognées et finement tranchées
480 ml (2 tasses) de crème 11,5 % M.G.
3 gros œufs
120 ml (½ tasse) de miel
60 ml (¼ tasse) de calvados ou d'une autre eau-de-vie
5 ml (1 c. à thé) de cannelle moulue
2 ml (½ c. à thé) de muscade moulue
60 ml (¼ tasse ou ½ bâtonnet) de beurre non salé, fondu
Glace à la vanille (facultatif) pour le service

1. Préchauffer le four à 180 °C (350 °F). Étendre les pacanes sur une plaque de cuisson et, en les brassant à quelques reprises, les faire dorer de 8 à 10 minutes.

2. Vaporiser un enduit de cuisson antiadhésif à saveur de beurre dans la mijoteuse. Déposer les cubes de pain dans la mijoteuse et les couvrir de pacanes et de pommes. Bien mélanger. Dans un bol de taille moyenne, combiner la crème 11,5 % M.G., les œufs, le miel, le calvados, la cannelle et la muscade. Transférer le mélange sur le pain dans la mijoteuse. Asperger la préparation de beurre fondu. À couvert, laisser cuire à intensité élevée de 2½ à 3 heures ou jusqu'à ce que les pommes soient tendres lorsque percées à la fourchette et que le flan soit pris. Un thermomètre à lecture instantanée inséré au centre devrait indiquer une température de 88 °C (190 °F).

3. Éteindre la mijoteuse et, à couvert, laisser reposer le pouding pendant au moins 15 minutes. Servir chaud ou à la température ambiante et, si désiré, avec de la glace à la vanille.

Pouding de pain perdu aux framboises fraîches

Voici un pouding de pain perdu à la vanille, à la fois simple et somptueux. Vous pouvez substituer des bleuets (myrtilles) ou des mûres sauvages aux framboises. ● **6 à 8 portions**

MIJOTEUSE : Moyenne, ronde

INTENSITÉ ET TEMPS DE CUISSON : ÉLEVÉE, pour 2½ heures, plus 15 minutes à découvert

1,2 à 1,5 l (5 à 6 tasses) de pain croûté, de pain du Sabbat ou de pain blanc enrichi, rassis, les croûtes enlevées, grossièrement émiettés ou coupés en dés
240 ml (1 tasse) de framboises fraîches
480 ml (2 tasses) de crème 35 % M.G.
480 ml (2 tasses) de lait entier
300 ml (1¼ tasse) de sucre
6 gros œufs
15 ml (1 c. à table) d'extrait de vanille
Crème fouettée pour le service

1. Vaporiser un enduit de cuisson antiadhésif à saveur de beurre dans la mijoteuse.

2. Étendre la moitié du pain émietté dans la mijoteuse et le parsemer de la moitié des baies. Répéter les couches, en terminant avec les baies sur le dessus. Dans un grand bol, à l'aide d'un fouet, combiner la crème, le lait, le sucre, les œufs et la vanille jusqu'à l'obtention d'une consistance lisse. Verser le mélange sur les cubes de pain et les baies dans la mijoteuse. Presser doucement les ingrédients afin d'humecter le pain de manière uniforme. À couvert, laisser cuire à intensité élevée pendant 2½ heures, le temps que le pouding ait gonflé et qu'un couteau inséré au centre en ressorte propre. Un thermomètre à lecture instantanée inséré au centre devrait indiquer une température de 88 °C (190 °F).

3. Enlever le couvercle et poursuivre la cuisson à intensité élevée pendant 15 minutes.

4. Éteindre la mijoteuse et, à couvert, laisser tiédir le pouding quelque peu. Servir chaud ou à la température ambiante et, si désiré, avec de la crème fouettée.

Pouding de pain perdu au chocolat

C e pouding au triple chocolat est fait d'une tablette de chocolat mi-amer incorporé dans la crème, de cacao en poudre et de morceaux de chocolat haché dispersés dans la préparation. Le pouding devrait être à point après 2½ heures de cuisson, mais il prendra plus de temps si le mélange a été réfrigéré une bonne partie de la journée. Servez-le chaud avec de la glace à la vanille ou de la crème fraîche, bien qu'il n'ait besoin d'aucune garniture particulière. Ce pouding peut être réchauffé au four de 20 à 30 minutes à 100 °C (200 °F) ou mangé froid, coupé en gros morceaux. Utilisez un chocolat de bonne qualité, comme le Valrhona. ● **6 portions**

MIJOTEUSE : Moyenne, ronde
INTENSITÉ ET TEMPS DE CUISSON : ÉLEVÉE, de 2½ à 3 heures, plus
15 minutes à découvert

300 ml (1¼ tasse) de lait entier
340 g (12 oz) de chocolat mi-amer, brisé en morceaux
1 à 1,1 l (4 à 4½ tasses) de pain blanc ou de pain du Sabbat de la veille (de
grosseur moyenne) de bonne qualité, les croûtes enlevées, coupés en
cubes
3 gros œufs
2 gros jaunes d'œuf
180 ml (¾ tasse) plus 30 ml (2 c. à table) de sucre granulé, ou 180 ml
(¾ tasse) de sucre granulé plus 30 ml (2 c. à table) de sucre brut
7 ml (1½ c. à thé) d'extrait de vanille
45 ml (3 c. à table) de poudre de cacao solubilisé et non sucré
300 ml (1¼ tasse) de crème 35 % M.G.
45 ml (3 c. à table) de beurre non salé, froid, coupé en dés
240 ml (1 tasse) de crème fraîche (voir la recette suivante) ou de crème sure
30 ml (2 c. à table) de sucre glace

1. Dans une casserole de taille moyenne, à feu moyen, faire chauffer le lait jusqu'à l'apparition de bulles sur le bord de la casserole. Retirer du feu, puis ajouter 227 g (8 oz) de chocolat. À l'aide d'un fouet, brasser la préparation jusqu'à l'obtention d'une consistance lisse.

2. Vaporiser un enduit de cuisson antiadhésif à saveur de beurre dans la mijoteuse. Mettre les dés de pain dans la mijoteuse. Dans un bol de taille moyenne, à l'aide d'un fouet ou d'un mixeur électrique, battre vigoureusement les œufs entiers et les jaunes, 180 ml (¾ tasse) de sucre granulé, la vanille et le cacao jusqu'à l'obtention d'une pâle consistance épaisse. Verser en filet le mélange de chocolat chaud et la crème 35 % M.G. Transférer sur les cubes de pain dans la mijoteuse. Presser le pain pour l'humecter de façon uniforme. Couvrir et réfrigérer pendant 30 minutes, voire jusqu'à 8 heures, pour faire tremper le pain.

3. Incorporer les derniers 113 g (4 oz) de brisures de chocolat. Parsemer de noix de beurre et saupoudrer de 30 ml (2 c. à table) de sucre brut ou granulé. À couvert, laisser cuire à intensité élevée de 2½ à 3 heures, le temps que le pouding ait gonflé, qu'il remue un peu au centre et qu'un couteau inséré au centre en ressorte presque propre. Un thermomètre à lecture instantanée inséré au centre devrait indiquer une température de 88 °C (190 °F).

4. Poursuivre la cuisson, à découvert, à intensité élevée pendant 15 minutes.

5. Éteindre la mijoteuse et laisser reposer, à couvert, pendant au moins 15 minutes. Servir chaud ou à la température ambiante. Au moment de servir, verser la crème fraîche et le sucre glace dans un petit bol et, à l'aide d'un fouet ou d'un mixeur électrique manuel, battre jusqu'à la formation de pics souples. À l'aide d'une cuillère, répartir le pouding dans des assiettes à dessert. Garnir d'une cuillerée de crème fraîche. Servir.

POUDING DE PAIN PERDU AU CHOCOLAT ET AUX CERISES FRAÎCHES : Incorporer 12 cerises Bing fraîches aux cubes de pain avant de verser la crème-dessert.

Crème fraîche

Il existe plusieurs façons de faire de la crème fraîche maison, une crème épaissie, mais voici la plus simple. La crème fraîche est utilisée à la place de la crème sure ou de la crème 35 % M.G. dans certaines recettes. Cette recette peut être doublée ou triplée sans problème. Ce produit vraiment savoureux ne se séparera pas s'il est incorporé à un liquide chaud, par exemple un potage. ◉ **360 ml (1½ tasse)**

240 ml (1 tasse) de crème 35 % M.G. ou à fouetter (non ultra-pasteurisée, si
    possible)
80 ml (⅓ tasse) de crème sure régulière (pas partiellement écrémée ni un
    substitut) ou de babeurre
30 ml (2 c. à table) de yaourt nature contenant du lactobacille acidophile

1. Dans un petit bol, à l'aide d'un fouet, combiner la crème 35 % M.G., la crème sure et le yaourt jusqu'à l'obtention d'une consistance lisse. Laisser le mélange dans le bol ou le verser dans un pot ou une petite cruche propres, de préférence lavés au lave-vaisselle. Couvrir le bol d'une pellicule de plastique. Laisser reposer à la température ambiante de 6 à 8 heures ou jusqu'à épaississement. Laisser reposer quelques heures de plus pour une crème plus épaisse.

2. Couvrir et réfrigérer la crème fraîche jusqu'à son utilisation. Elle continuera d'épaissir en refroidissant. La crème fraîche se conservera jusqu'à 1 semaine au réfrigérateur, s'il en reste aussi longtemps !

Pouding de pain perdu à la citrouille de Natalie

Le nom Natalie de cette recette désigne Natalie Haughton, chroniqueuse gastronomique au *Los Angeles Daily News* et auteure de *The Best Slow Cooker Book Ever* (Harper Collins, 1995), un des premiers livres de cuisine pour la mijoteuse vraiment complets. Natalie adore la citrouille, avec laquelle elle fait un nombre étonnant de recettes. Elle a préparé son pouding de pain perdu favori en ajoutant une boîte de purée de citrouille, puis l'a fait cuire dans la mijoteuse avec succès. Voici sa merveilleuse recette. Ne faites pas cuire ce pouding à faible intensité. ⊙ **6 portions**

MIJOTEUSE : Moyenne, ronde
INTENSITÉ ET TEMPS DE CUISSON : ÉLEVÉE pour 2½ heures, plus 20 minutes
    à découvert

720 ml (3 tasses) de pain croûté de bonne qualité, les croûtes enlevées,
    coupé en cubes de 2 cm (¾ po)
1 boîte de 426 ml (15 oz) de citrouille, bien tassée
3 gros œufs
480 ml (2 tasses) de lait entier
45 ml (3 c. à table) de xérès doux
5 ml (1½ c. à thé) de cannelle moulue
2 ml (½ c. à thé) de muscade moulue
1 ml (¼ c. à thé) de clou de girofle moulu
1 ml (¼ c. à thé) de gingembre moulu
180 ml (¾ tasse) de sucre
Crème fouettée (facultatif) pour le service

1. Vaporiser un enduit de cuisson antiadhésif à saveur de beurre dans la mijoteuse.

2. Mettre les dés de pain dans la mijoteuse. Dans un grand bol, battre la citrouille, les œufs, le lait, le xérès, les épices et le sucre jusqu'à l'obtention d'une consistance lisse. Transférer le mélange sur les cubes de pain dans la mijoteuse, puis presser le pain pour l'humecter de façon uniforme. À couvert, laisser cuire à intensité élevée 2½ heures, le temps que le pouding ait gonflé et qu'un couteau inséré au centre en ressorte propre. Un thermomètre inséré au centre devrait indiquer 88 °C (190 °F).

3. À découvert, poursuivre la cuisson à intensité élevée pendant 20 minutes.

4. Éteindre la mijoteuse et, à couvert, laisser reposer le pouding pendant 15 minutes. Servir chaud ou à la température ambiante et, si désiré, avec de la crème fouettée.

Pouding de pain perdu au miel et aux pommes avec raisins secs dorés

Ce pouding de pain perdu sans produits laitiers ni œufs est tout aussi délicieux que ses pairs à la crème-dessert. Puisqu'il n'y a aucun produit laitier, le pouding cuit à faible intensité plutôt qu'à intensité élevée. La quantité de miel que vous utiliserez dépendra de l'acidité des pommes que vous aurez. ● **4 à 6 portions**

MIJOTEUSE : Moyenne, ronde
INTENSITÉ ET TEMPS DE CUISSON : FAIBLE, de 5 à 6 heures

8 tranches de n'importe quel pain
60 ml (¼ tasse ou ½ bâtonnet) de margarine non salée, ramollie
3 pommes à cuire, comme des pommes Délicieuse jaune ou Gala, pelées,
    étrognées, coupées en quartiers et tranchées
180 ml (¾ tasse) de raisins secs dorés
300 ml (1¼ tasse) de jus de pomme, non filtré
60 à 120 ml (¼ à ½ tasse) de miel, au goût
30 ml (2 c. à table) de jus de citron frais
15 ml (1 c. à table) de zeste de citron, râpé
5 ml (1 c. à thé) de cannelle moulue
2 ml (½ c. à thé) de muscade moulue
Glace, crème fouettée ou garniture fouettée non laitière pour le service

1. Vaporiser un enduit de cuisson antiadhésif à saveur de beurre dans la mijoteuse. Préchauffer le gril du four.

2. Beurrer le pain des deux côtés et le mettre sur une plaque de cuisson chemisée de papier sulfurisé. Placer sous le gril et rôtir légèrement des deux côtés ; couper le pain grillé en gros morceaux. Déposer le pain dans la mijoteuse et ajouter les pommes et les raisins secs. Dans un petit bol, battre le jus de pomme, le miel, le jus et le zeste de citron, et les épices. Transférer dans la mijoteuse et remuer pour mouiller le pain uniformément. À couvert, laisser cuire à faible intensité de 5 à 6 heures. Si possible, remuer doucement à mi-cuisson. Piquer les pommes avec la pointe d'un couteau pour s'assurer qu'elles sont tendres.

3. Éteindre la mijoteuse et, à couvert, laisser reposer pendant environ 15 minutes. Servir chaud ou à la température ambiante avec de la glace, de la crème fouettée ou, si désiré, une garniture fouettée non laitière.

Gâteau à l'ancienne à la compote de pommes et aux noix

Le gâteau à la compote de pommes se fait depuis fort longtemps. Beaucoup de vieilles recettes de la Seconde Guerre mondiale ne contenaient ni beurre ni œufs car ces produits étaient rationnés, mais le gâteau était toujours un délice. Par nature, il s'agit d'un gâteau dense et moelleux ; alors, la mijoteuse donne de bons résultats. Mangez ce gâteau nature, garni de compote de pommes chaude ou de crème fouettée. **◎ 6 portions**

MIJOTEUSE : Moyenne ou grande, ronde
INTENSITÉ ET TEMPS DE CUISSON : ÉLEVÉE, de 2¼ à 2½ heures

360 ml (1½ tasse) de farine tout usage
120 ml (½ tasse) de cassonade blonde, bien tassée
5 ml (1 c. à thé) de cannelle moulue
2 ml (½ c. à thé) de clou de girofle moulu
1 ml (¼ c. à thé) de muscade moulue
1 pincée de piment de la Jamaïque moulu
5 ml (1 c. à thé) de bicarbonate de soude
2 ml (½ c. à thé) de levure chimique

1 ml (¼ c. à thé) de sel

240 ml (1 tasse) de compote de pommes, non sucrée

60 ml (¼ tasse) de babeurre

75 ml (5 c. à table) de beurre non salé, fondu

1 gros œuf

120 ml (½ tasse) de noix hachées

1. Chemiser le fond de la mijoteuse avec un rond de papier sulfurisé. Vaporiser un enduit de cuisson antiadhésif à saveur de beurre sur le papier sulfurisé et le premier tiers de la mijoteuse, ou graisser avec du beurre.

2. Dans un bol de taille moyenne, à l'aide d'un fouet, combiner la farine, la cassonade, les épices, le bicarbonate de soude, la levure chimique et le sel. Dans un petit bol, battre la compote de pommes, le babeurre, le beurre fondu et l'œuf jusqu'à l'obtention d'une consistance lisse. Incorporer le mélange de compote de pommes aux ingrédients secs et battre jusqu'à l'obtention d'une consistance lisse et duveteuse. Incorporer les noix. Étendre la pâte uniformément dans la mijoteuse. À couvert, laisser cuire à intensité élevée de 2¼ à 2½ heures ou jusqu'à ce que le gâteau ait gonflé et qu'un ustensile de contrôle inséré au centre en ressorte propre.

3. Éteindre la mijoteuse et, à découvert, laisser tiédir pendant 30 minutes. Pour démouler le gâteau, passer la lame d'un couteau autour du bord intérieur de la mijoteuse. Soulever ensuite le gâteau avec une grande spatule en caoutchouc. Couper en petites pointes. Servir chaud ou à la température ambiante.

Gâteau aux carottes à la mijoteuse

L e gâteau aux carottes exerce toujours un attrait sur les convives. Il ne se démode jamais. Servez-le nature, saupoudré de sucre en poudre, avec de la crème fouettée ou de la glace, ou encore avec un glaçage au fromage à la crème. ◉ **4 à 6 portions**

MIJOTEUSE : Moyenne ou grande, ronde
INTENSITÉ ET TEMPS DE CUISSON : ÉLEVÉE, de 2¼ à 2½ heures

360 ml (1½ tasse) de farine tout usage
180 ml (¾ tasse) de sucre
5 ml (1 c. à thé) de cannelle moulue
1 ml (¼ c. à thé) de muscade moulue
5 ml (1 c. à thé) de levure chimique
2 ml (½ c. à thé) de bicarbonate de soude
1 ml (¼ c. à thé) de sel
60 ml (¼ tasse) d'eau
120 ml (½ tasse) d'huile d'olive légère
2 gros œufs
300 ml (1¼ tasse) de carottes râpées (2 à 3 moyennes)
45 ml (3 c. à table) d'ananas broyé en conserve, égoutté, ou de noix
   hachées menu

1. Chemiser le fond de la mijoteuse avec un rond de papier sulfurisé. Vaporiser un enduit de cuisson antiadhésif à saveur de beurre sur le papier sulfurisé et le premier tiers de la mijoteuse, ou graisser avec du beurre.

2. Dans un bol de taille moyenne, à l'aide d'un fouet, combiner la farine, le sucre, les épices, la levure chimique, le bicarbonate de soude et le sel. Dans un petit bol, mélanger l'eau, l'huile et les œufs, puis battre jusqu'à l'obtention d'une consistance lisse. Incorporer les ingrédients liquides aux ingrédients secs et battre jusqu'à l'obtention d'une consistance lisse et duveteuse. Incorporer les carottes et l'ananas. Étendre la pâte uniformément dans la mijoteuse. À couvert, laisser cuire à intensité élevée de 2¼ à 2½ heures ou jusqu'à ce que le gâteau ait gonflé et qu'un ustensile de contrôle inséré au centre en ressorte propre.

3. Éteindre la mijoteuse et, à découvert, laisser tiédir pendant 30 minutes. Pour démouler le gâteau, passer la lame d'un couteau autour du bord intérieur de la mijoteuse. Soulever ensuite le gâteau avec une grande spatule en caoutchouc. Déposer dans un plat de service et couper en petites pointes. Servir chaud ou à la température ambiante.

Gâteau aux bananes et aux ananas

Nous considérons les bananes comme un aliment de base même si elles ne poussent que sous les tropiques, et ce, en raison des importations massives de fruits qui ont cours depuis la guerre de Sécession. Du point de vue botanique, la banane n'est pas un fruit, mais plutôt une baie — une baie longue, effilée et dodue. Qui n'aime pas le goût des bananes ? ● **6 portions**

MIJOTEUSE : Moyenne ou grande, ronde
INTENSITÉ ET TEMPS DE CUISSON : ÉLEVÉE, de 2¼ à 2½ heures

120 ml (½ tasse) d'huile végétale
240 ml (1 tasse) de sucre
2 gros œufs
5 ml (1 c. à thé) d'extrait de vanille pur
3 bananes très mûres, moyennes à grosses, légèrement écrasées
300 ml (1¼ tasse) de farine tout usage
5 ml (1 c. à thé) de bicarbonate de soude
1 ml (¼ c. à thé) de sel
80 ml (⅓ tasse) d'ananas broyé en conserve, égoutté sur une double couche
    d'essuie-tout

1. Chemiser le fond de la mijoteuse avec un rond de papier sulfurisé. Vaporiser un enduit de cuisson antiadhésif à saveur de beurre sur le papier sulfurisé et le premier tiers de la mijoteuse, ou graisser avec du beurre.

2. Dans un bol de taille moyenne, combiner énergiquement l'huile et le sucre pendant environ 1 minute ou jusqu'à l'obtention d'une pâle consistance crémeuse. Ajouter les œufs et la vanille, puis battre de nouveau jusqu'à l'obtention d'une consistance homogène. Incorporer les bananes écrasées et battre jusqu'à l'obtention d'une consistance lisse. Ajouter la farine, le bicarbonate de soude et le sel. Bien battre pour obtenir une pâte crémeuse et homogène. Incorporer délicatement l'ananas, puis étendre la pâte dans la mijoteuse À couvert, laisser cuire à intensité élevée de 2¼ à 2½ heures ou jusqu'à ce que le dessus résiste au toucher et qu'un ustensile inséré au centre en ressorte propre.

3. Éteindre la mijoteuse et, à découvert, laisser tiédir pendant 15 minutes. Pour démouler le gâteau aux bananes, passer la lame d'un couteau autour du bord intérieur de la mijoteuse. Soulever ensuite le gâteau avec une grande spatule en caoutchouc. Laisser tiédir sur une grille. Envelopper hermétiquement le gâteau dans une pellicule de plastique et le réfrigérer pendant 8 heures, voire jusqu'à 3 jours, avant de servir.

Pain de maïs cuit dans le pot de grès, avec chiles verts et grains de maïs

Cette recette provient de Nancyjo Rieske, qui aime utiliser des chiles rôtis frais et du maïs frais en saison. Le pain sera toutefois encore très bon quand vous serez obligé d'employer des piments en conserve et du maïs surgelé. ● **4 à 6 portions**

MIJOTEUSE : Moyenne, ronde
INTENSITÉ ET TEMPS DE CUISSON : ÉLEVÉE, de 2¼ à 2½ heures

360 ml (1½ tasse) de farine tout usage

160 ml (⅔ tasse) de sucre

120 ml (½ tasse) de semoule de maïs jaune, mouture moyenne ou fine,
    moulue à la pierre de préférence

15 ml (1 c. à table) de levure chimique

2 ml (½ c. à thé) de sel

240 ml (1 tasse) de lait entier

2 gros œufs

80 ml (⅓ tasse) d'huile de canola, de tournesol ou de maïs

45 ml (3 c. à table) de beurre non salé, fondu

300 ml (1¼ tasse) de grains de maïs blanc miniature, surgelés, puis dégelés
    ou de grains de maïs frais, dorés au four à 180 °C (350 °F)

1 boîte de 114 ml (4 oz) de chiles verts en dés, égouttés, ou 2 piments
    Anaheim frais, rôtis, pelés, épépinés et coupés en dés (voir la note à la
    page 123)

Beurre pour le service

1. Chemiser le fond de la mijoteuse avec un rond de papier sulfurisé. Vaporiser un enduit de cuisson antiadhésif à saveur de beurre sur le papier sulfurisé et le premier tiers de la mijoteuse, ou graisser avec du beurre.

2. Dans un bol de taille moyenne, à l'aide d'un fouet, combiner la farine, le sucre, la semoule de maïs, la levure chimique et le sel. Faire un puits au centre et y ajouter le lait, les œufs, l'huile et le beurre fondu. À l'aide d'une grande cuillère ou d'un fouet à pâte, donner quelques coups vigoureux pour mélanger le liquide et les ingrédients secs. Incorporer doucement le maïs et les chiles ; éviter de trop mélanger. Étendre la pâte uniformément dans la mijoteuse. À couvert, laisser cuire à intensité élevée de 2¼ à 2½ heures ou jusqu'à ce qu'un ustensile de contrôle inséré au centre en ressorte propre.

3. Éteindre la mijoteuse et, à découvert, laisser tiédir pendant 30 minutes. Pour démouler le pain de maïs, passer la lame d'un couteau autour du bord intérieur de la mijoteuse. Soulever ensuite le pain avec une grande spatule en caoutchouc. Couper en portions. Servir avec du beurre.

Pain de maïs lessivé dans un pot de grès

Nous adorons le maïs lessivé en conserve et cherchons toujours de nouvelles façons de l'incorporer à nos recettes. Celle-ci donne un excellent pain de maïs moelleux, qui accompagne à merveille un chili ou un ragoût. ● **4 à 6 portions**

MIJOTEUSE : Moyenne, ronde
INTENSITÉ ET TEMPS DE CUISSON : ÉLEVÉE, de 2¼ à 2½ heures

300 ml (1¼ tasse) de semoule de maïs jaune, mouture fine ou moyenne,
    moulue à la pierre de préférence
180 ml (¾ tasse) de farine tout usage
60 ml (¼ tasse) de farine à pâtisserie de blé entier
30 ml (2 c. à table) de sucre
15 ml (1 c. à table) de levure chimique
5 ml (1 c. à thé) de sel
2 gros œufs
180 ml (¾ tasse) de maïs lessivé, jaune ou blanc, en conserve, rincé et
    égoutté
240 ml (1 tasse) de lait entier
90 ml (6 c. à table ou ¾ bâtonnet) de beurre non salé ou de saindoux, fondu

POUR LE SERVICE :
Beurre
Confiture de fraises

1. Chemiser le fond de la mijoteuse avec un rond de papier sulfurisé. Vaporiser un enduit de cuisson antiadhésif à saveur de beurre sur le papier sulfurisé et le premier tiers de la mijoteuse, ou graisser avec du beurre.

2. Dans un bol de taille moyenne, à l'aide d'un fouet, combiner la semoule de maïs, les farines, le sucre, la levure chimique et le sel. Faire un puits au centre et y ajouter les œufs, le maïs lessivé, le lait et le beurre fondu. À l'aide d'une grande cuillère ou d'un fouet à pâte, mélanger les ingrédients secs au centre liquide jusqu'à ce que tous les ingrédients soient mouillés ; éviter de trop mélanger ou de trop briser le maïs lessivé. Étendre la pâte uniformément dans la mijoteuse. À couvert, laisser cuire à intensité élevée de 2¼ à 2½ heures ou jusqu'à ce qu'un ustensile de contrôle inséré au centre en ressorte propre.

3. Éteindre la mijoteuse et, à découvert, laisser tiédir pendant 30 minutes. Pour démouler le pain de maïs, passer la lame d'un couteau autour du bord intérieur de la mijoteuse. Soulever ensuite le pain avec une grande spatule en caoutchouc. Couper en petites pointes. Servir avec du beurre et de la confiture.

Pains et poudings vapeur

Les poudings vapeur sont follement populaires en Grande-Bretagne et un «*pud*» est un must pour terminer les repas lors des vacances d'hiver. Les livres de recettes anglais en proposent des dizaines de recettes. Dans les colonies de la Nouvelle-Angleterre, la tradition des poudings vapeur s'est poursuivie avec le pain brun style Boston, qui est fait avec de la semoule de maïs. La cuisson à la vapeur est l'un des plus anciens modes de cuisson ; elle est apparue bien avant la cuisson au four et peut se pratiquer sur un feu ouvert dans un grand chaudron couvert. À une certaine époque, les pains et les poudings vapeur étaient lourds car ils étaient préparés avec de la graisse de rognon, mais les versions modernes s'apparentent plutôt à un gâteau éponge vapeur ou à un pain éclair sucré, léger et savoureux, fait avec des fruits d'automne comme les canneberges, la citrouille et les kakis.

Les poudings et pains vapeur sont un mélange de gâteau et de pain. Moelleux et sucrés, ils ont parfois une sauce d'accompagnement et ont une texture légèrement dense en raison de la cuisson à la vapeur. Traditionnellement, ils cuisent dans des bols de céramique dont la forme rappelle un pot à fleurs, nommés bols ou moules à pouding. Ces bols ressemblent étonnamment au récipient en grès de la mijoteuse.

Le moule est de la plus haute importance ici. Les moules à pouding modernes sont faits d'étain ou d'un autre métal et possèdent un couvercle hermétique qui s'ajuste au sommet pour empêcher les gouttes d'eau de tomber dans la pâte. La plupart des moules entrent parfaitement dans une grande mijoteuse. Nous utilisons de beaux moules cannelés en métal avec un couvercle à charnière ; vous pouvez commander ces derniers chez Williams-Sonoma (800 541-2233 ; www.williams-sonoma.com), La Cuisine (800 521-1176 ; www.lacuisine.com) ou Sur La Table (800 243-0852 ; www.surlatable. com). Puisque la mijoteuse est profonde, vous pouvez aussi utiliser un moule à cheminée cannelé ou un moule profond de 500 g (1 lb). Nous recommandons une contenance de 1,5 l (6 tasses) et une forme de melon rond, de colonne corinthienne ou de couronne, ou un moule à kugelhopf en métal à cheminée.

Cherchez des moules à poudings ou des bols en céramique résistants à la chaleur, comme des plats à soufflé, qui entreront dans votre mijoteuse en permettant de fermer complètement le couvercle. Il devrait y avoir au moins 2,5 cm (1 po) d'espace libre tout autour du moule. S'il n'y a pas de couvercle sur le contenant que vous avez choisi, vous pouvez couvrir hermétiquement le dessus avec deux feuilles de papier d'aluminium ou une feuille de papier sulfurisé graissée et une feuille de papier d'aluminium, en les fixant avec une ficelle. Un jour de Noël, alors que Beth regardait une émission de cuisine britannique à la télé, elle a vu l'animateur nouer habilement une petite poignée à la ficelle de façon à pouvoir baisser et sortir le moule de la marmite à vapeur.

Et que faire si vous n'arrivez pas à trouver un bol de bonnes profondeur et grandeur ? Vous pouvez utiliser l'intérieur amovible en grès d'une petite mijoteuse pour cuire à la vapeur ; il s'insérera dans une mijoteuse moyenne ou grande. Si vous possédez une mijoteuse ovale, un plat à soufflé ou une cocotte pourra constituer un bon substitut. Il faut seulement savoir que le pouding pourra cuire un peu plus rapidement car il sera de plus petite taille.

La technique de cuisson à la vapeur est simple. Le moule est beurré et rempli jusqu'au deux tiers, jamais plus, pour permettre au pouding de gonfler. Fermez le couvercle et placez le moule dans la mijoteuse. Remplissez la mijoteuse avec l'eau du robinet la plus chaude possible, de façon à ce que le niveau atteigne 5 cm (2 po) du bord du moule. En cours de cuisson, vous pouvez vérifier le niveau à travers le couvercle transparent, mais nous considérons qu'il ne se produit aucune évaporation dans la mijoteuse.

Les poudings vapeur chauds devraient être accompagnés de sauce, de glace ou de crème fouettée parfumée à la liqueur. On pourra alors dire qu'ils sont prêts à déguster. Les pains vapeur sont bons avec du beurre, des confitures et du fromage à tartiner. Voici quelques-unes de nos recettes favorites.

Pain de blé entier à la vapeur

L e pain de blé entier vapeur est un de ces produits alimentaires américains d'autrefois que plus personne ne fait aujourd'hui. Quel dommage! C'était le favori à l'époque des Colonies pour accompagner les Haricots style Boston (page 204). Vous pouvez le préparer en quelques minutes et le laisser cuire à la vapeur à la perfection sans surveillance. La seule difficulté que vous aurez sera de trouver un petit moule à pouding ou un bol résistant à la chaleur qui s'adaptera à l'intérieur de votre mijoteuse, en laissant un espace de 2,5 cm (1 po) tout autour. Cet espace est nécessaire pour permettre à la vapeur de circuler librement. Un bol en acier inoxydable ou en céramique profond d'une capacité d'environ 1,5 l (6 tasses) conviendra parfaitement pour cette recette. Peu importe le moule choisi, ne le remplissez pas jusqu'au bord. Votre pain a besoin d'espace pour gonfler.

Quelques personnes fuient les recettes qui demandent de la mélasse, parce qu'il peut s'avérer frustrant et salissant de travailler avec ce produit. Si vous avez des difficultés à verser la mélasse *dans* votre tasse à mesurer, réchauffez-la d'abord. Mettez le contenant ouvert dans le micro-ondes et faites chauffer à intensité maximale pendant environ 10 secondes. (Gardez l'œil ouvert pour éviter les débordements.) Pour verser la mélasse *hors* de la tasse à mesurer, graissez d'abord la tasse qui la recevra avec quelques gouttes d'huile ou un peu d'enduit de cuisson antiadhésif en vaporisateur. Ensuite, la mélasse coulera facilement. ● **6 portions**

MIJOTEUSE : Moyenne ou grande, ronde ou ovale
INTENSITÉ ET TEMPS DE CUISSON : ÉLEVÉE, de 2 à 2½ heures

1 gros œuf
120 ml (½ tasse) de sucre
120 ml (½ tasse) de mélasse claire
240 ml (1 tasse) de lait entier
240 ml (1 tasse) de farine à pâtisserie de blé entier
5 ml (1 c. à thé) de bicarbonate de soude
2 ml (½ c. à thé) de sel
1 ml (¼ c. à thé) de muscade moulue

1. Graisser et enfariner un moule à pouding de 1,5 l (6 tasses), un bol résistant à la chaleur ou le récipient en grès d'une petite mijoteuse qui entrera à l'intérieur de la mijoteuse utilisée en laissant environ 2,5 cm (1 po) d'espace libre tout autour de lui.

2. Dans un bol de taille moyenne, fouetter l'œuf. Ajouter le sucre et la mélasse, et continuer de battre jusqu'à l'obtention d'une consistance homogène. Tout en continuant de fouetter, incorporer le lait. Dans un petit bol, à l'aide d'un fouet, combiner la farine, le bicarbonate de soude, le sel et la muscade. Ajouter ensuite cette préparation au mélange de mélasse et remuer jusqu'à ce que les ingrédients soient bien mélangés. Verser la pâte dans le moule préparé. Mettre le couvercle sur le moule ou, si un bol est utilisé, le couvrir de façon étanche avec une double couche de papier d'aluminium. Pour tenir le papier d'aluminium en place, nouer une ficelle autour de la jante du bol.

3. Déposer le moule dans la mijoteuse et ajouter lentement suffisamment d'eau chaude pour que le niveau atteigne 5 cm (2 po) du bord du moule. À couvert, laisser cuire à intensité élevée de 2 à 2½ heures. Pour déterminer si le pain est cuit, enlever précautionneusement le couvercle ou le papier d'aluminium du moule et toucher légèrement le centre du pain. Il ne devrait pas garder l'empreinte du doigt. Dans le cas contraire, couvrir le pain et la mijoteuse, et poursuivre la cuisson à la vapeur ; vérifier la cuisson du pain à des intervalles de 30 minutes.

4. Lorsque le pain est cuit, transférer prudemment le moule sur une grille et, à découvert, laisser tiédir le pain pendant 10 minutes. Passer un couteau de table autour de l'intérieur du moule pour détacher le pain. Renverser le pain sur un support pour le démouler, puis le remettre du bon côté pour le laisser tiédir. Rompre le pain en morceaux ou le couper en tranches. Servir.

Pain vapeur à la courge d'hiver

L a courge d'hiver agit comme liquide dans ce pain ferme et pas trop sucré, une variante du pain de blé entier vapeur. Utilisez des restes de courge cuite, que ce soit une hubbard ou une musquée, ou n'importe quel type de citrouille. Vous pouvez employer de la citrouille en conserve, au besoin, sans perte de saveur. Tartiné de fromage à la crème, ce pain est excellent pour le petit-déjeuner. Servi avec des haricots ou un chili, il convient très bien pour le déjeuner ou le dîner. ◉ **6 portions**

MIJOTEUSE : Moyenne ou grande, ronde ou ovale
INTENSITÉ ET TEMPS DE CUISSON : ÉLEVÉE, de 2 à 2½ heures

1 gros œuf
120 ml (½ tasse) de miel
180 ml (¾ tasse) de courge d'hiver ou de purée de citrouille

120 ml (½ tasse) de farine de blé entier

120 ml (½ tasse) de farine tout usage

80 ml (⅓ tasse) de semoule de maïs jaune, mouture fine ou moyenne

5 ml (1 c. à thé) de bicarbonate de soude

2 ml (½ c. à thé) de sel

60 ml (¼ tasse) de dattes dénoyautées, hachées

60 ml (¼ tasse) de noix hachées

1. Graisser et enfariner un moule à pouding de 1,5 l (6 tasses), un bol résistant à la chaleur ou le récipient en grès d'une petite mijoteuse qui entrera à l'intérieur de la mijoteuse utilisée en laissant environ 2,5 cm (1 po) d'espace libre tout autour de lui.

2. Dans un bol de taille moyenne, à l'aide d'une cuillère en bois, battre l'œuf et le miel, puis incorporer la courge. Dans un petit bol, à l'aide d'un fouet, combiner les farines, la semoule de maïs, le bicarbonate de soude et le sel. Ajouter les ingrédients secs au mélange de courge et remuer jusqu'à ce que tous les ingrédients soient bien mélangés. Incorporer les dattes et les noix. Verser la pâte dans le moule préparé. Mettre le couvercle sur le moule ou, si un bol est utilisé, le couvrir de façon étanche avec une double couche de papier d'aluminium ; pour tenir le papier d'aluminium en place, nouer une ficelle autour de la jante du bol.

3. Placer le moule dans la mijoteuse et ajouter lentement suffisamment d'eau chaude pour que le niveau atteigne 5 cm (2 po) du bord du moule. À couvert, laisser cuire à intensité élevée pendant 2 heures. Pour déterminer si le pain est cuit, enlever précautionneusement le couvercle ou le papier d'aluminium du moule et toucher légèrement le centre du pain. Il ne devrait pas garder l'empreinte du doigt. Dans le cas contraire, couvrir le pain et la mijoteuse, et poursuivre la cuisson à la vapeur ; vérifier la cuisson du pain à des intervalles de 30 minutes.

4. Lorsque le pain est cuit, transférer prudemment le moule sur une grille et, à découvert, laisser tiédir le pain pendant 10 minutes. Passer un couteau de table autour de l'intérieur du moule pour détacher le pain. Renverser le pain sur un support pour le démouler, puis le remettre du bon côté pour le laisser tiédir. Rompre le pain en morceaux ou le couper en tranches. Servir.

Pain brun vapeur à la mélasse

Un authentique pain brun à l'ancienne, comme celui-ci, contient du blé entier, de la farine de seigle, de la semoule de maïs et de la mélasse, et est fait sans œufs. Il devient très moelleux et constitue l'accompagnement parfait à vos plats de haricots et de chilis.

○ **6 portions**

MIJOTEUSE : Moyenne ou grande, ronde ou ovale
INTENSITÉ ET TEMPS DE CUISSON : ÉLEVÉE, de 2 à 2½ heures

80 ml (⅓ tasse) de mélasse claire
320 ml (1⅓ tasse) de babeurre
120 ml (½ tasse) de farine de blé entier
120 ml (½ tasse) de farine de seigle, mouture moyenne
120 ml (½ tasse) de semoule de maïs jaune, mouture fine ou moyenne
6 ml (1¼ c. à thé) de bicarbonate de soude
2 ml (½ c. à thé) de sel
80 ml (⅓ tasse) de raisins secs

1. Graisser et enfariner un moule à pouding de 1,5 l (6 tasses), un bol résistant à la chaleur ou le récipient en grès d'une petite mijoteuse qui entrera à l'intérieur de la mijoteuse utilisée en laissant environ 2,5 cm (1 po) d'espace libre tout autour de lui.

2. Dans un bol de taille moyenne, à l'aide d'une cuillère en bois, battre la mélasse et le babeurre. Dans un autre bol de taille moyenne, à l'aide d'un fouet, combiner les farines, la semoule de maïs, le bicarbonate de soude et le sel. Ajouter les ingrédients secs au mélange de mélasse et remuer jusqu'à ce que tous les ingrédients soient bien mélangés. Incorporer les raisins. Verser la pâte dans le moule préparé. Mettre le couvercle sur le moule ou, si un bol est utilisé, le couvrir de façon étanche avec une double couche de papier d'aluminium ; pour tenir le papier d'aluminium en place, nouer une ficelle autour de la jante du bol.

3. Placer le moule dans la mijoteuse et ajouter lentement suffisamment d'eau chaude pour que le niveau atteigne 5 cm (2 po) du bord du moule. À couvert, laisser cuire à intensité élevée pendant 2 heures. Pour déterminer si le pain est cuit, enlever précautionneusement le couvercle ou le papier d'aluminium du moule et toucher légèrement le centre du pain. Il ne devrait pas garder l'empreinte du doigt. Dans le cas contraire, couvrir le pain et la mijoteuse, et poursuivre la cuisson à la vapeur ; vérifier la cuisson du pain à des intervalles de 30 minutes.

4. Lorsque le pain est cuit, transférer prudemment le moule sur une grille et, à découvert, laisser tiédir le pain pendant 10 minutes. Passer un couteau de table autour de l'intérieur du moule pour détacher le pain. Renverser le pain sur un support pour le démouler, puis le remettre du bon côté pour le laisser tiédir. Rompre le pain en morceaux ou le couper en tranches. Servir.

Pain-muffin au son cuit à la vapeur

Il s'agit ici d'une adaptation d'une vieille recette de Mable Hoffman, la pionnière des auteurs de livres de cuisine pour la mijoteuse. Nous aimons faire cuire ce pain à la vapeur dans une mijoteuse de 2 à 2,5 l (8 à 10 tasses). ☉ **6 à 8 portions**

MIJOTEUSE : Moyenne ou grande, ronde ou ovale
INTENSITÉ ET TEMPS DE CUISSON : ÉLEVÉE, de 3 à 3½ heures

420 ml (1¾ tasse) de babeurre
1 gros œuf
120 ml (½ tasse) de mélasse noire
60 ml (¼ tasse) d'huile de canola
480 ml (2 tasses) de céréales All-Bran
240 ml (1 tasse) de farine de blé entier
240 ml (1 tasse) de farine tout usage
10 ml (2 c. à thé) de levure chimique
5 ml (1 c. à thé) de bicarbonate de soude
2 ml (½ c. à thé) de sel
180 ml (¾ tasse) d'abricots séchés hachés, ou d'un mélange de cerises
     séchées et de raisins secs dorés
120 ml (½ tasse) de graines de tournesol nature, décortiquées

1. Graisser et enfariner un moule à pouding de 2 l (8 tasses), un bol résistant à la chaleur ou le récipient en grès d'une petite mijoteuse qui entrera à l'intérieur de la mijoteuse utilisée en laissant environ 2,5 cm (1 po) d'espace libre tout autour de lui.

2. Dans un bol de taille moyenne, mélanger le babeurre, l'œuf, la mélasse et l'huile. Ajouter les céréales et laisser tremper 15 minutes afin de les ramollir. Ajouter les farines, la levure chimique, le bicarbonate de soude et le sel. Remuer jusqu'à ce que tous les ingrédients soient bien mélangés. Incorporer les fruits séchés et les graines. Verser la

pâte dans le moule préparé. Mettre le couvercle sur le moule ou, si un bol est utilisé, le couvrir de façon étanche avec une double couche de papier d'aluminium ; pour tenir le papier d'aluminium en place, nouer une ficelle autour de la jante du bol.

3. Placer le moule dans la mijoteuse et ajouter lentement suffisamment d'eau chaude pour que le niveau atteigne 5 cm (2 po) du bord du moule. À couvert, laisser cuire à intensité élevée de 3 à 3½ heures. Pour déterminer si le pain est cuit, enlever précautionneusement le couvercle ou le papier d'aluminium du moule et toucher légèrement le centre du pain. Il ne devrait pas garder l'empreinte du doigt. Dans le cas contraire, couvrir le pain et la mijoteuse, et poursuivre la cuisson à la vapeur ; vérifier la cuisson du pain à des intervalles de 30 minutes.

4. Lorsque le pain est cuit, transférer prudemment le moule sur une grille et, à découvert, laisser tiédir le pain pendant 10 minutes. Renverser le pain sur un support pour le démouler, puis le remettre du bon côté pour le laisser tiédir. Rompre le pain en morceaux ou le couper en tranches. Servir.

Pain d'épices vapeur

Nous aimons les recettes faites avec des mélanges commerciaux auxquels nous ajoutons un petit extra. Dans cette recette, nous partons d'un mélange à pain d'épices. Le produit final sera plus tendre que nos autres pains vapeur ; alors, il faudra le servir à la température ambiante afin qu'il ait le temps de se raffermir quelque peu. ◉ **6 portions**

MIJOTEUSE : Moyenne ou grande, ronde ou ovale
INTENSITÉ ET TEMPS DE CUISSON : ÉLEVÉE, pendant 2 heures

1 paquet de 397 g (14 oz) de mélange pour pain d'épices
60 ml (¼ tasse) de semoule de maïs jaune, mouture fine ou moyenne
Zeste râpé de 1 petite orange
1 pincée de sel
360 ml (1½ tasse) de lait entier
30 ml (2 c. à table) de gingembre confit, haché menu

1. Graisser et enfariner un moule à pouding de 1,5 l (6 tasses), un bol résistant à la chaleur ou le récipient en grès d'une petite mijoteuse qui entrera à l'intérieur de la mijoteuse utilisée en laissant environ 2,5 cm (1 po) d'espace libre tout autour de lui.

2. Dans un bol de taille moyenne, mettre le mélange pour pain d'épices, la semoule de maïs, le zeste d'orange, le sel et le lait. Remuer jusqu'à ce que tous les ingrédients soient bien mélangés. Incorporer le gingembre confit. Verser la pâte dans le moule préparé. Mettre le couvercle sur le moule ou, si un bol est utilisé, le couvrir de façon étanche avec une double couche de papier d'aluminium; pour tenir le papier d'aluminium en place, nouer une ficelle autour de la jante du bol.

3. Placer le moule dans la mijoteuse et ajouter lentement suffisamment d'eau chaude pour que le niveau atteigne 5 cm (2 po) du bord du moule. À couvert, laisser cuire à intensité élevée pendant 2 heures. Pour déterminer si le pain est cuit, enlever précautionneusement le couvercle ou le papier d'aluminium du moule et toucher légèrement le centre du pain. Il ne devrait pas garder l'empreinte du doigt. Dans le cas contraire, couvrir le pain et la mijoteuse, et poursuivre la cuisson à la vapeur; vérifier la cuisson du pain à des intervalles de 30 minutes.

4. Lorsque le pain est cuit, transférer prudemment le moule sur une grille et, à découvert, laisser tiédir le pain pendant 10 minutes. Renverser le pain sur un support pour le démouler, puis le remettre du bon côté pour le laisser tiédir. Rompre le pain en morceaux ou le couper en tranches. Servir.

Gâteau aux fruits blanc cuit à la vapeur

Les gâteaux aux fruits, tant français qu'anglais, ont souvent une base de quatre-quarts à laquelle on ajoute un tas de fruits séchés et de noix. Même si les fruits séchés confits donnent de bons résultats lorsqu'ils sont disponibles, nous utilisons des fruits séchés réguliers, que l'on trouve facilement au supermarché, et une préparation commerciale de quatre-quarts. Très moelleux, ce merveilleux gâteau est prêt à servir directement lorsqu'il sort de la marmite à vapeur et n'exige aucun vieillissement. Vous pouvez le badigeonner de rhum brun, de cognac, de calvados ou de brandy pendant qu'il tiédit. Ce gâteau aux fruits sera aussi excellent avec de la crème anglaise. ◉ **8 à 10 portions**

MIJOTEUSE : Moyenne ou grande, ronde ou ovale
INTENSITÉ ET TEMPS DE CUISSON : ÉLEVÉE, de 2 à 2½ heures

1 paquet de 454 g (16 oz) de mélange à quatre-quarts
2 ml (½ c. à thé) de muscade moulue
1 pincée de piment de la Jamaïque moulu

2 gros œufs

180 ml (¾ tasse) de lait entier

1 paquet de 198 g (7 oz) de fruits séchés mélangés

80 ml (⅓ tasse) d'écorces confites mélangées, hachées, comme celles de citron ou d'orange

60 ml (¼ tasse) de raisins secs dorés

30 ml (2 c. à table) d'amandes mondées, hachées

30 ml (2 c. à table) de rhum brun, de cognac, de calvados ou de brandy (facultatif)

45 ml (3 c. à table) de confiture d'abricots ou de marmelade d'oranges (facultatif), chauffée jusqu'à l'obtention d'une consistance liquide

1. Chemiser d'un rond de papier sulfurisé un moule à pouding de 2,5 l (10 tasses), un bol résistant à la chaleur ou le récipient en grès d'une petite mijoteuse qui entrera à l'intérieur de la mijoteuse utilisée en laissant environ 2,5 cm (1 po) d'espace libre tout autour de lui. Graisser et enfariner le papier et les côtés du moule.

2. Dans un bol de taille moyenne, à l'aide d'un mixeur électrique, battre à vitesse moyenne la préparation pour quatre-quarts, les épices, les œufs et le lait jusqu'à l'obtention d'une consistance crémeuse et lisse, soit pendant environ 5 minutes. Incorporer les fruits séchés mélangés, les écorces confites, les raisins secs et les noix, et les répartir uniformément dans la pâte. Verser dans le moule préparé. Mettre le couvercle sur le moule ou, si un bol est utilisé, le couvrir de façon étanche avec une double couche de papier d'aluminium ; pour tenir le papier d'aluminium en place, nouer une ficelle autour de la jante du bol.

3. Placer le moule dans la mijoteuse et ajouter lentement suffisamment d'eau chaude pour que le niveau atteigne 5 cm (2 po) du bord du moule. À couvert, laisser cuire à intensité élevée pendant 2 heures. Pour déterminer si le gâteau est cuit, enlever précautionneusement le couvercle ou le papier d'aluminium du moule et toucher légèrement le centre du gâteau aux fruits. Il ne devrait pas garder l'empreinte du doigt. Dans le cas contraire, couvrir le pain et la mijoteuse, et poursuivre la cuisson à la vapeur ; vérifier la cuisson du gâteau à des intervalles de 30 minutes.

4. Lorsque le gâteau aux fruits est cuit, transférer prudemment le moule sur une grille et, à découvert, le laisser tiédir pendant 10 minutes. Passer un couteau de table autour de l'intérieur du moule pour détacher le gâteau. Renverser le gâteau sur un support pour le démouler, puis le remettre du bon côté pour le laisser tiédir. Si désiré, le badigeonner de rhum ou de cognac, puis y étaler de la confiture si on souhaite glacer. Laisser refroidir complètement. Couper le gâteau en pointes ou le tourner sur le côté pour faire des tranches rondes. Conserver au réfrigérateur ou à la température ambiante jusqu'à 4 jours. (Vous pouvez congeler le gâteau aux fruits non glacé jusqu'à 2 mois.)

Pouding vapeur aux kakis et au gingembre avec pacanes

Vous pouvez acheter deux types de kakis à l'automne — le plus grand, pointu, hachiya, et le fuyu, plus petit et plus arrondi. Les kakis fuyu sont fermes lorsqu'ils sont mûrs, mais n'essayez pas de manger un hachiya avant qu'il ne soit mou comme de la gelée. Faites mûrir les kakis hachiya à la température ambiante, ce qui peut prendre des jours, voire des semaines. Heureusement, vous pouvez congeler pour une période de 3 mois les kakis mûrs, entiers, non épluchés et enveloppés. Ce pouding est moelleux et épicé, tout en étant sucré, avec sa double dose de gingembre. Servez-le avec de la crème fouettée souple et sucrée (ajoutez un peu de rhum, si désiré) ou de la glace à la vanille. Si vous êtes un vrai amateur de gingembre, servez-le avec notre glace ultrarapide au gingembre (voir la recette suivante). ● **10 portions**

MIJOTEUSE : Grande, ronde ou ovale
INTENSITÉ ET TEMPS DE CUISSON : ÉLEVÉE, de 2½ à 3 heures

3 kakis de la variété hachiya, mûrs
240 ml (1 tasse) de farine tout usage
5 ml (1 c. à thé) de levure chimique
5 ml (1 c. à thé) de bicarbonate de soude
2 ml (½ c. à thé) de sel
2 ml (½ c. à thé) de cannelle moulue
1 ml (¼ c. à thé) de cardamome moulue
1 ml (¼ c. à thé) de gingembre moulu
0,5 ml (⅛ c. à thé) de muscade moulue
3 gros œufs
120 ml (½ tasse) de cassonade blonde, bien tassée
120 ml (½ tasse) de sucre granulé
120 ml (½ tasse ou 1 bâtonnet) de beurre non salé, fondu et tiédi
30 ml (2 c. à table) de rhum, ambré ou brun
80 à 120 ml (⅓ à ½ tasse) de gingembre confit haché, au goût
240 ml (1 tasse) de pacanes hachées

1. Graisser et enfariner un moule à pouding de 2 à 2,5 l (8 à 10 tasses), un bol résistant à la chaleur ou le récipient en grès d'une petite mijoteuse qui entrera à l'intérieur de la mijoteuse utilisée en laissant environ 2,5 cm (1 po) d'espace libre tout autour de lui.

2. Couper les kakis en deux et, à l'aide d'une cuillère, gratter la pulpe gélatineuse et la déposer dans une grande passoire placée sur un bol. Utiliser une cuillère pour presser la pulpe à travers la passoire, et jeter les graines ou les particules fibreuses qui ne passeront pas. Mesurer 240 ml (1 tasse) de pulpe. Réserver. Jeter le reste de pulpe ou le réserver pour une autre utilisation.

3. Dans un petit bol, à l'aide d'un fouet, combiner la farine, la levure chimique, le bicarbonate de soude, le sel et les épices. Réserver.

4. Dans un bol de taille moyenne, à l'aide d'un mixeur électrique, battre les œufs, la cassonade et le sucre jusqu'à l'obtention d'une consistance lisse et crémeuse. Incorporer le beurre fondu et le rhum. Ajouter les ingrédients secs et remuer jusqu'à ce qu'ils soient mélangés. Incorporer la pulpe de kaki réservée, le gingembre haché et les pacanes. Verser la pâte dans le moule préparé. Le couvrir d'un couvercle ou d'une double couche de papier d'aluminium tenu en place par une ficelle.

5. Placer le moule dans la mijoteuse et ajouter lentement suffisamment d'eau chaude pour que le niveau atteigne 5 cm (2 po) du bord du moule. À couvert, laisser cuire à intensité élevée de 2½ à 3 heures. Vérifier le pouding ; il devrait sembler ferme, plutôt que tremblant, tout en demeurant légèrement humide. Un ustensile de contrôle à gâteau inséré au centre devrait en ressortir propre.

6. Lorsque le pouding est cuit, le transférer prudemment sur une grille et, à découvert, le laisser tiédir pendant 10 minutes. Renverser le moule sur un plat de service et laisser glisser le pouding. Couper en pointes. Servir légèrement chaud ou à la température ambiante.

Glace au gingembre ultrarapide

⊙ 1 l (4 tasses)

60 ml (¼ tasse) de gingembre confit, haché
60 ml (¼ tasse) d'eau
1 l (4 tasses) de glace à la vanille

1. Dans une petite casserole ou une poêle antiadhésive, à feu moyen-doux, faire frémir le gingembre dans l'eau jusqu'à ce qu'il ramollisse ; une partie du liquide s'évaporera et le reste épaissira un peu. Réserver et laisser tiédir à la température ambiante.

2. Mettre la glace dans le réfrigérateur de 15 à 30 minutes ou jusqu'à ce qu'elle soit molle et malléable, non fondue. La déposer dans un bol de taille moyenne. La battre rapidement à l'aide d'un mixeur électrique ou à la main jusqu'à l'obtention d'une

texture crémeuse. Ajouter le gingembre, et son liquide, et mélanger jusqu'à ce qu'il soit également réparti. En travaillant rapidement, remettre la glace dans son carton à l'aide d'une grande spatule. La ranger au congélateur pour qu'elle durcisse pendant au moins 6 heures. Servir.

Desserts, sauces et compotes aux fruits

Les desserts préparés à la mijoteuse appartiennent à deux catégories : certains cuisent directement dans la mijoteuse, d'autres cuisent à la vapeur dans un moule inséré dans le récipient en grès, qui se transforme alors en marmite à vapeur. Dans ce chapitre, nous présentons des desserts aux fruits en croûte, des compotes de fruits frais et séchés, des sauces aux fruits et des fruits pochés qui cuisent directement dans la mijoteuse.

Nous adorons vraiment inclure des fruits de saison dans nos menus. Des fruits frais chauds, des épices douces et parfumées, une pâte sablée pour absorber le jus de cuisson, de la crème, et nous sommes au nirvana des desserts. Les desserts sains à base de fruits, soit les sablés, les croustades, les gâteaux renversés, les tourtes et leurs semblables, sont simples à préparer et nous ramènent dans le passé. L'étape consistant à préparer et à abaisser une pâte étant escamotée, ils sont des plus faciles à réaliser.

Nous avons quelques sablés aux fruits frais, la version britannique des croustades américaines, avec une croûte de recouvrement un peu plus épaisse, qui comprend habituellement des flocons d'avoine. N'oubliez pas que la mijoteuse ne permet pas vraiment de dorer les aliments ; c'est pourquoi la pâte friable sera pâle, mais entièrement cuite. Nous présentons un sablé pour l'hiver et un autre pour l'été ; en prenant ces recettes pour modèle, vous pourrez composer votre propre mélange de fruits.

Ensuite, nous avons des tourtes : une compote de fruits recouverte d'un gâteau ou d'une pâte à biscuits. On les nomme aussi grands-pères et renversés, une incursion dans la cuisine campagnarde de l'Amérique ancienne. N'oubliez pas que ces mélanges de fruits ne doivent pas être épais, comme les garnitures à tarte en conserve, mais un peu plus liquides. Nous avons un joli dessus de pâte jaune, comme une pâte à gâteau, pour accompagner divers fruits frais, de même que notre version du pouding Betty, avec des étages de pain et de fruits. Utilisez de préférence une pâte à pain moelleuse aux œufs, si vous le pouvez, ce qui fera une différence dans la texture et le goût.

Comme toute préparation appétissante à la mijoteuse, les desserts aux fruits ont besoin d'un peu de liquide pour cuire correctement dans le récipient en grès. Il peut s'agir d'un filet de liquide ou d'une immersion complète. Les fruits en compote, pochés et cuits donnent de merveilleux résultats à la mijoteuse, puisque ces desserts cuisent dans des quantités variables de liquide. Aucun n'est laissé à mijoter toute la journée, puisqu'ils sont trop délicats. Vous devez être dans les parages pour surveiller la cuisson. Il est souhaitable que les fruits entiers conservent leur forme, non qu'ils se transforment en bouillie.

Nous aimons les compotes de fruits simples, comme celles de pommes, de poires et de pêches. Ce sont des produits goûteux pour le petit-déjeuner, et nous en offrons plusieurs recettes. Ces préparations ne demandent que quelques cuillerées de liquide. Les fruits en contiennent suffisamment eux-mêmes et, lorsqu'ils se défont pendant la cuisson, vous obtenez une épaisse purée de fruits, entièrement naturelle. Aucun brassage n'est nécessaire, car la mijoteuse ne risque pas de faire roussir les fruits.

La mijoteuse, avec ses éléments générant une chaleur douce et uniforme, donne de charmants desserts aux fruits, comme les compotes discrètement épicées et les fruits entiers pochés, qui pour certaines raisons sont aujourd'hui écartés, paraissant trop démodés ou simples pour les dîners contemporains. Nous ne sommes pas d'accord. Il s'agit d'une véritable cuisine réconfort qui donne des aliments cuits lentement, chauds et sucrés. Ce ne sont pas des desserts élaborés, mais des préparations qui nous dorlotent.

Les fruits frais et séchés pochés possèdent un charme unique. Ils sont toujours appréciés sur les tables européennes, et la plupart des bistros et trattorias proposent certains types de fruits pochés avec un soupçon de sirop. Selon le fruit, ils seront pochés entiers, en demies ou en morceaux, avec un sirop clair ou épais. Vous pouvez préparer une compote avec une seule sorte de fruit ou avec un mélange de deux ou plus ; on parlera alors d'une *compote composée.* Ces compotes sont délicieuses servies dans un bol et baignant dans leur propre sirop. Les fruits peuvent être pochés dans l'eau, le vin, le jus de fruits ou un mélange de ces liquides. La chaleur de la mijoteuse est si douce que nous pochons la plupart des fruits à intensité élevée. Les prunes pochées sont les fruits séchés que l'on cuit le plus souvent mais, malheureusement, on ne les sert qu'au petit-déjeuner. Cependant, toutes sortes d'autres fruits séchés se prêtent à la cuisson douce et au bain parfumé de la mijoteuse, et ils donneront une bonne compote. Un bol sur pied en verre ou en porcelaine, nommé *compotier,* se destine à la présentation élégante des compotes. Déposez simplement les fruits dans le bol à l'aide d'une cuillère à égoutter et nappez-les de sirop.

Les fruits cuits sont habituellement servis chauds ou à la température ambiante avec de la crème fouettée, mais ils sont aussi bons froids comme garniture pour un gâteau au fromage parfumé à la vanille et avec une multitude de gâteaux à l'ancienne, comme le gâteau des anges, le gâteau éponge, le gâteau doré et le quatre-quarts.

Sablé du verger

L es sablés aux fruits sont des desserts simples qui présentent un délicieux mélange de saveurs et de textures dans chaque bouchée : des fruits acidulés, tendres et moelleux ; une croûte de recouvrement sucrée et moelleuse ; un sirop semblable au miel ; et, si vous avez de la chance et qu'il y en a au congélateur, le contraste froid et crémeux de la glace à la vanille. Ce sablé, qui ajoute la douceur sucrée des poires ainsi que la saveur et la couleur éclatante des canneberges ou des cerises, n'a rien à envier à la version habituelle aux pommes. Quelle délicieuse façon d'utiliser les sacs de canneberges oubliés au congélateur ! ● **6 à 8 portions**

MIJOTEUSE : Moyenne, ronde ou ovale ; ou grande, ronde
INTENSITÉ ET TEMPS DE CUISSON : ÉLEVÉE, pour 30 minutes ; puis FAIBLE de
    2½ à 3½ heures

MÉLANGE DE FRUITS :
3 poires Bartlett, pelées, étrognées et grossièrement tranchées
2 grosses pommes à cuire acidulées, pelées, étrognées et tranchées
360 ml (1½ tasse) de canneberges fraîches ou congelées, ou 480 ml
    (2 tasses) de cerises fraîches, dénoyautées ; ou de cerises dénoyautées,
    congelées, puis dégelées
2 ml (½ c. à thé) de cannelle moulue
120 ml (½ tasse) de sucre granulé
30 ml (2 c. à table) de fécule de maïs

CROÛTE :
240 ml (1 tasse) de farine tout usage
120 ml (½ tasse) de flocons d'avoine à cuisson rapide
240 ml (1 tasse) de cassonade blonde, bien tassée
2 ml (½ c. à thé) de cannelle moulue
120 ml (½ tasse ou 1 bâtonnet) de beurre froid non salé, coupé en morceaux

Glace à la vanille ou crème fouettée pour le service

1. Graisser la mijoteuse avec du beurre ou y vaporiser un enduit de cuisson antiadhésif à saveur de beurre. Y mettre les fruits. Saupoudrer de cannelle, de sucre granulé et de fécule de maïs. Remuer pour enrober les fruits. À couvert, laisser cuire à intensité élevée pendant 30 minutes.

2. Pendant ce temps, préparer la croûte. Dans un petit bol ou un robot culinaire, mélanger la farine, les flocons d'avoine, la cassonade et la cannelle. Ajouter le beurre

et le couper avec deux couteaux ou le bout des doigts, ou actionner l'appareil, de façon à obtenir des miettes grossières. Après 30 minutes, étendre la pâte sablée uniformément sur les fruits, en laissant une marge de 1,5 cm (½ po) pour empêcher la croûte de roussir. Régler la mijoteuse à faible intensité et, à couvert, laisser cuire de 2½ à 3½ heures ou jusqu'à ce que les fruits soient tendres. Enfoncer un couteau au centre du sablé pour vérifier la cuisson : s'il rencontre peu de résistance en passant dans les fruits, le sablé est prêt.

3. À découvert, laisser tiédir pendant 10 minutes. Servir. Si désiré, garnir chaque portion de glace ou de crème fouettée.

Sablé aux pêches

Pour les amateurs de fruits, les pêches évoquent immanquablement l'été. Autrefois, il était difficile de s'en procurer ; on les considérait comme un aliment de luxe et la royauté possédait ses propres vergers. Christophe Colomb a apporté les premiers pêchers au Nouveau Monde pendant son voyage de découverte, et le premier gouverneur du Massachusetts a demandé qu'on importe ces arbres fruitiers d'Angleterre. Les arbres ont si bien prospéré qu'on pense parfois que la pêche est native d'Amérique. ◉ **6 à 8 portions**

MIJOTEUSE : Moyenne, ronde ou ovale ; ou grande, ronde
INTENSITÉ ET TEMPS DE CUISSON : ÉLEVÉE, pour 30 minutes ; puis FAIBLE de
    2½ à 3 heures

1 kg (2 lb) de pêches fermes et mûres, pelées, dénoyautées et
    grossièrement tranchées

CROÛTE :
180 ml (¾ tasse) de flocons d'avoine à cuisson rapide
180 ml (¾ tasse) de farine tout usage
180 ml (¾ tasse) de cassonade blonde, bien tassée
5 ml (1 c. à thé) de levure chimique
2 ml (½ c. à thé) de cannelle moulue ou d'épices à tarte aux pommes
1 pincée de muscade moulue
1 ml (¼ c. à thé) de sel
120 ml (½ tasse ou 1 bâtonnet) de beurre froid non salé, coupé en morceaux

Glace à la vanille ou crème fouettée pour le service

1. Graisser la mijoteuse avec du beurre ou y vaporiser un enduit de cuisson anti-adhésif à saveur de beurre. Y mettre les fruits. À couvert, laisser cuire à intensité élevée pendant 30 minutes.

2. Pendant ce temps, préparer la croûte. Dans un bol de taille moyenne, mélanger les flocons d'avoine, la farine, la cassonade, la levure chimique, la cannelle, la muscade et le sel. Ajouter le beurre et le couper avec deux couteaux ou le bout des doigts, ou mélanger les ingrédients secs dans un robot, y incorporer le beurre et actionner l'appareil pour obtenir des miettes grossières. Après 30 minutes, étendre la pâte sablée uniformément sur les fruits, en laissant une marge de 1,5 cm (½ po) pour empêcher la croûte de roussir. Régler la mijoteuse à faible intensité et, à couvert, laisser cuire de 2½ à 3 heures ou jusqu'à ce que les fruits soient tendres. Enfoncer un couteau au centre du sablé pour vérifier la cuisson : s'il rencontre peu de résistance en passant dans les fruits, le sablé est prêt.

3. À découvert, laisser tiédir pendant 10 minutes. Servir. Si désiré, garnir de glace ou de crème fouettée.

Grands-pères aux bleuets

L es grands-pères sont un autre dessert américain issu de l'époque coloniale. Il s'agit d'une compote de fruits recouverte de pâte à biscuits, une pâte que l'on verse à la cuillère pour la cuire à la vapeur à la manière des quenelles. À l'origine, on faisait ce dessert dans une poêle en fonte ou dans une marmite posée sur la cuisinière. Même dans la version traditionnelle, le dessus ne brunissait jamais. Ainsi, la mijoteuse est parfaite pour cette recette, qui est aussi bonne faite avec des mûres sauvages qu'avec un mélange de baies et de nectarines. Vous pouvez également préparer les grands-pères avec une compote moitié mûres sauvages et moitié bleuets. ◉ **4 à 6 portions**

MIJOTEUSE : Moyenne ou grande, ronde
INTENSITÉ ET TEMPS DE CUISSON : FAIBLE, pour 5 heures ; puis ÉLEVÉE
      pendant 30 minutes

COMPOTE DE FRUITS :
1 l (4 tasses) de bleuets (myrtilles) frais, débarrassés des tiges, ou 1 paquet
      de 454 g (16 oz) de bleuets surgelés (non conditionnés dans le sirop),
      dégelés

120 ml (½ tasse) de sucre

120 ml (½ tasse) d'eau chaude, si des bleuets congelés sont utilisés

30 ml (2 c. à table) de tapioca instantané

BOULETTES DE PÂTE :

480 ml (2 tasses) de farine tout usage

30 ml (2 c. à table) de sucre

12 ml (2½ c. à thé) de levure chimique

2 ml (½ c. à thé) de sel

60 ml (¼ tasse ou ½ bâtonnet) de beurre froid non salé

120 ml (½ tasse) de lait froid

1 gros œuf

Crème 35 % M.G. froide pour le service

1. Graisser la mijoteuse avec du beurre ou y vaporiser un enduit de cuisson anti-adhésif à saveur de beurre. Mélanger les bleuets, le sucre, l'eau et le tapioca dans la mijoteuse, en remuant doucement pour enrober uniformément les bleuets. À couvert, laisser cuire à faible intensité pendant environ 5 heures, le temps d'obtenir la consistance d'une sauce épaisse.

2. Pour préparer la pâte à biscuits, à l'aide d'un fouet, combiner la farine, le sucre, la levure chimique et le sel dans un bol de taille moyenne. À l'aide d'un couteau à pâtisserie ou de deux couteaux, couper le beurre dans les ingrédients secs jusqu'à ce que le mélange ressemble à une bouillie épaisse. Dans un petit bol, battre le lait et l'œuf. Incorporer au mélange de farine en donnant quelques coups pour obtenir une pâte molle.

3. Régler la mijoteuse à intensité élevée et enlever le couvercle. Laisser tomber de pleines cuillerées de pâte sur les bleuets chauds. À couvert, poursuivre la cuisson pendant environ 30 minutes, le temps que la surface de la préparation soit ferme et qu'un cure-dent inséré au centre en ressorte propre. Le dessus du dessert ne sera pas doré.

4. Éteindre la mijoteuse et, à découvert, laisser reposer les grands-pères pendant 10 minutes. Verser à la cuillère dans des bols individuels et passer le pot de crème aux convives.

Pouding Betty aux poires

Ce dessert d'hiver aux fruits, cuit au four et servi chaud, est semblable à un sablé ou à une croustade. Il s'agit d'un pouding américain populaire depuis l'époque coloniale. Assurez-vous d'utiliser des poires mûres, mais toujours belles et fermes, sinon elles se désagrégeront pendant la cuisson. Vous pouvez également faire ce dessert avec des pommes. Il est important d'utiliser un bon pain, comme une brioche française ou un pain de Sabbat, pour obtenir plus de saveur. Ce dessert est délicieux lorsqu'il est arrosé de crème 35 % M.G. Il est préférable de le manger le jour même de sa préparation. ● **6 portions**

MIJOTEUSE : Moyenne ou grande, ronde
INTENSITÉ ET TEMPS DE CUISSON : ÉLEVÉE, de 2½ à 3 heures

454 g (1 lb) de pain blanc, de pain du Sabbat ou de brioche, frais, croûtes
    enlevées, coupé en cubes de 1,5 à 2 cm (½ à ¾ po)
150 ml (10 c. à table ou 1¼ bâtonnet) de beurre non salé
120 ml (½ tasse) de cassonade blonde, bien tassée
120 ml (½ tasse) de sucre granulé
15 ml (1 c. à table) de farine tout usage
10 ml (2 c. à thé) de cannelle moulue
2 ml (½ c. à thé) de piment de la Jamaïque moulu
1 ml (¼ c. à thé) de muscade moulue
1 pincée de gingembre moulu
1,2 kg (2½ lb) de poires fermes (environ 8), comme des Bartlett ou des Bosc,
    pelées, étrognées et grossièrement tranchées
45 ml (3 c. à table) de jus de citron frais
60 ml (¼ tasse) de jus de pomme ou de poire, ou d'eau

1. Graisser la mijoteuse avec du beurre ou y vaporiser un enduit de cuisson antiadhésif à saveur de beurre. Préchauffer le four à 180 °C (350 °F). Disposer les cubes de pain en une couche sur une plaque de cuisson et les faire dorer environ 10 minutes. Réserver.

2. Dans une grande poêle, à feu moyen, faire fondre le beurre. Y ajouter les cubes de pain et les remuer pour bien les imbiber de beurre. Transférer dans un grand bol et laisser refroidir. Ajouter la cassonade, le sucre, la farine et les épices. Remuer.

3. Dans un grand bol, mélanger les tranches de poire au jus de citron.

4. Mettre un tiers du pain épicé dans la mijoteuse. Recouvrir avec la moitié des poires et verser le jus. Ajouter un autre tiers de pain épicé et le reste des poires. Terminer avec

le reste des cubes de pain. À couvert, laisser cuire à intensité élevée de 2½ à 3 heures, le temps que le contenu bouillonne et que les fruits soient tendres. Servir le pouding Betty chaud à l'aide d'une grande cuillère. Ou, à découvert, le laisser tiédir dans le pot de grès et le servir à la température ambiante.

Compote de pommes

Nous aimons notre compote de pommes maison — les pots du commerce ne s'en approchent même pas. Nous n'accordons pas une grande importance au type de pommes à utiliser ; toutes les variétés font l'affaire. Lorsque le prix des pommes est attrayant, nous en achetons un grand sac au marché uniquement pour faire cette compote. Vous pouvez ajouter du sucre ou non ; Julie aime la compote sucrée, alors que Beth préfère une compote sans sucre mais ajoute une noix de beurre à la fin de la préparation. Servez cette délicieuse gâterie au petit-déjeuner avec du yaourt, en accompagnement de côtelettes de porc au dîner, sur du pain grillé avec du fromage cottage ou dégustez-la chaude avec une cuillerée de glace à la vanille au dessert. ● **Environ 1 l (4 tasses)**

MIJOTEUSE : Moyenne ou grande, ronde
INTENSITÉ ET TEMPS DE CUISSON : ÉLEVÉE, de 3 à 3½ heures ou FAIBLE de
    5 à 6 heures

8 à 10 pommes pelées, étrognées et coupées en quartiers
30 ml (2 c. à table) de jus de citron frais
30 ml (2 c. à table) d'eau, ou au besoin
Sucre au goût

1. Mettre les pommes et le jus de citron dans la mijoteuse. Remuer. Si les pommes semblent exceptionnellement peu juteuses, ajouter l'eau au contenu de la mijoteuse. À couvert, laisser cuire à intensité élevée de 3 à 3 ½ heures ou à faible intensité de 5 à 6 heures ou jusqu'à ce que les pommes soient extrêmement tendres et qu'elles se défassent.

2. À l'aide d'un robot culinaire ou d'un mélangeur à main placé directement dans la mijoteuse, réduire les pommes cuites en purée, ou utiliser un presse-purée muni d'une lame moyenne ou grande. Si désiré, ajouter du sucre. Servir immédiatement ou réfrigérer et servir froid. Hermétiquement couverte, la compote de pommes se conservera au réfrigérateur pour une période de 2 semaines.

COMPOTE DE POMMES À LA CANNELLE : Mettre un bâton de cannelle de 10 à 15 cm (4 à 6 po) dans la mijoteuse avec les pommes. Après la cuisson, le jeter avant de réduire les pommes en purée.

COMPOTE DE POMMES À L'ORANGE : À l'aide d'un économe ou d'un couteau de cuisine, prélever le zeste de 1 orange en faisant de longues bandes, sans prendre de peau blanche. Mettre le zeste dans la mijoteuse avec les pommes. Après la cuisson, le jeter avant de réduire les pommes en purée.

Compote de pommes, canneberges et pêches

Notre agente littéraire était en visite chez sa sœur à Détroit lorsque cette dernière a reçu par la poste un article sur les mijoteuses écrit par l'organisme Heart Smart, du Henri Ford Hospital Heart and Vascular Institute. Cette recette simple et fabuleuse, créée par la représentante du programme, Darlene Simmerman, Dt. P., est excellente, et nous sommes heureuses de la présenter ici (avec moins de sucre). De grâce, faites-la avec des pêches fraîches! Si vous pouvez trouver des pommes McIntosh ou Rome Beauty, qui ont toutes deux une saison très courte à la fin de l'été, utilisez-les parce qu'elles donnent vraiment une compote merveilleuse. ◉ **Donne environ 1 l (4 tasses)**

MIJOTEUSE : Moyenne ou grande, ronde
INTENSITÉ ET TEMPS DE CUISSON : ÉLEVÉE, de 3 à 4 heures ou FAIBLE de 5 à 7 heures

8 à 10 pommes à cuire, pelées, étrognées et coupées en quartiers
4 pêches mûres, pelées, dénoyautées et hachées
120 ml (½ tasse) de canneberges séchées
60 ml (¼ tasse) de cassonade blonde bien tassée ou de sucre granulé, ou un mélange des deux (facultatif)
120 ml (½ tasse) d'eau
30 ml (2 c. à table) de jus de citron frais
10 ml (2 c. à thé) de cannelle moulue

1. Mettre les pommes, les pêches, les canneberges, l'eau, le jus de citron, la cannelle et, si utilisée, la cassonade (on peut l'omettre et faire néanmoins une compote

délicieuse) dans la mijoteuse. À couvert, laisser cuire à intensité élevée de 3 à 4 heures ou à faible intensité de 5 à 7 heures, le temps que les pommes soient extrêmement tendres et qu'elles se défassent.

2. Battre la préparation pour obtenir une bouillie grossière ou utiliser un mélangeur à main pour obtenir une compote plus lisse. Servir immédiatement ou réfrigérer et servir froid. Hermétiquement couverte, la compote se conservera au réfrigérateur pour une période de 2 semaines.

Compote de pommes et de poires au gingembre

Voici une bonne compote de fruits pour l'hiver ; elle est faite d'un mélange de pommes, de poires et de gingembre. Vous pouvez utiliser n'importe quelle poire ferme et mûre, comme la Bosc (une excellente poire pour la cuisson), la Winter Nellis ou l'Anjou. Nous aimons les grosses pommes acidulées Granny Smith. Si vous ne pouvez en trouver, utilisez une autre pomme verte acidulée. ◉ **Environ 1 l (4 tasses)**

MIJOTEUSE : Moyenne ou grande, ronde
INTENSITÉ ET TEMPS DE CUISSON : ÉLEVÉE, de 3 à 3½ heures ou FAIBLE de
    5 à 6 heures

6 pommes à cuire, pelées, étrognées et coupées en quartiers
6 poires fermes, pelées, étrognées et coupées en quartiers
60 ml (¼ tasse) de sucre ou de miel (facultatif)
120 ml (½ tasse) d'eau
30 ml (2 c. à table) de jus de citron frais
1 gros morceau de gingembre frais, d'environ 7,5 cm (3 po) de long, pelé et
    finement haché
45 ml (3 c. à table) de beurre non salé

1. Mettre les pommes, les poires, l'eau, le jus de citron, le gingembre et, si désiré, le sucre (on peut l'omettre et obtenir néanmoins une compote délicieuse) dans la mijoteuse. À couvert, laisser cuire à intensité élevée de 3 à 3½ heures ou à faible intensité de 5 à 6 heures, le temps que les fruits soient extrêmement tendres et qu'ils se défassent.

2. Battre la préparation pour obtenir une bouillie grossière ou utiliser un mélangeur à main pour obtenir une compote plus lisse. Incorporer le beurre. Servir immédiatement ou réfrigérer et servir froid. Hermétiquement couverte, la compote de fruits se conservera au réfrigérateur pour une période de 2 semaines.

Compote d'abricots séchés cuite dans le pot de grès

 Si vous aimez les abricots, vous ferez cette recette fréquemment car elle est très polyvalente. ◉ **Environ 6 portions**

MIJOTEUSE : Moyenne, ronde
INTENSITÉ ET TEMPS DE CUISSON : FAIBLE, de 3 à 4 heures

1 paquet de 340 g (12 oz) d'abricots séchés
1 lamelle de zeste de citron ou d'orange

1. Mettre les abricots et le zeste d'agrume dans la mijoteuse, puis recouvrir d'eau. À couvert, laisser cuire à faible intensité de 3 à 4 heures, le temps que les fruits soient dodus et tendres.

2. Éteindre la mijoteuse et, à découvert, laisser tiédir les abricots. Déposer dans un contenant et réfrigérer. Servir la compote froide avec un peu de crème sure ou de crème fraîche, ou la réduire en purée pour en faire une sauce. Hermétiquement couverts, les abricots se conserveront au réfrigérateur pour une période de 1 semaine.

Compote de rhubarbe et de fraises

 ette compote est incroyablement délicieuse pour les brunchs ou les desserts en début d'été où la rhubarbe est en saison. ● **6 portions**

MIJOTEUSE : Moyenne, ronde
INTENSITÉ ET TEMPS DE CUISSON : FAIBLE, de 3 à 4 heures

60 ml (¼ tasse) d'eau ou de jus d'orange
240 ml (1 tasse) de sucre
454 g (1 lb) de rhubarbe fraîche, parée des feuilles et coupée en tronçons de
    4 cm ou 1½ po (environ 1 l ou 4 tasses)
10 ml (2 c. à thé) de jus de citron frais
1 l (4 tasses) de fraises fraîches, équeutées et coupées en deux

1. Mélanger l'eau, le sucre et la rhubarbe dans la mijoteuse. À couvert, laisser cuire à faible intensité de 3 à 4 heures ou jusqu'à tendreté.

2. À l'aide d'une fourchette ou du dos d'une grande cuillère, écraser quelque peu la rhubarbe. Ajouter le jus de citron et les fraises. Remuer pour les distribuer uniformément. Éteindre la mijoteuse et laisser légèrement tiédir les fruits. Servir chaud ou à la température ambiante. Ou verser dans un contenant, réfrigérer et servir froid dans des bols à dessert. Hermétiquement couverte, la compote se conservera au réfrigérateur pour une période de 4 jours.

Bananes au rhum et au caramel écossais

Il s'agit d'une version simplifiée des bananes Foster qui, contrairement à l'originale, n'est pas flambée. Les bananes Foster, un dessert américain créé dans les années 1950 à la Nouvelle-Orléans par le chef du restaurant Brennan, sont servies chaudes sur une cuillerée de glace à la vanille. Pour rehausser le goût des bananes, utilisez la cassonade blonde, qui possède une saveur plus subtile que la foncée. ● **Environ 4 portions**

MIJOTEUSE : Petite ou moyenne, ronde
INTENSITÉ ET TEMPS DE CUISSON : FAIBLE, de 1¼ à 1¾ heure ; les bananes sont ajoutées avant les 15 à 20 dernières minutes de cuisson

120 ml (½ tasse ou 1 bâtonnet) de beurre non salé
120 ml (½ tasse) de cassonade blonde, bien tassée
60 ml (¼ tasse) de rhum brun
2 grosses bananes, fermes et mûres
Glace à la vanille pour le service

1. Mélanger le beurre, la cassonade et le rhum dans la mijoteuse. À couvert, laisser cuire à faible intensité pendant 1 à 1½ heure. Remuer à l'aide d'un fouet jusqu'à l'obtention d'une consistance lisse.

2. Peler les bananes et les couper en deux dans le sens de la longueur. Couper ensuite chaque section en deux, en diagonale, pour obtenir 4 morceaux par banane. Ajouter les bananes dans la sauce chaude. À couvert, poursuivre la cuisson à faible intensité de 15 à 20 minutes, le temps que les bananes soient chaudes de part en part et bien enrobées de sauce.

3. Servir immédiatement sur des cuillerées de glace à la vanille.

Compote de bleuets

De juin à septembre, les bleuets (myrtilles) sont monnaie courante sur les tables américaines. Ils cuisent bien en compote et cette façon de les préparer est populaire. Les baies congelées, dures comme la pierre, prendront plus de temps à cuire que les fraîches. Cette compote est délicieuse lorsqu'on l'accompagne d'un gelato à la vanille. ◦ **4 portions**

MIJOTEUSE : Moyenne, ronde
INTENSITÉ ET TEMPS DE CUISSON : FAIBLE, de 3 à 4 heures

1 l (4 tasses) de bleuets frais ou congelés
120 ml (½ tasse) de sucre
80 ml (⅓ tasse) de jus d'orange
3 tranches de citron

1. Mettre tous les ingrédients dans le récipient amovible de la mijoteuse. Bien mélanger. À couvert, laisser reposer à la température ambiante pendant 1 heure ou au réfrigérateur pendant 15 minutes, afin de permettre aux baies de rendre un peu d'eau de végétation (c'est particulièrement important pour les baies congelées).

2. Faire cuire à faible intensité de 3 à 4 heures. Éteindre la mijoteuse et, à découvert, laisser tiédir les bleuets quelque peu. Servir chaud ou à la température ambiante. Ou verser dans un contenant, réfrigérer et servir froid dans des bols à dessert. Hermétiquement couverts, les bleuets se conserveront au réfrigérateur pour une période de 4 jours.

Abricots pochés

Notre collègue de rédaction au *San Jose Mercury News* est Rebecca Salner. En travaillant sur un article pour le «Merc», où il était question de fruits pochés, elle a poché des abricots frais et reçu une critique élogieuse. Encore une fois, c'est un dessert simple, rudimentaire, provenant du livre de cuisine *James Beard Coobook*, qui a remporté la palme (comme Beard, nous avons mesuré le cognac en gobelets doseurs; un gobelet doseur possède une capacité de 45 ml ou 1½ oz ou 3 c. à table). Nous avons adapté la recette pour la mijoteuse. Nous avons poché les abricots entiers, mais vous pouvez les couper en deux; prenez alors le temps de cuisson le plus court qui est indiqué et conservez les noyaux durant la cuisson. En peu de temps, vous obtiendrez des fruits tendres et dodus, dans une sauce délicieuse, à manger seuls ou sur de la glace. Vous pouvez aussi utiliser cette recette pour pocher des figues fraîches entières. ◉ **4 portions**

MIJOTEUSE : Moyenne, ronde ou ovale
INTENSITÉ ET TEMPS DE CUISSON : ÉLEVÉE, de 2 à 3 heures

240 ml (1 tasse) d'eau
240 ml (1 tasse) de sucre
Jus de ½ petit citron
12 abricots frais, fermes et mûrs, blanchis dans l'eau bouillante avec une
    cuillère à égoutter pendant 5 secondes, puis pelés
1 à 2 gobelets doseurs de cognac, au goût

1. Mélanger l'eau, le sucre et le jus de citron dans la mijoteuse. Ajouter les abricots, qui y flotteront. À couvert, laisser cuire à intensité élevée de 2 à 3 heures. Ne pas remuer pendant la cuisson afin d'éviter de meurtrir les fruits. Vérifier la consistance des abricots en perçant la chair à l'aide de la pointe d'un petit couteau : les fruits doivent rester fermes, mais être encore tendres. Ils ramolliront davantage en refroidissant. À l'aide d'une cuillère à égoutter, retirer les abricots du liquide et les transférer dans un bol de service.

2. À découvert, réduire quelque peu le liquide de cuisson et incorporer le cognac. Verser la sauce sur les fruits. Servir chaud ou froid.

Pommes cuites à la mijoteuse

Les pommes cuites à la mijoteuse peuvent constituer un dessert simple et santé ou un extraordinaire petit-déjeuner. Nous n'arrivons pas à comprendre pourquoi presque plus personne n'en prépare. C'est un dessert aux fruits parfait pour l'automne et l'hiver. Il peut être servi chaud ou tiède avec de la glace à la vanille, de la crème fouettée, de la crème fraîche, ou simplement avec de la crème 35 % M.G. nature pour épaissir le jus de cuisson parfumé. Pour le petit-déjeuner, vous pouvez réchauffer les pommes au micro-ondes si vous ne désirez pas les manger froides. Le temps de cuisson variera en fonction de la grosseur et de la fermeté des pommes utilisées ; plus ces dernières seront grosses et fermes, plus le temps de cuisson sera long. ◉ **6 portions**

MIJOTEUSE : Moyenne ou grande, ronde ou ovale

INTENSITÉ ET TEMPS DE CUISSON : ÉLEVÉE, de 2½ à 3½ heures (le temps
    variera quelque peu selon la variété de pomme utilisée)

6 grosses pommes à cuire d'environ 227 g (8 oz) chacune, comme des
    pommes Délicieuse jaune, Granny Smith, Rome Beauty ou Fuji
160 ml (⅔ tasse) de cassonade, blonde ou brune, bien tassée
2 ml (½ c. à thé) de cannelle moulue
Environ 30 ml (2 c. à table) de beurre non salé, coupé en 6 carrés
120 ml (½ tasse) de jus de pomme, de cidre ou d'eau

1. Graisser la mijoteuse avec du beurre ou y vaporiser un enduit de cuisson anti-adhésif à saveur de beurre.

2. À l'aide d'un couteau de cuisine, d'un économe ou d'un vide-pomme, enlever les cœurs de pomme en laissant 1,5 cm (½ po) de chair à la base. Enlever une bande de pelure autour du dessus de chaque pomme. Dans un petit bol, mélanger la cassonade et la cannelle, puis remplir chaque cœur du mélange. Il y aura des restes. Disposer les pommes dans la mijoteuse, le bon côté en haut. Mettre autant de pommes que possible au fond de l'appareil, puis empiler les autres dessus dans les espaces vides, non directement sur les pommes déjà en place. Mettre un carré de beurre sur chaque pomme et saupoudrer du reste de mélange de cassonade. Verser le jus de pomme dans la mijoteuse. À couvert, laisser cuire à intensité élevée de 2½ à 3½ heures ou jusqu'à ce que les pommes laissent facilement pénétrer la pointe d'un petit couteau. Elles doivent rester fermes, mais être légèrement tendres. Elles ramolliront davantage en refroidissant.

3. Éteindre la mijoteuse et, à découvert, laisser tiédir les pommes quelque peu. Les napper d'un peu de jus de cuisson. Les servir chaudes, tièdes ou à la température ambiante. Pour les servir froides, les réfrigérer dans leur liquide, à couvert, pendant au moins 4 heures. À couvert, les pommes se conserveront au réfrigérateur pour une période de 3 à 4 jours.

Pommes au caramel

Acheter des caramels préparés et les faire fondre dans la mijoteuse donne la plus succulente des trempettes dans laquelle plonger des pommes fraîches, comme celles que l'on trouve dans les foires ou les cirques. Utilisez une petite mijoteuse pour cette recette : elle permet au caramel d'obtenir la consistance appropriée pour y napper les fruits. Après avoir trempé les pommes, laissez-les prendre la température ambiante ; ne les réfrigérez pas, sinon le caramel durcira et les pommes seront difficiles à croquer. ◉ **8 pommes**

MIJOTEUSE : Petite, ronde
INTENSITÉ ET TEMPS DE CUISSON : FAIBLE, de 1 à 2 heures

397 g (14 oz) de caramels
120 ml (½ tasse) d'eau
8 pommes fraîches, de grosseur moyenne, fermes et croquantes, bien
    lavées et séchées

1. Mettre les caramels et l'eau dans la mijoteuse. À couvert, tout en remuant à quelques reprises à l'aide d'une cuillère en bois, laisser cuire à faible intensité de 1 à 2 heures ou jusqu'à ce que les caramels aient fondu et soient onctueux. Le mélange sera épais lorsqu'il aura complètement fondu. Au besoin, ajouter de l'eau chaude pour obtenir la consistance désirée.

2. Pendant ce temps, préparer les pommes pour la trempette. Chemiser une plaque de cuisson de papier sulfurisé et graisser ce dernier avec du beurre ou y vaporiser un enduit de cuisson antiadhésif à saveur de beurre. Réserver. Équeuter les pommes et les mettre sens dessus dessous ; le côté de la tige sera plus large et plat, ce sera le dessus de la pomme au caramel. Insérer un bâton en bois à la base de chacune des pommes, directement au centre, en ne le poussant que jusqu'aux deux tiers de la pomme. Réserver près de la mijoteuse.

3. Éteindre la mijoteuse et enlever le couvercle. Si le récipient en grès est amovible, utiliser des gants isolants pour le sortir du châssis métallique et le placer sur un linge à vaisselle plié. Pencher le pot de grès pour être en mesure d'y plonger une pomme entière et de la napper de caramel ; tenir la pomme à l'aide du bâton en bois et tourner ce dernier pour couvrir toutes les surfaces jusqu'à la base du bâton. Tenir la pomme au-dessus du pot de grès pour recueillir toute goutte de caramel qui tombera. Mettre la pomme sur la plaque de cuisson chemisée de papier sulfurisé, pointe du bâton vers le haut. Répéter l'opération avec les autres pommes. Couvrir la dernière pomme à l'aide d'une cuillère. Tremper les pommes une à la suite de l'autre, sinon le caramel

risque de refroidir et de durcir. Laisser les pommes tiédir à la température ambiante pendant 1 à 2 heures afin de faire durcir le caramel.

4. Beurrer quelques feuilles de papier ciré, ou les vaporiser d'un enduit antiadhésif. Les découper en morceaux assez grands pour envelopper chaque pomme et être enroulés autour du bâton de bois. Les pommes au caramel se conserveront pour une période de 2 à 3 jours à une température ambiante fraîche.

• • Maïs soufflé enrobé de caramel • •

⊙ Environ 10 tasses

397 g (14 oz) de caramels
10 ml (2 c. à thé) d'extrait de vanille
120 ml (½ tasse) d'eau
120 ml (½ tasse) de grains de maïs à éclater ou de 3 à 3,5 l (12 à 14 tasses)
    de maïs soufflé

1. Faire fondre le caramel comme indiqué à l'étape 1 de la recette de Pommes au caramel (page 500). Incorporer l'extrait de vanille et l'eau. Si nécessaire, faire éclater le maïs.

2. Préchauffer le four à 120 °C (250 °F). Chemiser plusieurs plaques à cuisson de papier sulfurisé et les enduire de beurre ou y vaporiser un enduit de cuisson antiadhésif à saveur de beurre. Étendre le maïs soufflé sur les plaques préparées. Verser le caramel chaud sur le maïs soufflé et, à l'aide de 2 cuillères en bois ou de spatules plates, remuer délicatement jusqu'à ce que le maïs soufflé soit bien enrobé. Enfourner et, en remuant toutes les 15 minutes, laisser cuire pendant 45 minutes. Enlever les plaques du four et les faire tiédir complètement sur des supports. Mettre le maïs enrobé de caramel dans un bol ou un contenant hermétique. Il se conservera pour une période de 1 semaine à la température ambiante.

Beurres, confitures et chutneys aux fruits

Lorsque vous souhaitez capturer la saveur fraîche des fruits et des légumes d'été pour en jouir durant l'hiver, que faites-vous ? Vous préparez vos propres confitures, beurres de fruit, conserves de fruits, chutneys et marmelades. Si vous n'avez jamais goûté les confitures de fraises ou d'abricots maison, vous manquez l'une des plus grandes expériences gustatives de la vie. Les chutneys du commerce, quant à eux, ne se comparent en rien à ceux faits maison.

Trop difficiles à faire, pensez-vous ? Plus maintenant ! La mijoteuse procure un excellent moyen de préparer de petites quantités de confitures, fruits en conserve, marmelades et chutneys, sans avoir à brasser sans fin (sauf peut-être une fois ou deux) ni même à sortir le thermomètre. Il y a peu de risque que la préparation prenne au fond de l'appareil et vous pouvez être sûr que les fruits ne réagiront pas avec le pot pour donner un arrière-goût désagréable ou perdre leur couleur. Si c'est votre première expérience avec les confitures, cette méthode est tout indiquée.

Si vous désirez faire de grandes quantités et mettre en pots des litres et des litres de vos propres confitures, consultez un livre de confiance sur l'art de faire les conserves. Nous avons omis ces informations ici. Nous aimons conserver de petites quantités au réfrigérateur ou au congélateur et, au besoin, en faire d'autres.

Lorsque vous placez vos ingrédients dans la mijoteuse, assurez-vous d'avoir beaucoup d'espace libre car les confitures peuvent gonfler et atteindre quatre fois leur volume initial. Or, personne ne veut de ces renversements salissants. Il existe deux écoles de pensée concernant la taille de la mijoteuse à utiliser. Selon la première, le récipient en grès devrait être au moins à moitié plein, afin que les éléments chauffants puissent agir sur le mélange de manière efficace. Dans ce cas, une petite mijoteuse ou un modèle de taille moyenne est préconisé. L'autre école de pensée considère qu'une grande mijoteuse avec beaucoup d'espace libre est exactement ce qu'il faut. Nous avons constaté que les deux méthodes fonctionnent bien. Il ne vous reste qu'à choisir celle qui vous convient.

« Les recettes de confitures que je fais à la mijoteuse sont exactement les mêmes que celles que j'utilisais sur la cuisinière », a déclaré l'une de nos vérificatrices qui prépare maintenant toutes ses confitures à la mijoteuse. « La seule différence, c'est que la cuisson à la mijoteuse est plus longue et que la température est un peu moins élevée que sur la cuisinière. L'avantage est que vous n'avez pas besoin de vous tenir tout près de l'appareil pour être sûr de ne rien brûler. Cependant, il faut quand même garder l'œil ouvert pendant les 2 dernières heures de cuisson… juste au cas où. Les 2 premières heures de cuisson à faible intensité permettent de réduire les ingrédients en purée. Brassez à 1 ou 2 reprises. Ensuite, pour les dernières 2 à 4 heures, la cuisson se fera à découvert afin de faire évaporer le surplus de liquide et d'épaissir le mélange. Personnellement, je ne fais jamais égoutter mes fruits et je n'utilise pas de pectine, parce que je n'aime pas la consistance solide et raide qui s'ensuit. Je préfère un produit plus souple et délicieux, ce qui explique que les temps de cuisson varient selon la consistance recherchée et la texture du fruit. Pour obtenir des fruits plus mous, on doit faire cuire plus longtemps ; pour des fruits plus fermes, on doit réduire le temps de cuisson. »

Nous avons essayé d'être aussi précises que possible en donnant les temps de cuisson. Dans certaines recettes, vous remarquerez que la cuisson se fait à couvert et à faible intensité pendant quelques heures, puis à découvert et à intensité élevée pour faire évaporer les jus de fruits accumulés et permettre d'atteindre la consistance désirée (exactement comme le recommande notre vérificatrice). La consistance peut varier d'une personne à l'autre, ce qui explique le long intervalle de cuisson qui est indiqué dans les recettes. Nous vous recommandons de demeurer à la maison pendant l'étape de cuisson à intensité élevée et à découvert. Même si chacun de nos vérificateurs a suivi la même recette, chaque personne a obtenu un temps de cuisson légèrement différent, ce qui n'a rien à voir avec le climat, la texture des fruits ou le modèle de mijoteuse. Lorsque vous aurez procédé à quelques essais, nous sommes certaines que vous aurez trouvé le temps de cuisson idéal. Pensez à le noter pour référence ultérieure.

• • Qu'est-ce qui les fait prendre ? • •

La pectine est une substance hydrosoluble qui se trouve dans les fruits. En présence de chaleur, de sucre et d'un acide, elle épaissit comme la gélatine, un processus nommé gélification. La pectine est disponible sous deux formes : liquide et sèche. Le produit liquide est de la pectine naturelle concentrée obtenue à partir de pommes et la pectine sèche est tirée de pommes ou d'agrumes.

Fruits à teneur élevée en pectine naturelle

Cette catégorie comprend les pommes acidulées, les bleuets (myrtilles), les mûres sauvages, les canneberges, les raisins de Corinthe, les raisins Concord, les papayes, les prunes de Damas et les coings. L'écorce des citrons et des oranges contient de la pectine naturelle. Les fruits non encore mûrs comprennent davantage de pectine naturelle que les fruits trop mûrs. Les fruits à teneur élevée en pectine deviendront épais après la cuisson lente, sans ajout d'aucune pectine.

Fruits à faible teneur en pectine naturelle

Les abricots, les bananes, les cerises, les mangues, les nectarines, les pêches, les ananas, les framboises, la rhubarbe, les fraises et tous les fruits trop mûrs possèdent une faible teneur en pectine naturelle. Ils ont besoin de pectine commerciale, liquide ou sèche, et d'un peu plus de sucre pour se gélifier correctement.

•• Qu'est-ce qui distingue les confitures des gelées ? ••

Nous aimons tous mettre une petite touche sucrée sur notre pain grillé, mais comment distinguer tel ou tel produit ? Eh bien, même si les confitures et les condiments sont techniquement des conserves, ils demandent tous une quantité variable de sucre; chacun possède sa propre méthode de préparation et une proportion différente de sucre par rapport à la quantité de fruits. Voici un glossaire de termes conçu pour vous aider à différencier chaque produit. Veuillez noter que les gelées ne sont pas incluses ici et que nous ne recommandons pas de les préparer dans la mijoteuse.

Confiture : Une confiture contient un ou plusieurs fruits qui sont hachés ou broyés et cuits rapidement avec du sucre. Les confitures sont légèrement fermes, toujours plus souples que la gelée, mais ne gardent pas la forme du pot, à moins de contenir de la pectine. Elles sont meilleures préparées en petites quantités.

Marmelade : Comparables aux confitures, les marmelades contiennent de petits morceaux de fruits et d'écorce suspendus dans une gelée transparente. La marmelade d'oranges est la plus célèbre dans cette catégorie, mais on peut préparer d'autres marmelades avec des citrons ou des limes.

Fruits en conserve : Les fruits en conserve sont préparés un peu comme les confitures ou les marmelades, mais la forme du fruit entier, seulement attendri, est conservée. Les fruits en conserve les plus courants sont les baies. Puisque le fruit est presque entier, le sirop reste clair et prend la consistance du miel. Les fruits en conserve sont meilleurs faits en petites quantités.

Conserve de fruits : La conserve de fruits est assez semblable au produit précédent, sauf qu'elle contient au moins deux sortes de fruits, souvent des raisins secs et des noix.

Beurre : Un beurre de fruit s'obtient par cuisson lente de fruits broyés ou réduits en purée avec du sucre pour donner une somptueuse préparation à tartiner. On y ajoute parfois des épices.

Chutney : Le chutney est un condiment, cru ou cuit, servi en accompagnement de plats de viande. Le chutney cuit est un mélange de fruits, de sucre, de vinaigre et d'épices, il a une consistance épaisse et contient ou non de gros morceaux. Tandis que les chutneys peuvent être épicés ou sucrés, ceux qui combinent les deux caractéristiques font de délicieuses tartinades pour le pain ou des accompagnements savoureux le fromage et les pâtés. La mijoteuse donne de fabuleux chutneys.

•• Stériliser les pots de verre pour les conserves ••

Même si vous n'utilisez pas la méthode de mise en conserve traditionnelle pour conserver les fruits, il est préférable d'avoir des pots stérilisés. Vérifiez toujours l'état des pots en passant le doigt autour du bord pour détecter les fissures et les éclats. Utilisez toujours de nouveaux couvercles; cependant, les cercles à vis peuvent être réutilisés. Lavez vos pots à l'eau chaude savonneuse et rincez-les dans l'eau bouillante. Mettez les pots dans une bouilloire ou une marmite profonde remplie d'eau, couvrez le récipient et faites bouillir pendant 15 minutes (utilisez un minuteur) à partir du moment où la vapeur sort de la casserole. Si vous le désirez, vous pouvez utiliser une pince à bocaux pour soulever les pots. Vous devez maintenir l'ébullition. Éteignez le feu et laissez les pots reposer dans l'eau chaude. Lorsque vos confitures ou vos fruits en conserve sont prêts, sortez les pots avec une pince et mettez-les à l'envers sur un linge à vaisselle propre pour les faire sécher. Plusieurs cuisiniers utilisent plutôt le lave-vaisselle pour stériliser leurs pots. Si vous préférez cette méthode, assurez-vous que le cycle de chaleur pour le séchage soit en fonction.

Remplissez les pots pendant qu'ils sont encore chauds, en laissant 2,5 à 5 cm (1 à 2 po) d'espace libre. Mettez les couvercles dans la marmite d'eau chaude et faites bouillir pendant au moins 5 minutes; même chauds, ils seront faciles à mettre en place. Consultez les recommandations du fabricant qui sont imprimées sur chaque boîte de couvercles ou un manuel d'instructions pour la mise en conserve provenant du Département américain de l'agriculture ou d'un organisme équivalent.

Beurre de pomme

Tout le monde aime le beurre de pomme d'autrefois. Préparé au four ou sur la cuisinière, le beurre de pomme demande une surveillance constante. De plus, il s'agit d'une préparation salissante. Cependant, tel n'est pas le cas lorsqu'on se sert de la mijoteuse, une des meilleures façons d'utiliser votre appareil de 4 à 6 l (16 à 24 tasses), Ne pelez pas les pommes, puisque la pectine contenue dans la pelure aidera à donner un beurre appétissant et épais. Le rendement peut varier selon que vous préférez votre beurre plus ou moins épais.

⊙ **1,2 à 2 l (5 à 8 tasses)**

MIJOTEUSE : Grande, ronde
INTENSITÉ ET TEMPS DE CUISSON : FAIBLE, de 12 à 20 heures ; le couvercle
   est enlevé après 10 à 12 heures de cuisson

2,25 kg (5 lb) de pommes à cuire, non pelées, étrognées et hachées, autant
   qu'il en faut pour remplir la mijoteuse
480 ml (2 tasses) de sucre
240 ml (1 tasse) de jus de pomme ou de cidre (facultatif ; voir l'étape 1)
7 ml (1¼ c. à thé) de cannelle moulue
1 ml (¼ c. à thé) de clou de girofle moulu
1 ml (¼ c. à thé) de muscade moulue
1 ml (¼ c. à thé) de piment de la Jamaïque moulu
1 pincée de sel

1.   Vaporiser un enduit de cuisson antiadhésif dans la mijoteuse. Remplir l'appareil de pommes presque entièrement ; la quantité exacte n'a pas d'importance. En déposant les pommes, saupoudrer du sucre entre les couches. À couvert, laisser reposer à la température ambiante toute la journée : les pommes rendront une partie de leur eau de végétation et ramolliront quelque peu. Si l'on souhaite sauter cette étape, ajouter simplement le jus de pomme.

2.   Ajouter les épices et le sel puis, à l'aide grande cuillère en bois, remuer les pommes. À couvert, laisser cuire à faible intensité de 10 à 12 heures, voire toute la nuit.

3.   Le matin venu, à découvert, poursuivre la cuisson du beurre de pomme à faible intensité de 2 à 8 heures ou jusqu'à l'obtention de la consistance désirée.

4.   Éteindre la mijoteuse et laisser tiédir à la température ambiante dans le pot de grès. Transvider dans un mélangeur ou un robot culinaire, ou utiliser un mélangeur à main directement dans le pot de grès, et réduire le beurre en une purée parfaitement lisse. Verser le beurre de pomme dans des pots de verre avec couvercle à charnière

(ou utiliser des pots à vis et de nouveaux couvercles) et, au besoin, racler le fond de l'appareil à l'aide d'une spatule en caoutchouc ; ce produit se conserve au réfrigérateur pour une période de 2 mois. Ou verser le beurre de pomme dans de petits contenants en plastique et le faire congeler ; il se conservera pour une période de 3 mois. Servir froid ou à la température ambiante.

Beurre de citrouille

l est temps d'aller au-delà de la tarte à la citrouille et de faire d'autres délicieuses choses avec la citrouille. Le beurre de citrouille se prépare assez rapidement et est subtilement épicé. Nous utilisons de la citrouille en conserve pour la commodité, mais vous pouvez faire cuire n'importe quelle courge d'hiver à la place pour obtenir environ 720 ml (3 tasses) de douce purée. Le beurre de citrouille est excellent sur le pain grillé, les muffins anglais et les crêpes, ou comme garniture pour le yaourt. Ne soyez pas tenté d'ajouter plus d'épices, car la saveur de ces derniers s'intensifie vraiment pendant la cuisson lente. ◉ **Environ 1 l (3¾ tasses)**

MIJOTEUSE : Moyenne, ronde
INTENSITÉ ET TEMPS DE CUISSON : ÉLEVÉE, de 2½ à 3 heures ; le couvercle
    est enlevé pour les 30 dernières minutes à 1 heure de cuisson

1 boîte de 824 ml (29 oz) de purée de citrouille
300 ml (1¼ tasse) de cassonade blonde, bien tassée
120 ml (½ tasse) de miel doux
Jus de 1 citron
15 ml (1 c. à table) de vinaigre de cidre
3 ml (¾ c. à thé) d'épices pour tarte aux pommes ou d'épices pour tarte à la
    citrouille

1. Mettre tous les ingrédients dans la mijoteuse et, à l'aide d'une spatule, remuer jusqu'à l'obtention d'une consistance homogène. Il est possible que le miel laisse quelques grumeaux ; ces derniers fondront pendant la cuisson. Utiliser la spatule pour racler les côtés de l'appareil. À couvert, en brassant de temps à autre, laisser cuire à intensité élevée pendant 2 heures.

2. Enlever le couvercle et poursuivre la cuisson à intensité élevée de 30 minutes à 1 heure ou jusqu'à l'obtention de la consistance désirée.

3. Éteindre la mijoteuse et laisser le beurre de citrouille tiédir à la température ambiante dans le pot de grès. Verser dans des pots de verre avec couvercle à charnière (ou utiliser des pots à vis et de nouveaux couvercles) et, au besoin, racler le fond de l'appareil avec une spatule en caoutchouc ; ce produit se conserve au réfrigérateur pour une période de 6 semaines. Ou verser le beurre de citrouille dans de petits contenants en plastique et le faire congeler ; il se conservera pour une période de 3 mois. Servir froid ou à la température ambiante.

Crème de marrons

Le marron (ou châtaigne), qui apparaît à l'automne, est une noix féculente, sucrée et pauvre en matière grasse. Les États-Unis ont déjà eu une surabondance de châtaigniers (l'arbre qui donne les marrons), ce qui explique que les vieux livres de cuisine contiennent souvent des recettes de confiture de marrons. Dans la première partie du siècle dernier, une maladie a fait disparaître de nombreux châtaigniers. Des arbres provenant de l'Europe ont été replantés au Texas, ainsi que dans les jardins domestiques, et les marrons ont de nouveau refait surface dans les supermarchés. Cependant, il faut un temps fou pour les débarrasser de leur écorce lisse et c'est la raison pour laquelle nous préférons utiliser les marrons en conserve conditionnés dans l'eau qui sont importés de France. Les marrons de ce genre sont disponibles à la section des confitures, dans les supermarchés bien garnis. Vous pouvez peler vos marrons si vous le préférez. De toute façon, cette recette de crème à tartiner est à la fois commode et exotique, sans aucune perte de saveur. Utilisez de la vanille de bonne qualité et vous verrez la différence. Servez cette crème sur du pain grillé avec du miel au petit-déjeuner, ou avec des biscuits au beurre et des fruits frais. ◉ **Environ 480 ml (2 tasses)**

MIJOTEUSE : Petite ou moyenne, ronde
INTENSITÉ ET TEMPS DE CUISSON : ÉLEVÉE, de 2 à 2½ heures

1 boîte de 426 ml (15 oz) de marrons entiers, conditionnés dans l'eau
120 ml (½ tasse) de sucre granulé
60 ml (¼ tasse) de cassonade blonde, bien tassée
6 ml (1¼ c. à thé) d'extrait de vanille pure ou ½ gousse de vanille, fendue

1. Dans un robot culinaire, réduire les châtaignes et leur eau jusqu'à l'obtention d'une consistance lisse et crémeuse.

2. Transférer les châtaignes dans la mijoteuse, puis ajouter les sucres et la vanille. Remuer à l'aide d'une spatule en caoutchouc jusqu'à l'obtention d'une consistance homogène. Il est possible que les sucres laissent quelques grumeaux ; ces derniers fondront durant la cuisson de la crème de marrons. Utiliser la spatule pour racler les côtés de l'appareil. À couvert, en brassant à quelques reprises, laisser cuire à intensité élevée de 2 à 2½ heures ou jusqu'à l'obtention d'un mélange à tartinade épais.

3. Enlever la gousse de vanille, si utilisée. Éteindre la mijoteuse et laisser la crème de marrons tiédir à la température ambiante dans le pot de grès. Verser dans des pots de verre avec couvercle à charnière (ou utiliser des pots à vis et de nouveaux couvercles) et, au besoin, racler le fond de l'appareil avec une spatule en caoutchouc ; ce produit se conserve au réfrigérateur pour une période de 6 semaines. Ou verser la crème de marrons dans de petits contenants en plastique et la faire congeler ; elle se conservera pour une période de 3 mois. Servir froid ou à la température ambiante.

Confiture de pêches fraîches

La confiture de pêches est populaire dans le monde des confitures, mais il est difficile d'en trouver dans le commerce. Utilisez des fruits fermes, pas tout à fait mûrs, pour une saveur de pêche plus prononcée. Certaines pêches sont très juteuses et la confiture sera plus lisse qu'avec des fruits plus fermes. La confiture de pêche est un excellent ajout à votre sauce barbecue maison. Vous pouvez doubler cette recette facilement mais, dans ce cas, assurez-vous d'utiliser une mijoteuse de grand format. ● **Environ 1,2 l (5 tasses)**

> **MIJOTEUSE :** Moyenne ou grande, ronde
> **INTENSITÉ ET TEMPS DE CUISSON :** FAIBLE, pour 2½ heures ; puis ÉLEVÉE (à découvert) de 2 à 3 heures

> 1 kg (2 lb) de pêches, pas tout à fait mûres (7 à 8 grosses)
> 60 ml (¼ tasse) de jus de citron frais
> 1 boîte de 50 à 57 g (1,75 à 2 oz) de pectine en poudre (facultatif)
> 0,75 à 1 l (3 à 4 tasses) de sucre, au goût

1. Peler les pêches en les plongeant dans une casserole d'eau bouillante pour relâcher la peau, puis les refroidir immédiatement en les passant sous l'eau froide. Les pelures glisseront du fruit. Dénoyauter les pêches. Dans un grand bol, à l'aide d'un pilon à purée ou au robot culinaire par touches successives, les défaire en gros morceaux, ce qui donnera environ 1,2 l (5 tasses) de pulpe. Mélanger les pêches et le jus de citron dans la mijoteuse. Si utilisée, saupoudrer de pectine. Laisser reposer de 20 à 30 minutes.

2. Incorporer le sucre. À couvert, en brassant à deux reprises, laisser cuire à faible intensité pendant 2½ heures.

3. Enlever le couvercle, régler la mijoteuse à intensité élevée et poursuivre la cuisson de 2 à 3 heures, le temps que la confiture atteigne la consistance désirée.

4. À la louche, verser la confiture chaude dans des pots de verre propres avec couvercle à charnière (ou utiliser des pots à vis et de nouveaux couvercles). Laisser refroidir complètement ; ce produit se conserve au réfrigérateur pour une période de 2 mois. Ou verser la confiture de pêches dans de petits contenants en plastique et la faire congeler ; elle se conservera pour une période de 3 mois.

Confiture de pêches et de plumots de Nancyjo

L e mot «plumot» ne sert pas à désigner une nouvelle planète. Le plumot représente un croisement entre une prune et un abricot, un produit qui se trouve maintenant dans les supermarchés et plus facilement dans les marchés maraîchers et fruitiers. Son goût est celui que vous vous imaginez, celui d'un croisement entre les deux fruits. Notre amie Nancyjo Riekse double cette recette, car elle aime faire beaucoup de confiture à la fois. C'est une délicieuse tartinade d'été. ◉ **Environ 1,2 l (5 tasses)**

MIJOTEUSE : Moyenne ou grande, ronde
INTENSITÉ ET TEMPS DE CUISSON : FAIBLE, pour 2½ heures ; puis ÉLEVÉE (à découvert) de 2 à 3 heures

750 g (1½ lb) de pêches, pas tout à fait mûres (environ 840 ml ou 3 ½ tasses)
750 g (1½ lb) de plumots (environ 840 ml ou 3½ tasses)
1,2 à 1,5 l (5 à 6 tasses) de sucre, ou au goût
45 ml (3 c. à table) de jus de citron frais

1. Peler les pêches et les plumots en les plongeant dans une casserole d'eau bouillante pour relâcher la peau, puis les refroidir immédiatement en les passant sous l'eau froide.

Les pelures glisseront des fruits. Dénoyauter. Dans un grand bol, à l'aide d'un pilon à purée ou au robot culinaire par touches successives, défaire les fruits en gros morceaux. Mélanger les pêches, les plumots, le sucre et le jus de citron dans la mijoteuse. À couvert, en brassant à deux reprises pendant la cuisson, laisser cuire à faible intensité pendant 2½ heures.

2. Enlever le couvercle, régler la mijoteuse à intensité élevée et poursuivre la cuisson de 2 à 3 heures, le temps que la confiture atteigne la consistance désirée.

3. À la louche, verser la confiture chaude dans des pots de verre propres avec couvercle à charnière (ou utiliser des pots à vis et de nouveaux couvercles). Laisser refroidir complètement; ce produit se conserve au réfrigérateur pour une période de 2 mois. Ou verser la confiture de pêche et de plumots dans de petits contenants en plastique et la faire congeler; elle se conservera pour une période de 3 mois.

Confiture d'abricots frais

Beth a passé les premières années de son adolescence dans la vallée de Santa Clara, en Californie du Nord, sous les branches d'abricotiers. Dans cette importante région fruitière, les abricotiers couvrent la majeure partie de la vallée. Malheureusement, les arbres ont été progressivement enlevés pour créer Silicon Valley, mais les fruits délicieux sont toujours cueillis dans les arrière-cours et se trouvent dans les marchés maraîchers et fruitiers. La confiture d'abricots est succulente et représente la deuxième confiture maison la plus populaire, après celle de fraises. ◉ **Environ 1,2 l (5 tasses)**

MIJOTEUSE : Moyenne ou grande, ronde
INTENSITÉ ET TEMPS DE CUISSON : FAIBLE, pour 2½ heures; puis ÉLEVÉE (à
     découvert) de 2 à 4 heures

1,5 kg (3 lb) d'abricots frais, pelés, dénoyautés et hachés (environ 1,1 l ou
     4½ tasses)
30 ml (2 c. à table) de jus de citron frais
1 boîte de 50 à 57 g (1,75 à 2 oz) de pectine en poudre (facultatif)
720 ml (3 tasses) de sucre, ou au goût

1. Mélanger les abricots et le jus de citron dans le pot de grès. Si utilisée, saupoudrer de pectine. Laisser reposer de 20 à 30 minutes.

2. Incorporer le sucre. À couvert, en brassant à deux reprises pendant la cuisson, laisser cuire à faible intensité pendant 2½ heures.

3. Enlever le couvercle, régler la mijoteuse à intensité élevée et poursuivre la cuisson de 2 à 4 heures, le temps que la confiture atteigne la consistance désirée.

4. À la louche, verser la confiture chaude dans des pots de verre propres avec couvercle à charnière (ou utiliser des pots à vis et de nouveaux couvercles). Laisser refroidir complètement ; ce produit se conserve au réfrigérateur pour une période de 6 semaines. Ou verser la confiture d'abricots dans de petits contenants en plastique et la faire congeler ; elle se conservera pour une période de 3 mois.

Confiture de figues au gingembre

L es figuiers ont été apportés au Nouveau Monde par les Espagnols, et se sont multipliés particulièrement en Californie. Il est parfois difficile de trouver des figues au supermarché ; il faut alors se rendre chez un producteur, aller à un marché agricole, ou même en emprunter à un voisin qui possède un arbre producteur. La confiture de figues est la recette à faire lorsque vous avez une montagne de figues fraîches et que vous êtes fatigué de les manger nature. Vous pouvez utiliser les figues mission noire ou les calimyrnas à la couleur jaune-vert, une figue qui tire son nom des mots « Californie » et « Smyrne », en Turquie, d'où elle est originaire. Figue, citron et gingembre sont une combinaison gagnante. **○ Environ 720 ml (3 tasses)**

MIJOTEUSE : Moyenne ou grande, ronde
INTENSITÉ ET TEMPS DE CUISSON : FAIBLE, pour 2½ heures ; puis ÉLEVÉE (à découvert) de 2 à 3 heures

1 kg (2 lb) de figues fraîches, équeutées, pelées et coupées en quartiers
360 ml (1½ tasse) de sucre
120 ml (½ tasse) d'eau
1 citron à peau mince, coupé en quartiers et émincé (les pépins enlevés)
30 ml (2 c. à table) de gingembre confit, haché

1. Mélanger les figues, le sucre, l'eau, le citron et le gingembre dans la mijoteuse. À couvert, en brassant à deux reprises pendant la cuisson, laisser cuire à faible intensité pendant 2½ heures.

2. Enlever le couvercle, régler la mijoteuse à intensité élevée et poursuivre la cuisson de 2 à 3 heures, le temps que la confiture atteigne la consistance désirée.

3. À la louche, verser la confiture chaude dans des pots de verre propres avec couvercle à charnière (ou utiliser des pots à vis et de nouveaux couvercles). Laisser refroidir complètement ; ce produit se conserve au réfrigérateur pour une période de 2 mois. Ou verser la confiture dans de petits contenants en plastique et la faire congeler ; elle se conservera pour une période de 3 mois.

Confiture de cerises Bing fraîches

C ette recette, adaptée pour la mijoteuse, provient de notre productrice de cerises locale, Deborah Olson, de Sunnyvale, Californie, dont la famille cultive ses propres vergers de cerises Bing depuis plus de 100 ans. Si vous êtes amateur de cerises, utilisez un dénoyauteur à cerise, un ustensile pratique. Sinon, à l'aide d'un petit couteau de cuisine, coupez chaque cerise en deux et sortez le noyau avec la pointe du couteau. Le jus risquant de gicler pendant ce travail, assurez-vous de porter un tablier. ❂ **Environ 1,2 l (5 tasses)**

MIJOTEUSE : Moyenne ou grande, ronde
INTENSITÉ ET TEMPS DE CUISSON : FAIBLE, pour 2½ heures ; puis ÉLEVÉE (à découvert) de 2 à 3 heures

1 l (4 tasses) de cerises Bing fraîches, dénoyautées, provenant d'environ
    1 kg (2 lb) de cerises (il y aura des cerises entières et des morceaux de
    cerise)
480 ml (2 tasses) de sucre
30 ml (2 c. à table) de jus de citron frais
1 pincée de sel
45 ml (3 c. à table) de pectine en poudre

1. Mélanger les cerises, le sucre, le jus de citron et le sel dans la mijoteuse. Laisser reposer pendant 15 minutes pour dissoudre le sucre.

2. Saupoudrer de pectine. À couvert, en brassant à deux reprises pendant la cuisson, laisser cuire à faible intensité pendant 2½ heures.

3. Enlever le couvercle, régler la mijoteuse à intensité élevée et poursuivre la cuisson de 2 à 3 heures, le temps que la confiture atteigne la consistance désirée.

4. À la louche, verser la confiture chaude dans des pots de verre propres avec couvercle à charnière (ou utiliser des pots à vis et de nouveaux couvercles). Laisser refroidir complètement ; ce produit se conserve au réfrigérateur pour une période de 2 mois. Ou verser la confiture dans de petits contenants en plastique et la faire congeler ; elle se conservera pour une période de 3 mois.

Confiture de fraises fraîches

U tilisez un mélange de baies bien mûries et pas tout à fait mûres pour faire cette confiture. Après l'achat, conservez les baies au réfrigérateur, non lavées, enveloppées dans une double épaisseur d'essuie-tout, puis dans un sac de plastique fermé. Puisque les fraises absorbent l'eau rapidement, ne les laissez jamais flotter dans l'eau pour les nettoyer ; rincez-les simplement sous l'eau courante juste avant de vous en servir. Vous pouvez doubler cette recette sans problème, mais assurez-vous d'utiliser une grande mijoteuse. **○ Environ 1,3 l (5½ tasses)**

MIJOTEUSE : Moyenne ou grande, ronde
INTENSITÉ ET TEMPS DE CUISSON : FAIBLE, pour 2½ heures ; puis ÉLEVÉE (à découvert) de 2 à 3 heures

2 l (8 tasses) de fraises fraîches (environ 1 kg ou 2 lb), rincées dans une
    passoire, égouttées et équeutées
30 ml (2 c. à table) de jus de citron frais
1 boîte de 50 à 57 g (1,75 à 2 oz) de pectine en poudre (facultatif)
720 ml à 1 l (3 à 4 tasses) de sucre, au goût

1. Dans un grand bol, à l'aide d'un pilon à purée, ou au robot culinaire par touches successives, défaire les fraises en gros morceaux pour une quantité d'environ 2 l (8 tasses). Transférer dans la mijoteuse. Ajouter le jus de citron et, si utilisée, saupoudrer la pectine. Laisser reposer pendant 10 minutes.

2. Incorporer le sucre. À couvert, en brassant à deux reprises pendant la cuisson, laisser cuire à faible intensité pendant 2½ heures.

3. Enlever le couvercle, régler la mijoteuse à intensité élevée et poursuivre la cuisson de 2 à 3 heures ou jusqu'à ce que la confiture atteigne la consistance désirée.

4. À la louche, verser la confiture chaude dans des pots de verre propres avec couvercle à charnière (ou utiliser des pots à vis et de nouveaux couvercles). Laisser refroidir complètement ; ce produit se conserve au réfrigérateur pour une période de 2 mois. Ou verser la confiture dans de petits contenants en plastique et la faire congeler ; elle se conservera pour une période de 3 mois.

Confiture de mûres sauvages

C'est souvent parce qu'on manque de fraises et de framboises qu'on passe aux mûres sauvages. Ces dernières font partie de la famille des roses et possèdent une foule d'épines et de ronces. Il en existe une multitude de variétés, ce qui explique que l'on voit des mûres sauvages de différentes grosseurs à différentes périodes de l'année pousser dans différentes régions des États-Unis, de l'Oregon à la Louisiane, et de New York à la Virginie. Pour faire une confiture sans pépins, passez la confiture cuite et chaude dans une passoire à mailles ou dans un moulin à manivelle. ● **Environ 720 ml (3 tasses)**

MIJOTEUSE : Moyenne ou grande, ronde
INTENSITÉ ET TEMPS DE CUISSON : FAIBLE, pour 2½ heures ; puis ÉLEVÉE (à découvert) de 2 à 3 heures

1 l (4 tasses) de mûres sauvages fraîches, rincées dans une passoire
480 à 720 ml (2 à 3 tasses) de sucre, ou au goût
45 ml (3 c. à table) de jus de citron frais

1. Dans un grand bol, à l'aide d'un pilon à purée, ou au robot culinaire par touches successives, défaire les baies en gros morceaux. Transférer dans la mijoteuse. Incorporer le jus de citron et le sucre. À couvert, en brassant à deux reprises pendant la cuisson, laisser cuire à faible intensité pendant 2½ heures.

2. Enlever le couvercle, régler la mijoteuse à intensité élevée et poursuivre la cuisson de 2 à 3 heures ou jusqu'à ce que la confiture soit belle et sirupeuse.

3. À la louche, verser la confiture chaude dans des pots de verre propres avec couvercle à charnière (ou utiliser des pots à vis et de nouveaux couvercles). Laisser refroidir complètement ; ce produit se conserve au réfrigérateur pour une période de 2 mois. Ou verser la confiture dans de petits contenants en plastique et la faire congeler ; elle se conservera pour une période de 3 mois.

Confiture de tomates

L a confiture de tomates est pratiquement inconnue sur notre continent, mais les livres de cuisine britanniques regorgent de recettes quant à la préparation de ce condiment, un produit très populaire en Europe. Même si les tomates sont généralement utilisées dans des mélanges à saveur salée, elles sont techniquement un fruit. Cette recette devrait être faite avec des tomates sucrées d'été pour l'obtention de meilleurs résultats. Servez-la avec du fromage à la crème et du pain de grains entiers ou des scones. ● **Environ 1 l (4 tasses)**

MIJOTEUSE : Grande, ronde

INTENSITÉ ET TEMPS DE CUISSON : FAIBLE, pour 2½ heures ; puis ÉLEVÉE (à découvert) de 2 à 4 heures

1 kg (2 lb) de tomates mûres
1 l (4 tasses) de sucre
1 boîte de 50 à 57 g (1,75 à 2 oz) de pectine en poudre (facultatif)
Zeste râpé de 2 citrons
Zeste râpé de 2 oranges
15 ml (1 c. à table) de jus de citron frais
1 gros morceau de gingembre frais, d'environ 10 cm (4 po) de long, pelé et râpé
2 bâtons de cannelle

1. Peler, étrogner, épépiner et trancher les tomates. Dans la mijoteuse, mélanger les tomates, le sucre, les zestes de citron et d'orange, le jus de citron, le gingembre, les bâtons de cannelle et, si utilisée, la pectine. À couvert, en brassant à deux reprises pendant la cuisson, laisser cuire à faible intensité pendant 2½ heures.

2. Enlever le couvercle, régler la mijoteuse à intensité élevée et poursuivre la cuisson de 2 à 4 heures ou jusqu'à ce que la confiture atteigne la consistance désirée. Jeter les bâtons de cannelle.

3. À la louche, verser la confiture chaude dans des pots de verre propres avec couvercle à charnière (ou utiliser des pots à vis et de nouveaux couvercles). Laisser refroidir complètement ; ce produit se conserve au réfrigérateur pour une période de 2 mois. Ou verser la confiture dans de petits contenants en plastique et la faire congeler ; elle se conservera pour une période de 4 mois.

Marmelade d'oranges

La confiture d'oranges, qui a été rendue célèbre par l'entreprise Dundee en Écosse, se classe comme l'une des préparations de fruits à tartiner les plus populaires. Vous n'aurez pas besion de faire tremper les pelures avant la cuisson. Vous n'aurez pas besoin de pectine puisque les agrumes contiennent beaucoup de pectine naturelle, et la marmelade d'oranges prendra toute seule. Notre vérificatrice Nancyjo Rieske fait cuire la sienne toute la nuit : « Après la longue cuisson, la marmelade aura réduit et sera prête à mettre dans des pots. C'est ma méthode préférée : vous n'avez pas à vous inquiéter, car la marmelade ne prendra pas au fond de l'appareil. On peut aller voir un film, lire un livre ou aller se coucher. » Voici une adaptation de sa recette, qu'elle fait habituellement en plus grande quantité. **◉ Environ 840 ml (3½ tasses)**

MIJOTEUSE : Moyenne ou grande, ronde
INTENSITÉ ET TEMPS DE CUISSON : ÉLEVÉE, pour 2 heures ; puis FAIBLE pour
    6 heures, et ÉLEVÉE (à découvert) de 1 à 2 heures

625 g (1¼ lb) d'oranges de Valence (2 à 4)
1 l (4 tasses) d'eau
Jus de 1 citron Meyer
720 ml à 1 l (3 à 4 tasses) de sucre, ou au besoin

1. Laver, couper en quartiers et épépiner les oranges. Détacher la pelure du centre pulpeux et la couper en très petits morceaux. Ou réduire les oranges entières en morceaux au robot culinaire (en s'assurant de ne pas en faire une purée lisse). Transférer la pelure et la pulpe d'orange dans la mijoteuse. Incorporer l'eau et le jus de citron. À couvert, laisser cuire à intensité élevée pendant environ 2 heures ou jusqu'à ce que le contenu frémisse.

2. Ajouter le sucre. Bien mélanger. Il faut autant de sucre que de bouillon d'orange. Remuer fréquemment jusqu'à ce que tout le sucre soit dissout. Couvrir l'appareil. Régler la mijoteuse à faible intensité et, en brassant aux 2 heures pour vérifier la consistance, poursuivre la cuisson pendant 6 heures. La pelure sera translucide lorsque la préparation sera prête pour l'étape suivante.

3. Enlever le couvercle, régler la mijoteuse à intensité élevée et poursuivre la cuisson de 1 à 2 heures, ou davantage (Nancyjo fait cuire la marmelade jusqu'à 6 heures de plus), jusqu'à l'obtention d'une belle consistance sirupeuse.

4. À la louche, verser la marmelade chaude dans des pots de verre propres avec couvercle à charnière (ou utiliser des pots à vis et de nouveaux couvercles) ; laisser refroidir complètement. Ce produit se conserve au réfrigérateur pour une période de 2 mois.

Confiture de coings

L e mot « marmelade » vient du portugais *marmelada* qui désigne la confiture de coings *(marmelo)*. Les marmelades en tous genres sont populaires depuis le Moyen Âge. À cette époque, les marmelades étaient faites exclusivement avec des coings. Classique et aromatique, ce fruit d'automne jaune pâle, astringent, est difficile à peler et à trancher parce qu'il est presque aussi dur que la pierre. Il doit cuire pendant une longue période de temps pour être comestible. Toutes les vieilles recettes recommandent une longue cuisson lente. Le coing, qui possède beaucoup de pectine naturelle, est incroyablement magnifique une fois cuit car il prend une couleur profonde, étonnamment rose et dorée. Cette recette succulente est adaptée de celle du maître pâtissier récipiendaire de prix, Stephen Durfee, du restaurant French Laundry de Napa Valley, en Californie. Il s'agit d'une délicieuse préparation à tartiner sur du pain grillé beurré, des brioches ou des croissants au petit-déjeuner ; la confiture de coings constitue aussi un excellent condiment pour la volaille rôtie. ⊙ **Environ 600 ml (2½ tasses)**

MIJOTEUSE : Moyenne, ronde
INTENSITÉ ET TEMPS DE CUISSON : FAIBLE, de 5 à 7 heures ; puis ÉLEVÉE (à découvert) pour une plus longue période (facultatif)

750 g (1½ lb) de coings bien mûrs (4 petits ou 2 gros)
180 ml (¾ tasse) d'eau
240 ml (1 tasse) de sucre
½ gousse de vanille, coupée en deux dans le sens de la longueur et encore attachée à la base
Jus et zeste râpé de 1 citron

1. Couper les coings en deux, les épépiner, puis les étrogner à l'aide d'une cuiller parisienne pour melon ou d'un couteau d'office pointu. Peler les coings, puis les couper en petits dés, ou utiliser le gros disque à râper d'un robot culinaire (la méthode la plus facile).

2. Mélanger les coings, l'eau, le sucre, la gousse de vanille ainsi que le jus et le zeste de citron dans la mijoteuse. À couvert, laisser cuire à faible intensité de 5 à 7 heures. Les coings seront très tendres et donneront une belle purée rose. Jeter la gousse de vanille. Si une confiture de coings plus épaisse est souhaitée, régler la mijoteuse à intensité élevée et retirer le couvercle. Poursuivre la cuisson jusqu'à ce que la confiture de coings atteigne la consistance désirée.

3. Éteindre la mijoteuse et laisser la confiture tiédir complètement dans le pot de grès. Verser dans des pots de verre avec couvercle à charnière (ou utiliser des pots à vis et de

nouveaux couvercles) ; au besoin, racler le fond de la mijoteuse à l'aide d'une spatule en caoutchouc. Ce produit se conserve au réfrigérateur pour une période de 2 mois.

Chutney aux prunes

C hutney vient du mot sanscrit *chatni,* qui signifie «à lécher». Fait avec des ingrédients américains, le chutney aux fruits est succulent et ressemble à une confiture. Préparez-le à la fin de l'été quand les fruits sont mûrs et abondants. Il est délicieux avec les plats de légumes, dans la salade de poulet et avec la volaille et le gibier rôtis. **○ Environ 1 l (4 tasses)**

MIJOTEUSE : Moyenne ou grande, ronde
INTENSITÉ ET TEMPS DE CUISSON : ÉLEVÉE, de 4 à 5 heures ; la cuisson se fait
à découvert durant les 30 dernières minutes

1,2 à 1,5 kg (2½ à 3 lb) de prunes noires, fermes et mûres, comme les Santa
Rosas, coupées en deux, dénoyautées et coupées en quartiers
120 ml (½ tasse) de raisins secs dorés
1 gros morceau de gingembre frais, d'environ 5 cm (2 po) de long, pelé et râpé
1 oignon blanc, de grosseur moyenne, haché
1 jalapeno, épépiné et coupé en bâtonnets
360 ml (1½ tasse) de sucre
180 ml (¾ tasse) de vinaigre de cidre
2 ml (½ c. à thé) de cannelle moulue
2 ml (½ c. à thé) de coriandre moulue
2 ml et un peu plus (½ c. à thé comble) de cari en poudre, de Madras de
préférence
1 pincée de sel
1 ml (¼ c. à thé) de piment de Cayenne, ou au goût
30 ml (2 c. à table) de gingembre confit, finement haché

1. Mélanger tous les ingrédients dans la mijoteuse, sauf le gingembre confit. À couvert, laisser cuire à intensité élevée de 4 à 4½ heures, le temps que le chutney atteigne une consistance semblable à une confiture.

2. Si nécessaire, enlever le couvercle et poursuivre la cuisson à intensité élevée pendant 30 minutes afin de faire évaporer l'excès de liquide et d'épaissir le mélange. Incorporer le gingembre confit.

3. Éteindre la mijoteuse et laisser le chutney tiédir à la température ambiante dans le pot de grès. Verser dans des pots de verre avec couvercle à charnière (ou utiliser des pots à vis et de nouveaux couvercles) ; au besoin, racler le fond de la mijoteuse à l'aide d'une spatule en caoutchouc. Couvrir et réserver au réfrigérateur pendant 2 semaines *avant* l'utilisation pour permettre aux saveurs de se mélanger. Le chutney se conservera au réfrigérateur pour une période de 2 mois. Servir froid ou à la température ambiante.

Chutney à la mangue et à l'ananas

es mangues ont déjà été considérées comme un fruit exotique et très particulier. Nous pouvions en trouver lors de nos voyages au Mexique, en Inde et en Amérique du Sud, où elles sont aussi communes qu'une pomme américaine. On les mange crues, après avoir enlevé la peau coriace pour parvenir à la chair juteuse, d'une couleur flamboyante, et elles cuisent également dans des préparations sucrées et salées. Maintenant, elles semblent être devenues un fruit commun qu'on trouve dans la plupart des supermarchés. L'ananas frais, un autre fruit tropical, est un must dans ce chutney à la saveur et à l'arôme exubérants. ◉ **Environ 720 ml (3 tasses)**

MIJOTEUSE : Moyenne ou grande, ronde
INTENSITÉ ET TEMPS DE CUISSON : ÉLEVÉE, de 4 à 4½ heures ; la cuisson se fait à découvert durant la dernière 1½ heure

1 gros ananas mûr, paré, pelé, les yeux enlevés, coupé en quartiers, puis en gros morceaux de 2,5 cm (1 po)
1 grosse mangue ferme et mûre, pelée, dénoyautée et grossièrement hachée
1 oignon blanc, de grosseur moyenne, haché menu
120 ml (½ tasse) de vinaigre de framboise
240 ml (1 tasse) de cassonade blonde, bien tassée
1 morceau de gingembre frais d'environ 5 cm (2 po) de long, pelé et râpé
Zeste râpé et jus de 1 lime
1 à 2 gousses d'ail, écrasées, au goût
1 jalapeno, la tige enlevée, épépiné et finement haché
1 bâton de cannelle de 10 cm (4 po)

1. Mélanger tous les ingrédients dans la mijoteuse. À couvert, laisser cuire à intensité élevée pendant 3 heures ou jusqu'à ce que le chutney atteigne la consistance d'une confiture.

2. Enlever le couvercle et poursuivre la cuisson à intensité élevée pendant 1½ heure afin de faire évaporer l'excès de liquide et d'épaissir le chutney.

3. Éteindre la mijoteuse et laisser le chutney tiédir à la température ambiante dans le pot de grès. Verser dans des pots de verre avec couvercle à charnière (ou utiliser des pots à vis et de nouveaux couvercles) ; au besoin, racler le fond de la mijoteuse à l'aide d'une spatule en caoutchouc. Couvert, le chutney peut se conserver jusqu'à 2 mois au réfrigérateur. Servir froid ou à la température ambiante.

Chutney à la mangue, à la lime et aux dattes

Voici un autre chutney à la mangue, mais avec une saveur et une texture différentes de notre Chutney à la mangue et à l'ananas (page 522) puisqu'il contient des dattes qui fondent dans le mélange chaud. Les mangues sont un fruit vénéré. Une légende indienne raconte qu'un riche propriétaire terrien a donné en cadeau un bosquet de manguiers au sage Bouddha afin que ce dernier et ses disciples puissent méditer à l'ombre des arbres luxuriants.

◎ Environ 840 ml (3½ tasses)

MIJOTEUSE : Moyenne ou grande, ronde
INTENSITÉ ET TEMPS DE CUISSON : ÉLEVÉE, de 4½ à 5 heures ; la cuisson se
    fait à découvert durant les 30 dernières minutes

3 à 4 grosses mangues mûres, pelées, dénoyautées et grossièrement
    hachées
227 g (8 oz) de dattes dénoyautées, hachées
360 ml (1½ tasse) de raisins secs noirs, ou un mélange de raisins secs dorés
    et de cerises séchées
1 gros morceau de gingembre frais, d'environ 7,5 cm (3 po) de long, pelé et
    râpé
1 gros oignon blanc, haché
2 limes coupées en dés, avec l'écorce
360 ml (1½ tasse) de vinaigre de cidre
360 ml (1½ tasse) de cassonade brune, bien tassée
180 ml (¾ tasse) de sucre granulé
10 ml (2 c. à thé) de graines de moutarde jaune

7 ml (1½ c. à thé) de cannelle moulue

5 ml (1 c. à thé) d'extrait de vanille

5 ml (1 c. à thé) d'assaisonnement au chile

5 ml (1 c. à thé) de coriandre moulue

5 ml (1 c. à thé) de piment de la Jamaïque moulu

2 ml (½ c. à thé) de curcuma

1 ml (¼ c. à thé) de muscade moulue

2 ml (½ c. à thé) de flocons de piment rouge

1. Mélanger tous les ingrédients dans la mijoteuse. À couvert, laisser cuire à intensité élevée de 4 à 4½ heures ou jusqu'à ce que le chutney atteigne une consistance semblable à de la confiture.

2. Si nécessaire, enlever le couvercle et poursuivre la cuisson à intensité élevée pendant 30 minutes afin de faire évaporer l'excès de liquide et d'épaissir le chutney.

3. Éteindre la mijoteuse et laisser le chutney tiédir à la température ambiante dans le pot de grès. Verser dans des pots de verre avec couvercle à charnière (ou utiliser des pots à vis et de nouveaux couvercles) ; au besoin, racler le fond de la mijoteuse à l'aide d'une spatule en caoutchouc. Couvert, le chutney peut se conserver jusqu'à 3 mois au réfrigérateur. Servir froid ou à la température ambiante.

Chutney aux pêches et aux abricots séchés

I l n'existe aucun condiment meilleur qu'un chutney fait avec des fruits à noyau. Ce chutney possède une magnifique saveur rafraîchissante rehaussée d'épices piquantes. C'est une variante du chutney aux nectarines fait par Narsai David, que nous avions l'habitude d'acheter. Lorsqu'il a disparu du marché, le temps était venu de faire le nôtre. Le chutney doit être épais, foncé, et à la fois piquant et sucré. Il se marie bien à la cuisine indienne, aux viandes cuites sur le barbecue, au porc, aux pâtés et au pain de viande. ● **Environ 1 l (4 tasses)**

MIJOTEUSE : Moyenne ou grande, ronde

INTENSITÉ ET TEMPS DE CUISSON : ÉLEVÉE, de 4½ à 5 heures ; la cuisson se fait à découvert durant les 30 dernières minutes

Environ 1,2 kg (2½ lb) de pêches fraîches, pas tout à fait mûres (6 ou 7), ou de tranches de pêche non sucrées, surgelées, puis dégelées

1 gros morceau le gingembre frais d'environ 7,5 cm (3 po) de long

360 ml (1½ tasse) d'abricots séchés, hachés

1 oignon blanc, de grosseur moyenne, coupé en dés

360 ml (1½ tasse) de vinaigre de cidre

360 ml (1½ tasse) de cassonade brune, bien tassée

10 ml (2 c. à thé) de gingembre moulu

10 ml (2 c. à thé) de coriandre moulue

2 ml (½ c. à thé) de cumin moulu

5 ml (1 c. à thé) de sel

1 pincée de flocons de piment rouge

120 ml (½ tasse) de raisins secs ou de cerises séchées

1. Peler les pêches en les plongeant dans une casserole d'eau bouillante pour en détacher la peau; les refroidir immédiatement en les passant sous l'eau froide. La peau glissera du fruit. Dénoyauter, puis couper grossièrement en gros morceaux. Transférer dans la mijoteuse. Peler le gingembre et le hacher finement pour obtenir environ 38 ml (2½ c. à table), selon que l'on souhaite le chutney plus ou moins relevé. Incorporer les abricots, l'oignon, le vinaigre, la cassonade, les épices, le sel et les flocons de piment dans la mijoteuse. À couvert, laisser cuire à intensité élevée de 4 à 4½ heures ou jusqu'à ce que le chutney atteigne une consistance de confiture. Ajouter les raisins secs vers la fin du temps de cuisson.

2. Enlever le couvercle et poursuivre la cuisson à intensité élevée pendant 30 minutes afin de faire évaporer l'excès de liquide et d'épaissir le chutney à la consistance désirée.

3. Éteindre la mijoteuse et laisser le chutney tiédir à la température ambiante dans le pot de grès. Verser dans des pots de verre avec couvercle à charnière (ou utiliser des pots à vis et de nouveaux couvercles); au besoin, racler le fond de la mijoteuse à l'aide d'une spatule en caoutchouc. Couvert, le chutney peut se conserver jusqu'à 3 mois au réfrigérateur. Servir froid ou à la température ambiante.

Chutney aux pommes et aux fruits séchés

U ne des secrétaires de rédaction les plus franches et douées de Beth était Sharon Silva. Elle a écrit, avec Frank Browning, un grand livre consacré uniquement aux pommes, intitulé *An Apple Harvest* (Ten Speed, 1999). Ses recettes sont sensationnelles. Voici le chutney aux pommes de Sharon, adapté pour la mijoteuse. C'est un merveilleux cadeau maison, qu'il est aussi bon de garder sous la main dans son propre réfrigérateur ● **Environ 840 ml (3½ tasses)**

MIJOTEUSE : Moyenne ou grande, ronde

INTENSITÉ ET TEMPS DE CUISSON : ÉLEVÉE, de 4 à 5 heures ; la cuisson se fait à découvert durant les 30 dernières minutes

5 grosses pommes Granny Smith, reinette, Fuji, ou d'autres pommes à cuire acidulées, pelées, étrognées et grossièrement hachées

120 ml (½ tasse) d'abricots séchés, hachés

120 ml (½ tasse) de poires séchées, hachées

120 ml (½ tasse) de pêches séchées, hachées

80 ml (⅓ tasse) de raisins secs dorés

1 morceau le gingembre frais d'environ 5 cm (2 po) de long, pelé et râpé

5 à 7 gousses d'ail, broyées, au goût

600 ml (2½ tasses) de sucre

300 ml (1¼ tasse) de vinaigre de vin blanc

7 ml (1½ c. à thé) de sel

2 à 5 ml (½ à 1 c. à thé) de piment de Cayenne, au goût

1. Mélanger tous les ingrédients dans la mijoteuse. À couvert, laisser cuire à intensité élevée de 4 à 4½ heures ou jusqu'à l'obtention d'une consistance semblable à la confiture.

2. Si nécessaire, enlever le couvercle et poursuivre la cuisson à intensité élevée pendant 30 minutes afin de faire évaporer l'excès de liquide et d'épaissir le chutney.

3. Éteindre la mijoteuse et laisser le chutney tiédir à la température ambiante dans le pot de grès. Verser dans des pots de verre avec couvercle à charnière (ou utiliser des pots à vis et de nouveaux couvercles) ; au besoin, racler le fond de la mijoteuse à l'aide d'une spatule en caoutchouc. Couvrir et réserver au réfrigérateur pendant 2 semaines *avant* l'utilisation pour permettre aux saveurs de se mélanger. Le chutney se conservera jusqu'à 2 mois au réfrigérateur. Servir froid ou à la température ambiante.

Chutney aux canneberges et aux pommes

haque année, durant le temps des fêtes, l'amie de Beth, Joan Briedenbach, fait des litres de ce chutney aux canneberges coloré qui a été conçu par la créative auteure culinaire, Peggy Fallon, afin de les offrir en cadeau. Servez ce chutney avec de la volaille ou du porc, comme préparation à tartiner dans les sandwichs ou comme condiment pour le fromage. ● **Environ 1 l (4 tasses)**

MIJOTEUSE : Moyenne, ronde

INTENSITÉ ET TEMPS DE CUISSON : FAIBLE, de 4½ à 5 heures ; la cuisson se fait à découvert durant les 30 dernières minutes

2 grosses échalotes françaises, pelées

Zeste de 1 grosse orange, prélevé en bandes sur le fruit à l'aide d'un petit couteau

1 sac de 340 g (12 oz) de canneberges fraîches, rincées et débarrassées des tiges

2 grosses pommes acidulées, comme Granny Smith, étrognées et hachées menu (avec ou sans la pelure)

360 ml (1½ tasse) de cassonade brune, bien tassée

120 ml (½ tasse) de raisins de Corinthe ou de raisins secs dorés, ou d'abricots séchés, hachés menu

1 morceau de gingembre frais d'environ 2,5 cm (1 po) de long, pelé et râpé

2 ml (½ c. à thé) de cari en poudre

1 ml (¼ c. à thé) de clou de girofle moulu

1 ml (¼ c. à thé) de piment de la Jamaïque moulu

80 ml (⅓ tasse) de vinaigre de cidre ou de vinaigre de framboise

80 ml (⅓ tasse) d'amandes en julienne (57 g ou 2 oz), dorées dans un four à 160 °C (325 °F) et hachées

1. Hacher grossièrement les échalotes et le zeste d'orange au robot culinaire.

2. Mélanger tous les ingrédients dans la mijoteuse, sauf les amandes. À couvert, laisser cuire à faible intensité de 4 à 4½ heures ou jusqu'à ce que le chutney atteigne une consistance de confiture.

3. Si nécessaire, enlever le couvercle et poursuivre la cuisson à faible intensité pendant 30 minutes afin de faire évaporer l'excès de liquide et d'épaissir le chutney.

4. Incorporer les amandes. Éteindre la mijoteuse et laisser le chutney tiédir à la température ambiante dans le pot de grès. Verser dans des pots de verre avec couvercle

à charnière (ou utiliser des pots à vis et de nouveaux couvercles) ; au besoin, racler le fond de la mijoteuse à l'aide d'une spatule en caoutchouc. Couvert, le chutney peut se conserver jusqu'à 6 semaines au réfrigérateur. Servir froid ou à la température ambiante.

Compote de canneberges au gingembre

L a mère de Beth a obtenu cette recette, que nous avons adaptée pour la mijoteuse, de son antiquaire, Alan, qui est une source constante d'inspiration dans la cuisine. Alan cuisine tous les jours et prépare toujours quelque chose de créatif et de fabuleux. Vous pouvez ajouter le gingembre confit à la fin de la cuisson ou pendant celle-ci, où il fondra dans la compote. Servez ce condiment avec toutes sortes de viandes rôties, comme la volaille, la longe de porc et le jambon. **◉ Environ 540 ml (2¼ tasses)**

MIJOTEUSE : Moyenne, ronde
INTENSITÉ ET TEMPS DE CUISSON : ÉLEVÉE, de 2 à 2½ heures

1 gros morceau de gingembre frais d'environ 12,5 cm (5 po) de long
1 sac de 340 g (12 oz) de canneberges fraîches, rincées et débarrassées
  des tiges
240 ml (1 tasse) de sucre
60 ml (¼ tasse) d'eau
Zeste râpé et jus de 1 grosse orange
0,5 ml (⅛ c. à thé) de clou de girofle moulu
120 ml (½ tasse) de noix, hachées
60 ml (¼ tasse) de gingembre confit, haché (facultatif)

1. Peler et râper grossièrement le gingembre. Presser le gingembre râpé dans le poing pour extirper autant de jus que possible dans la mijoteuse. Jeter la pulpe.

2. Garder deux tiers des canneberges entières et hacher les autres. Transférer toutes les baies dans la mijoteuse. Ajouter le sucre, l'eau, le zeste et le jus d'orange et le clou de girofle. À couvert, laisser cuire à intensité élevée de 2 à 2½ heures ; les canneberges entières auront éclaté.

3. Pendant que le contenu est toujours chaud, incorporer les noix et le gingembre confit. Éteindre la mijoteuse, enlever le couvercle et laisser la compote tiédir à la

température ambiante dans le pot de grès. Verser dans des pots de verre avec couvercle à charnière (ou utiliser des pots à vis et de nouveaux couvercles) ; au besoin, racler le fond de la mijoteuse à l'aide d'une spatule en caoutchouc. Couverte, la compote peut se conserver jusqu'à 3 semaines au réfrigérateur. La servir froide ou à la température ambiante.

Purée de canneberges à la mijoteuse

Les canneberges appartiennent à la même famille botanique que les bleuets, les rhododendrons et la bruyère. Les canneberges fraîches arrivent dans les magasins à l'automne et peuvent être congelées dans leur emballage original pour utilisation au printemps et à l'été. Utiliser les canneberges fraîches dans les deux semaines suivant l'achat afin qu'elles ne se transforment pas en bouillie ou deviennent desséchées. Si vous utilisez des canneberges congelées, ne les dégelez pas, mais ajoutez de 30 à 45 minutes au temps de cuisson dans la mijoteuse. Essayez le zeste de lime : il donne une saveur exquise avec les canneberges. ● **Environ 480 ml (2 tasses)**

MIJOTEUSE : Moyenne, ronde
INTENSITÉ ET TEMPS DE CUISSON : ÉLEVÉE, de 2 à 2½ heures

1 sac de 340 g (12 oz) de canneberges fraîches ou congelées, rincées et
    débarrassées de leurs tiges
240 ml (1 tasse) de sucre
120 ml (½ tasse) d'eau
Zeste râpé de 1 orange ou lime

1. Mélanger les canneberges, le sucre et l'eau dans la mijoteuse. À couvert, laisser cuire à intensité élevée de 2 à 2½ heures ; les canneberges auront éclaté.

2. Incorporer le zeste dans la purée chaude. Éteindre la mijoteuse, enlever le couvercle et laisser tiédir à la température ambiante dans le pot de grès. Verser dans des pots de verre avec couvercle à charnière (ou utiliser des pots à vis et de nouveaux couvercles) ; au besoin, racler le fond de la mijoteuse à l'aide d'une spatule en caoutchouc. Couverte, la purée peut se conserver jusqu'à 3 semaines au réfrigérateur. La servir froide ou à la température ambiante.

Purée de canneberges au vin rouge et à l'orange

L e vin rouge intensifie et complète la saveur des canneberges. Cette purée accompagne bien tous les types de volaille. ● **Environ 720 ml (3 tasses)**

MIJOTEUSE : Moyenne, ronde

INTENSITÉ ET TEMPS DE CUISSON : ÉLEVÉE, de 2 à 2½ heures

1 sac de 340 g (12 oz) de canneberges fraîches, rincées et débarrassées de
    leurs tiges

360 ml (1½ tasse) de sucre

240 ml (1 tasse) de vin rouge sec, comme un cabernet sauvignon

1 bâton de cannelle

Zeste râpé de 1 orange, et le fruit coupé en deux

4 clous de girofle

1. Mélanger les canneberges, le sucre, le vin, la cannelle et le zeste dans la mijoteuse. Piquer chaque moitié d'orange avec 2 clous de girofle, puis les plonger dans la mijoteuse. À couvert, laisser cuire à intensité élevée de 2 à 2½ heures ou jusqu'à ce que les baies aient éclaté.

2. Jeter le bâton de cannelle et les morceaux d'orange. Éteindre la mijoteuse, enlever le couvercle et laisser tiédir à la température ambiante dans le pot de grès. Verser dans des pots de verre avec couvercle à charnière (ou utiliser des pots à vis et de nouveaux couvercles) ; au besoin, racler le fond de la mijoteuse à l'aide d'une spatule en caoutchouc. Couverte, la purée peut se conserver jusqu'à 1 semaine au réfrigérateur. La servir froide ou à la température ambiante.

Mincemeat nouveau genre, aux pommes et aux poires

C e plat est une tradition des fêtes des deux côtés de l'Atlantique : vous aimez le mincemeat ou vous le détestez. Ceux qui l'aiment attendent toute l'année ces fruits cuits dans un fort mélange d'épices et mouillés d'alcool. Le mincemeat a la réputation d'être un aliment insipide, mais les versions commerciales fabriquées à grande échelle ne ressemblent en rien au produit maison. Les mincemeats varient grandement — les Anglais préfèrent les versions sans viande, alors que les Français et les Américains aiment bien les mincemeats faits avec de la surlonge de bœuf ou du corned-beef. Les premiers Américains ont utilisé le lapin ou d'autres gibiers, comme les venaisons. Voici notre version, sans viande ni suif, qui est tout aussi bonne. La cuisson est lente pour permettre à toutes les saveurs de se mêler. Cette recette donne assez de mincemeat pour garnir 2 tartes à double croûte. **◉ Environ 2 l (8 tasses), assez pour garnir 2 tartes épaisses**

MIJOTEUSE : Grande, ronde

INTENSITÉ ET TEMPS DE CUISSON : ÉLEVÉE, de 3½ à 4½ heures ; la cuisson se
  fait à découvert durant les 2 à 3 dernières heures

3 grosses pommes, pelées, étrognées et râpées gros

3 poires Bosc fermes, pelées, étrognées et râpées gros

480 ml (2 tasses) de jus de poire ou de pomme

113 g (4 oz) de pommes séchées, hachées

240 ml (1 tasse) de raisins secs dorés

240 ml (1 tasse) de raisins de Corinthe

180 ml (¾ tasse) de raisins secs noirs

180 ml (¾ tasse) de canneberges séchées

180 ml (¾ tasse) d'abricots séchés, hachés

180 ml (¾ tasse) d'écorce d'orange confite, hachée menu

240 ml (1 tasse) de cassonade brune, bien tassée

60 ml (¼ tasse) de xérès sec

60 ml (¼ tasse) de brandy

60 ml (¼ tasse) de vinaigre de cidre

120 ml (½ tasse ou 1 bâtonnet) de beurre non salé

5 ml (1 c. à thé) de cannelle moulue

5 ml (1 c. à thé) de piment de la Jamaïque moulu

5 ml (1 c. à thé) de muscade moulue

5 ml (1 c. à thé) de macis moulu

5 ml (1 c. à thé) de clou de girofle moulu

1 pincée de sel

1 grosse orange, coupée en deux

60 ml (¼ tasse) de brandy pour recouvrir le mincemeat dans les pots

1. Mélanger tous les ingrédients dans la mijoteuse, sauf l'orange et le brandy, qui est destiné à recouvrir le mincemeat. Réduire l'orange entière au robot culinaire, pour hacher le fruit et l'écorce. Transférer dans la mijoteuse. Remuer les ingrédients

pour bien mélanger. À couvert, laisser cuire le mincemeat à intensité élevée pendant 1½ heure, le temps que le mélange soit à pleine ébullition.

2. Enlever le couvercle et, en brassant à quelques reprises, poursuivre la cuisson à intensité élevée de 2 à 3 heures ou jusqu'à ce que les fruits soient tendres et que le mélange ait épaissi considérablement.

3. Verser le mincemeat chaud dans deux pots Mason de 1 l (4 tasses), propres et chauds, ou dans un bol avec couvercle. Laisser refroidir complètement. Verser 30 ml (2 c. à table) de brandy dans chaque pot ou verser toute la quantité dans le bol pour recouvrir le mincemeat. Couvrir et réfrigérer toute la nuit, voire 1 semaine, pour permettre aux saveurs de se mélanger. Le mincemeat se conserve jusqu'à 6 mois au réfrigérateur. Servir froid, sorti directement du réfrigérateur.

Raisins rouges sucrés et épicés

L'ami de Beth, Robert Lambert, produit de façon artisanale une gamme de fruits en conserve qu'il vend chez Dean et Deluca et dans d'autres boutiques gastronomiques. Beth s'est extasiée lorsqu'elle a goûté une des spécialités de Robert, des raisins macérés dans un sirop sucré, vinaigré et vineux. Ils sont si délicieux! Voici une version simple qui recrée ces merveilleux globes. Nous savons que le fait d'enlever les raisins de la tige et de les couper en deux pour les épépiner représente un peu de travail, mais assurez-vous de le faire. Il est plus commode de prendre les plus gros raisins rouges sans pépins que vous puissiez trouver. Les Red Flames, qui sont des raisins tokay, sont connus pour leur beauté et apparaissent à l'automne. Assurez-vous de prendre un vinaigre de vin rouge fin, comme celui à base de zinfandel ou de cabernet. Entreposés dans 2 pots Mason d'un demi-litre (2 tasses), ces raisins se conserveront pendant des semaines au réfrigérateur. Servez-les comme un condiment avec de la volaille, du gibier ou des viandes. ◉ **Environ 1 l (4 tasses)**

MIJOTEUSE : Moyenne, ronde
INTENSITÉ ET TEMPS DE CUISSON : ÉLEVÉE, de 45 minutes à 1 heure ;
      puis FAIBLE pour environ 1½ heure ; les raisins sont ajoutés avant les
      30 dernières minutes de cuisson

1 morceau de gingembre frais d'environ 1,5 cm (½ po) de longueur, tranché
1 petit morceau de muscade fraîche

1 bâton de cannelle de 10 cm (4 po), cassé en deux

1 ml (¼ c. à thé) de clous de girofle entiers

120 ml (½ tasse) de vinaigre de vin rouge fin, comme celui à base de
zinfandel ou de cabernet

120 ml (½ tasse) de vin rouge fruité, comme un merlot, un chianti ou un
zinfandel

360 ml (1½ tasse) de sucre

1 kg (2 lb) de raisins rouges, sans pépins, lavés, séchés, équeutés et
coupés en deux

1. Mettre le gingembre, la muscade, la cannelle et les clous de girofle dans un morceau d'étamine et nouer ce dernier. Transférer dans la mijoteuse. Ajouter le vinaigre, le vin et le sucre. À couvert, laisser cuire à intensité élevée de 45 minutes à 1 heure pour porter à ébullition et dissoudre le sucre.

2. Remuer, puis couvrir. Régler la mijoteuse à faible intensité et poursuivre la cuisson pendant 1 heure.

3. Jeter le sac d'épices. Ajouter les raisins dans la mijoteuse, couvrir de nouveau et poursuivre la cuisson à faible intensité de 20 à 30 minutes. Le liquide doit simplement frémir et réchauffer les raisins de part en part. Les raisins ne doivent pas cuire et perdre leur peau.

4. Éteindre la mijoteuse, enlever le couvercle et laisser les raisins tiédir à la température ambiante dans le pot de grès. Verser les raisins dans des pots propres en verre. Couverts, les raisins peuvent se conserver jusqu'à 5 semaines au réfrigérateur. Les servir froids ou à la température ambiante.

Confit de tomates vertes

Cette recette est un croisement entre un mincemeat et un condiment comme le chutney ou la purée de canneberges. Les tomates vertes sont tout simplement des tomates qui ne sont pas mûres, souvent celles qui se trouvent encore sur le plant à la fin de la saison au moment vous êtes prêt à les enlever en prévision du premier gel meurtrier. La recette est adaptée de celle créée par Stephen Durfee, qui a été maître pâtissier pendant des années au célèbre restaurant français French Laundry. Stephen préparait un gâteau de farine de maïs et une glace au sucre d'érable, et servait ce confit en accompagnement. Nous l'aimons aussi avec le quatre-quarts et de la glace à la vanille. Il est même bon sur du pain grillé tartiné de fromage cottage ou pour accompagner la volaille ou encore le porc. Beaucoup de gens ne se donnent pas la peine de peler les tomates, mais cette opération donne un confit plus lisse. ● **Environ 720 ml (3 tasses)**

MIJOTEUSE : Moyenne, ronde

INTENSITÉ ET TEMPS DE CUISSON : ÉLEVÉE, de 3½ à 4 heures ; la cuisson se fait à découvert durant la dernière heure

6 tomates vertes et dures, de grosseur moyenne (peu importe si elles ont quelques taches rouges)

2 grosses pommes, pelées, étrognées et hachées

360 ml (1½ tasse) de cassonade blonde, bien tassée

120 ml (½ tasse) d'eau

1 bâton de cannelle

1 morceau de gingembre frais d'environ 2,5 cm (1 po) de longueur, pelé et légèrement écrasé

Zeste râpé et jus de 2 oranges

Zeste râpé et jus de 2 citrons

Zeste râpé et jus de 2 limes

120 ml (½ tasse) de raisins secs dorés

120 ml (½ tasse) d'abricots séchés ou de pêches séchées, hachés

30 ml (2 c. à table) de vinaigre de xérès

1. Déposer les tomates sur une plaque de cuisson et en faire noircir la peau en les plaçant à quelques centimètres (pouces) sous l'élément du grilloir. Cette opération peut aussi se faire sur un gril au gaz. Peler la peau des tomates sous l'eau froide courante, puis les couper en deux et les presser pour en extraire le maximum de graines. Couper les tomates en dés et les transférer dans la mijoteuse. Ajouter le reste des ingrédients, sauf le vinaigre. Bien mélanger. À couvert, laisser cuire à intensité élevée de 2½ à 3 heures.

2. Enlever le couvercle et, en brassant à quelques reprises, poursuivre la cuisson à intensité élevée pendant environ 1 heure ou jusqu'à ce que les fruits soient tendres et translucides et que le mélange ait épaissi à la consistance désirée. Pour une consistance plus souple, comme celle d'une compote de pommes, omettre l'étape de la cuisson à découvert.

3. Jeter le bâton de cannelle et le gingembre. Incorporer le vinaigre. Transvider le confit dans un pot Mason de 1 l (4 tasses), propre et chaud, ou dans un bol avec couvercle. Laisser refroidir complètement. Couvrir et réfrigérer jusqu'à 1 semaine. Servir froid ou à la température ambiante.

Ketchup facile

C e condiment acidulé se fait en claquant des doigts avec une purée de tomates en conserve. Cette méthode représente une amélioration importante et elle vous évite de passer la journée à peler laborieusement des tomates, qui finalement réduisent pour donner moins d'un litre. Nous ne faisons que juste assez de ketchup pour remplir un pot de verre avec couvercle à charnière, pour les besoins immédiats, sans se donner le mal de préparer des conserves. Les marques du commerce existantes ne peuvent se comparer à votre propre ketchup. Pensez à préparer un pain de viande ou un pâté de viande en croûte le soir où vous ferez ce ketchup, qui est délicieux servi chaud. ☉ **Environ 780 ml (3¼ tasses)**

MIJOTEUSE : Moyenne, ronde
INTENSITÉ ET TEMPS DE CUISSON : ÉLEVÉE, de 2½ à 3½ heures ; la cuisson se
     fait à découvert durant les 30 dernières minutes à 1 heure

1 boîte de 796 ml (28 oz) de purée de tomates
1 petit oignon jaune, haché
1 échalote française, de grosseur moyenne, grossièrement hachée
120 ml (½ tasse) de vinaigre de cidre
60 ml (¼ tasse) de cassonade, blonde ou brune, bien tassée
2 ml (½ c. à thé) de moutarde sèche, comme la Coleman's
1 ml (¼ c. à thé) de piment de la Jamaïque moulu
1 ml (¼ c. à thé) de cannelle moulue
1 ml (¼ c. à thé) de macis moulu
1 ml (¼ c. à thé) de gingembre moulu
1 ml (¼ c. à thé) de clou de girofle moulu
1 ml (¼ c. à thé) de flocons de poivron rouge moulus
Sel de mer, au goût
Poivre noir du moulin (quelques tours)

1. Dans un robot culinaire, réduire la purée de tomates, l'oignon et l'échalote jusqu'à l'obtention d'une consistance lisse. Ajouter le vinaigre, la cassonade, la moutarde, le piment de la Jamaïque, la cannelle, le macis, le gingembre, le clou de girofle et les flocons de piment. Réduire le tout par touches successives. Transférer le mélange de tomates dans la mijoteuse. À couvert, en brassant de temps à autre, laisser cuire à intensité élevée de 2 à 2½ heures.

2. Enlever le couvercle et, en brassant à quelques reprises, poursuivre la cuisson du ketchup à intensité élevée de 30 minutes à 1 heure ou jusqu'à ce que le mélange ait

épaissi à la consistance désirée. Il faut que le mélange tienne dans la cuillère avant de tomber. Saler et poivrer.

3. Éteindre la mijoteuse et laisser le ketchup tiédir à la température ambiante dans le pot de grès. Verser dans des pots de verre avec couvercle à charnière (ou utiliser des pots à vis et de nouveaux couvercles) ; au besoin, racler le fond de la mijoteuse à l'aide d'une spatule en caoutchouc. Servir chaud, à la température ambiante, ou froid. Couvert, le ketchup peut se conserver jusqu'à 2 mois au réfrigérateur.

Fabricants de mijoteuses

Applica (Windmere)
800 557-9463
www.applicainc.com

Corningware
www.worldkitchen.com

General Electric
877 207-0923
www.gehousewares.com

Hamilton Beach (Proctor-Silex)
800 851-8900
www.hamiltonbeach.com

Rival
800 557-4825
www.crockpot.com

Westbend
800 821-8821
www.westbend.com

Index

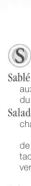